Claudine Mulard
juin 2012

COLLECTION FOLIO

Pierre Assouline

Hergé

Édition revue et corrigée par l'auteur

Gallimard

Pierre Assouline est journaliste et écrivain. Il est l'auteur d'une vingtaine de livres, des biographies, notamment du collectionneur Moïse de Camondo et du photographe Henri Cartier-Bresson, ainsi que des romans *La cliente, Double vie, État limite, Lutetia, Le Portrait, Les invités*.

À vous trois.

« Si je vous disais que dans *Tintin*,
j'ai mis toute ma vie... »

Hergé, 1982.

On a tellement identifié Hergé à Tintin que lorsqu'il arrivait dans une réception, c'était comme si la comtesse de Ségur faisait son entrée dans un goûter d'enfants. L'aérienne sérénité, l'évidente sympathie et le doux magnétisme émanant de sa présence faisaient oublier que le personnage se profilant derrière son créateur émergeait, lui, d'un univers de papier. Autant l'avouer d'entrée de jeu : jusqu'à ce que j'entreprenne cette recherche, j'étais également victime de cette superposition pour avoir eu, comme tant d'autres, mon enfance et mon adolescence conditionnées par la lecture passionnée des albums d'Hergé et du journal *Tintin*. On mesure encore mal — et comment le pourrait-on ? — l'impact qu'a eu cette œuvre sur l'imaginaire de plusieurs générations d'Européens. Pour s'en faire une idée, il suffit de méditer cet éclatant paradoxe en vertu duquel nombre de gens de toutes conditions assurent être étrangers à l'univers de la bande dessinée et demeurer réfractaires à la lecture des albums. Non sans préciser *in fine* : « Sauf Tintin ! »

La première fois que j'ai envisagé Georges Remi alias Hergé sous l'angle de la biographie, ce fut à la suite d'une conversation à bâtons rompus avec mon ami André Versaille, éditeur à Bruxelles. En une soirée, il avait su instiller dans mon esprit le doute sur la vraie personnalité de ce créateur de génie. Le ver était dans le fruit. Grâces lui en soient rendues.

Quelque temps après, à l'issue d'un « Bouillon de culture », alors que le public et les participants prolongeaient l'émission en coulisses autour d'un verre, je captai dans mon dos une bribe de conversation entre des invités venus de Wallonie : « ... Vous comprenez, ce sont nos deux monstres sacrés... mais s'ils sont tous deux admirés, Hergé, lui, en plus, est aimé... Non, vraiment, s'il appliquait à Hergé le même traitement qu'à Simenon, les Belges ne le permettraient pas... » Tiens donc, et pourquoi ? La psychologie du journaliste qui sommeille en nombre de biographes est telle qu'il n'en faut guère plus pour exciter leur curiosité.

Le mois suivant, alors que je me trouvais dans une librairie de Bruxelles, un vieux monsieur très digne me tendit un livre à dédicacer puis me dit : « Puis-je vous suggérer de consacrer votre prochain ouvrage à Hergé ? Cela me ferait plaisir. Ce n'est pas que je sois un inconditionnel. Mais outre que le sujet me paraît prodigieusement intéressant, en évoquant sa vie, vous raconterez mon pays au XXe siècle. Et comme celui-ci est appelé à disparaître très bientôt, il est juste temps... »

Ce jour-là, je compris qu'Hergé était la Belgique faite homme. Sa statue était à peine ébréchée parce qu'il demeurait l'un des derniers grands mythes fédérateurs pour ses compatriotes déjà nostalgiques de leur future-ex-nation[1].

Enfin lorsque peu après, Philippe Goddin me proposa au nom de la Fondation Hergé de mettre ses archives à ma disposition pour écrire une biographie de la même facture que celle de Simenon, je n'hésitai plus. Les gardiens de ce temple jouissent en effet d'une telle réputation de secret que leur encouragement avait valeur de sésame. Je les prévins aussitôt de l'esprit qui m'animait : la fascination critique pour un homme et une œuvre... la volonté de tout savoir... la liberté de tout écrire... le rejet de tout contrôle... C'était d'autant plus indispensable que j'avais bien l'intention, cette fois encore, d'éplucher systématiquement les dizaines de milliers de lettres inédites constituant la correspondance privée et professionnelle d'Hergé.

Par la volonté de Fanny Rodwell, l'aide de la Fondation Hergé me fut acquise sans réserve ni contrepartie. Comme si ses responsables avaient jugé que le moment était venu de crever l'abcès, de ne plus laisser planer le doute sur telle période obscure de sa vie, de dissiper le malentendu sur l'origine de telle partie de son œuvre. Tout au long de mes recherches, ils ne me ménagèrent jamais leur soutien. Ils s'étaient convaincus que l'exposé rigoureux et la révélation la plus neutre de ces fameuses vérités-qui-ne-sont-pas-bonnes-à-dire valaient décidément mieux que l'insinuation, l'allusion et le soupçon permanent.

De quoi s'agit-il ? De la guerre, bien sûr. Mais

aussi du racisme, du colonialisme et de la misogynie que l'on m'a ressortis tout au long de mon enquête. Comme s'il s'agissait de cadavres dans le placard. Il n'était pas plus question de les contourner que d'en faire l'objet unique de ce livre. À force de focaliser l'intérêt du public sur les aspects les plus spectaculaires d'une biographie, on en oublie les lignes de force. Jusqu'à en perdre de vue parfois ce qui la justifiait à l'origine : l'œuvre. Car si Tintin n'avait pas existé sans Hergé, Hergé ne serait rien sans Tintin. Quitte à ce que, confrontée à l'Histoire immédiate, la créature aille plus vite que le créateur et l'entraîne dans son évolution. Aujourd'hui, on peut légitimement parler du « siècle de Tintin » pour désigner le vingtième. Mais Hergé ?

Ils sont indissociables car ils se doivent tout. C'est moins évident qu'il y paraît : pour ne citer que lui, Georges Simenon a eu une autre vie d'écrivain, bien plus riche même, sans le concours du commissaire Maigret qui a pourtant assuré sa célébrité.

S'il est un cas dans lequel s'illustre la notion d'œuvre-vie, c'est bien celui d'Hergé. Mais gardons-nous de découper celle-ci en autant de chapitres qu'il y eut d'albums. Même si l'ensemble de la série forme le plus cohérent des romans d'apprentissage. Dans toute vie, ce sont les points de rupture qui comptent. Rien n'est passionnant comme de guetter les rares moments où un homme passe la ligne. Ils sont exceptionnels par leur intensité. Les gens ont alors le sentiment que leur destinée s'arrête, bascule et repart. Généralement, on ne distingue ces instants-charnières que bien plus tard, avec le recul. Car comme disent les

Chinois, le poisson est le plus mal placé pour juger de l'existence de l'eau. Il y eut quatre points de rupture dans la vie de Georges Remi et, partant, dans l'œuvre d'Hergé. Quatre moments clefs qui correspondent à quatre dates : 1927, 1934, 1945, 1960. Que s'est-il passé ? Des rencontres décisives (l'abbé Wallez, Germaine, Tchang, Fanny), des accès de maturité (l'entrée en journalisme), des échecs et de cruelles désillusions (l'épuration), des situations insurmontables (la dépression), des albums qui comptent plus que d'autres (*Le Lotus bleu* et *Tintin au Tibet*, une tache rouge et une tache blanche)...

Autant d'épreuves, autant d'étapes.

Si la personnalité de Tintin paraît lisse, univoque et positive, celle de son *deus ex machina*, sous ce même masque, est en réalité complexe, contradictoire, indéchiffrable. On ne se méfie jamais assez d'un créateur d'exception qui, après avoir traversé le siècle non sans bouleverser son art, influencé durablement ses pairs et marqué ses contemporains, déclare très naturellement :

« N'exagérons rien... Je me suis contenté de dessiner de petits bonshommes, voilà tout... »

Au-delà de la coquetterie et de la fausse modestie, une telle attitude révèle surtout une totale impuissance à expliquer comment on en est arrivé là : une famille de papier qui a fait le tour du monde, des millions d'albums vendus dans des dizaines de langues depuis quelques décennies et ça dure, ça dure... Lecteurs de biographies, nous poursuivons tous une impossible chimère : découvrir les sources du génie créateur et les mettre à nu à défaut de pouvoir les expliquer. Ce n'est pas parce que le but est hors d'atteinte qu'il ne faut pas y tendre. Le secret d'une œuvre n'est pas dans le récit d'une vie, mais elles s'éclairent mutuellement.

Les aventures de Tintin et de ses amis ne représentent pas seulement un univers avec son histoire et sa géographie, une société avec ses codes et ses rituels. Elles constituent aussi un langage international et c'est là leur grande victoire. Je dirais même plus : leur grande victoire ! Combien d'auteurs peuvent-ils s'enorgueillir d'avoir ainsi affecté notre imaginaire au point de modifier nos réflexes et nos références quotidiennes ?

Rarement une œuvre aura été aussi abondamment commentée, des images aussi désossées, des phrases aussi disséquées. On ne se souvient pas que d'autres albums de bandes dessinées aient suscité autant de livres, d'articles et de thèses universitaires. Leur érudition et leur sérieux sont d'autant plus saisissants qu'ils s'appliquent à un héros qui a 16 ans pendant un demi-siècle, à un chien qui parle et à un monde dominé par l'absurde, le non-sens et le comique. Certains de ces ouvrages, notamment ceux consacrés à l'analyse graphique et artistique, sont d'une acuité et d'une intelligence critiques qui les rendent indispensables. D'autres, malgré leurs efforts méritoires pour obscurcir la « ligne claire », n'ont pas réussi à en étouffer la poésie — ce qui témoigne de la force et de l'autonomie de l'œuvre d'Hergé. Une grande partie de cette production n'en a que pour le canon tintinesque, le tropisme haddockien, le corpus hergéen, la gémellité dupontdienne et autres gracieusetés dont quelques-unes sont carrément castafoireuses. Elle nous renseigne plus sur ses auteurs que sur Hergé, mais qu'importe. Le biographe aura toujours le sentiment de n'avoir pas perdu son temps s'il ne conserve qu'un paragraphe après avoir lu un ouvrage de huit cents pages. Il en est de même des correspondances et des témoignages : une phrase piquée dans la masse, une parole isolée dans le flot, c'est déjà une pépite pour le chercheur d'or qui sommeille en chaque enquêteur.

Je n'ai jamais rencontré Georges Remi. Cela ne m'a pas manqué. Sa vérité est dans ses dessins et ses lettres, dans les hésitations en marge des planches et dans les doutes au dos des notes. Au soir de son existence, il ne m'aurait probablement rien appris. La relation de son œuvre-vie était déjà construite et reconstruite par ses soins. À la fin, il avait tout aplani, même les entretiens qu'il avait accordés à Numa Sadoul en 1971. Regrettant de s'être laissé aller devant son micro, d'avoir été lui-même et sans entraves, il s'autocensura sévèrement. Il en résulta des Mémoires passionnants mais aseptisés. Le présent livre, qui se réfère en permanence au tapuscrit original de ces entretiens avant correction, illustre bien la distance qui sépare l'autobiographie de la biographie.

Comme de juste, Hergé était le plus mal placé pour parler de son œuvre-vie. Quand on lui demandait comment un livre pour enfants pouvait être également un livre pour adultes, il répondait généralement par une pirouette pleine d'humour, assortie d'une généralité se concluant par un slogan à l'adresse des jeunes de 7 à 77 ans...

C'est le propre des grands hommes d'être dépassés par ce qu'ils nous ont donné. Pour le meilleur et pour le pire.

I

CERTITUDES

1

La vie en gris

1907-1925

S'il est vrai qu'on est de son enfance comme on est d'un pays, celui de Georges Remi n'a pas de drapeau ni de frontières, mais une couleur : le gris. Aussi loin qu'il s'en souvienne, ces années-là sont celles de la grisaille. Plus encore que sous un signe zodiacal (Gémeaux) auquel il attachera plus tard une grande importance, c'est d'abord sous l'empire de cette couleur dominante qu'il est né et qu'il a grandi.

22 mai 1907, à 7 h 30. Ce jour-là en Belgique, il ne se passe pas grand-chose si ce n'est une naissance de plus à Etterbeek, une commune de l'agglomération bruxelloise. Alexis Remi est employé dans une maison de confection pour enfants. Élisabeth Remi née Dufour est femme au foyer. Ils ont 24 et 25 ans. Georges est leur premier enfant. Le second, Paul, viendra dans cinq ans. Le père étant absent au moment de l'accouchement, c'est le Dr Schovaers qui signe l'acte de naissance. Deux formalités, dirait-on. Tout comme le baptême le 9 juin, en l'église de la paroisse. Catholiques, mais non dévots.

On est ainsi chez les Remi. Pas vraiment

expansifs. L'affection est bien là, mais sans étincelle. Il en est de même pour les origines. On est fiers, mais sans ostentation. Si on est belge, on sent bien que c'est par hasard. Georges, qui est de père wallon et de mère flamande, pourrait ajouter « Et vice versa ! » comme le fait le peintre surréaliste Marcel Mariën. En fait, il se considérera toute sa vie comme un « Belge synthétique », un pur produit de cette troisième région qu'est le creuset bruxellois. Pour être incontestablement francophone, il n'en est pas moins marqué par la joviale sonorité du marollien. Sa grand-mère maternelle use en permanence de ce sabir franco-flamand d'un quartier populaire de Bruxelles, situé en contrebas du Palais de justice. Georges a 5 ans quand le député socialiste de Charleroi Jules Destrée publie dans le journal de sa ville sa fameuse lettre au roi assurant qu'il n'y a pas de Belges mais uniquement des Wallons et des Flamands. Une apologie patriotique de la Belgique unitaire, certes, et dans le respect des deux communautés qui la composent, soit, mais dans laquelle le français demeure la langue de l'élite et le flamand le dialecte du peuple. Ce qui ne signifie pas pour autant que les Wallons usaient du flamand.

Dans la famille de Georges, tout est moyen : le cadre, les lieux, les gens. Même les tartines de beurre et de chocolat râpé sont d'un goût médiocre. Il n'y a rien à en tirer tant c'est incolore et inodore, sans saveur et sans intérêt. On ne peut même pas en dire du mal tant c'est insignifiant. Chez les Remi, il n'y a personne à admirer, pas de livres à lire, pas de pièce de théâtre à laquelle assister, aucune discussion à laquelle participer. La musique, peut-être ? Il y a un jour pour ça : le dimanche. Et un lieu pour ça : le kiosque du parc de Bruxelles face au palais royal. Car la musique est militaire.

À croire qu'il n'y a jamais ni haut ni bas dans cette famille modeste qui vit à l'étroit, au propre et au figuré. Pas de crises ni de scènes, le père et la mère étant également discrets. Rien à se dire. Parents et enfants vivent côte à côte plutôt qu'ensemble. On s'aime mais il n'y a pas d'échange qui manifeste cet amour d'une manière ou d'une autre. On n'est ni heureux, ni malheureux. On est là[1].

Le pays de son enfance est uniformément gris, plat et monotone. Mais pour être sans mystère, les Remi ne sont pas sans secrets. Cette famille n'en a qu'un, mais il prend toute la place. Son spectre les domine. À croire que l'absolue discrétion qu'il commande est à l'origine de leur laconisme en toutes choses. S'il est des enfants qui naissent de père inconnu, Georges Remi, lui, semble ne s'être jamais remis d'être né de grand-père inconnu. Depuis qu'il est en âge de réfléchir, il sait qu'il ne doit plus interroger ses parents sur l'identité de l'aïeul côté paternel. On n'en parle pas, voilà tout.

« Ton grand-père ? C'est quelqu'un qui passait par là... », lui dit-on pour se débarrasser. Quand il insiste trop, on lui concède rarement :

« Si tu savais, ça pourrait te monter à la tête... »

Longtemps après, au soir de sa vie, Hergé ressortira la même phrase mot pour mot à Marie-Louise, sa cousine germaine, pour dissiper sa curiosité. Il dira souvent à certains de ses collaborateurs que sa famille était originaire de Chaumont-Gistoux. Sans plus de précision [2]. C'est peu dire que le sujet est tabou. Cela ne dissimule pourtant pas un crime mais, pis encore, une faute. Il mettra des années à élucider ce mystère. En contemplant le portrait de sa grand-mère paternelle, il ne manquera pas de s'interroger sur la nature du secret dissimulé derrière son beau regard triste.

En 1882, Marie Dewigne quitte le domicile familial d'Uccle pour s'installer à Anderlecht et y cacher sa honte. Cette année-là, elle accouche de deux jumeaux, Léon et Alexis. Nés de père inconnu, selon la formule en usage. La jeune fille mère avait été jusque-là femme de chambre au service de la comtesse Hélène Errembault de Dudzeele (1849-1900). Le comte est, par la deuxième branche, le descendant de Louis Errembault, président du Conseil de Flandre et acquéreur en 1664 du fief de Dudzeele. La famille fut titrée un siècle après par Marie-Thérèse, impératrice d'Autriche.

C'est au sein de leur domaine de Chaumont-Gistoux dans le Brabant wallon, non loin de Bruxelles, que les deux jumeaux sont élevés. Avec les propres filles des maîtres des lieux, Germaine et Valentine (laquelle épousera le comte Sforza, ministre italien des Affaires étrangères). La comtesse les éduque comme si c'étaient ses enfants. Tous les jeudis, impeccablement habillés, les deux petits garçons quittent le château en calèche avec leur protectrice pour rendre visite à la pâtisserie de la ville.

Dans les dernières années du siècle, Marie Dewigne épouse Philippe Remi, un ouvrierimprimeur. Il est nettement plus jeune qu'elle. C'est un mariage blanc. Mais les enfants ayant été reconnus, ils porteront son nom et c'est le principal[3].

Pourtant, dès que les deux adolescents auront grandi et qu'ils quitteront le château escortés de leur légende, ceux-qui-savent murmureront souvent sur leur passage :

« Soyez respectueux quand vous leur parlez, ils viennent d'une très grande famille... »

Tout cela pour dire que leur vrai père était un habitué du château. Le mystère ayant la faculté de dissimuler aussi bien des choses considérables que le néant absolu, on les dotera pendant quelque temps d'origines tout simplement royales. Après tout, l'entreprenant Léopold II, un ami de la famille, venait souvent à Chaumont-Gistoux. Puis, on leur attribuera plus raisonnablement des origines aristocratiques. Le maître des lieux, le comte Gaston Errembault de Dudzeele (1847-1929), un diplomate de carrière, n'était pas tout le temps en voyage[4].

Dans son coin, le petit Georges observe. C'est son passe-temps favori. Quand il a fini d'observer, il imite. Mais à chaque fois qu'il se plaît à faire le mime, sa mère le réprimande. Pourtant, personne ne regarde. Il n'empêche :

« Ne fais pas le singe[5] ! »

Alors l'adolescent se renferme sur lui-même et rejoint sa famille de papier, là-haut au grenier, dans la malle aux livres. De cette intime fréquentation, il conservera la passion et l'admiration non pour des auteurs et leur œuvre, mais pour certains romans et autant de personnages. Ce n'est pas tant Mark Twain ou Robert Stevenson, Charles Dickens ou Jerome K. Jerome ou encore Daniel Defoe qui le marquent mais bien plus durablement les situations et les héros de *Huckleberry Finn* et de *L'Île au trésor*, ceux des *Aventures de M. Pickwick*, de *Trois Hommes dans un bateau* et de *Robinson Crusoé*.

Les Français n'occupent pas une place de choix dans ce panthéon, mais ils y gardent tout de même leur rang : *Le Général Dourakine*, souvent redécouvert avec passion en raison du dépaysement que sa lecture procure au jeune Bruxellois, *Vingt Ans après* et *Le Vicomte de Bragelonne* qui ne laissent pas de l'impressionner, sans oublier le *Sans famille* d'Hector Malot qui occupe une place à part dans l'imaginaire du petit-fils... Mais à 13 ans, il a déjà assez de sens critique pour rejeter *Vingt Mille Lieues sous les mers* qu'il juge invraisemblable, dénué de crédibilité, de tout vécu même. Cette expérience décevante l'empêchera d'aller voir trop loin dans l'œuvre de Jules Verne.

L'exploration de la malle ne révèle pas que l'influence de grands romans devenus mythiques pour plusieurs générations. Les « textes à images » y ont leur place, et pour cause ! Son premier choc artistique, il le doit au trait si sûr de Benjamin Rabier, dont les illustrations des fables de La Fontaine l'émerveillent, notamment celles de *Le Corbeau et le Renard* reproduites au dos de cartes postales[6].

Octobre 1914. Depuis quelques semaines, la Belgique est occupée par les Allemands. Foulé aux pieds, le traité de 1831 que la Prusse avait signé et qui garantissait sa neutralité. Retirée sur l'Yser, l'armée belge livre une grande bataille destinée à arrêter la course de l'envahisseur vers la mer. Deux hommes incarnent la résistance de tout un peuple qui, dès le début, ne plie ni ne rompt : Albert Ier « le roi-soldat », qui a choisi de demeurer parmi son peuple dans l'épreuve sans se priver pour autant de la faculté de négocier avec l'ennemi ; et le cardinal Mercier, archevêque de Malines, qui encourage l'insoumission. Il ne reste plus à l'occupant qu'à attiser la vieille querelle linguistique entre francophones et néerlandophones pour tenter de récupérer quelques-uns des plus extrémistes dirigeants flamands.

Les Remi sont pris d'une frénésie de déménagement, sans rapport avec les événements. Ils habitent désormais rue de Theux. Georges quitte donc l'Athénée de la chaussée de Wavre à Ixelles pour une autre école communale, dans le même quartier. En un an, il a juste eu le temps de se faire bien voir : 905 points sur 1 000, classé 3e sur 25 élèves, 40 sur 50 en dessin[7].

Un chic type doublé d'un bon élève. L'image perdurera. Sauf à la maison. Ses parents n'ont trouvé que deux moyens de calmer cet adolescent turbulent jusqu'à en devenir insupportable : lui administrer une fessée ou lui donner un crayon et du papier pour dessiner. Au restaurant, il noircit des ronds de bocks pour tromper l'ennui. Très tôt, ce ne sont plus seulement des gribouillages ni même des silhouettes isolées et correctement reproduites, mais quelque chose de construit avec un esprit de suite. Le petit Georges, qui se plaît à dessiner des croquis partout et sans cesse, aime avant tout, de son propre aveu, se raconter des histoires en les dessinant[8]. Des histoires en images, généralement inspirées par la guerre et l'occupation allemande.

Ses cahiers d'écolier présentent une curieuse physionomie. Les trois quarts supérieurs des pages sont d'un élève studieux, appliqué et pas vraiment rebelle à l'enseignement des maîtres. Mais le quart inférieur est l'aire de liberté d'un créateur en herbe, bourré d'imagination, qui y consigne ses histoires dessinées pour ne pas les oublier. Elles sont d'autant plus modernes dans leur élaboration que le texte accompagnant ces feuilletons en images ne figure pas toujours en légende mais parfois dans un ballon rattaché à la bouche des personnages. En ce temps-là, ça ne se fait pas. Même si la « littérature en estampes » de Töpffer le pionnier appartient résolument à l'autre siècle, *Bécassine* paraît depuis 1905 dans *La Semaine de Suzette* en privilégiant encore le texte sous l'image.

Si Georges et ses parents se parlent peu, c'est encore par le dessin qu'ils communiquent le mieux. Du moins est-ce ainsi, par ce truchement si particulier, qu'Hergé se souviendra avoir saisi ce qui le rapprochait et ce qui le distinguait de son père. Un jour, alors que l'un et l'autre s'employaient de concert à dessiner des avions, le père leur donna une légèreté de libellule tandis que le fils leur fit porter sur les épaules tout le poids de l'industrie aéronautique. De là à en déduire que l'un était un idéaliste et l'autre un réaliste, il n'y eut qu'un pas aussitôt franchi par l'adolescent. Dans le même esprit, celui-ci prit la mesure de la relativité de toutes choses quand il entreprit de dessiner une grande fresque d'une bataille de la guerre de 1870 :

« À ton avis, papa, dans les combats, les Français sont à droite et les Prussiens à gauche ou le contraire ?

— Tout dépend du point de vue où l'on se place[9]. »

En effet... On n'est pas plus sage ni moins directif.

À la communale, son professeur de dessin M. Stoffijn, dit Fine-Poussière, et pour cause : son nom signifiait « poussière fine » en flamand, lui donne un sujet de concours qui ne l'inspire guère : un iris et une grille en fer forgé. Il fait avec et obtient moins de la moyenne. Sa déception est d'autant plus vive qu'il passe auprès de ses condisciples pour un dessinateur doué, en tout cas plus qu'eux. En 1919, au lendemain de la signature de l'armistice, alors que la Belgique martyre adhère à la Société des Nations et signe un accord militaire avec la France, Georges exécute au tableau une vaste fresque patriotique en couleurs figurant des soldats allemands anéantis par des soldats belges. Cette fois, Fine-Poussière est ému. L'euphorie de la victoire n'est pas étrangère à son indulgence :

« Remi, je vais revoir vos dessins de concours. »

Rien n'y fait. Georges a toujours moins de la moyenne[10]. Dans ces moments-là, il n'a guère que deux moyens de s'évader : les films et les scouts.

Le cinéma est la grande distraction que sa mère lui autorise. C'est d'ailleurs elle qui l'emmène dans les salles obscures. À 12 ans, en

1919, il est un peu tard pour apprécier *Maudite soit la guerre !*, l'épopée lyrique du pacifiste Alfred Machin. Georges préférerait certainement voir un film tout aussi révolutionnaire mais dans un genre différent, *Gertie le dinosaure*, le dessin animé de dix minutes que le génial Winsor McCay a lui-même composé avec dix mille dessins distincts. Dix mille... En attendant, il se délecte aux projections de films à sketches de Charlie Chaplin, de Harry Langdon et de Buster Keaton dont les qualités de burlesque le frappent plus profondément qu'aucun livre. C'est probablement là qu'il a la révélation qui dominera la structure interne de son œuvre future : l'invention du gag. Mis en images et en musique par des artistes si doués, cet éloge de l'humour en mouvement est, plus encore qu'une technique, un art en soi...

Si ce n'est au cinéma, c'est donc chez les scouts de Belgique qu'il s'épanouit. Neutres, c'est-à-dire laïques. D'aucuns les appellent « les scouts sans Dieu » du même ton distant avec lequel ils désignent « l'école sans Dieu ». Pour Georges, ça ne dure pas, bien qu'il s'y sente à son aise.

En 1920, un an après avoir fait sa communion solennelle en l'église Sainte-Gertrude d'Etterbeek, il entre à Saint-Boniface et intègre les scouts de l'institution religieuse. Le patron de son père est le grand responsable de cette évolution. Catholique pratiquant, il a ardemment poussé Alexis Remi à faire le bon choix pour son fils. C'est lui qui a tout organisé. Adieu les laïcs ! Et tant pis si Georges éprouve un sentiment de trahison en quittant les Scouts de Belgique pour les Scouts catholiques. Pour l'entourage, ce sont des gamineries.

Saint-Boniface est un collège archiépiscopal. Cela signifie que les maîtres y sont d'abord des abbés. Ils sont responsables du cycle des études secondaires qu'on appelle les humanités, latines ou modernes, c'est selon.

Septembre 1920. La Belgique, exsangue et épuisée, s'est lancée dans la reconstruction. Quatre ans d'occupation lui ont coûté 70 000 morts et des milliards de francs de dommages matériels. L'Allemagne paiera, dit-on.

Georges Remi fait sa première rentrée dans l'établissement, en 5ᵉ Moderne. Aux yeux des anciens, il apparaît comme un garçon sérieux et gai à la fois, gentil et malin, plus éclectique que la moyenne des élèves, également passionné par l'histoire et la géographie, d'autant que le responsable de cette discipline, l'abbé Pirotte, est aussi celui qui assure avec les moyens du bord les projections de films un après-midi par semaine. Mais ce qui le distingue d'emblée de ses condisciples, de leur propre aveu, c'est sa manie : il « crayonne » partout et tout le temps, sur ses propres livres et cahiers, ou sur des bouts de papier. Il dessine ce qui lui passe par la tête quand il ne « décalque » pas la leçon du professeur. Ainsi, lorsque l'abbé Raty raconte l'épopée d'Hannibal, des éléphants lancés à l'assaut des montagnes surgissent aussitôt sous la plume de Georges. Quand l'abbé Pharsazyn choisit du Dickens pour l'exercice de traduction, il ne peut s'empêcher de croquer des personnages inspirés par *David Copperfield*[11].

Des paysages et des croquis, des silhouettes et des portraits... Il est indiscutablement doué. Déjà, c'est enlevé. Il y a le mouvement. L'essentiel est donc là, et plus seulement en germe. Manque le savoir-faire et la technique, toutes choses qui s'acquièrent avec l'expérience. Ça viendra. Ses nouveaux amis n'en doutent pas puisque nombre d'entre eux ont déjà le réflexe de conserver précieusement ses dessins. Pour l'avenir, sait-on jamais...

Georges demeure un brillant élève jusqu'à l'achèvement de ses humanités. Chaque fin d'année scolaire est couronnée par l'attribution du prix d'excellence. En juillet 1925, il clôt ses études secondaires à la première place avec un total de 83,07 sur 100. Paradoxalement, c'est en classe de dessin qu'il fait le moins d'étincelles si l'on en juge par sa note : à peine 34 sur 50. Devenu célèbre, il en tirera argument pour se présenter rétrospectivement comme un élève moyen sinon médiocre dans cette matière de prédilection. En réalité, les limites scolaires de la discipline sont déjà trop étroites pour son talent. L'abbé Proost le sait mieux que quiconque. Quand il fait dessiner ses élèves avec une sorte de pistolet, Georges renonce tant l'appareil lui paraît être d'un maniement trop compliqué. Cela lui coûte des points puisque la règle est la même pour tous[12].

Plus tard, en 1re Moderne, quand l'abbé Proost annonce qu'exceptionnellement le prix de dessin ne sera pas décerné cette année-là, les condisciples de Georges, solidaires, ne dissimulent pas leur déception. Le professeur l'a remarqué, qui les rassure aussitôt :

« Bien sûr, Remi mérite mieux ! Mais il fallait dessiner des épures, des prismes et autres objets avec ombre portée... Chez ce garçon, un autre dessin est inné ! Ne vous en faites pas, on en reparlera[13]... »

Certains n'attendent pas que la prophétie se réalise. Pour la fête de l'aumônier Helsen, ils le chargent, suprême honneur, de la décoration ainsi que de la réalisation d'un grand dessin. Il faut dire que le héros du jour n'est autre que l'abbé à l'origine de la création, en 1919, de la troupe scoute de Saint-Boniface. Ceci explique cela. Car désormais pour Georges Remi, la philosophie du scoutisme est l'alpha et l'oméga de sa propre morale. Elle nivelle les différences jusqu'à faire oublier provisoirement aux élèves que certains ont choisi les humanités latines contre les humanités modernes. Elle est le plus sûr facteur d'intégration à l'institution. Ceux de Saint-Boniface sont fiers de leur double allégeance, d'élève et de scout. Ils ne conçoivent pas que l'une aille sans l'autre.

La netteté de son allure, sa détermination en toutes choses, son attitude très correcte en maintes circonstances et sa compétence en technique scoute font de Georges Remi un camarade vite apprécié. Nommé chef de patrouille des Écureuils après avoir appartenu à celle des Aigles, il est baptisé du totem « Renard curieux ». Cette intense activité parascolaire le fait voyager dans des camps d'été en Italie, Suisse, Autriche, Espagne. Jusqu'à cette expérience de juillet-août 1923, inoubliable car éprouvante tant pour le moral que pour le physique : quelque 300 km à pied à travers les Pyrénées en passant par Lourdes.

Le scoutisme à Saint-Boniface, c'est aussi l'occasion de faire le clown, au sens propre. En fin d'études, la troupe ayant monté deux équipes — « Les Macchabées » et « Les Gargouilles » à laquelle Georges participe —, il a tout loisir d'improviser des gags, de s'adapter aux situations les plus abracadabrantes et de manifester son sens du comique, d'autant que la fine équipe est vite sollicitée pour animer des fêtes[14].

De cet épisode, il lui reste un idéal pour la vie, un système de valeurs d'autant plus efficace qu'il ne se présente pas comme tel, une manière de voir le monde, une attitude en société. Au-delà de la bonne humeur et de la débrouillardise, du goût du camping et de l'amour de la nature, ses années de scoutisme demeureront en lui comme l'école de la rigueur morale. La seule à enseigner l'amitié comme une vertu naturelle et la générosité comme un geste quotidien. La seule encore à souligner l'importance de la parole donnée et la fidélité qui lui est due. La seule enfin qui lui ait permis de voyager, de se faire de nouveaux amis pour la vie et de quitter une atmosphère familiale qui menaçait de l'étouffer par son insignifiance et sa force d'inertie. Cette mythologie du grand air et de la camaraderie donne à sa vie la couleur qui lui faisait défaut.

Plus que l'école, la vraie, celle de Saint-Boniface, la troupe scoute lui permet également de sauter le pas et de publier ses premiers dessins.

Il s'appelle René Weverbergh. Ce scout-master

est la première personne qui ait cru suffisamment dans le talent du jeune Georges Remi pour lui donner sa chance. D'abord dans le *Jamais assez,* le journal de la troupe de Saint-Boniface. Puis les responsabilités du dynamique Weverbergh l'entraînant à collaborer au *Boy-Scout,* l'organe de la fédération, il y fait entrer son ami Georges. Dès 1922, le n° 5 publie un dessin signé « G. Remi ». Il n'est pas encore question de feuilleton ou de bandes dessinées. Les pages du *Boy-Scout,* qui ne tarde pas à devenir le *Boy-Scout belge,* servent de laboratoire. Georges fait ses gammes, gâche du plâtre dans tous les registres où son crayon peut prendre des risques. Cette revue mensuelle restera dans sa mémoire le lieu privilégié de ses grandes premières. Car c'est dans ses pages qu'il publie non seulement son premier dessin humoristique en une case, mais aussi son premier dessin de couverture, sa première planche, sa première illustration pour un conte, sa première histoire complète...

Moins de deux ans après, « G. Remi » s'efface. De G. Remi en Jérémie, de Jérémie en jérémiades, il a tout entendu. De toute manière, un artiste bien né se doit d'avoir un pseudonyme. Ses initiales (G.R.) ne l'inspirant guère, il les abandonne après les avoir utilisées, les renverse et trouve Hergé (R.G.). Et c'est naturellement dans *Le Boy-Scout* qu'en décembre 1924, il use pour la première fois de cette signature. Outre les dessins qu'il réalise régulièrement pour des rubriques telles que « En patrouille », « Le coin des louveteaux » ou « Trucs et ficelles », il y présente sa première vraie bande dessinée, *Les Aventures de Totor C.P. des hannetons*. Elle s'ouvre sur le départ du héros, chef de patrouille chez les scouts, parti rejoindre son oncle au Texas. Le trait est encore gauche, inachevé, incomplet, mais le mouvement, le rythme et surtout l'humour (« Rolmopcity »...) sont déjà là. Le texte, long de trois à cinq lignes, figure en légende de l'image. Son humour ne va pas tarder à lui apparaître redondant avec celui des dessins.

Pour l'instant, la plus folle audace consiste à introduire exceptionnellement une bulle dans la vignette. Le dessinateur y recourt non par goût ou par une quelconque attirance pour cette manière peu usitée, mais uniquement lorsque sa technique traditionnelle s'avère impuissante à reproduire sa pensée. Un point d'exclamation exprime la stupeur du personnage, un point d'interrogation manifeste sa perplexité, des onomatopées soulignent une atmosphère toute à la ferveur (« Hip ! Hip ! Hip ! Hurrah »), une interjection empruntée à Archimède traduit le jaillissement d'une idée (« Eurêka ! »), d'autres évoquent les conséquences d'une action (« Pan ! », « Aie ! »), ou même un vrai morceau de dialogue (« Hands up ! »).

Une histoire d'esprit évidemment très scout qui est déjà en maints aspects une préfiguration de Tintin... Georges Remi n'est pas mort, vive Hergé !

Puisqu'il veut dessiner, il dessinera. Mais s'ils ne veulent pas un instant contrarier son instinct profond, ses parents n'imaginent pas qu'on puisse être un artiste sans apprendre à le devenir. Georges Remi, qui est déjà Hergé pour quelques-uns, quitte donc l'école pour l'École, l'excellence en humanités modernes pour le perfectionnement en arts graphiques, et Saint-Boniface pour Saint-Luc.

Le premier soir suffit à lui faire prendre la mesure du malentendu. Il entend faire du modèle vivant alors qu'on lui demande de reproduire fidèlement un chapiteau corinthien en plâtre. Entre lui et eux, il y a plus qu'un fossé. Un monde. Car le modèle vivant, c'est le nu. Pour les catholiques bien-pensants de Saint-Luc, autant dire Satan, Belzébuth et compagnie[15]. Il est l'élève, ils sont les maîtres, il s'exécute. Une fois, une seule. Car pour la première fois depuis qu'il s'adonne à sa passion, il s'ennuie. C'est impardonnable.

En tout et pour tout, cet autodidacte de génie n'aura passé qu'une soirée à subir un enseignement académique. Désormais, il est mûr pour devenir ce qu'il est.

2

Chef de patrouille au Vingtième Siècle

1925-1929

Que faire ? Dessiner, bien sûr. Mais pour l'instant, à la fin des années vingt, Georges Remi ne songe pas à la bande dessinée, pas encore. Louis Forton, qui vient de lancer *Bibi Fricotin* dans *Le Petit Illustré*, ne l'inspire pas. Alain Saint-Ogan non plus, qui publie les aventures de *Zig et Puce* dans *Dimanche-Illustré*. Hergé, lui, se rêve plutôt affichiste. Ou encore graphiste dans la publicité. Un métier d'avenir, sans aucun doute. Et, *a priori*, nettement plus lucratif.

En fait, le dessin en soi lui paraît assez secondaire. Il préfère prendre grand soin de la typographie et de la composition. Sa précision, sa minutie et sa rigueur naturelles font de lui un homme de caractère. Georges ne tardera pas à exprimer son admiration pour le graphiste suisse Léo Marfurt, pour le Français René Vincent, un dessinateur de mode dont l'élégance très « Arts déco » assure la renommée, et pour l'affichiste Cassandre qui a stylisé « L'Étoile du Nord », « Le Nord Express » et « La Route bleue ».

Cela révèle une inclination à défaut d'une vocation, mais ne procure pas un métier ni un salaire à un jeune homme de 18 ans. René Weverbergh joue à nouveau les bons génies. Devenu journaliste au *Vingtième Siècle*, l'ancien chef de troupe n'a de cesse d'y précipiter l'engagement de « Renard curieux », fût-ce par la petite porte. À l'automne 1925, c'est chose faite. Par la toute petite porte puisque l'artiste qui éblouissait ses condisciples à Saint-Boniface se retrouve employé au service des abonnements.

C'est un faux départ, mais qu'importe. Il a le pied à l'étrier puisqu'il est dans la place. Au mauvais étage, mais dans la place. Plusieurs mois après, en août 1926, il devance l'appel sous les drapeaux pour y accomplir son devoir de citoyen au 1er régiment de chasseurs à pied. Soldat, caporal, sergent... Une autre manière d'être scout. Mais d'avoir un fusil dans une main ne l'empêche pas de tenir un crayon dans l'autre.

À son retour, le 22 août 1927, Georges est réintégré au *Vingtième Siècle* mais en qualité de reporter-photographe et dessinateur. Sa lettre d'engagement, valable pour les trois années à venir minimum, stipule qu'il réalisera des prises de vue, des travaux de laboratoire et des illustrations tant pour la rédaction que pour la publicité. Le cas échéant, il devra également travailler à la photogravure. Les conditions d'embauche sont claires : 600 francs par mois, une carte de libre parcours en chemin de fer, des notes de frais et l'interdiction absolue de travailler pour un autre journal[1].

Cette fois est la bonne.

Un gros immeuble à l'angle du 11, boulevard Bisschoffsheim, une belle artère dans un quartier chic de la ville. Tous les Bruxellois connaissent cette adresse, celle du siège du *Vingtième Siècle*. Plus qu'un journal, c'est un milieu. Pour les industriels et les spéculateurs, c'est le grand quotidien politique et financier. Pour la bourgeoisie conservatrice, le grand organe catholique de doctrine et d'information. Pour Georges Remi, 20 ans, rien derrière et rien devant, *Le Vingtième Siècle* représente la chance de sa vie.

Catholique, Georges l'est par naissance, par habitude et par conformisme. Pour ce journal-là, à ce moment-là, dans ce pays-là, il convient de l'être d'une manière ou d'une autre. Dans la Belgique de la fin des années vingt, trois familles d'esprit occupent le paysage politique : les libéraux, les socialistes et les catholiques. Plus les deux premières marquent leur anticléricalisme, plus la troisième se sent pousser des ailes. Encore faut-il savoir que « catholique » recouvre à la fois l'adhésion à une foi religieuse et l'appartenance à un parti politique. Cette foi constitue le seul vrai lien ancestral entre les populations francophone et néerlandophone. *Le Vingtième Siècle* se dit d'ailleurs favorable à un rapprochement permanent entre les deux grandes communautés linguistiques de la Belgique. Il entend surtout défendre un point de vue catholique et national, même si sa devise *(Pax christi in regno Christi)* fait l'impasse sur sa dimension nationaliste. On n'y est pas seulement hostile aux communistes, aux Juifs et aux francs-maçons, tant cela va de soi. Imprégné d'un catholicisme social bien peu tempéré, le journal distille une idéologie subrepticement critique vis-à-vis de tout ce qui relève de la politique, de l'argent-roi, du machinisme et plus généralement du modernisme.

Au *Vingtième Siècle*, on peut éventuellement rater une information de politique étrangère, interchanger la place des colonnes, ou laisser passer des fautes d'orthographe et des coquilles car l'erreur est humaine. Mais il est hors de question d'imprimer quoi que ce soit relatif aux mœurs, aux usages et aux coutumes, qui ait été condamné par les évêques. Ainsi, dans les pages du *Vingtième Siècle*, l'humanité souffrante ne se suicide pas. Jamais. Le cas échéant, il s'agit d'un « décès inopiné ». Et si un notable conservateur a un enfant naturel ou adultérin, le scandale fait les choux gras de l'autre presse tandis que pour la rédaction, la naissance n'a simplement jamais eu lieu[2].

Le patron veille. Et cet homme-là n'a pas besoin de taper du poing sur la table pour se faire obéir ou forcer le respect tant ses troupes subissent son empire. C'est la seule personne dont Georges Remi dira jusqu'à la fin de sa vie :

« Je lui dois tout. »

Jamais il ne faiblira dans sa reconnaissance de dette. Jamais il ne faillira dans le témoignage de sa fidélité. Il demeurera à ses côtés avec la même ferveur, dans le succès comme dans l'opprobre. La haute figure de celui qu'il appelle simplement « l'abbé », comme s'il n'y en avait jamais eu qu'un dans toute la Belgique, domine les autres. Autant dire que Norbert Wallez est une des principales clefs permettant d'accéder à l'univers intérieur d'Hergé.

45 ans, la taille haute, le coffre puissant, l'allure pittoresque, l'abbé Wallez est une personnalité tonitruante. En d'autres temps, il eût été moine-ligueur. Ce fils de riches agriculteurs de la région d'Ath semble ne rien faire dans la nuance. On a du mal à le qualifier simplement de patriote, nationaliste, conservateur, homme de campagnes d'opinion, antisémite, anticommuniste, pourfendeur de la démocratie parlementaire, ennemi déclaré des francs-maçons qui le lui rendent bien, sans préciser qu'il est « ultra » en toutes choses. Question de tempérament, sans doute La virulence est chez ce bretteur une seconde nature, même si elle est souvent atténuée par l'éclat de rire et la jovialité. Son agressivité de polémiste est redoutée. Mais derrière les excès, la sincérité ne laisse aucun doute, y compris pour ceux de l'autre camp. Il est de ces rares individus qui ont le don de faire bouger les choses et les gens, de bousculer l'histoire et les événements. Le charisme et la force de caractère ne sont pas de trop pour celui qui cherche avant tout à convaincre et à l'emporter. Un si bouillant personnage ne saurait être moins que controversé. C'est son honneur. Ses adversaires — et il n'en manque pas ! — le présentent soit comme « un rustique Wallon, vaniteux coq de village[3] », soit comme « un fasciste de la pire espèce ».

Le substantif revient d'autant plus souvent que Wallez le revendique haut et fort, du moins à ses débuts. Avec le temps, il en sera différemment, surtout après la guerre. Hergé lui-même préférera le qualifier de « fascistisant[4] », ce qui est bien le moins quand on connaît les idées de l'abbé.

Le virus du journalisme lui était venu avant-guerre à *La Métropole*, alors qu'il était professeur. En écrivant pour le grand quotidien catholique conservateur d'Anvers, cet ancien élève des jésuites avait été gagné par l'esprit de plume. Engagé volontaire, brancardier côté anglais, il avait repris son enseignement au lendemain de l'armistice, au séminaire de Bonne-Espérance et à l'École supérieure commerciale et consulaire de Mons. C'est là qu'en 1924, le cardinal Mercier vint le chercher pour le placer à la tête du *Vingtième Siècle*. Héritant d'une feuille démocrate-chrétienne moribonde, l'abbé Wallez le transforma rapidement en un vrai journal de combat à gros tirage, parrainé par de puissants industriels[5]. Avec méthode, avec audace, avec brio. Et avec une idéologie que le Duce n'aurait pas désavouée.

Influencé par l'Action française et par les principes du nationalisme intégral prônés par Charles Maurras, il a été antidreyfusard comme la majorité de l'opinion catholique. Mais avec plus de ferveur que d'autres. Son passage chez les jésuites et par l'Université catholique de Louvain explique pour beaucoup son imprégnation maurrassienne.

Son *Vingtième Siècle*, administré par l'aile conservatrice du Parti catholique, entretient depuis les origines des liens privilégiés avec l'hebdomadaire *La Revue catholique des idées et des faits*. Souvent même, ils se partagent des rédacteurs tant ils sont à l'unisson dans le registre de l'intransigeance politique, du corporatisme et de la critique de la démocratie. Pour l'un comme pour l'autre, il n'est de nationalisme que catholique[6]. Mais si sous la plume de l'abbé Wallez l'unité de la Belgique n'est pas une formule gratuite, elle ne lui permet guère de se distinguer. L'accession au pouvoir de Benito Mussolini lui donne l'occasion de prendre ses distances.

Au début, il manifeste sa solidarité au Parti populaire catholique malmené par les nouveaux maîtres de l'Italie. Mais dès 1923, alors que le Duce lance ses premières réformes dans l'enseignement et fait placer des crucifix dans les écoles et les administrations, Wallez entraîne son journal dans la propagande sans mesure des idées du nouveau régime. Autant *La Revue catholique des idées et des faits* de l'abbé Van den Hout abonde dans le même sens tout en prévenant qu'elle se battra contre l'avènement d'un fascisme belge nécessairement païen, autant *Le Vingtième Siècle* est moins regardant, moins prudent.

À l'automne 1923, un an après la marche sur Rome des « chemises noires » qui a conduit Mussolini au pouvoir, l'abbé Wallez effectue un voyage d'études en Italie. C'est peu dire qu'il en revient enthousiaste. D'autant qu'il a pu recueillir une interview du Duce. Jamais il ne se remettra de cette rencontre, l'un des grands moments de sa vie. Nombre de ses écrits ultérieurs comportent une allusion directe ou contournée à cet instant historique, bientôt prolongé par un portrait dédicacé du Duce : « À Norbert Wallez, amico dell'Italia et del fascismo, con simpatia di camerita, 1924[7]. » Qu'importe si ce nationaliste exalté a dû aller chercher à l'étranger les grands hommes qui font défaut à son pays. Sous sa plume, pour une fois plus lyrique que pamphlétaire, la nouvelle Italie est « la championne du catholicisme, la plus sublime des religions[8] ». À ses yeux, elle incarne avant tout un régime d'ordre, fort et autoritaire, le seul capable de débarrasser l'Europe de la démocratie. Désormais, pour le bouillant directeur de journal, il ne fait guère de doute que Maurras est le prophète et Mussolini le bras justicier du combat antimoderne qu'il a tant appelé de ses vœux. Même si, tout à sa louange des aspects les plus spectaculaires et donc les plus superficiels du nouveau régime, il n'en perçoit pas le caractère également révolutionnaire[9].

Cette cécité, qui s'étend alors dans les milieux ultracatholiques belges, propage l'idée fausse d'une sorte de « fascisme platonique[10] ». L'abbé Wallez s'en fait le héraut, obsédé par sa dénonciation du parlementarisme, de ses basses œuvres et de ses méfaits, dont les métèques, Juifs et francs-maçons sont les principaux artisans. Il a de grandes idées pour son pays. Son livre *Belgique et Rhénanie* exprime la quintessence de sa philosophie politique, au-delà de la séduction mussolinienne. Dénonçant le « mauvais traité de Versailles », il en attribue les fautes à « la haute finance internationale », coupable d'avoir prélevé des profits grâce à sa position de fournisseur des belligérants. Dans cette logique, les prétendues erreurs politiques du traité entre la France et ses Alliés (lequel consacre le rattachement des districts d'Eupen et de Malmédy à la Belgique) ne correspondent en fait qu'à « de monstrueux calculs d'agiotage ». Et de dénoncer les grands responsables, ces mystérieuses personnes, ces despotes, ces gredins et ces scélérats avant de les identifier enfin sous un seul nom : « Israël ». Autrement dit les Juifs, plus particulièrement ceux qui, depuis le krach de la Bourse de Berlin à la fin de 1912, tiennent le commerce mondial des métaux. L'abbé Wallez consacre une bonne partie de son livre à une diatribe antisémite classique sous la plume des polémistes d'extrême droite, vouant aux gémonies notamment les financiers de la City. Enfin, dans la pure tradition germanophobe de la vieille droite belge, il exalte le nationalisme rhénan catholique, vitupérant la Prusse hérétique et militante et appelant de ses vœux une fédération belgo-rhénane[11]...

Un meneur d'hommes de cet acabit ne peut avoir que des partisans ou des détracteurs. Plus porté vers l'activisme politique que sur l'exercice du culte (« Il bâclait sa messe en un quart d'heure ! » selon l'un de ses collaborateurs[12]), peu prisé des religieux, il est adulé par ses journalistes. Ils ne veulent lui connaître qu'un seul vice : son goût immodéré pour les bonbons. Intelligent et cultivé, d'une érudition sans cesse renouvelée, énergique jusqu'à en être brutal, farceur et fort en gueule, ce Tournaisien résolument wallon (comme son nom l'indique) est aussi un jouisseur.

Voilà l'homme qui va bouleverser le destin d'Hergé.

Il aurait l'âge d'être son père, celui que Georges Remi considère déjà comme son père spirituel. Premier de ses sectateurs, celui-ci lui voue une admiration sans mélange. Norbert Wallez devient pour le jeune homme le professeur d'énergie qui lui a manqué et lui donne ce supplément d'émulation qui lui permet de se dépasser, d'autant que dès le début, il le pousse à toucher à tout. Dessinateur frénétique, Hergé est déjà un brillant dilettante. Mais Wallez incite ce garçon plutôt introverti à s'ouvrir aux autres, à lire davantage, à se cultiver.

Le jeune homme se sait porté à composer. Il attribue ce réflexe à son tempérament de Gémeaux. Or, avec un tel modèle, il a le sentiment de tendre en permanence vers la recherche d'une perfection, vers la meilleure attitude à adopter quelles que soient les circonstances. En fait, quand sa nature l'incline trop naturellement à se laisser tirer vers le bas, il sait gré à l'abbé Wallez de lui donner une certaine hauteur de vue. Comme si celui-ci l'avait aidé à faire le choix, entre les vérités qui l'abaissent et les illusions qui l'élèvent, entre un réalisme trop terre à terre et une utopie plus féconde.

L'influence de « l'abbé » est incontestable. Mais elle ne s'exerce pas sur le plan religieux, ni même strictement politique. Elle s'étend en profondeur, par sa dimension morale et intellectuelle. Wallez l'aide à prendre conscience de ses capacités. Il met de la couleur dans sa vie. Grâce à lui, Georges Remi se méprise moins. Il s'accepte d'autant mieux que son manque d'ambition et la médiocrité d'une éducation qui auraient dû le mener droit à une carrière d'employé de banque appartiennent déjà à un passé révolu[13]. En 1927, grâce à cette rencontre qui tient de la révélation, Hergé accède d'un coup à la maturité.

Il a 20 ans.

Instruire en s'amusant. Telle est la devise officieuse de l'abbé Wallez quand il songe aux enfants et aux petits-enfants de ses lecteurs. Malgré son jeune âge, il a déjà mis la main à la pâte à des travaux graphiques fort variés dans le cadre de son travail quotidien au journal. Afin de capter durablement l'attention des lecteurs et de s'assurer leur fidélité pour l'avenir, il imagine un véritable journal dans le journal, qui leur serait exclusivement destiné. Cette idée s'insère dans une plus vaste stratégie consistant, à l'instar des grands quotidiens américains, à démembrer les plus importantes sections pour leur donner leur autonomie.

Quand l'abbé convoque Georges Remi pour lui faire part de ses projets, celui-ci a déjà eu l'occasion de « gâcher du plâtre » à la photogravure. L'expérience est décisive. Car sa volonté confuse mais déterminée d'aller vers toujours plus de clarté, de dépouillement et de simplicité coïncide avec l'évolution de l'imprimerie dans cette même direction. Son goût pour le trait s'accorde parfaitement avec les nouvelles exigences techniques de la reproduction[14]. Mais pour être fort instructive, l'expérience n'en est pas moins éprouvante. M. Bayens, le chef du service, n'est pas toujours commode. Surtout, les conditions de travail sont pénibles en raison de la manipulation permanente d'acides.

Le patron semble décidé à lui donner sa chance. C'est un débutant, certes. Il n'a pas vraiment de curriculum vitae. Mais son « dossier », si mince soit-il, plaide pour lui. Par son contenu mais aussi par son esprit. Il a déjà réalisé de nombreux dessins de toutes sortes pour *Le Boy-Scout belge*, journal de la fédération des scouts catholiques. On peut également voir ses dessins dans *Jeunesse*, la revue de la Croix-Rouge. Surtout, il signe nombre d'illustrations dans *Le blé qui lève*, *L'Effort* et *Petits Belges*, organes officiels des avant-gardes de l'ACJB (Action catholique de la jeunesse belge), mouvement d'apostolat des laïcs inspiré par le cardinal Mercier. Il a même réalisé sa première couverture de livre, déjà : celle de *L'Âme de la mer*, un roman écrit par un de ses amis scouts sous le pseudonyme de Pierre Dark, et édité par René Weverbergh, qui est décidément un pivot de la *scout connection*, dans une collection à l'enseigne de « La Librairie coloniale ». Toutes choses attestant que ce bon garçon est sur la bonne voie.

L'abbé, qui doit au prélat son poste à la tête du quotidien, ne demande pas seulement à Hergé de collaborer chaque lundi par ses dessins à « Votre *Vingtième* madame ». Pendant près de trois ans, il l'impose comme unique animateur graphique du dominical *Le Vingtième Siècle artistique et littéraire*. Choix judicieux car son protégé se prend moins pour un dessinateur que pour un graphiste. Tout ce qu'il a déjà réalisé plaide dans cette direction. Il a le sens du mouvement et de la mise en espace, le goût de la typographie et l'appréhension correcte des volumes. L'art de la composition le passionne autant que celui du dessin d'accompagnement.

Outre la mise en page et le choix des caractères, celui des titres et des lettrines, sans oublier la confection des culs-de-lampe, Hergé livre une centaine d'images en tout genre, modernes ou académiques, prudentes ou audacieuses, à la plume ou à la manière des gravures sur bois, qu'il s'agisse de coller à des contes d'Andersen ou à ceux des *Mille et Une Nuits*, aux souvenirs de guerre de Maurice Genevoix ou à des récits d'Henri Lavedan, ou encore à une campagne de publicité pour le café Castro. Mais cette activité, pour n'être pas négligeable, reste secondaire par rapport à ce que l'abbé attend de son jeune collaborateur. Car il a en tête un autre supplément dont il veut lui confier l'entière responsabilité, tant graphique que rédactionnelle : *Le Petit Vingtième*, à paraître chaque jeudi, jour de congé dans les écoles de Belgique.

Cette fois, Hergé a les coudées franches Le voilà, en fait sinon en titre, patron d'un supplément dont il est au début le seul rédacteur. Il aborde ses nouvelles fonctions avec l'esprit scout dont il ne se départira jamais vraiment. Renard curieux, rédacteur en chef du *Petit Vingtième*, ou plutôt Hergé, C.P. des Petits Vingtiémistes ? L'avenir dira si l'homme de presse l'a emporté sur l'homme de troupe.

Il peut vraiment prouver ce qu'il sait faire. Même si, au début, cela ne va pas sans contraintes. Dès le premier numéro du *Petit Vingtième* daté du 1er novembre 1928, la direction lui demande non seulement d'abriter *L'Extraordinaire Aventure de Flup, Nénesse, Poussette et Cochonnet* dans son supplément, mais encore de l'illustrer. Cette histoire, qu'il juge d'emblée stupide et ennuyeuse au possible, est signée Smettini, pseudonyme d'un certain Desmedt, rédacteur au service... des sports ! Bien que son propre nom n'apparaisse pas en bas des dessins, Hergé doit boire la coupe jusqu'à la lie : deux planches de trois bandes chaque semaine pendant dix semaines ! Il s'exécute de mauvaise grâce, pour ne pas décevoir l'abbé.

« Je me sentais comme dans un costume mal coupé qui me gênait aux entournures[15] », dira-t-il.

Et pour cause : c'est un vêtement d'emprunt. Cette expérience désagréable lui apprend au moins qu'il n'est pas fait pour travailler en tandem. En équipe dans le cadre d'une rédaction, mais pas à deux dans l'esprit du piano à quatre mains. Désormais, il est convaincu qu'il doit être son propre scénariste et ne recourir qu'exceptionnellement aux idées et aux histoires des autres. Car il ne « sent » bien que ce dont il est l'auteur, du début à la fin, de la conception à la réalisation, paroles et musique.

Les Aventures de Totor, C.P. des hannetons sont de lui, entièrement de lui. Pour l'instant, c'est sa seule œuvre dans la perspective d'une continuité. Curieusement, l'influence qu'elle révèle tient plus du cinéma que de la bande dessinée. Le cinéma muet, bien entendu, celui où l'image se suffit à elle-même, débarrassée de toute explication qui lui est extérieure. C'est comme si le créateur en herbe venait juste de décanter les projections de films auxquelles sa mère l'emmenait lorsqu'il était adolescent.

Comment ne pas le remarquer : le titre de cette série, dont il poursuit la publication dans *Le Boy-Scout belge* jusqu'à l'été 1929, est soit précédé de la mention « United Rovers présente un grand film comique », soit suivi de la mention « Hergé metteur en scène » ou encore « Hergé moving pictures ». C'est peu dire qu'il se fait du cinéma. Si ses lectures sont à la source de ses histoires, ses films sont à la source de ses dessins en bandes. Pour l'instant, la technique cinématographique ne l'influence que par rapport au mouvement, au rythme et aux enchaînements. Toujours au service du gag.

Au XIXe siècle, il n'y a donc pas si longtemps, le terme désignait une histoire drôle, tout simplement, avant d'évoquer une partie d'un dialogue improvisée par un comédien, et même un objet de raillerie. C'est seulement au début des années vingt, une fois que les gens de pellicule l'ont rendu populaire, que le sens de ce vieux mot anglais a glissé de « remarque drôle » à « effet comique visuel ». Un effet dont la rapidité est le secret[16].

Charlie Chaplin y est passé maître. Hergé ne dissimule pas l'admiration qu'il lui voue. Les reportages que la presse lui consacre, ses nombreuses interviews, ses déclarations parfois provocantes permettent au dessinateur de se faire une idée assez précise de la manière dont l'acteur-cinéaste envisage les choses.

Le personnage de Charlot, tout d'abord. Il l'a créé « comme ça ». Mack Sennett avait besoin de quelques gags pour certaines séquences. Il demanda à Chaplin de se faire « un maquillage comique ». Celui-ci trouva un pantalon trop large, de grandes chaussures, un chapeau melon et une canne en prenant garde à ce que, du plus grand au plus petit, tous ces éléments fussent en contradiction. Puis il se colla une moustache pour se donner quelques années de plus. Depuis, les spectateurs n'ont pas arrêté de rire et de pleurer. Mais malgré le succès mondial de ce personnage à multiples facettes, Chaplin n'a cessé d'expliquer aux metteurs en scène qu'une comédie n'étant pas prétexte à poursuite mais prétexte à humour, l'action sans le gag était vouée à l'échec[17].

Hergé a retenu la leçon. D'autant que lui aussi, mais plus confusément, il appréhende l'humour comme une manière de présenter normalement ce qui est absurde. Encore faut-il trouver les équivalents visuels du paradoxe, du non-sens et de la litote. Il n'oublie pas la profession de foi souvent exprimée par Chaplin :

« 1) Mettre le public en face de quelqu'un qui se trouve dans une situation ridicule et embarrassante. 2) Encore plus drôle est la personne ridiculisée qui, malgré cela, se refuse à admettre qu'il lui arrive quelque chose d'extraordinaire et s'entête à garder sa dignité[18]. »

Ainsi formulé, cela paraît simple. Mais pour s'y être frotté d'une planche l'autre, le dessinateur sait à quel point il est laborieux, difficile, hasardeux de donner son rythme à une histoire, et une vraie continuité à une suite de vignettes. La trouvaille du gag n'est pas tout. Encore faut-il savoir lancer l'attaque, tenir la distance et soigner la chute.

Depuis 1921, on peut lire les aventures de Charlot dans des illustrés français tels que *L'Épatant*. En fait, les passerelles ne manquent pas entre le cinéma et la bande dessinée. Les deux formes de récits en images ne sont pas concurrentielles mais complémentaires. Walter Elias Disney, qui a créé un studio à Hollywood en 1923, le sait mieux que quiconque. Inventant son art au fur et à mesure qu'il le pratique, il prolonge la bande dessinée par le cinéma. Pourquoi devrait-on s'étonner de cette proximité entre les deux grands moyens d'expression et de distraction ? Après tout, *L'Arroseur arrosé* (1896), un des premiers films des mythiques frères Lumière, est inspiré tant d'une farce d'un de leurs fils que d'un album pour enfants conçu en 1887 par Hermann Vogel sur le modèle des images d'Épinal. D'aucuns datent même la naissance officielle du gag au cinéma de la scène du jardinier recevant son propre jet d'eau en pleine figure[19]...

Dans le film comme dans l'album, chaque image en appelle une autre. C'est une question d'enchaînement. Mais si Hergé reconnaît souvent sa dette envers Chaplin, il ne faudrait pas pour autant rendre la bande dessinée globalement débitrice vis-à-vis du cinéma. Cette logique visuelle, cette mécanique subtile par laquelle l'image permet au récit de se mettre en mouvement, avait déjà été éprouvée dès le début du XIXe siècle par un dessinateur visionnaire.

Quand la bande dessinée a été élevée au rang de 9e art, Américains et Européens s'en sont naturellement disputé l'invention, alors que leurs découvertes furent complémentaires. Les premiers ont fait valoir que leur champion Richard Felton Outcault avait, dès 1896, systématisé l'usage de phylactères (bulle ou ballon) dans *The Yellow Kid* publié par le *New York Journal*. Quelques années après, la plupart des dessinateurs de son pays lui emboîtaient le pas. Reste à savoir si ce critère est le meilleur pour définir l'invention de la bande dessinée. Sans en proposer d'autres, certains Britanniques demeurent convaincus que l'apparition du personnage d'Ally

Sloper dans la revue *Judy* en 1867, et six ans plus tard en album, sous la double signature d'Henry Ross pour le dessin et de Marie Duval pour le scénario, est historique.

Ces prétentions anglo-saxonnes sont généralement balayées d'un revers de main par les nombreux admirateurs du Suisse Rodolphe Töpffer (1799-1846). Par sa « littérature en estampes », la première forme à rendre indissociables le texte et le dessin dans une continuité, il est le vrai précurseur de la bande dessinée. Ce fils d'un peintre genevois, qui avait passé sa jeunesse à lire passionnément Rousseau, racontait des histoires folles avec un grain de sérieux. Le professeur et le théoricien font bon ménage avec le concepteur excentrique et parfois extravagant d'histoires en images dont Goethe lui-même loua l'originalité. Gags, poursuites, sens de l'absurde : l'essentiel du mouvement est déjà dans *Mr Cryptogame, Le Dr Festus* et dans ses autres « livres qui parlent directement aux yeux[20] » — la plus belle définition qu'on puisse encore donner d'un album de bande dessinée alors qu'elle date de 1837.

Fin 1928 à Bruxelles, le jeune responsable du *Petit Vingtième* a la chance de n'être pas étouffé par de prestigieux parrains. Aucun modèle ne l'écrase ni ne l'intimide au point de le paralyser. En art comme en littérature, c'est un ingénu. Il prend partout, sans complexe.

À 21 ans, Hergé ignore les textes théoriques de Töppfer. Il n'a probablement pas lu ses séries. À un siècle de distance, les deux créateurs partagent pourtant la même philosophie graphique, toute de clarté, de dépouillement et d'élimination du superflu[21]. En fait, Benjamin Rabier est le seul grand illustrateur qui ait marqué son enfance et laissé ses empreintes sur son imaginaire. De son travail sur les *Fables de La Fontaine*, Hergé a retenu la sûreté de trait, la franchise des couleurs appliquées en aplats et le souci du dessin fermé, « un dessin presque vitrail » sans ombres ni hachures[22].

La périodicité hebdomadaire du *Petit Vingtième* et la poursuite des *Aventures de Totor* dans *Le Boy-Scout belge* le rapprochent de l'esprit du feuilleton. Progressivement, il passe de l'histoire illustrée à la bande dessinée, c'est-à-dire à un récit pour lequel texte et dessin ne font plus qu'un au sein d'une case. Peu importe si, d'un point de vue académique, rien ne le prédispose à y faire carrière. Après tout, Christophe, le créateur d'histoires en images et de personnages tels que *La Famille Fenouillard, Le Sapeur Camember* et *Le Savant Cosinus,* n'était-il pas normalien, professeur de sciences naturelles et sous-directeur du laboratoire de botanique à la Sorbonne ? Un tel cheminement n'est d'ailleurs pas typiquement européen, ainsi qu'en témoigne la formation de ceux qui allaient dominer la bande dessinée outre-Atlantique, les George McManus (dessinateur de mode), Ernie Buschmiller (scénariste-gagman)...

Songeant au diplôme, les parents d'Hergé regrettent peut-être l'École Saint-Luc d'arts graphiques. Pas lui. Car dans ce domaine-là, il n'y a pas de voie royale. Les seuls concours valables sont les concours de circonstances. Hergé n'est pas assez opportuniste pour solliciter les bonnes occasions de manière ostentatoire. Mais il l'est suffisamment pour les saisir lorsqu'elles se présentent.

La rédaction du *Vingtième Siècle* est un carrefour. D'hommes, d'idées, de projets. C'est un bouillonnement permanent. On y est mieux informé qu'ailleurs, par le brassage des rédacteurs qui s'y croisent, par les câbles et les dépêches, et par la presse étrangère qu'on y reçoit régulièrement. Il n'est pas de meilleure fenêtre sur le monde.

Léon Degrelle, un journaliste de 22 ans, envoyé spécial du *Vingtième Siècle* au Mexique pour y exalter le martyre de douze mille catholiques assassinés, ne se contente pas de faire parvenir des articles lyriques à sa rédaction. Il y joint également un certain nombre de journaux locaux. En les parcourant, Hergé y retrouve ou y découvre des bandes dessinées américaines qui font ses délices : *Bringing up Father* (La Famille Illico) de George McManus, *Krazy Cat* de George Herriman, et *The Katzenjammer Kids* (Pim, Pam, Poum) de Rudolph Dirks. Qu'importe si la version espagnole lui fait rater les nuances du récit. L'essentiel est ailleurs : dans la découverte d'une technique.

« Je me suis dit qu'au fond, c'était beaucoup plus agréable de raconter une histoire comme cela plutôt que de mettre le texte en dessous[23]. »

À l'époque, l'emploi systématique de bulles ou phylactères dans les vignettes est peu répandu en France et en Belgique, contrairement aux États-Unis. Ainsi, c'est indirectement grâce à l'initiative de son confrère Léon Degrelle qu'Hergé découvre un procédé auquel il donnera ses lettres de noblesse. Même s'il a oublié que dès décembre 1928 dans *Le Sifflet*, il publiait sa toute première bande dessinée avec dialogues intégrés au sein de phylactères.

De cette révélation américaine, il isole une œuvre — *Bringing up Father* (La Famille Illico) — et un auteur, George McManus. Une influence que l'on peut relever dans certains de ses dessins dès le début de 1928, soit avant même l'envoi de ces illustrés. Il est fasciné par son brio, son talent, son humour. Subjugué même par... ses nez ! Petits, ronds ou ovales, ils sont d'une telle gaieté qu'ils donnent toute leur dimension aux personnages. Irrésistibles mais pas inimitables. Sans vergogne et sans scrupule, Hergé les lui prend aussitôt — pour ne pas dire qu'il les plagie. Mais on le sait, faute avouée... D'autant qu'Hergé reconnaîtra lui avoir également emprunté certains personnages « presque trait pour trait[24] » ! Après tout, Rodolphe Töpffer lui-même n'était guère embarrassé d'emprunter à Molière l'argument du *Bourgeois gentilhomme* pour écrire *l'Histoire de Mr Jabot* !

Hormis le cas McManus, c'est le monde de la bande dessinée américaine dans son ensemble qu'Hergé prend alors de plein fouet. Mais plutôt que son univers mythologique, il ne retient que le savoir-faire dans l'organisation du récit, la composition de l'histoire et l'enchaînement des vignettes. En deux mots : sa grande clarté[25].

Il va mettre un demi-siècle, vingt-trois albums et des dizaines de milliers de dessins à illustrer cette idée simple. Or, la simplicité n'est pas seulement l'attribut de la vérité, mais aussi celui du génie.

3

Les naissances de Tintin

1929-1934

On ne devrait jamais se pencher sur la naissance d'un grand mythe. En le dépouillant de son mystère, on lui retire un peu de son pouvoir. Mais comment se défendre d'une irrépressible curiosité pour la création artistique et l'origine de nos héros familiers ?

Tintin et Milou sont nés le 10 janvier 1929 dans *Le Petit Vingtième*. Ce jour-là, le supplément jeunesse du *Vingtième Siècle* publiait sous le titre « Les Aventures de Tintin, reporter au pays des Soviets » les deux premières planches hebdomadaires d'une bande dessinée qui en comptera cent vingt et une au total.

Le lecteur peut se satisfaire de ce constat d'état civil, plutôt sec, puis suivre pas à pas les deux personnages dans leurs pérégrinations. Il peut aussi se demander auparavant comment et pourquoi Tintin et Milou sont apparus sous le crayon de leur inventeur. Même s'il est acquis que l'on ne saura jamais rien de cet instant d'éternité qui préside à la naissance d'une idée.

Selon Hergé, c'est tout simple. Évidemment...

« L'"idée" du personnage Tintin et du genre

d'aventures qu'il allait courir m'est venue, je crois bien, en cinq minutes, au moment d'esquisser pour la première fois la silhouette de ce héros : c'est dire qu'il n'avait pas hanté mes jeunes années, même pas en songe. Il est possible que je me sois, enfant, parfois imaginé dans le rôle d'une sorte de Tintin : en cela, mais en cela seulement, il y aurait cristallisation d'un rêve, rêve qui est celui d'un peu tous les enfants et n'appartenait pas en propre au futur Hergé.[1] »

Voilà. En cinq minutes...

Mais il n'est pas interdit d'imaginer que l'histoire de ce héros a une préhistoire. Hergé a essayé Tintin en l'ébauchant à travers Totor. Une manière de test, à son intention. Cette période de rodage du personnage sous un autre nom est loin d'être exceptionnelle : pour ne citer qu'eux, Mickey s'est d'abord appelé Mortimer, et dans une vie antérieure le commissaire Maigret fut l'agent n° 49.

Poussé dans ses retranchements, Hergé ne le nie pas. Lorsqu'il est pressé par d'insistants curieux d'expliquer l'origine de Tintin, il admet que celui-ci a été conçu comme un petit frère du chef de patrouille des Hannetons. S'il porte des culottes de golf, c'est parce qu'il arrive alors à Georges Remi d'en porter. Sans plus. Cela ne suffit donc pas à le distinguer, à permettre de l'identifier aussi aisément que le personnage du vagabond inventé par Chaplin, lui aussi... « en cinq minutes » ! Pour le rendre reconnaissable, il lui pose donc une houppe sur la tête. Si l'inspiration lui est venue de Riquet à la Houppe, elle est plus récente qu'on ne l'imagine, Hergé ayant illustré un extrait du conte de Perrault un an plus tôt dans *Le Vingtième Siècle*[2]. Mais par une technique graphique dont il ne cessera jamais d'user, il dessine la houppe censée être droite de face. Suivant que le personnage se montre de profil ou de trois quarts, gauche ou droit, elle doit pencher à gauche ou à droite[3]. Le visage, à peine plus qu'une esquisse, resterait toujours à cet état d'ébauche s'il n'était à chaque fois « enlevé » par son créateur. La silhouette est en harmonie avec le visage. L'ensemble est lisse, neutre, sans aspérités. Tout le monde peut s'identifier à lui parce qu'il est tout le monde.

Tintin naît à 15 ans. Il n'a donc pas eu d'enfance. À quoi ressemblait Georges Remi au même âge ? À Tintin, probablement. Il avait, comme lui, l'allure d'un intrépide boy-scout. Sauf qu'il plaquait ses cheveux, qu'il était plus mince, plus long, plus grand et que son visage n'était pas si rond. Un tel emprunt n'a rien d'exceptionnel. James Barrie, le créateur de Peter Pan le garcon-qui-ne-voulait-pas-grandir, avait un physique de petit garçon. Et dans quelques années, Phil Davis n'hésitera pas à donner ses propres traits à Mandrake le magicien. Ajout notable toutefois, Hergé a repris inconsciemment des traits, des attitudes, des gestes de son propre frère Paul.

Sur le plan graphique, il n'y a pas plus simple que Tintin — « le degré zéro du typage », dira-t-on[4]. Pour ce qui est du scénario, c'est aussi clair. Tintin est journaliste. Ou plutôt : reporter, c'est-à-dire le contraire d'un sédentaire. On le verra beaucoup moins écrire des articles qu'enquêter sur le terrain. Comme si la recherche, et non la solution, était bien à ses yeux le sel du métier. Tintin suggère d'emblée qu'il est en fait, sinon en titre, grand reporter (grand non par la taille, mais la perspective du grand large), membre de cette corporation déjà mythique des journalistes au long cours, Albert Londres, Joseph Kessel, Édouard Helsey, Henri Béraud et autres flâneurs salariés. C'est peu dire que Georges Remi brûle d'en être. Il en sera, mais par procuration[5]. Tintin accomplira son rêve à sa place. Pour l'un des plus jeunes collaborateurs du *Vingtième Siècle*, appartenir à cette confrérie représente « la promotion suprême[6] ». À ses yeux, elle symbolise la quête d'aventures, rien de moins. Il faut dire que la vision romantique du reporter a été largement popularisée par les héros des romans de Jules Verne (Alcide Jolivet et Harry Blount), Gaston Leroux (Rouletabille), Maurice Leblanc (Fandor)... Mais tout en reconnaissant avoir lu *Le Mystère de la chambre jaune* et *Le Parfum de la dame en noir*, Hergé jurera ses grands dieux n'avoir jamais songé à Rouletabille en créant Tintin[7].

La métamorphose de Totor se poursuit. En devenant reporter, il ne perd pas son esprit de boy-scout. Au contraire ! Il le porte même sur son visage, dans ses attitudes et ses réflexes. Certains le verront même comme « un Riquet à la Houppe dégourdi par le scoutisme[8] ». On peut dire de Tintin, comme Voltaire le fit de Candide, que sa physionomie annonce son âme. Pendant toute sa vie de papier, son dilemme reste identique : comment perdre sa naïveté tout en conservant sa pureté ?

Sa fiche d'état civil s'établit comme suit : individu de race blanche sans prénom, libre comme un orphelin, n'a pas de passé, pourrait être un extraterrestre, plus bruxellois que belge, âgé d'une quinzaine d'années, évidemment célibataire, vertueux à l'excès, chevaleresque et sérieux, reporter courageux, défenseur des faibles et des opprimés, ne recherche pas l'aventure mais la rencontre toujours par hasard, débrouillard, chanceux, discret, ne fume pas...

Bien des points réunissent Hergé et Tintin. À commencer par le principal : ce sont deux produits typiques des classes moyennes. Mais ce qui les sépare est également remarquable. Car le reporter, lui, se mêle de tout ce qui ne le regarde pas. Il a le caractère, le tempérament, les instincts d'Hergé, mais pas ses idées. Et puis il a un chien alors qu'Hergé n'aime que la compagnie des chats.

Si Tintin est par bien des côtés un Don Quichotte (tout comme Charlot), Milou est son Sancho Pança. Notre héros a besoin d'un compagnon parce que, selon l'Écriture, il n'est pas bon que l'homme reste seul. Ce ne peut être qu'un chien car il n'est pas de meilleur compagnon pour l'homme, surtout pour le voyageur. Et ce chien ne saurait être qu'un fox-terrier à poil dur car ils sont alors à la mode[9]. Hergé voit son animal comme un personnage réaliste, un peu rageur, un peu grognon, préoccupé de son confort, courageux en fonction des circonstances. La gourmandise, la curiosité et son instinct batailleur sont ses faiblesses caractéristiques, mais il sait les vaincre quand la fidélité à son maître l'exige. Enfin, ce chien est doté de la parole, ce qui n'est pas un mince avantage pour un créateur de bandes dessinées... Dans l'esprit d'Hergé, Tintin ne doit être surpris en plein monologue que lorsque Milou est loin. Et encore ! Même loin, ils doivent pouvoir s'adresser des messages[10]...

Où a-t-il été chercher tout cela ? Ceux que le mystère de la création déroute iront fouiller du côté de Gédéon Spillett, le héros de *L'Île mystérieuse* de Jules Verne, quand ils ne se demanderont pas si Tintin n'est pas aussi astucieux et débrouillard que ce vaurien de Tom Sawyer, le héros de Mark Twain, tout en ayant le côté angélique du *Petit Prince* de Saint-Exupéry ! Le grand écart, en quelque sorte. Quelques-uns suggéreront qu'à la réflexion, Hergé ne fait pas autre chose avec son héros que ce que Chaplin a déjà fait avec le sien : s'évertuer à lui créer des ennuis pour mieux l'en sortir. Il y en aura même pour se dire que si Tintin ne veut pas grandir, il pourrait bien être « le Peter Pan belge asexué[11] » !

Il n'est pas jusqu'au patronyme dont l'origine n'ait été mise en question. Pourtant, ce n'est pas un nom de famille puisqu'il n'a pas de famille. Ce n'est pas non plus un prénom, même s'il fait penser à un diminutif d'Augustin ou de Constantin. C'est donc un vrai nom de héros. Hergé l'a choisi tout simplement parce qu'il sonnait clair et gai et qu'il l'a jugé facile à retenir[12].

Et pourtant... Un jour, on s'apercevra que si Hergé a toujours rendu hommage au génie de Benjamin Rabier (1864-1939), le créateur de Gédéon le canard, s'il a toujours reconnu avoir été influencé par sa manière de dessiner les animaux, il n'a jamais évoqué un certain... *Tintin-Lutin* publié en 1898 à Paris par l'éditeur Félix

Juven, et cosigné par Benjamin Rabier et Fred Isly. On y raconte l'histoire d'un petit diable prénommé Martin, mais surnommé Tintin par sa mère, et qui ne pense qu'à jouer de bons tours. Dès la sixième page, la ressemblance est étonnante. La houppe et la forme du visage font penser à Tintin tel qu'on l'aurait imaginé à 8 ans. Toujours est-il qu'Hergé jurera ses grands dieux n'en avoir eu connaissance qu'en... 1970, grâce à la curiosité et à l'obligeance d'un lecteur[13].

On tablera sur sa bonne foi. Qu'importe, au fond. Car d'une certaine manière, l'inventeur de Tintin, au sens de catalyseur d'énergie créatrice, n'est ni Benjamin Rabier, ni Georges Remi mais Norbert Wallez. C'est en effet l'abbé qui a commandé cette série à son jeune collaborateur et l'a poussé à créer une histoire autour d'un adolescent et d'un chien, dans un esprit missionnaire, vertueux et catholique sur lequel il n'avait pas besoin d'insister tant son empire sur le dessinateur était grand[14].

Hergé reconnaîtra cette dette, comme les autres qui le liaient à l'abbé Wallez. À ceux qui l'interrogent sur les origines de Tintin, il ne manque pas de rappeler son nom[15]. Et en lui dédicaçant l'un de ses albums, il le remerciera d'avoir « porté Tintin sur les fonts baptismaux[16] ». L'abbé Wallez, quant à lui, s'il brûle de passer à la postérité, n'imagine pas un seul instant en 1929 qu'il restera dans l'histoire de la Belgique pour avoir révélé un petit dessinateur qu'il aime bien mais qu'il n'estime pas plus que cela.

« Le “Petit Vingtième”, toujours désireux de satisfaire ses lecteurs et de les tenir au courant de ce qui se passe à l'étranger, vient d'envoyer en Russie soviétique un de ses meilleurs reporters : TINTIN ! Ce sont ses multiples avatars que vous verrez défiler sous vos yeux chaque semaine. N.B. : La direction du “Petit Vingtième” certifie toutes ces photos rigoureusement authentiques, celles-ci ayant été prises par Tintin lui-même, aidé de son sympathique cabot : MILOU ! »

Ainsi, la première vignette de la première vraie bande dessinée à l'enseigne des *Aventures de Tintin, reporter du Petit Vingtième au pays des Soviets*, n'est pas une image mais une case pleine de texte. Des mots à la place des traits. Elle a été méditée et préméditée. Sur le moment, Hergé n'a probablement pas le sentiment d'entamer une œuvre durable. Plus tard, en reconstruisant son passé, il sacralisera cet instant, dût-il malmener quelque peu la chronologie. En effet, quand un lecteur tatillon lui fait remarquer que les traits de Tintin et Milou apparaissaient le 4 janvier 1929 dès le n° 10 du *Petit Vingtième*, Hergé n'en démord pas : Tintin et Milou sont nés le 10 janvier 1929 dans le n° 11, en route pour le pays des Soviets et pas ailleurs[17] !

Il ne faut pas attendre la huitième case pour que surgisse l'identification entre Soviétique, bolchevik et terroriste. L'auteur annonce la couleur. Il a beau s'adresser en priorité à des enfants, il ne perd pas de temps pour leur faire passer le message. Chaque personnage est immédiatement typé par son uniforme. Il le porte comme un écriteau. Impossible de ne pas l'identifier du premier coup d'œil. Décors et paysages sont réduits à leur plus simple expression. L'affaire est rondement menée, de poursuites en gags, et de gags en bagarres. Tintin roule des mécaniques. Il ignore tout de son avenir, son père aussi. Il n'a jamais été aussi libre, son père aussi. Celui-ci se permet déjà des clins d'œil à usage très restreint. Pour complaire à l'abbé Verhoeven, l'un de ses professeurs de l'Institut Saint-Boniface devenu le précepteur attentionné des enfants de Zita de Bourbon-Parme, ancienne impératrice d'Autriche et reine de Hongrie, il glisse quelques allusions au détour d'un épisode à l'intention des jeunes archiducs[18].

De son séjour chez les Soviets, l'envoyé spécial du *Petit Vingtième* ramène une vision dantesque : pauvreté, famine, terreur, répression... Un pays infernal. Plus tard, avec le recul, on comprendra mieux qu'il n'avait pas tout à fait tort.

En 1929, la France n'entretient des relations diplomatiques avec l'Union soviétique que depuis cinq ans. Les voyageurs ont la tête encore pleine des récits publiés par leurs compatriotes qui furent des témoins de la Révolution, ceux de Serge de Chessin, par exemple, dont les titres éloquents *(Au pays de la démence rouge, L'Apocalypse russe)* valent bien ceux de Ludovic Naudeau *(En prison sous la terreur russe, Les Dessous du chaos russe)*. Depuis deux ans, les mentalités ont commencé à évoluer, les autorités ayant entrepris d'organiser des voyages de propagande à l'occasion du dixième anniversaire de la Révolution. L'écrivain Georges Duhamel en a ramené *Le Voyage de Moscou*, un livre indulgent pour ne pas dire favorable à l'homo sovieticus[19].

En janvier 1929, au moment où Tintin reporter

prend le train pour l'Union soviétique, Léon Trotski en est expulsé. Ils se croisent mais ne se rencontrent pas... Staline se lance dans une gigantesque entreprise de liquidation systématique des koulaks. La même année, à l'occasion de son cinquantième anniversaire, il donne le coup d'envoi au culte de sa personnalité. On imagine ce qu'Hergé aurait su faire d'un tel détail s'il était allé sur le terrain préparer son histoire. Seulement voilà, il n'a pas bougé de Bruxelles. Créateur sous influences, il a subi de bon gré tant celle de Norbert Wallez que celle de ses lectures.

L'anticommunisme de l'abbé est sans faille. Il ne laisse aucune chance, n'accorde aucune circonstance atténuante à ceux de l'autre bord. Et pour cause : ils figurent l'Antéchrist ! Ce n'est pas un hasard si sous le crayon d'Hergé, tout bolchevik est présenté comme un athée, ainsi qu'il en conviendra lui-même[20]. En suivant Tintin pas à pas dans cette aventure, comment ne pas songer à la « Bolchévie » évoquée par l'abbé dans l'un de ses livres[21] ? Un joli néologisme, que l'on eût dit hergéen s'il n'était pas de son maître à penser.

De ses lectures, il a privilégié *Moscou sans voiles*, sous-titré « Neuf ans de travail au pays des Soviets » et publié en 1928 à Paris aux éditions Spes. Son auteur Joseph Douillet a passé en tout trente-cinq ans « là-bas », de 1891 à 1926. Parfaitement bilingue, il y a été consul de Belgique, fondé de pouvoir pour le sud-est de l'URSS du haut-commissaire de la SDN, délégué de l'European Student Relief à Rostov-sur-le-Don et, comme si cela ne suffisait pas, correspondant de plusieurs institutions internationales. Cet homme, qui assure connaître parfaitement la Russie profonde et non celle que le régime montre à ses invités, s'est senti le devoir de crier sa vérité à l'humanité : ce régime monstrueux est une menace pour la civilisation car il impose un martyre au peuple russe au nom du communisme. Joseph Douillet fait alterner le ton du témoignage (« J'ai vu... ») avec celui de l'imprécation (« Malheur à ceux qui sous-estimeront ce danger... ») tout au long de ses 249 pages. Il rapporte des choses vécues et entendues. Tout y passe : éducation, santé, religion, terreur, Komintern...

Il suffit d'y puiser. Hergé ne se gêne pas. Pour servir tant son dessein que son dessin, il prend le plus spectaculaire. Mais outre cette source essentielle, dont il ne fait pas mystère, outre le souvenir du *Général Dourakine* de la comtesse de Ségur qui lui inspire l'épisode de la steppe[22], il en est une autre dont il n'est jamais fait mention : Albert Londres.

Le grand reporter français appartient à la mythologie personnelle d'Hergé. C'est même un des modèles revendiqués de Tintin. Les dix-sept articles intitulés « Dans la Russie des Soviets » ont fait la une de *L'Excelsior* en mai 1920, puis des autres journaux européens qui ont repris la série. Sous sa plume, ce pays devient celui de la peur, de la faim, de la saleté et du froid. Au début de son séjour, en arrivant à Petrograd, Albert Londres avait dans l'idée que ces gens-là étaient des bêtes féroces. À la fin, en quittant Moscou, il a la conviction que ce ne sont que des bêtes. Entre-temps, il aura fait une halte dans une soupe populaire :

« Avidement, ils l'avalent. C'est le dernier degré de la dégradation, ce sont les étables pour hommes. C'est la troisième Internationale. À la quatrième on marchera à quatre pattes, à la cinquième on aboiera[23]. »

Avant d'envoyer Tintin chez les Soviets, Hergé a beaucoup emprunté, plus à droite qu'à gauche. S'il a démarqué nombre de faits ou de scènes du livre de Joseph Douillet, l'esprit du reportage d'Albert Londres l'a inspiré au moins inconsciemment. On n'y retrouve pas seulement les mêmes dénonciations, mais surtout un ton identique, tout de cynisme et de dérision, mêlé d'une ironie permanente. Seul le spectacle de la misère peut parfois le tempérer. Manifestement, elle révolte plus Hergé et son journal quand elle est engendrée par le lointain bolchevisme, religion des athées, que lorsqu'elle s'étale dans le Borinage tout proche.

Car pour ses débuts, Tintin n'est pas tendre avec l'humanité. Pour être bolchevik, on n'en est pas moins homme. Or, cela ne saute pas aux yeux quand on suit le reporter dans ses pérégrinations en enfer communiste. Celui-ci dresse la chronique d'une imposture et d'une mystification, du faux-semblant et de la traîtrise. Rien n'y échappe. Quand un avion pique du nez et s'écrase au sol, Milou ne peut s'empêcher de juger que dans ce pays, même les hélices ne sont pas solides[24] ! Certains des jugements énoncés par Tintin sont plutôt durs, sinon cruels. Malgré les gags. En tout cas, ils détonneraient dans la bouche d'un scout. Ils sont rachetés, pour ne pas dire atténués, par la naïveté et l'humour de l'auteur. Quand on croit que Tintin va passer de vie à trépas, il fait « Couic ! ». Quand Milou trouve une idée pour sauver son maître, il s'écrie « Idée ! »... Le sens de la litote d'Hergé fait mouche : c'est Tintin songeant après l'explosion de son train qu'« il a dû se produire quelque chose d'anormal »... Son goût de la dérision et du jeu de mots est également efficace : l'agent de la Guépéou chargé de surveiller Tintin espère être décoré « de l'ordre de la faucille d'aluminium étiré[25] »...

À sa parution, cette bande dessinée ne suscite pas de réactions ou de critiques hostiles dans les partis de gauche, ni même au Parti communiste belge qui existe depuis huit ans. Hergé conservera d'ailleurs le souvenir d'un accueil globalement « très sympathique[26] », toutes tendances confondues. Bien plus tard, il reconnaîtra en privé que le dessin de cette première histoire était tout de même « maladroit » et l'esprit qui l'animait par trop « sectaire[27] ». Mais en public, il expliquera ses excès en les mettant sur le dos des péchés de jeunesse :

« En réalité, ces livres de mes débuts sont des livres d'un jeune Belge nourri de préjugés et d'idées catholiques, les livres qu'aurait pu écrire n'importe quel Belge dans ma situation. Ce n'est pas très brillant, je sais, pas à mon honneur : ce sont des livres... "belgicains"[28]. »

Le mot est lâché, comme on dit franchouillard. À croire qu'il suffit de le prononcer pour être absous. Dans l'esprit d'Hergé, qui en usera souvent, « belgicain » est un terme plus fort que « belge » en ce qu'il souligne bien le côté suffisant et borné de certains d'entre eux. Il est vrai que pour leurs toutes premières aventures, nos héros sont encore très belges : Tintin entend bouger la clinche (ou clenche), mot d'origine picarde que seuls ses compatriotes utilisent pour désigner la poignée de porte ; quant à Milou, nostalgique en diable, il n'a de cesse de revoir Bruxelles[29] ! Cela étant, la manière dont Georges Remi se défausse sur son milieu et sur la mentalité bourgeoise des années vingt manque de courage. On croirait entendre, avec une similitude d'arguments frappante, Georges Simenon justifiant ses articles contre « le péril juif » dans *La Gazette de Liège* en 1921. Un honnête homme qui découvrirait l'histoire de la Belgique entre les deux guerres à travers les souvenirs de ces deux éminents Belges aurait l'impression que « tous » leurs congénères étaient nationalistes, antisémites et anticommunistes car « toute » la Belgique l'était et qu'il n'y avait aucun moyen d'en sortir ! Tout de même...

Hergé est ainsi fait qu'il ne se laisse pas facilement enfermer dans des catégories. Ce serait si simple de le juger à travers cette première aventure de Tintin. Son cas serait réglé. Or, au même moment, à partir de janvier 1930 et pendant dix ans, il publie chaque jeudi aux pages 12 et 13 de son *Petit Vingtième* une autre série sous sa signature. Une série d'une grande fraîcheur dont l'esprit est aux antipodes des premières aventures de Tintin, tant elle est dénuée de cynisme ou d'ambiguïté. Quick et Flupke, qui seront injustement éclipsés par la notoriété du petit reporter, portent en eux une légèreté et un charme, une tendresse et une poésie qu'on ne retrouve nulle part dans la production de leur créateur. Hergé y apparaît plus libre et plus frondeur que jamais. Pourtant, il n'y consacre guère de temps. Comme s'il s'agissait de quelque chose de secondaire. Il n'hésite d'ailleurs pas à recourir à nombre de conventions et de lieux communs propres au genre. Étant à pied d'œuvre, il exécute les planches généralement dès son arrivée au journal, le matin même du bouclage des pages. Dans la précipitation, en une heure ou deux. Aussitôt dessiné, aussitôt cliché. En fin de journée, *Le Petit Vingtième* est déjà imprimé[30].

Les Exploits de Quick et Flupke invitent à appréhender le monde à travers le regard de deux garnements bruxellois. Dans son principe, l'idée a déjà fait ses preuves. Après tout, au XIXe siècle, l'Allemand Wilhelm Busch est passé à la postérité grâce aux aventures de Max et Moritz. Les gavroches d'Hergé, des « ketjes » comme on dit ici, sont à la fois farceurs et gaffeurs, étourdis et astucieux, naïfs et malins. Ils prouvent qu'on peut être débrouillard sans être scout. S'ils sont toujours prêts, c'est uniquement pour faire des blagues dans le dos de l'agent de police n° 15, leur tête de Turc.

Leur bonne volonté naturelle en fait le plus souvent des victimes. La rue est leur territoire, Bruxelles leur royaume. Ils sont aussi typés dans leur caractère que dans leur présentation. Naturellement, ils portent tous deux des culottes courtes. Flupke, le petit blond, coiffé d'une casquette, une écharpe nouée autour du cou, pose des questions. Quick, le grand brun, couvert d'un béret et vêtu d'un pull à col roulé, a toujours réponse aux questions. Là encore, l'influence de Charlot se fait sentir, et pas seulement en raison d'une énième variation de l'usage intempestif du jet d'eau. Chaque épisode est conçu comme un gag à part entière, avec un art consommé de la chute. Les personnages de policiers semblent tout droit sortis d'un film de Chaplin. Seul l'uniforme fait la différence. L'humour d'Hergé s'affirme et s'affine. Déjà, il donne libre cours à son goût pour les jeux sur les mots, notamment sur les noms propres : M. Moraurat, vétérinaire ; Sam Suffy contre Mac Aronni, boxeurs ; Rémy Fadièse, luthier...

8 mai 1930. Dans *Le Petit Vingtième*, la publication des *Aventures de Tintin au pays des Soviets* s'achève. Pour fêter l'événement, Charles Lesne, l'un des collaborateurs de l'abbé Wallez, lui souffle l'idée de convier les jeunes lecteurs de son supplément à accueillir... Tintin en personne à son retour de l'enfer rouge ! C'est astucieux, audacieux mais risqué. Combien d'adolescents se déplaceront pour voir un héros qui n'existe pas ? Même un jeudi, même si *Le Vingtième* et *Le Petit Vingtième* rameutent leurs lecteurs, la partie est loin d'être gagnée. Or, il n'y a rien de plus triste qu'un événement trop annoncé et boudé par le public. Le bouillant directeur du *Vingtième Siècle* est prêt à prendre les paris. En attendant, il pense à la photo de couverture du prochain numéro du *Petit Vingtième*.

Lucien Pepermans, un scout de 15 ans, membre de la troupe du Kapelleveld à Woluwe, est engagé (100 francs et un bouquet de fleurs !) pour jouer le rôle de Tintin. Il est trop grand et sa tignasse trop fournie. On fera avec, mais il passera tout de même chez le coiffeur. Dans les toilettes de la gare de Louvain, il s'habille en moujik (bottes rouges, chemise à col boutonné) et s'enduit les cheveux de Gomina « Argentina » afin de fixer la houppe pour quelques heures. Puis, accompagné d'un Milou bien tenu en laisse, il prend le train de Cologne en direction de Bruxelles.

Le quai de la gare du Nord a du mal à contenir la foule qui l'acclame. Ce ne sont pas des voyageurs mais des lecteurs. Dès qu'il pose pied à terre, le vrai-faux Tintin est victime d'un gag qu'Hergé aurait très bien pu inventer s'il n'était dû à la folie du moment. Une jeune mère de famille remet son bébé au héros du jour afin qu'il l'embrasse puis... disparaît ! Emportée par le flot ! Pendant de longues minutes, le jeune scout se demande comment il va s'en sortir. Car il n'est pas question que Tintin rentre de Russie avec un bébé sur les bras. À son âge ! L'abbé Wallez serait furieux. La bousculade qui lui avait enlevé la mère la lui restitue de justesse à la sortie de la gare. Ouf...

L'immense esplanade s'étendant devant le lourd bâtiment de la gare est noire de monde. Hergé est là naturellement. Il ne quitte plus « sa » créature, en chair et en os. Ils montent dans une Buick conduite par un ami d'Hergé et empruntée au père de celui-ci. Puis la procession se dirige à travers la ville jusqu'au siège du journal. Au balcon, Tintin adresse un discours à la foule qui ne l'entend guère tant elle crie.

Le succès est total. Pourtant, Tintin n'existe que depuis un an et, pour l'instant, seuls les lecteurs du *Petit Vingtième* le connaissent. Cela n'en est que plus remarquable[31]. Désormais, Tintin est lancé. Georges Remi et l'abbé Wallez vont tout faire pour transformer cet essai. Dans leur esprit, il est clair qu'une telle réussite doit être prolongée sans plus tarder. Les deux hommes s'y emploient de concert, de trois manières : en donnant une suite aux aventures de Tintin dans *Le Petit Vingtième* ; en cédant les droits de reproduction d'*Au pays des Soviets* à des périodiques illustrés à l'étranger ; en se lançant dans la publication d'albums, même si le journal n'a pas vocation d'éditeur.

1930. Vu de Bruxelles, il s'en passe des choses depuis un an. Mais bien qu'il travaille au cœur d'un grand quotidien, Hergé est moins sensible aux événements qui défraient l'actualité, tels que la flamandisation de l'université de Gand, qu'à la rétrospective James Ensor au Palais des Beaux-Arts ou, plus encore, à la métamorphose du cinéma aux États-Unis et à l'évolution de la presse en France.

Hergé naît à la bande dessinée au moment où les films muets se mettent à parler. Il place des paroles dans des bulles et des bulles dans les images dans le même temps que les dialogues de cinéma quittent les cartons pour se retrouver directement dans la bouche des acteurs. Tintin et *Le Chanteur de jazz* ont au moins ça en commun.

W.C. Fields, l'un de ses maîtres, travaille déjà à *The Golf Specialist*, son premier film sonore, alors que *Fools for Luck*, son dernier film muet, est encore à l'affiche. Charlie Chaplin, lui, vient de présenter *Les Lumières de la ville*, d'emblée reconnu comme un chef-d'œuvre. Hergé compte au nombre de ses admirateurs puisqu'on en retrouve l'esprit, sinon la lettre, dans *Cet aimable M. Mops*. Ces huit planches qu'il réalise pour le Bon Marché, à Bruxelles, sont entièrement conçues autour de gags relatifs à la galanterie, la discrétion, la légitime défense. Elles ont pour principal personnage un petit bonhomme moustachu, coiffé d'un chapeau melon trop petit, vêtu d'un pantalon anormalement court, d'une veste étriquée, et parfois même armé d'une canne, touchant par sa maladresse et son infortune. Toute ressemblance avec... Cette fois, ce ne doit pas être une pure coïncidence.

Pour Walt Disney aussi, c'est le moment du grand virage. Contrairement aux auteurs de *Félix le Chat* qui fonctionnent en tandem (Otto Messmer pour le dessin et la réalisation des films, Pat Sullivan pour les affaires), il est à la fois créateur et entrepreneur. Son *Steamboat-Willie,* troisième film de Mickey en dessin animé, a véritablement révélé son personnage au grand public. Mais ce n'est encore rien par rapport à la révolution qu'il vient de susciter en lançant ses *Silly Symphonies*, des courts-métrages musicaux qui déchaîneront l'enthousiasme. Même un créateur de génie tel que Serge Eisenstein, le réalisateur de *La Grève*, du *Cuirassé Potemkine* et d'*Octobre*, ne tarit pas d'éloges sur la révolte lyrique contre la lividité et la grisaille dont Walt Disney a pris la tête, avec la rêverie pour seule arme[32]. Le cinéaste russe a été fasciné par la première de ses soixante-dix-sept *Silly Symphonies*. Inspirée de la *Danse macabre* de Saint-Saëns, elle est constituée notamment de ce morceau de choix au cours duquel des squelettes jouent du xylophone sur leurs propres côtes. Cette scène, ainsi que d'autres, plus tard, faisant évoluer des insectes anthropomorphes, aura un impact durable aussi bien sur l'imaginaire d'Hergé que sur la vocation d'Osamu Tesuka, le précurseur des mangas japonais.

À Paris, la grande presse est depuis peu saisie par la frénésie de l'histoire illustrée. Des journaux pour adultes, qui ne s'y intéressaient guère, se mettent eux aussi à publier quotidiennement des récits en images. Après tout, les lecteurs les plébiscitent bien, les *Zig et Puce* et les *Bicot, Bibi Fricotin* et *La Famille Mirliton*. C'est ainsi que simultanément *Les Aventures du professeur Nimbus* font leur apparition dans *Le Journal*, que Félix le Chat pointe ses moustaches dans *La Petite Gironde* et dans *L'Intransigeant* et Mickey Mouse ses grandes oreilles dans *Le Petit Parisien*.

La presse pour les jeunes suit le mouvement avec trois nouveaux journaux : *Benjamin*, dirigé par Jean Nohain, *Ric et Rac*, créé par l'éditeur Fayard, et *Cœurs Vaillants*, lancé par l'Union des Œuvres. Dès 1930, son directeur l'abbé Courtois fait le voyage de Bruxelles afin de passer un accord avec l'abbé Wallez pour s'assurer l'exclusivité de Tintin dans la presse française.

En octobre, lorsque *Cœurs Vaillants* publie les premières planches d'*Au pays des Soviets* (peu après qu'Hergé y a illustré le roman *Le Triomphe de l'aigle rouge*), le journal existe depuis moins d'un an. Il est encore plus jeune que Tintin. La devise de cet hebdomadaire, conçu par les ecclésiastiques des groupes de patronage, lui va parfaitement : « À cœurs vaillants, rien d'impossible. »

Dès le début, l'abbé Courtois a une prise de bec

avec Hergé. Autant le premier est directif, autant le second n'est pas homme à s'en laisser conter. Lui qui est d'ordinaire si précis et tatillon déteste qu'on retouche son travail sans le prévenir. En l'occurrence, Hergé est furieux qu'on ait osé mettre des textes sous ses images. Pour mieux expliquer l'action, paraît-il ! Ils ont osé souligner ses dessins de légendes afin de rester dans la tradition de *Bécassine*. Un comble, alors qu'il a justement tout fait pour rompre définitivement avec ce genre de pratiques d'un autre âge.

« Non, ce n'est pas ça ! L'histoire doit se dérouler sans textes ! s'énerve Hergé.

— Non, on ne comprend pas...

— Mais si, on comprend ! On doit comprendre[33] ! »

Dialogue de sourds. Il durera très longtemps, presque autant que leur fructueuse collaboration. Ce jeune illustré pour les jeunes n'en sera pas moins décisif pour la carrière internationale d'Hergé. À cœurs vaillants, rien d'impossible...

Après la Russie, l'Amérique ? Hergé y songe sérieusement. Le scout en lui demeure un passionné de mythologie peau-rouge. De plus, il s'est fixé l'exotisme comme seule ligne. Car dans son esprit, exotisme est synonyme de voyage[34]. Des périples d'Albert Londres, dont il vient d'illustrer des extraits de *Le Juif errant est arrivé* dans *Le Vingtième siècle artistique et littéraire*, il ne retient que la distance, le lointain, le dépaysement. Il oublie ou ignore qu'avec le même talent, le journaliste a suivi les forçats du Tour de France et visité les asiles de fous de l'Hexagone. De toute façon, l'abbé Wallez voit les choses autrement. Et pour l'instant, c'est encore lui qui décide.

Après avoir dépêché Tintin « en Bolchévie » pour son édification et celle de ses jeunes lecteurs, Wallez a dans l'idée de l'envoyer au Congo. Toujours l'esprit missionnaire. En fait d'Amérique, ce sera donc l'Afrique. Là au moins, on peut susciter des vocations coloniales. Il y a urgence dans ce domaine. Le Congo, question de cours pour tous les écoliers de Belgique, relève désormais, grâce à Hergé, tant de l'aventure que de l'épopée. Le contraire des Soviets : autant l'Union soviétique était hostile à Tintin, autant le Congo l'accueillera à bras ouverts.

Un jour, longtemps après la décolonisation, on dira du Zaïre (ex-Congo) : « C'est le seul pays au monde où on croit encore que la Belgique est une grande puissance... » La boutade est censée illustrer les liens très particuliers qui unissent les deux pays depuis 1908, date à laquelle Léopold II, roi des Belges et souverain à titre personnel du Congo, vit la Chambre accepter qu'il le léguât par testament à la Belgique. Car cet État indépendant de l'Afrique la plus noire était sa propriété privée, reconnue comme telle par les puissances coloniales européennes.

Hergé avait eu un avant-goût de ce que l'abbé lui demanderait, trois ans auparavant. Il avait eu à fournir au *Vingtième Siècle* deux dessins destinés à illustrer un article célébrant le cinquantième anniversaire de la découverte du Congo par Stanley. L'un des deux représentait un indigène agenouillé devant un père blanc. Le symbole est clair et bien dans l'air du temps mais cela ne suffirait pas à tenir les jeunes lecteurs en haleine pendant des semaines.

Pour imaginer *Les Aventures de Tintin, reporter au Congo*, Hergé recourt à une documentation substantielle bien que ce morceau de Belgique détaché en Afrique fasse partie de l'imaginaire de tous. La presse en parle régulièrement, la littérature populaire est abondante, les brochures de propagande aussi. On aura beau jeu de relever des concordances çà et là. On pourra même noter, alors que Remi n'a guère lu l'œuvre de Jules Verne, comment Tintin, promu grand sorcier blanc, soigne un Noir à grand renfort de quinine, exactement comme l'avait fait le Dr Châtonnay dans *L'Étonnante Aventure de la mission Barsac*[35]. Cela ne prouve rien tant ces situations sont devenues des lieux communs du roman exotique. En fait, en panne de détails visuels au début, Hergé les trouve sans peine au Musée colonial de Tervueren, où sont exposés les armes et les costumes des Aniotas ou hommes-léopards. Il ne se prive pas non plus de puiser dans les romans à succès tels que *Les Silences du colonel Bramble* d'André Maurois dans lequel il « décalque » carrément une scène de chasse[36].

Dès la toute première image, sur le quai de la gare, parmi la petite troupe, on reconnaît également Quick et Flupke, un boy-scout... C'est donc vraiment une affaire de famille que le départ de Tintin et Milou vers de nouvelles aventures. Hergé choisit de commencer son histoire de la manière la plus anodine. À bord du paquebot qui les mènera d'Anvers à Matadi, le reporter du *Petit Vingtième* et son chien mobilisent l'attention du lecteur durant treize planches avec le spectre de la psittacose, un perroquet ayant mordu la queue de Milou et celui-ci ne cessant de se mettre dans des situations si périlleuses qu'elles forcent son maître à prendre de grands risques. Tout cela pour en arriver à lui faire dire :

« Comme tu as été héroïque, Tintin ! »

C'est un peu long pour une telle chute, malgré le rythme soutenu. Mais le dessinateur y introduit un personnage de méchant appelé à resurgir ; surtout, il y expérimente le procédé cinématographique de l'ellipse dont il fera dorénavant grand usage. Ainsi, il n'y a guère qu'un interstice entre la vignette où l'on voit Tintin quitter la gare de Bruxelles en train, et celle où il monte à l'échelle d'un paquebot à Anvers. D'une manière générale, le trait est plus affirmé dans cette histoire que dans la précédente. La main a gagné en assurance sans que la spontanéité en souffre. D'autant que pour dessiner les animaux, Hergé s'inspire cette fois, en toute conscience, des gravures de Benjamin Rabier[37].

Ce n'est pas seulement un reporter belge mais une vraie personnalité internationale qui est accueillie et portée en triomphe à son arrivée au Congo. La gloire acquise après son séjour chez les Soviets semble avoir traversé les océans. En effet, les représentants de grands journaux anglais, américains et portugais surenchérissent devant lui pour avoir l'insigne privilège de publier son futur reportage. Cette épreuve lui donne l'occasion de ne pas céder aux sirènes de l'argent. Scout en toutes circonstances, il reste fidèle à la parole donnée, donc au contrat qui le lie au *Petit Vingtième* et à sa dette morale vis-à-vis de son Pygmalion.

À ces « nègres » paresseux, puérils, stupides, gentils et s'exprimant dans un sabir francophone, Tintin est venu parler des mérites de leur patrie : la Belgique. Affrontant pour la première fois des Pygmées, il les traite de « moricauds » avant de sympathiser avec eux quand ils s'avèrent être de fidèles lecteurs du *Petit Vingtième*.

Milou, lui, est surtout venu en Afrique avec l'intention de chasser les grands fauves. Tintin l'imite, tirant à bout portant à la carabine sur un crocodile, un singe dont il empruntera la peau, un boa, un éléphant, ou attaquant un rhinocéros à la dynamite. Quand ce n'est pas lui qui tire, c'est un père blanc. « Quels as, ces missionnaires ! » dit Milou en visitant l'hôpital, la ferme-école, la chapelle qu'ils ont édifiés là où tout n'était que brousse un an auparavant.

À la réflexion, les seuls personnages odieux de cette histoire ne sont ni les animaux (occis en série), ni les Noirs (vraiment trop naïfs pour être dangereux), mais le passager clandestin entrevu dans le paquebot et son commanditaire. Dès qu'il a posé le pied en Afrique, Tintin a été précédé par sa légende. Déjà... Al Capone le balafré, roi des bandits de Chicago, a cru qu'il voulait l'empêcher de prendre le contrôle de la production locale de diamant. Aussi a-t-il juré sa perte et chargé ses sicaires de l'éliminer. Cette trame n'enlève rien à la qualité d'enquêteur de Tintin, même si, cette fois, il est plus détective que reporter. Les méchants seront punis et tout finira bien. La morale est sauve. Et Hergé pressé d'expédier son héros en Amérique !

La série paraît d'abord chaque semaine dans

Le Petit Vingtième, puis en album aux éditions du *Petit Vingtième*, enfin à nouveau dans *Cœurs Vaillants*. Le 9 juillet 1931, *bis repetita*. L'abbé Wallez organise le retour du reporter du Congo. Cette fois, on l'a choisi plus petit que le précédent : Henry Den Doncker campe Tintin à la gare du Nord. En short, socquettes et chemise blancs. Sans oublier l'indispensable casque colonial. Le Milou du jour est emprunté au patron d'un café où des journalistes du *Vingtième Siècle* ont leurs habitudes. Mais l'opération connaît un tel succès qu'il faut impérativement protéger le chien des centaines de gamins postés sur le boulevard du Jardin botanique : ils veulent tous lui donner un sucre ! Quand il parvient à proximité, le cortège est tellement bruyant et la foule si compacte que les gens sont aux fenêtres. Il est vrai qu'on ne voit pas tous les jours Tintin et Hergé dans un landau escorté par des Noirs dans une grande avenue de Bruxelles[38] !

La parution de *Tintin au Congo* se déroule sans polémique ni controverse. Et pour cause : son esprit épouse parfaitement l'air du temps. Non pas raciste mais paternaliste. En ce temps-là, quand il remplit ses bulles, Hergé ne se demande pas s'il doit écrire Noir ou nègre, ou s'il doit évoquer les bienfaits de la civilisation occidentale en Afrique noire en mettant des guillemets à « bienfaits ». Plus tard, quand ces aventures au Congo seront suspectées de racisme, Hergé cherchera à se disculper en invoquant la mentalité qui régnait alors dans la société :

« C'était une époque où tout le monde trouvait naturel qu'un pays eût des colonies. Chez nous en Belgique, il y avait la loterie coloniale ; un petit nègre animé qui annonçait les publicités sur les écrans de nos cinémas ; la rue des Colonies ; des tavernes qui s'appelaient par exemple Le Colonial ; les grooms des hôtels étaient principalement des gens de couleur noire ; un cirage portait la marque Négrita[39]... »

Tout cela est incontestable. Comme l'est la docilité avec laquelle Hergé conforte la morale dominante, surtout lorsqu'elle coïncide avec l'idéologie de l'abbé Wallez, qu'il s'agisse du christianisme, de l'anticommunisme ou du colonialisme. Il n'y a pas l'ombre d'un doute, d'une critique ou d'une réserve sous son crayon. Son talent a un effet anesthésiant. Il désamorce toute contestation de l'ordre établi. *L'Essor colonial et maritime* ne s'y est pas trompé. Tout en rappelant que la vraie propagande coloniale commence à l'école le journal loue l'album pour ses qualités pédagogiques. Mais il le juge fantaisiste et conclut : « Vous rirez aux larmes tant le Congo présenté par Hergé vous fera oublier l'autre, celui que vous avez vu. »

Le Congo restitué par Hergé est dans la ligne. Droit dans la ligne même si celle-ci commence à dévier un peu. La caractéristique d'Hergé est alors de refléter son temps tel qu'il s'impose massivement, mais jamais les évolutions qui s'y dessinent, pour ne rien dire des avant-gardes souterraines.

En 1930, cela fait déjà trois ans qu'André Gide a publié son *Voyage au Congo* où perce une indignation sincère contre les abus du colonialisme. Encore son réquisitoire est-il plus poétique que politique et ne menace-t-il pas la présence occidentale en Afrique. Il n'empêche : ce coup de boutoir ébranle des consciences. En 1930, cela fait un an qu'Albert Londres a publié *Terre d'ébène*, un recueil de ses articles sur la traite des Noirs parus peu avant dans *Le Petit Parisien*. Son récit de la construction du Congo-Océan est hallucinant. C'est le chemin de fer qui tue, de Brazzaville à Pointe-Noire. Un chantier qui a déjà fait près de vingt mille morts. Et il y a encore 300 km de rails à mettre bout à bout. Albert Londres, lui non plus, ne veut pas saper les fondements de l'Empire. Juste réformer ce qui doit l'être pour arrêter le massacre. Et dénoncer des injustices qu'il serait indigne de taire quand on est un journaliste digne de ce nom. Cela lui vaudra en retour une très violente campagne du lobby colonial à la Chambre et dans la presse.

Albert Londres est pourtant le modèle avoué et revendiqué de Tintin. Qu'importe. La France est la France, la Belgique est différente, dira-t-on. Comment ignorer alors l'évolution d'un Georges Simenon ?

Une dizaine de ses romans de jeunesse, publiés dans les années vingt sous les pseudonymes de J. du Perry ou de Georges Sim, avaient pour cadre l'Afrique : *Le Cercle de la soif, Le Sous-Marin dans la forêt, Les Nains des cataractes*... Bref, aventures et exotisme. Inutile de préciser qu'ils étaient bourrés de préjugés et de stéréotypes racistes. Dans *Le Gorille-roi* (1929), dont l'action se déroule entre Zanzibar et le lac Tanganyika, le nègre était assimilé au singe. Tout simplement. Les membres de la tribu des Yem-Yem n'y étaient pas seulement anthropophages, comme il se doit. Ils étaient présentés par le romancier comme des monstres à queue... Et c'est le même homme, en qualité non plus de romancier populaire mais de reporter au long cours, qui se rend au Congo à l'été 1932 et en ramène une série d'articles que publie l'hebdomadaire parisien *Voilà* sous le titre « L'heure du nègre ». Sous sa plume, plus violente que véhémente, il n'y a pas une Afrique mais une infinité d'Afriques. Lui aussi, il n'a pas assez de mots pour dénoncer la barbarie du chemin de fer Congo-Océan. Et il est belge[40] ! Mais là où Gide s'en tenait à la critique des abus, excès et dérapages, Simenon n'hésitera pas à dénoncer le système. En conclusion de sa série, il écrira : « Oui, l'Afrique nous dit merde et c'est bien fait[41]. »

Avec Gide et Londres, pour ne citer qu'eux, Hergé a les moyens de savoir. Pour ne rien dire des reportages africains d'Edmond Tranin. Avec Simenon, il aura bientôt la possibilité de rectifier le tir. Il peut évoluer. Mais le veut-il vraiment, lui qui est déjà si loin du Joseph Conrad d'*Au cœur des ténèbres* ? Bien plus tard, au fil de ses examens de conscience, il donnera l'impression d'avoir subi son milieu. En fait, il y est parfaitement intégré. Ce n'est pas un individu déchiré par ses contradictions mais au contraire un homme en harmonie avec les idées développées autour de lui. Ce ne sont ni le hasard ni la nécessité qui l'ont conduit à entrer au *Vingtième Siècle* et à y rester, au plus près de l'abbé Wallez. Il y est comme un poisson dans l'eau. Dans son univers d'élection, sinon dans son cadre naturel.

Georges Remi a d'autres priorités qu'une remise en question morale ou politique à 24 ans. Il veut réussir. Ses responsabilités au *Petit Ving-*

tième et les premiers succès de Tintin n'ont pas entamé son humilité. Aussi en mai 1931 se rend-il, avec l'appréhension du débutant qu'il n'est plus tout à fait, chez Alain Saint-Ogan pour lui présenter ses planches de dessins. Aux yeux d'Hergé, le dessinateur-scénariste français, alors âgé de 36 ans, fait figure d'ancien. Il faut dire qu'il a déjà une carrière derrière lui. Saint-Ogan, c'est déjà un nom, une signature, une légende. Il n'a certes pas inventé la bande dessinée. Il n'est pas non plus le pionnier de l'introduction des bulles dans les images. Mais il a donné ses lettres de noblesse à un genre méprisé en publiant *Zig et Puce* dans la grande presse, bientôt suivis par le pingouin Alfred. Des personnages, des univers et des récits dont la lisibilité immédiate est la première qualité, surtout pour un garçon comme Hergé si préoccupé d'efficacité.

Quand il présente ses dessins au Maître, celui-ci le félicite, une fois n'est pas coutume. Car généralement, lorsque de jeunes confrères sollicitent son avis, Saint-Ogan leur déconseille de poursuivre dans cette voie : on y gagne si mal sa vie... Cette fois, il ne peut s'empêcher d'encourager son visiteur à persévérer. Il aime bien ses dessins qu'il juge « très sains[42] ». Pour le lui prouver, il va jusqu'à lui offrir en témoignage de complicité une planche originale de *Zig et Puce*, intitulée « Gloire et richesse » et chaleureusement dédicacée à ce « jeune confrère » si prometteur.

L'avenir, Georges Remi n'a même pas le temps d'y penser. Il ne dételle pas. À peine son héros est-il officiellement rentré du Congo que déjà, dans sa tête, il est en route pour l'Amérique. Quoi qu'en dise l'abbé.

Plus que jamais, Hergé imagine Tintin comme un chevalier luttant contre les forces du mal. Mais, cette fois, à l'origine de son aventure, il y a une cause dont la noblesse est incontestable. Il ne s'agit pas de dénoncer la terreur bolchevique ou d'exalter l'œuvre des missionnaires en Afrique, mais de prendre la défense des Indiens exploités et expulsés de la terre de leurs ancêtres. Le créateur et son personnage n'auraient jamais été aussi scouts que dans ce qui s'annonce comme un hommage à un peuple ayant servi de modèle à tant de troupes. Mais dès sa conception, l'histoire connaît une évolution telle que les Indiens n'en sont plus les seuls héros. La documentation qu'Hergé réunit à cet effet en témoigne.

Plus précise et plus abondante que pour ses deux précédentes séries, elle est orientée dans les deux directions que prendra le récit. Les exploités tout d'abord. Le dessinateur lit notamment *Mœurs et histoire des Indiens Peaux-Rouges* (1928), où René Thévenin et Paul Coze multiplient les détails. Les exploiteurs ensuite. *Le Crapouillot* y a justement consacré un numéro spécial quelques mois plus tôt. Simplement, il ne les appelle pas les exploiteurs mais les Américains. L'ensemble est très complet. On passe des gratte-ciel de New York aux Peaux-Rouges du Nouveau-Mexique. À Chicago, par exemple, le reporter Claude Blanchard nous entraîne aussi bien dans les abattoirs que chez les gangsters. Il est vrai que les deux univers se mélangent... La voiture blindée mais criblée de balles de Spike O'Donnell paraît avoir été découpée au hachoir. La photo d'un rastaquouère joufflu et sa légende semblent sorties tout droit d'un album d'Hergé, à moins que ce ne soit le contraire : « Alphonse "Scarface" Capone (Capone le balafré) le "tsar" des bandits de Chicago, multimillionnaire, contre lequel vient d'être lancé un mandat d'arrêt. »

Hergé lit également un certain nombre d'articles sur un sujet qui en a beaucoup inspiré et voit des films. Mais une autre source, et non des moindres, vient utilement compléter ce tableau : *Scènes de la vie future* de Georges Duhamel. Son influence sur l'élaboration de *Tintin en Amérique* est certaine, fût-elle indirecte.

Prix Goncourt en 1918 pour *Civilisation*, l'écrivain français jouit d'un grand prestige en Belgique. Il y donne régulièrement des conférences organisées par l'intermédiaire de Paul Colin et y fréquente des historiens (Henri Pirenne), des écrivains (Franz Hellens, Louis Piérard), aussi bien que des hommes d'État (Jules Destrée, Émile Vandervelde) [43]. Ce grand voyageur au tempérament casanier n'a séjourné que dix-sept jours aux États-Unis, fin 1928, quand Paul Claudel était ambassadeur de France à Washington. Son livre est avant tout une mise en garde adressée à ses contemporains contre la tyrannie exercée par les biens matériels. Pamphlet provocateur, parfois même scandaleux, de toute façon loin de l'habituelle manière de Georges Duhamel, c'est une dénonciation vigoureuse de la consommation, de la publicité, de la standardisation et, pour tout dire, de la modernité. Elle n'a tout son sens que dans le contexte bien particulier de la crise économique de 1929. Duhamel y exalte la sagesse européenne pour mieux l'opposer à la folie de l'Amérique capitaliste saisie par le vertige de l'argent. Passe encore que Chicago y soit présenté comme une « termitière ». Mais Chaplin non plus ne sort pas indemne de ce laminage, pour ne rien dire du cinéma comme art : « Un divertissement d'ilotes, un passe-temps d'illettrés[44]. »

Dans ce livre qui ne peut susciter d'indifférence chez un esprit curieux, il y a à prendre et à laisser. Hergé laisse la cinéphobie primaire et prend beaucoup : la rapidité avec laquelle les villes sont construites, l'envahissement de la vie quotidienne par la publicité, le spectacle des abattoirs de Chicago, l'incroyable circulation automobile... Comment ne se sentirait-il pas en connivence avec un essai dont l'individualisme est la clef de voûte, et la révolte contre le machinisme l'idée-force ? À sa parution en mai 1930, le livre remporte un énorme succès, couronné par l'attribution d'un grand prix exceptionnel de littérature de l'Académie française. Seuls les journalistes sportifs, les critiques de cinéma et les publicitaires le prennent mal. Des réactions de rejet qui seront aussitôt qualifiées de corporatistes[45].

Les Aventures de Tintin, reporter à Chicago, qui paraissent dans *Le Petit Vingtième* à partir du 3 septembre 1931, débutent effectivement à Chicago, ville natale de Walt Disney et ville fatale d'Al Capone. Dès la première planche, la trame est annoncée : Tintin arrive, il ne doit pas rester. D'emblée, Hergé introduit un procédé dont il usera désormais régulièrement : le rappel d'aventures précédentes par le retour de personnages récurrents. On ne saurait mieux s'attacher les lecteurs qu'en les renvoyant à des albums qu'ils n'ont peut-être pas (encore) lus.

Tintin et Milou sont enlevés dès qu'ils posent le pied à Chicago en proie à la prohibition. C'est le début d'une cavalcade qui leur permettra de s'échapper, de retrouver leurs agresseurs, de provoquer un grave accident de voiture, de séjourner à l'hôpital et de recevoir une lettre de menaces d'Al Capone en personne (le premier des deux personnages réels qu'Hergé utilisera dans son œuvre sans modifier leur nom). Heureusement, un des bandits s'est réfugié en territoire peau-rouge... La course-poursuite, de gags en faux-semblants, de coups de théâtre en chausse-trapes, fera apparaître un certain nombre de personnages plus louches les uns que les autres. À la fin, Tintin ayant neutralisé le syndicat des bandits de Chicago en envoyant 355 de ses membres sous les verrous, la ville le fête à l'égal d'un héros national.

Dans l'affaire, les Indiens sont un peu passés à la trappe. Ils sont certes présents, moins que prévu mais suffisamment pour qu'Hergé puisse s'inscrire en faux contre la vision dominante et démythifier le « cruel sauvage » complaisamment présenté par les westerns. Le détail est moins anodin qu'il n'y paraît. Un jour, il prendra toute sa signification, rendant plus discutable le « procès » en racisme qui sera instruit contre lui.

Ces nouvelles aventures de Tintin outre-Atlantique sont également révélatrices de l'état d'esprit de Georges Remi au début des années trente. Il paraît pour le moins ambivalent tant ses sentiments sont contrastés. Mais à l'examen, son rejet de cette civilisation matérielle, violente et idolâtre du Dieu dollar, l'emporte sur sa fascination de l'Amérique des gratte-ciel et des Indiens. On l'avait exclusivement catalogué comme anticommuniste viscéral. On découvre qu'il est en sus anticapitaliste, au moment où l'Europe est économiquement et politiquement ébranlée par l'onde de choc du krach boursier de Wall Street en octobre 1929. Anticapitaliste comme le seront bientôt, à l'extrême droite de l'échiquier politique belge, les jeunes Turcs de Rex. Ni Moscou, ni New York. Seule différence entre les deux : la première est officiellement mauvaise alors que la seconde l'est insidieusement.

Ce n'est probablement pas parce que ses qualités de dessinateur se sont encore améliorées que l'album *Tintin en Amérique* demeurera longtemps son plus grand succès. Il n'empêche. Sur un plan technique, Hergé a encore accompli des progrès. Question d'expérience, de savoir-faire, d'inspiration. Mais il ne s'est pas encore débarrassé de certaines naïvetés et maladresses graphiques. Il ne maîtrise pas tout à fait les codes, la syntaxe et la grammaire de cette littérature en images qu'est la bande dessinée. Il a encore du mal à situer ses personnages dans l'espace quand ils sont en mouvement. Chaplin, qu'il cite souvent, avait compris les fondements de la mise en scène dès ses débuts : « Je n'avais qu'à distinguer ma gauche de ma droite pour les entrées et les sorties. Si on sortait par la droite à la fin d'une scène, on entrait par la gauche pour la scène suivante ; si on sortait vers la caméra, on rentrait en tournant le dos à la caméra[46]. »

À sa troisième aventure, Hergé, lui, commet encore l'erreur de dessiner son héros en contradiction avec ses paroles. Lors de l'épisode de la galerie souterraine, il fait monter Tintin quand celui-ci est censé descendre. Puis il le fait s'enfoncer quand Tintin devrait remonter. Manifestement, il n'a pas saisi la règle élémentaire du sens de la lecture. Quand un personnage monte ou avance, c'est toujours de gauche à droite, dans le sens de la lecture. Question de lisibilité autant que de logique : il donne sinon l'impression de faire machine arrière et... de se marcher dessus !

Cela ne lui est alors guère reproché. L'analyse graphique n'a pas cours. En ce temps-là, la bande dessinée ne s'étudie pas : elle se lit. Quand ils veulent s'expliquer, ceux qui l'admirent déjà le font avec une grande économie de mots. Il en est ainsi de Maurice Pauwaert, qui dirige à Gand la revue *Sur l'eau*. À ses yeux, Hergé se distingue des autres dessinateurs belges en ce qu'il ne bâcle pas et que son dessin est par conséquent « enlevé » et même « pensé », voilà tout[47].

Les ennuis lui viennent d'ailleurs. Non d'Amérique, Al Capone n'exigeant pas de droit de réponse inscrit en lettres de sang sur le bureau de l'abbé Wallez ; il a de toute façon d'autres chats à fouetter, le *New York Daily News* et le *Chicago Tribune* venant de publier *Dick Tracy*, la première bande dessinée policière américaine. En fait, les ennuis viennent de plus près. À Paris, dès que *Cœurs Vaillants* a entrepris de publier la série, le dessinateur Marcel Turlin, dit Mat, a porté plainte pour contrefaçon. Dans un premier temps, il a été troublé par la ressemblance entre les exploits du reporter belge en Amérique et l'une de ses propres bandes dessinées, une aventure de *Pitchounet, fils de Marius,* qui se déroule selon le même schéma avec des gangsters, des policiers et des enfants. Or, celle-ci a été publiée à partir du 1er mars 1930 dans *Ric et Rac*. Soit dans un illustré de grande diffusion, plus d'un an avant que Tintin ne foule le sol de Chicago. Hergé, qui assure ne jamais acheter ce journal, reconnaît être tombé dessus par hasard une ou deux fois et avoir lu, en effet, *Pitchounet*... Mais pas un instant il n'a eu l'intention d'en faire usage. De son point de vue, l'affaire est simple : les troublantes ressemblances entre leurs œuvres respectives sont en fait des lieux communs du genre, des poncifs de toute aventure américaine. « Des idées dans l'air », souligne-t-il, prévenant qu'il ne faudra pas s'étonner de voir un troisième confrère en faire bientôt usage. Pour en finir avec ce pénible différend, la Société du droit d'auteur s'en remet à l'arbitrage de deux confrères, Étienne Le Rallic, qui collabore notamment à *L'Intrépide, La Semaine de Suzette* et *Cœurs Vaillants,* et Jean Chaperon. Une réunion suffira à ce tribunal : l'affaire sera classée sans suite[48].

Boulevard Bisschoffsheim, au troisième, à l'étage où l'administration a généreusement mis une grande pièce à la disposition du *Petit Vingtième,* on s'organise. Désormais, Hergé dispose d'une toute petite équipe de collaborateurs à temps variable. Il y a d'abord Germaine Kieckens, une rousse spectaculaire et élégante, tout aussi courtisée que protégée. En effet, elle n'est autre que la secrétaire de l'abbé Wallez. C'est peu dire qu'elle lui est dévouée. Il n'est pas d'homme qu'elle admire plus au monde. Elle le défendra toujours, envers et contre presque tous, jusqu'à en épouser un jour son intransigeance politique. En attendant, elle jette son dévolu sur Georges Remi.

Plus âgée que lui d'un an, elle est surtout beaucoup plus mûre. Son assurance dans les prises de décision et sa détermination dans ses attitudes font défaut à un Georges Remi assez timide, peu expansif et d'un aspect encore juvénile. Quand elle l'a rencontré pour la première fois, il travaillait au service des abonnements. Il n'était rien. Cela fait déjà quatre ans qu'ils se connaissent, quelques mois qu'ils se fréquentent, quelques semaines qu'ils sont fiancés. L'abbé a été l'artisan naturel de cette idylle. Il faut dire qu'un beau jour de 1930, le bouillant directeur du *Vingtième Siècle* a décrété sans raison apparente que tous les célibataires employés au journal devaient impérativement convoler. René Verhaegen, 24 ans, est dans le collimateur. Il écrit des feuilletons pour la jeunesse tels que « Le Vizir avare », « Popokabaka » ou « Le Tapis merveilleux », illustrés par Hergé. Il ne rechigne pas à l'ouvrage bien qu'il soit payé au lance-pierre. Mais il ne veut pas, lui, entendre parler de mariage. Et il ne se gêne pas pour refuser la femme que l'abbé lui met de force dans les bras. Aussitôt licencié, il poursuit le journal devant les tribunaux et gagne son procès[49].

L'abbé Wallez a plus de chance avec sa secrétaire et son Petit Vingtiémiste modèle. Au début, il s'arrange pour les réunir à la moindre occasion, les faire travailler ensemble. Lorsqu'il a l'idée d'offrir pour Noël une cinquantaine d'albums d'Hergé numérotés à des personnalités, il les dispose par terre dans son bureau et demande à Germaine de signer maladroitement pour Milou tandis que Georges signe en lieu et place de Tintin.

Norbert Wallez est l'homme que Georges respecte le plus, le seul à qui il ne peut pas dire non. Mais avant de se décider, il aura tout de même passé trois jours à méditer dans la retraite d'une abbaye. Pour Germaine, son patron est une idole et un papa, le seul à qui cette jeune femme de caractère ne peut pas dire non.

Pourtant, en 1931 rien n'est encore joué. Georges est jaloux de la vénération de Germaine pour leur patron. Elle ne parle que de lui. Pis encore : elle ne perd pas une occasion de lui faire comprendre qu'il n'arrivera jamais à sa hauteur. Qu'il n'aura jamais ses qualités intellectuelles, son tempérament de battant, sa force de caractère. Ce n'est pas une question d'âge mais de personnalité. Si c'était un homme comme les autres... Mais c'est un ecclésiastique ! En un sens, cela paraît préférable. Georges fait des efforts pour élargir ses perspectives et gagner en maturité. Mais Germaine démolit tout aussitôt en le comparant à « l'autre », rival adulé par le couple. Il n'y a rien à faire. Hergé se console en s'épanchant par écrit dans son petit calepin de poche, recueil de ses pensées et brouillons de ses lettres à sa fiancée. Il a compris qu'elle lui est supérieure par bien des aspects. Mais à 24 ans, il n'envisage pas la vie sans elle :

« Je ne serais pas heureux avec mon métier. Je le sais. Je serais heureux avec toi, ou sans toi avec Dieu. Pas de milieu[50]. »

Le 21 juillet 1932, ils disent enfin oui d'un

même souffle à l'abbé Wallez qui les marie. Bien plus tard, Germaine reconnaîtra :

« On s'est mariés à cause de l'abbé. Car nos deux vies se correspondaient. Mais je n'éprouvais pas un fol amour pour Georges. Il n'était pas mon genre. J'aurais voulu un homme plus âgé, plus mûr[51]... »

La maturité viendra plus tard. Avec la notoriété et les épreuves de la vie. En attendant, la nouvelle Mme Remi est la principale collaboratrice de son mari. Chaque semaine, au marbre du journal, elle noircit ses dessins, exécute les retouches, corrige épreuves et morasses. Pendant des années, Germaine jouera un rôle essentiel et invisible auprès de son mari. Elle le pousse surtout à se consacrer à la bande dessinée quand il hésite à succomber aux sirènes de la publicité. Avec des arguments qui n'appartiennent qu'à elle, elle lui fait valoir que Tintin, contrairement à la réclame, n'est pas éphémère. Les satisfactions matérielles et artistiques viendront et elles seront durables. Elle a du mérite à le convaincre. Car la publicité paie mieux, plus rapidement. Le graphiste et l'homme de caractère qu'il n'a cessé d'être s'y épanouissent mieux.

Germaine est également son principal modèle, avec leurs chats. Allongée ou assise, le plus souvent habillée mais parfois nue, elle apparaît dans tous ses états sous le crayon ou le pinceau de Georges qui n'est pas celui d'Hergé. Que ce soit à la mine ou au pastel, à l'huile ou à l'aquarelle, les traits de son visage et les contours de sa silhouette remplissent des pages et des pages de ses carnets de croquis et feuilles de dessin au début des années trente. Un véritable laboratoire pour un créateur qui ne sait pas ne pas dessiner.

Quand elle ne prête pas main-forte pour les dessins, Germaine signe des billets du pseudonyme de Tantine ou rédige des échos féminins. En dehors d'elle, l'autre pilier du *Petit Vingtième* dès 1930 s'appelle Paul Jamin. Ce Liégeois plus jovial que la normale, plus farceur que la moyenne, se présente comme un esprit voltairien marqué tant par l'œuvre de Swift que par celle de Twain. L'humour, la dérision et la galéjade constituent sa seule et vraie nature. Très tôt, son tempérament de dessinateur le porte plus vers la caricature politique que vers l'illustration pour la jeunesse. Hergé, qui l'a connu chez les scouts de Saint-Boniface, le sait mais lui propose tout de même de le rejoindre. Jamin accepte. Il y restera six ans. Pour l'ambiance, pour les coups de gueule de l'abbé, pour la population bizarre hébergée en permanence dans les greniers et pour le plaisir de faire un journal avec son ami Georges. Car on ne s'y ennuie pas. Il suffit d'observer quelques personnages pittoresques qui hantent la rédaction sans qu'on sache pourquoi, un vieil évêque ivrogne ou encore le comte Perovsky, Russe blanc s'exprimant en français du XVIIIe siècle, pisse-copie recueilli et utilisé par pitié plus que par nécessité et source inépuisable de gags. Pour le reste...

« On était épouvantablement payés. Tous sauf Hergé qui bénéficiait d'un traitement royal de l'abbé. Celui-ci a vite compris que c'était un gros capital à entretenir pour le faire fructifier. Tous les autres travaillaient autant pour *Le Petit Vingtième* que pour le petit Jésus[52] ! »

Georges est son chef mais il ne joue pas au chef. L'important est que le journal sorte à l'heure. Peu importe dans quelles conditions. Le lecteur ignore les cuisines, les crises et les ratages. Il ne juge qu'au résultat. Ça se passe entre amis, sans véritable hiérarchie. La *scout connection* favorise l'arrivée d'un quatrième larron, passé par un stage de trois mois à la photogravure. Eugène Van Nijverseel, qui signera bientôt Evany, arrivé avant Jam, a droit à une table à dessin tout près de celle du maître des lieux. Jean Libert, rédacteur à la compagnie d'assurances La Royale belge, vient presque tous les jours chercher son meilleur ami à son travail. Il ne tarde pas à faire la connaissance d'Hergé. Le portait qu'il en dresse plusieurs décennies après est saisissant de vérité, tant il synthétise bien les différentes opinions qu'on peut glaner sur le personnage.

« Hergé m'accorda son amitié sans réserve et, sachant que je voulais devenir poète et romancier, m'encouragea en publiant mes premiers poèmes dans son *Petit Vingtième*. C'était un garçon d'une droiture morale hors du commun, d'une fidélité sans faille vis-à-vis de ses amis, d'une rectitude spirituelle très forte, d'un courage à la fois sobre et discret, d'une modestie voilée, d'un humour dénué de toute agressivité. Il jouissait déjà, aux yeux de ceux qui avaient la chance de le fréquenter, d'un prestige indéniable. Ce qui me fascinait surtout chez Hergé, c'était son autorité naturelle, sa tenue de jeune homme bien élevé, son charisme qui rayonnait comme une lumière émanant de son élégance morale. Ce que j'admirais aussi chez lui, c'était sa rigueur, son goût de la perfection[53]. »

Comme la plupart de ceux qui ont l'occasion de l'observer en plein travail, Jean Libert est fasciné par sa rigueur et son perfectionnisme quasi obsessionnel. Insatisfait en permanence, Hergé n'hésite pas à déchirer, jeter et recommencer. Jusqu'à ce qu'il trouve l'expression idoine. Celle qui traduira au mieux l'idée de dessin qu'il a à l'esprit. Parfois, quand Evany n'a pas fini son travail et que Libert l'attend dans un coin de la pièce, Hergé lui fiche son té à dessin entre les mains et lui demande de prendre l'attitude d'un gangster surveillant la rue, armé d'une mitraillette. D'un croquis l'autre, il ne relâche son modèle que lorsqu'il l'a enfin « attrapé ».

« Cette fois, c'est bon... »

Malgré cette atmosphère bon enfant, Georges Remi prend son rôle au sérieux. Pour autant, se sent-il personnellement responsable du contenu du *Petit Vingtième* dans son intégralité ? Angoissé et scrupuleux à l'extrême, il vérifie tout et ne s'absente que rarement de Bruxelles. À moins que l'abbé ne l'envoie à Paris en mission auprès de *Cœurs Vaillants* ou pour assister à un rassemblement des patronages. Quand il s'y rend avec son complice Paul Jamin, l'abbé, très soucieux de protéger leurs vertus, leur recommande instamment de descendre dans un établissement pour ecclésiastiques, l'hôtel du Beaujolais au Palais-Royal[54]. Mais quand il emmène plutôt Germaine, l'abbé ne dit rien. D'autant qu'il sait qu'ils en profiteront pour mieux connaître Paris, de concert avec le dessinateur Jacques Dumas, dit Marijac, et sa femme.

« Nous étions les clowns de l'abbé Courtois, chargés d'attirer la jeune clientèle des milieux catholiques, nous laissant toute liberté pour interpréter nos séries », se souviendra-t-il[55].

Hergé attache une importance toute particulière à ses relations avec *Cœurs Vaillants*. Il a quelques raisons de se méfier des libertés qu'ils prennent parfois avec ses planches. Mais ce n'est pas le seul motif. Cet illustré pour enfants est un tremplin pour se faire connaître en dehors d'une Belgique qui lui paraît vite trop étroite. Avec *Le Petit Vingtième*, Tintin ne pourra jamais conquérir que la fidélité des petits Belges. Avec *Cœurs Vaillants*, ce n'est pas seulement le public catholique français qui se présente, mais le marché de la francophonie qui s'offre en perspective. Hergé ne s'y est pas trompé. Très tôt, dès septembre 1932, *L'Écho illustré* le contacte de Genève pour acheter sa production. Ce jeune hebdomadaire, destiné aux familles catholiques de Suisse romande, a l'évêque de Fribourg pour propriétaire. L'abbé Carlier en est l'un des fondateurs. Deux ans après, c'est au tour de l'illustré *O Papagaio*, dirigé par l'abbé Varzim à Lisbonne, de lui faire des propositions.

Après la *scout connection*, le lobby catholique. L'un est le prolongement de l'autre. Qui s'en plaindrait ? Certainement pas Georges Remi qui lui doit beaucoup. Il est payé pour en connaître l'efficacité et le dynamisme. À croire qu'au début des années trente, les curés sont les plus perspicaces de tous les entrepreneurs. Sachant que l'éducation se fait à la racine et pas seulement à l'école, par la distraction autant que par la leçon, ils ont deviné les premiers quels fantastiques développements connaîtrait la presse illustrée destinée à la jeunesse. Pour s'engouffrer dans cette brèche dans le sillage des soutanes, Hergé n'a pas à forcer sa nature. Loin d'être une grenouille de bénitier, il est parfaitement à l'aise dans ce milieu. Aussi ne perd-il pas de temps pour s'organiser dans la protection de ses intérêts.

Un soir de juillet 1932, au grand café Continental de Bruxelles, il tente une discrète démarche qui marque en fait son premier acte de défiance envers l'abbé Wallez. À sa propre demande, il rencontre M. Dejardin, délégué général en Belgique du Syndicat de la propriété artistique, l'organisme parisien chargé de défendre les droits d'auteur des artistes. Les questions qu'il lui pose, nettes et précises, reflètent l'état d'esprit qui sera toujours le sien. Non pas celui d'un homme d'argent âpre au gain, mais celui d'un créateur révolté par l'idée de se faire indûment exploiter :

« *Le Vingtième Siècle* peut-il réclamer sa part des droits sur mes dessins publiés dans *L'Écho illustré* et dans *Cœurs Vaillants* ? Éventuellement, à quel pourcentage cette part pourrait-elle s'élever ?

— Je ne sais pas, moi, à quoi vous vous êtes engagé personnellement auprès du *Vingtième Siècle* et si vous avez signé un arrangement noir sur blanc, voire sur papier timbré ! Ce serait une bien grosse erreur de votre part, mais on ne sait jamais jusqu'où la tête folle des artistes peut conduire les choses ! Au point de vue moral, *Le Vingtième Siècle* n'a absolument aucun droit sur les droits d'auteur qui doivent vous revenir du fait des reproductions dans d'autres journaux... »

Le juriste lui explique que son Syndicat s'opposera de toute façon à « ces combinaisons de corsaires ». Il va même plus loin, sort de son rôle pour se faire agent et propose à Hergé d'intercéder en sa faveur auprès de l'abbé.

« Je serais plus fort que vous[56]... »

L'abbé Wallez a de quoi s'inquiéter. Car la frénésie de travail qui s'est emparée de son poulain pourrait l'entraîner vers d'autres cieux que ceux du boulevard Bisschoffsheim, plus séduisants et plus prometteurs. Il faut dire qu'Hergé dessine tous azimuts. Les premiers succès de *Tintin* ne l'ont pas fait renoncer à la publicité, il s'en faut. Lorsque Jules d'Hermann vient l'interviewer à son bureau pour le compte de *L'Effort*, l'organe de la Jeunesse indépendante catholique, il s'adresse plus en fait au graphiste Georges Remi qu'au dessinateur Hergé. La disproportion en est même frappante. À la relecture de l'article, on se frotte les yeux, histoire de vérifier qu'il s'agit bien, toujours, du créateur des aventures de Tintin et Milou. Car dans sa bouche, il n'est question que de réclames. Celle qu'il a exécutées pour la coopérative Le Campeur, le chocolat Menier, le fleuriste Claeys-Putman, le magasin de mode Simone et Claire, les fourrures Heye. Ou celles qu'il admire sous la signature de Marfurt ou Cassandre. Il a très vite parfaitement intégré les canons de la propagande publicitaire. À ce titre, entre autres, le récit de la visite que lui rend le reporter de *L'Effort* est très instructif :

> « J'essaie d'attirer l'attention sur une affiche par une tache marquante, simple et très visible. Un dessin, imprimé en noir et

blanc, doit présenter beaucoup de blanc, beaucoup d'air. Rien de surchargé ou d'accumulé. J'évite (dans l'annonce pour quotidiens) les taches noires qui peuvent convenir beaucoup mieux aux dessins de revues ou affiches de couleur.

— Comment concevez-vous l'agencement des couleurs ?

— Je donne ma préférence aux couleurs vives et s'harmonisant entre elles. Surtout un grand principe : la simplicité. À mon avis, c'est le meilleur moyen de créer quelque chose de marquant. Quand il y a moyen, j'essaie de tirer parti des lettres... Pour une campagne suivie, je crée pour chaque maison un dessin type, telles les bûches du Campeur qui réapparaissent sur chaque annonce et donnent à toutes un air de famille. (...)

Hergé n'aime guère le genre anglo-américain symbolisant toujours un bonheur matériel parfait. Seule l'affiche Chrysler, si simple et si rapide — cette Chrysler noire rayée de blanc et de vitesse dont les cercles noir et blanc des roues fuient vers l'arrière et se perdent dans le vent —, lui a plu par sa hardie nouveauté.

Hergé admire les affiches allemandes si elles ne sont pas trop intellectualisées (car alors, n'est-ce pas, elles manquent leur but, fatiguent et agacent). Signalons parmi ses préférences Ludwig Holbein, Willrab qui (comme Coulon en France) excelle à utiliser la lettre — voyez sa « Cigarette Problem » : lettres en perspective, le O formant la bouche qui fume la cigarette. Enfin l'affiche du Congrès de Publicité : la femme bipartite, tendant l'oreille, dardant l'œil, symbolisant les deux modes principaux de réclame.

— Et quelle est votre ambition, monsieur Hergé ?

— Me perfectionner dans mon métier que j'aime et continuer à servir de mon mieux la presse catholique au *Vingtième Siècle*[57]. »

Même pour exprimer ses ambitions, Georges Remi est doué. Car cette noble intention est assez précise pour complaire à l'abbé Wallez et suffisamment vague pour laisser d'autres portes ouvertes, du côté des calmants Sédagénol ou des produits vitaminés Magneshal pour ne citer que ces deux clients. Pourquoi se fermer les portes d'un métier d'avenir, qui paie et vite et, de surcroît, offre des perspectives artistiques ? Hergé s'y lance à corps perdu sans que cette activité ne porte préjudice à ses bandes dessinées. Aucune schizophrénie dans son attitude. C'est le même homme qui signe les deux types de dessins, avec le même pseudonyme et les mêmes principes de lisibilité et de clarté. Ses réalisations publicitaires étonnent par la rigueur de leur composition, l'originalité de leur conception, la diversité de l'inspiration et le jeu avec les lettres, élément du dessin à part entière. On y sent diverses influences, dont celle des expressionnistes allemands, des gravures sur bois et des linogravures du Bruxellois Clément Pansaers ou du Gantois Frans Masereel, et celle des couvertures de revues culturelles telles que *Résurrection, Ça ira* ou *Lumière*.

Même son papier à en-tête et son affiche

d'autopromotion sont particulièrement soignés. Au début, quand il se domicilie au siège même du journal 11, boulevard Bisschoffsheim, il annonce : « L'atelier Hergé se fera un plaisir de vous créer la marque, le catalogue, l'affiche qui vous aidera à lancer ou à étendre votre entreprise. » Bientôt, l'affaire prenant une certaine ampleur, Georges Remi s'associe avec Adrien Jacquemotte et José de Launoit, loue des bureaux 9, rue Rouppe et y installe leur petite entreprise. Créée le 3 janvier 1934 pour trois ans, cette société en nom collectif est dénommée « Atelier Hergé ». Chacun des cosignataires a apporté mille francs pour constituer le capital. Il ne s'agit que de produire des travaux de publicité. Hergé conserve la possibilité de signer de son nom, sans la mention « Atelier », ses dessins dans la presse. En échange, ses deux associés obtiennent *in extremis* de rajouter en annexe à leur convention : « Si, avant le terme du contrat, et pour un cas de force majeure, M. Remi quittait l'association, celle-ci se continuerait entre les deux autres associés sous la dénomination Atelier Hergé[58]. »

On n'est jamais trop prudent. Las ! Six mois après, la société est en liquidation. Chacun reprend sa liberté. Mais Georges Remi conserve le titre « Atelier Hergé ». À lui la charge de tout liquider sur le plan financier, administratif, juridique et surtout artistique. Il faut honorer les commandes de L'Innovation (une campagne pour les jouets), Dru (affiches, dépliants), Habi (recette cake), Damiens (campagne pour un nom de bière), Harker's Sports (papier à lettres, dépliant ski-chasse)[59]. Certaines ne concernaient que des projets. Raison de plus pour les exécuter. Car Hergé compte bien récupérer ces clients et continuer. Seul. Il le savait déjà, il en est désormais convaincu : il est dans le meilleur des cas un individualiste doté de l'esprit d'équipe, et au pire un individualiste.

Ses amis ont vite cerné son caractère. Même quand il est parmi eux, il aime se retrouver isolé tout en restant urbain, agréable, cordial avec les uns et les autres. De toute façon, ceux de Capelle-aux-Champs ont pour règle de respecter le tempérament de chacun. Ils constituent autant une bande qu'un club ou une famille d'esprit. Leur nom de « Capelle-aux-Champs », ils l'ont simplement emprunté à une cité populaire de Woluwe-Saint-Lambert, nommée Kappelleveld, où vivent deux d'entre eux. Souvent, quand ils ne sont pas en escapade, ils se réunissent dans ce paysage : des maisons qui sont autant de cubes blancs, la vieille chapelle de Marie la Misérable, la ferme des Moineaux, la Woluwe bordée de saules têtards, le couvent rouge. L'intitulé des artères du quartier est déjà tout un programme : avenue du Rêve, avenue de l'Idéal, avenue de la Fleur de blé, avenue de la Spirale... Ils sont une douzaine, les membres de ce cénacle informel comme on en trouve couramment dans les universités anglaises et américaines, cercle des poètes disparus et autres apôtres cambridgiens. Sauf que ceux-ci appartiennent à des milieux nettement plus populaires et chrétiens. Ils se retrouvent avant tout pour parler des premières amours, des troubles d'une foi qui se cherche, de Dieu et des hommes, de la recherche de la souffrance et de la mortification comme source de mérite. Et pour refaire le monde, avec sérieux et humour, mais sans excès, car on est beaucoup plus sobre que les bohèmes de La Caque, le petit groupe que Georges Simenon fréquentait à Liège quand il avait 18 ans.

Les habitués de Capelle-aux-Champs s'appellent Jean Libert, Evany, Marcel Dehaye, Guy Dessicy, Germaine et Georges Remi, Franz Weyergans... Ils ont 25 ans de moyenne d'âge. Leurs racines sont catholiques et leur formation scoute. Ils doutent mais leur doute est fécond. Car ils n'imaginent pas ne pas aller de l'avant, comme le suggère un personnage de *Capelle-aux-Champs*, le roman que Jean Libert a consacré à la bande :

« Restent ceux qui n'osent rien, ceux qui n'ont pas d'enthousiasme. Ceux-là s'empressent de reculer, de faire semblant de rien, d'effacer honteusement le mauvais souvenir de ce regard trop aigu sur eux-mêmes. On les appelle sceptiques, moi je les appelle des ratés[60]. »

Pas de rendez-vous, pas de réunion. Juste des retrouvailles prolongées par des promenades très argumentées dans les champs. Ils n'ont pas renoncé à leur idée de constituer une véritable communauté et de vivre en circuit fermé, entre peintres, écrivains, dessinateurs et musiciens. « Capelle-aux-Champs » a vu le jour en 1933. Mais pour ceux de la bande, c'est moins l'année de la prise du pouvoir par Hitler que celle de la première grande exposition Magritte au Palais des Beaux-Arts de Bruxelles. Autant dire on n'y parle guère politique, mais plutôt art, littérature et spritualité. L'âme du groupe les y incline naturellement. C'est le père Bonaventure Fieullien, un jeune franciscain qui se trouve être également un remarquable graveur sur bois. Son esprit irradie le groupe. Ils l'admirent tous, même Hergé. Il est pourtant de plus en plus critique envers ce qui se dit dans les rencontres. Sa célébrité naissante n'a en rien entamé sa modestie naturelle. Simplement, il s'éloigne, se marginalise au sein de la bande, comme s'en souviendra Jean Libert :

« Georges nous trouvait naïfs et innocents. Il était moins utopiste que nous, plus rationaliste et plus sage. Il était également d'une origine sociale plus bourgeoise que la plupart d'entre nous. Progressivement, il s'est détaché car il était de plus en plus volontariste et de moins en moins fataliste. Notre ferveur chrétienne, qu'il qualifiait parfois de mysticisme sauvage, lui faisait peur. Elle heurtait sa raison, comme nos débordements de poètes lyriques le choquaient parfois. Par nature, il était de plus en plus zen. Lui, il était pour une vie sobre et discrète, à la limite de l'impassibilité. En ce sens, il ne pouvait que considérer comme une folie l'abandon de certains à la Providence divine[61]. »

Il est vrai qu'au début des années trente, Hergé est tout sauf résigné. Il a la tête sur les épaules et pas ailleurs. Il passe le plus clair de son temps à son bureau du *Petit Vingtième*. Quand il ne s'y trouve pas, c'est qu'il est penché sur sa table à dessin à la maison. À croire qu'il ne repose jamais le crayon. Plutôt qu'un contrat en bonne et due forme, un acte « fait de bonne foi » le lie au *Vingtième Siècle*. En échange d'un bon salaire (2 000 francs par mois) et du privilège de travailler chez lui quand il le souhaite, il cède l'exclusivité de *Tintin* et de *Quick et Flupke* pour la presse belge, doit exécuter les couvertures du supplément jeunesse, veiller à son contenu, remettre ses dessins chaque samedi et effectuer un préavis de deux ans en cas de rupture de contrat[62].

« Son » journal prend forme. Mais la responsabilité du contenu lui incombe-t-elle en totalité ? Dans quelques années, à partir de 1934, il la partagera avec certains de ses collaborateurs plus actifs que lui dans le suivi quotidien (Paul Jamin, Evany) avant de s'en éloigner pour se consacrer exclusivement à ses propres travaux.

Le Petit Vingtième a désormais une véritable image, de fidèles lecteurs et des annonceurs. Son concurrent direct s'appelle *Le Croisé*. Tout un programme ! Mais il faut se méfier. Bientôt, le jeune Joseph Gillain, qui ne se fait pas encore appeler Jijé, y lancera une manière de Tintin au nez pointu sous le nom de Jojo, ce qui vaudra à son auteur une lettre furieuse d'Hergé dénonçant ce qu'il considère comme un plagiat. Jijé y répondra avec beaucoup d'humour, non par des mots mais par des croquis de Bécassine et de Tintin avec et sans leurs attributs. Et l'affaire en restera là.

Même s'il est réalisé par une communauté d'amis, *Le Petit Vingtième* ne constitue pas pour autant un phalanstère au sein du *Vingtième Siècle*. Il en épouse les idées, les espérances et les contradictions. À charge pour lui de les traduire dans un langage, écrit ou graphique, accessible aux enfants des lecteurs du quotidien. Le contenu est très catholique et pratique. Dans les colonnes du « Courrier », les lecteurs sont mis à contribution en permanence pour élucider « le mystère Tintin ». Outre les aventures du reporter et de son chien, qui occupent une double page, on peut y trouver le coin des demoiselles (recettes, tricot), une rubrique déterminant le caractère d'après le prénom, de nombreux échos à caractère historique ou sportif. L'ensemble reste d'un esprit très scout. La bonne action y est louée à toutes les pages. Quel que soit le sujet, la pureté et la loyauté, l'honneur et la confiance, l'amitié et la fraternité ainsi que la courtoisie sont des valeurs exaltées en permanence sous différentes formes. Il est impossible au jeune lecteur de ne pas comprendre qu'à l'égal de tout scout, il doit être fier de sa foi et lui soumettre toute sa vie, qu'il lui faut être patriote et bon citoyen et que son devoir commence à la maison. Au cas où il aurait encore un doute, une devise est là pour lui rappeler la bonne direction :

« Le scoutisme, c'est la résurrection en plein vingtième siècle du vieil idéal de la chevalerie chrétienne[63]. »

Le fait est que progressivement, dans les colonnes du *Petit Vingtième*, cet idéal tend à devenir tout autant pratique et catholique, que politique et prosélyte. Paul Jamin dit Jam, chargé de rédiger les brefs échos, n'a pas à chercher trop loin une inspiration anticommuniste, anticapitaliste, antisémite, antiparlementaire et antilibérale. Il lui suffit d'éplucher les colonnes du grand frère, le bateau-amiral de tous les suppléments, *Le Vingtième Siècle*.

Ainsi, dans la rubrique « Ce qui se passe », on apprend que pour briser l'embargo des produits venus de l'étranger instauré en représailles à sa politique raciale, Hitler a pris des mesures pour atténuer l'antisémitisme : « Tant mieux. Espérons même qu'il rappellera en Allemagne les nombreux Juifs exilés chez nous, et que nous entendrons parler autre chose que le yiddish dans notre bonne ville de Bruxelles[64]. » La présentation des événements par *Le Petit Vingtième* est d'autant plus intéressante que ledit embargo des produits allemands s'inscrit en vérité à la suite du refus de l'Allemagne d'honorer ses dettes et de privilégier les trocs de marchandises.

Avec l'air de ne pas y toucher, le rédacteur anonyme du *Petit Vingtième* (Paul Jamin, le plus souvent) fait l'apologie du fascisme, louant le Duce au motif que celui-ci vient de décider de supprimer les devoirs à la maison : « Il a droit à la sympathie de tous les écoliers (...). Les écoliers du monde entier envient certainement leurs petits camarades italiens[65]. » Julius Streicher, député au Reichstag, est présenté aux adolescents comme « le Grand Sachem de la tribu des nazis » ; et quand il propose d'exiler tous les Juifs à Madagascar, *Le Petit Vingtième* trouve que c'est injuste pour... les Malgaches à qui on n'a pas demandé leur avis[66] ! Le journal, qui justifie les mesures antisémites de Hitler au titre de la légitime défense[67], assure que le grand commerce international est majoritairement aux mains des Juifs[68], dénonce le nouvel afflux de réfugiés israélites à Anvers[69]... S'agissant de la rubrique à blagues, il n'est pas étonnant qu'une partie d'entre elles soient régulièrement des histoires juives, même si certaines sont d'un goût douteux. Mais que dire des devinettes, colles et jeux d'arithmétique qui permettent régulièrement de présenter un faciès au profil crochu et lippu, une étoile de David à la boutonnière avec, en légende : « Si M. Lévy peut faire une cigarette avec trois mégots (il ne les jette pas par économie), avec neuf mégots, combien de cigarettes[70] ? »

C'est la plus sournoise et la plus efficace des propagandes politiques car elle prend l'individu à la racine, quand il est adolescent, perméable aux raisonnements les plus simplistes et encore peu doué d'esprit critique. *Le Petit Vingtième* remplit parfaitement son office puisque le jeune lecteur se distrait et s'instruit, ce qui choque d'autant moins que tout cela est en parfaite harmonie avec l'idéologie du *Vingtième Siècle*. L'erreur, le malentendu ou la prétendue naïveté, consisterait à distinguer les deux journaux dans leurs objectifs au motif que le supplément jeunesse est dans le fond anodin.

Non seulement il ne l'est pas, mais il publie chaque semaine l'équivalent d'un éditorial qui est très lu, suivi et apprécié. Cette colonne, intitulée « Le mot de l'oncle Jo » et signée « Oncle Jo », est écrite d'abord par Hergé, puis par Jam, par d'autres enfin[71]. Généralement inspirée par l'air du temps, elle est plutôt bon enfant. Quand elle l'est par l'actualité, l'humeur change de ton. Pour dénoncer ces Belges qui fransquillonnent et pour conserver sa pureté à la langue menacée par tant d'idiomes étrangers, « Oncle Jo » débute ainsi son billet de la semaine :

« Je ne fais pas de politique, aussi ne vais-je pas me mettre à discuter ici des bienfaits du régime hitlérien. Il y a certainement du bon et du mauvais en Allemagne, comme en toutes choses et en tous pays. Mais j'ai lu que le ministre de l'Instruction publique du Reich vient de déclarer la guerre à l'argot[72]... »

Sous la plume de l'Oncle Jo, à l'exception des films de Walt Disney, le cinéma devient un moyen de pervertir la jeunesse[73]. Il n'est que d'en juger par cet éditorial dont seule la lecture intégrale permet de saisir le ton et l'esprit du journal qui le diffuse.

> « Dans beaucoup de pays civilisés, il y a des lois sévères pour la protection de l'enfance. Ainsi en Angleterre, il est interdit de vendre aux enfants des boissons alcoolisées, des cigarettes, certains journaux, etc. Chez nous, les enfants ne peuvent aller dans tous les cinémas. C'est très bien. On ne peut qu'approuver cette mesure qui protège votre âme et votre cœur. Mais par contre, les enfants peuvent aller dans tous les théâtres. Ils peuvent acheter aussi tous les journaux qui les attirent. Supposons qu'on joue un film qui s'appellerait... mettons : “Le ménage de Caroline”. Ce serait, comme la plupart des films qu'on fabrique à notre époque, un navet. Mais un navet nuisible, immoral, scandaleux. La Commission de contrôle interdira aux enfants l'entrée des salles où se projette ce film-navet. Mais n'importe quel enfant peut très bien acheter dans n'importe quelle aubette un petit journal de 4 sous où il lira “Le ménage de Caroline” écrit dans un style incroyable et illustré de photographies empruntées au film-navet. Car on peut tout vendre, à n'importe qui. Il y a toutes ces revues cinématographiques remarquable-

ment présentées. Quand on les a lues, il n'y a presque plus besoin d'aller voir le film : il ne peut être plus nuisible que cette littérature infecte. Puis il y a toutes ces revues "policières". La plupart, comme de juste, sont des organes de chantage. On y loue le crime, le vice, le viol. On y exploite le scandale. Et ça se vend, ça se vend... Et avec ça des poches se remplissent. Des Isaac, Felsenberg et autres Lévy font fortune. Et tout doucement, ils empoisonnent le monde en s'attaquant surtout à la jeunesse. Le Christ a maudit ceux qui sont une cause de scandale, surtout si ce scandale touche les enfants. Eh bien de toute cette littérature pourrie on devrait faire un paquet auquel on attacherait une meule et on le précipiterait au fond de la mer. Après y avoir attaché aussi ceux qui vivent de ces choses honteuses et malsaines.

Oncle Jo[74] »

Cet article est exemplaire, ne fût-ce que par l'effrayante logique de son crescendo. Sous une formulation paternaliste, c'est une incroyable machine à éliminer. Ça commence par une indignation morale, ça se poursuit par une dénonciation antisémite, pour s'achever par un véritable appel au meurtre. Il faut beaucoup d'indulgence pour lui trouver une résonance chrétienne ou une origine évangélique. *Le Petit Vingtième*, ce n'est pas seulement Tintin et Milou. C'est aussi cela.

L'abbé Wallez n'y trouve rien à redire, et pour

cause. Georges Remi est le pur produit de sa conception du journalisme : distractif et catholique, instructif et national. Avec ce qu'il faut d'agressivité dans la dérision. Sauf qu'une fois, l'abbé lui-même a été trop loin. Ce faux pas lui est fatal.

En fait, son erreur est stratégique. À trop chatouiller les puissants... En 1933, il lance son journal dans la dénonciation véhémente de malfaçons sur le canal Albert. *Le Vingtième Siècle* fait scandale. Tout Bruxelles ne parle que de cela. Un certain M. Delmer, directeur général au département des Travaux publics, se présente boulevard Bisschoffsheim, demande à voir l'abbé Wallez. Le ton monte. Les membres de la rédaction s'attroupent dans le couloir. Le petit homme s'estime diffamé. Manifestement, c'est une provocation. Il cherche l'affrontement afin d'en tirer argument par la suite, son adversaire mesurant 1,90 m pour 110 kg. L'abbé reste impassible. M. Delmer lui assène alors plusieurs coups de poing. En vain. Mais ce sont de jeunes rédacteurs qui lui frottent les oreilles en l'éjectant vivement vers la sortie. Coups, plaintes, procès. M. Delmer le perd. Mais la manœuvre a tout de même réussi. Car ceux que le scandale éclaboussait, gênait ou effrayait s'empressent de faire agir leurs relations auprès de l'évêque de Tournai. Celui-ci se résout à calmer les esprits et à demander sa démission au fougueux abbé. Le primat de Belgique, le cardinal Mercier, est mort. L'abbé n'a plus de protecteur. On ne lui propose même pas de se soumettre, ce qui lui serait de toute façon viscéralement impossible. Il ne lui reste plus qu'à se démettre. En 1934, c'est fait. Après une dépression de six mois, il se retrouve conservateur des ruines à l'abbaye d'Aulne[75].

Hergé prend évidemment fait et cause pour l'abbé. Mais cela ne le freine pas pour autant dans son ascension. Simplement, les rapports avec la nouvelle direction prennent une tournure différente. En mars 1934, sans aucune animosité, il donne son préavis au *Petit Vingtième*. Puisque son contrat lui interdit de collaborer parallèlement à d'autres journaux, il le résilie. Il y a un mois encore, à la demande pressante de sa direction, il a dû renoncer la mort dans l'âme à collaborer à l'hebdomadaire *Vers le vrai*[76]. Et il n'a obtenu aucune compensation financière du journal auquel il est rigoureusement fidèle depuis plusieurs années ! Aussi a-t-il résolu de s'en aller. Poliment, diplomatiquement mais fermement.

« Si j'ai dû prendre cette décision, leur explique-t-il, c'est que j'ai acquis la conviction qu'il me serait difficile, avant de très longues années, de retirer des fonctions que j'occupe chez vous des avantages qui puissent présenter une progressivité suffisante[77]. »

Résultat : quelques mois après, son salaire mensuel au *Petit Vingtième* passe de 2 000 à 3 000 francs...[78]. Mais désormais, il s'occupe surtout de sa propre production, déléguant de plus en plus à d'autres la responsabilité rédactionnelle du supplément jeunesse. Son attitude n'est pas seulement sage. Elle révèle une intuition des plus justes. Car après le départ de l'abbé Wallez, auquel la réaction d'Hergé est liée, *Le Vingtième Siècle* ne cesse de décliner, en tirage et en influence.

Georges Remi veille à ses intérêts. Depuis la parution en album de la première aventure de Tintin, il a conclu une sorte d'association avec l'abbé Wallez : le journal agissant comme un éditeur prend à sa charge les frais d'impression, l'auteur s'occupe de la vente et ils se partagent les bénéfices à égalité. Ce système a fonctionné parfaitement. Jusqu'à ce 4 avril 1932 où Hergé a reçu une lettre de Tournai, décisive pour sa carrière.

Elle est signée de Charles Lesne, un garçon de sa génération qu'il a connu dans les couloirs du *Vingtième Siècle*. Depuis peu, ce journaliste défroqué travaille dans l'édition, au sein d'une des maisons les plus anciennes puisqu'elle a été fondée en 1780. Casterman, créée par le libraire-imprimeur Donat-Joseph Casterman, est une affaire de famille entièrement contrôlée par les Casterman. Depuis peu, elle imprime entre autres choses les annuaires téléphoniques. Adjoint du directeur, le jeune Lesne est chargé de la branche « édition », traditionnellement catholique ou scolaire. Ce qu'il attend d'Hergé ? Qu'il accepte de travailler pour la maison, en se penchant notamment sur les couvertures de livres à illustrer. Lesne n'a pas de certitude, juste une intuition.

« Il me semble que ton "genre" pourrait convenir... si tu as assez de temps pour accepter le principe d'une collaboration[79]. »

Dans un premier temps, Lesne le met à l'épreuve en lui demandant un projet de rajeunissement pour la couverture de *L'Année avec Marie* d'André Prévot, un père jésuite. Le dessinateur obtient carte blanche pour la composition et la présentation, à condition que son croquis soit sobre et moderne, mais sans excès. À d'autres, cela paraîtrait être la quadrature du cercle. Pas à Hergé. Il est ravi de la proposition. Parce que la perspective de retravailler avec son ancien confrère l'enchante. Parce que Casterman est à ses yeux « une maison à la page, une des rares avec lesquelles il y a moyen de faire du beau travail[80] ».

Quatre jours après, l'esquisse demandée est prête. Malgré tout le travail commandé de toutes parts et accumulé sur la table à dessin. Hergé est ainsi : il ne dit jamais non. Ce n'est pas par faiblesse. Il est des propositions qui ne se refusent pas et elles sont de plus en plus fréquentes. Celle-ci en fait partie. La direction de Casterman, à qui le projet de couverture a été soumis, l'apprécie : la lettre est bien dessinée, dans le caractère idoine ; la vignette est juste assez simple ; la couleur choisie (un bleu céramique) est du meilleur goût[81]...

Pour autant, Hergé ne s'en laisse pas conter. Non seulement il livre la maquette de couverture définitive avec un certain retard, mais il demande 225 francs pour honoraires. Casterman ne peut éviter de faire remarquer que ce tarif est sensiblement plus élevé que celui appliqué aux dessinateurs français avec lesquels elle a l'habitude de travailler. Mais elle accepte tout de même[82].

Moins d'un an après cette prise de contact, l'éditeur demeure encore prudent dans ses relations avec Hergé. Il ne lui demande pas des couvertures mais des projets de couvertures. Cette fois, il s'agit de trois livres d'initiation aux mystères de la vie : l'un pour les jeunes gens, l'autre pour les jeunes filles, le troisième pour les couples légitimes. Le dessinateur a le droit d'être suggestif mais sans excentricité [83]. Un nouveau tour de force.

À la fin de l'année 1933, peu avant Noël, Casterman lui fait une de ces propositions-qui-ne-se-refusent-pas. La plus importante depuis qu'il s'est lancé dans la bande dessinée. L'éditeur de Tournai veut tout simplement se substituer au *Petit Vingtième* pour publier ses prochains albums. Et le traiter en auteur à part entière, en lui versant de vrais droits[84].

L'abbé Wallez est sur le point de partir. Dans quelques mois, il ne sera plus le patron du *Vingtième Siècle* mais le pasteur d'une paroisse de 186 âmes. Il fait pourtant des difficultés car malgré son départ, il entend conserver personnellement sa part de « droit d'auteur » (!) sur les trois prochains albums de *Tintin*. Hergé est sidéré. Il n'en peut mais, tétanisé par l'aura du personnage et par l'empire que celui-ci exerce encore sur lui. Aussi Charles Lesne prend-il les choses en main. Par deux fois, il se rend à Bruxelles afin d'infléchir l'abbé. Les négociations se font pied à pied. Wallez admet parfaitement que Casterman prenne des risques, mais ne veut lui accorder de bénéfices que sur une partie des exemplaires, les autres lui revenant de droit. C'est tout de même lui qui a demandé à Hergé d'inventer un petit personnage dans l'esprit catholique, lui qui a plus que suggéré l'ajout d'un petit chien, lui qui les a fait connaître en leur donnant abri dans le journal, lui qui a eu l'idée de prolonger leur vie dans des albums. Bref, c'est lui qui a initié les aventures de Tintin à défaut de les avoir directement imaginées. En somme, Wallez ne s'imagine pas auteur mais, de fait, coauteur[85]...

Tout se négocie. Il suffit d'y mettre le temps. Et l'argent. Charles Lesne a de la patience et Casterman les moyens de dédommager un ancien grand patron de presse que la disgrâce transforme en petit prêtre abusif.

L'enjeu de cette négociation est de taille puisqu'il porte sur un nouvel album. Le 8 décembre 1932, *Le Petit Vingtième* avait commencé à publier les premières planches des *Aventures de Tintin, reporter en Orient*. Il y en aura 124 en tout. Un record pour Hergé ! Une extravagance à la mesure de l'histoire.

Port-Saïd, Suez, Bombay, Colombo, Ceylan, Singapour, Hong Kong, Shanghai... Dès les premières images, Tintin nous fait rêver en égrenant devant Milou le chapelet des escales qui ponctueront leur nouveau périple. L'action commence vraiment avec une feuille de papier que le vent emporte et qu'un hurluberlu tente de rattraper en s'agitant sur le pont du paquebot. Un début qui n'est pas sans rappeler celui de *Mr Pencil* (1841) de Töpffer. Sauf que cette fois, il ne s'agit pas d'un dessin mais d'un papyrus[86]. Très vite, en quelques planches, Hergé introduit pour la première fois différents personnages dont certains deviendront pour l'éternité, sous cette forme ou sous une autre plus définitive, des membres de la famille de papier de Tintin.

La teneur de son fameux papyrus nous renseigne tout de suite sur l'énigme que Tintin va affronter : la localisation du tombeau du pharaon Kih-Oskh. L'entreprise est d'autant plus risquée qu'elle a déjà coûté la vie aux archéologues qui s'y sont lancés. Roberto Rastapopoulos entre en scène. Un prénom italien, un nom à consonance grecque, la fourberie et l'arrogance faites homme, les traits épais et vulgaires, les manières et les vêtements assortis. Ce milliardaire, qui se présente comme le patron de la compagnie cinématographique Cosmos Pictures, est l'archétype du producteur qui n'a jamais produit qu'un mauvais effet. Étant donné la profession qu'il est censé exercer, son faciès très marqué et le milieu dans lequel Hergé baigne, on pourrait penser à une caricature antisémite. Mais son patronyme indique d'emblée que ce serait faire fausse route. Le nom de Rastapopoulos a plu immédiatement à Hergé par sa sonorité et sa racine commune avec « rastaquouère ». À l'origine, ce terme américain désignait à la fin de l'autre siècle des « traîne-cuir », ces garçons vachers devenus propriétaires de ranchs. Il fut récupéré et utilisé, aussi bien par Maupassant ou Feydeau que par Georges Duhamel, pour évoquer les aventuriers du Nouveau Monde, à l'allure voyante, au langage métissé et à la richesse suspecte. Pour Hergé, l'harmonie était donc parfaite entre le nom et l'idée qu'il se faisait de son antihéros À ses yeux, quelle que soit sa puissance réelle ou supposée, il resterait toujours « un pauvre type[87] ». Plus tard, son personnage ayant évolué, Hergé s'explique plus avant :

« Rastapopoulos ne représente exactement personne en particulier. Tout est parti d'un nom, nom qui m'avait été suggéré par un ami ; et le personnage s'est articulé autour de ce nom

Rastapopoulos, pour moi, est plus ou moins grec louche levantin (sans plus de précision), de toute façon apatride, c'est-à-dire (de mon point de vue à l'époque) sans foi ni loi !... Un détail encore : il n'est pas juif[88]. »

À peine Rastapopoulos sort-il de la bande que les futurs Dupondt y font leur entrée après une seule case de transition. Ils n'auront jamais de prénom car selon Hergé, une règle stricte dans la police interdit toute familiarité entre agents. Pour l'instant, ils s'appellent X33 et X33bis. Parfaitement identiques dans leur présentation (costume noir, chapeau melon et canne), ils ne se distinguent que par leurs moustaches. Elles sont également fournies mais les pointes de Dupond remontent (elles seront droites, avec un d) tandis que celles de Dupont descendent (elles seront tombantes, avec un t...). Encore faut-il avoir l'œil scrutateur et exercé. Le fait que ces deux détectives soient jumeaux ne relève pas du hasard. La gémellité occupe une place à part dans l'inconscient d'Hergé — si tant est qu'on puisse le sonder. Outre l'importance qu'il attache à son signe zodiacal, le jeune Georges a été marqué par la ressemblance inouïe entre son père et son oncle. Non seulement Alexis et Léon Remi étaient de vrais jumeaux, mais ils faisaient tout pour entretenir la confusion sous le regard des autres, s'habillant de manière identique, à l'accessoire près. On ne pouvait les différencier que par leur caractère : Alexis, plus rêveur, adorait lambiner, tandis que Léon, très précis, ne perdait pas de temps.

« Ils s'adoraient et s'engueulaient tout le

temps ! » se souvient la nièce de l'un et fille de l'autre[89].

Toute ressemblance avec des personnages de bandes dessinées ne serait que pure coïncidence. Je dirais même plus... Mais qu'on ne s'y trompe pas : les Dupondt seront souvent ridicules, prétentieux, gaffeurs, maladroits, mais jamais clowns. Ils obéissent aveuglément à leur ordre de mission. Pas méchants pour un sou, fidèles à Tintin, ce sont avant tout des fonctionnaires animés d'une grande conscience professionnelle. À leur manière, des hommes de devoir.

À pied d'œuvre, sur le champ de fouilles égyptien, Tintin et Milou disparaissent dans le sable à la recherche de l'égyptologue, archétype du savant distrait, annonciateur du futur professeur Tournesol. Ils se retrouvent aussitôt dans le fameux tombeau, nez à nez avec les momies de leurs prédécesseurs immédiats, notamment I. E. Roghliff et Lord Carnaval, clin d'œil en hommage à l'authentique archéologue Lord Carnavon qui découvrit avec Howard Carter la tombe de Toutankhamon en 1922.

Prisonniers de cet endroit maléfique, Tintin et Milou en échappent... on ne sait trop comment ! En tout cas, ils en émergent en soulevant le couvercle d'un sarcophage en pleine mer, ce qui est somme toute très naturel. Recueillis à bord d'un boutre par un sosie d'Henry de Monfreid, authentique écrivain-trafiquant-aventurier de la mer Rouge, propulsés à nouveau dans le désert, confrontés à des seigneurs du cru, ils se lancent dans une course-poursuite qui les fait atterrir sur un plateau de cinéma installé entre les dunes sous l'œil monoclé de Rastapopoulos. Tintin et

Milou ne comprennent rien à ce qu'il leur arrive. Nous non plus, à vrai dire. Et on se demande si à ce stade de son récit, Hergé lui-même en sait davantage. Comme ses personnages, il semble s'être pris les pieds dans le tapis. On ne saisit pas très bien pourquoi Tintin considère les bagues de cigare qu'il trouve à terre comme autant d'indices. On a même oublié pourquoi les agents X33 et X33bis poursuivent obstinément le petit grand reporter. Quant à savoir si Tintin a découvert un vrai-faux trafic d'armes ou de cigares, la réponse demeure en suspens. L'histoire est découpée en trois temps, correspondant aux trois pays (Égypte, Arabie saoudite, Inde) qu'il traverse sans les voir. C'est moins que de l'exotisme tant le décor disparaît derrière l'histoire, et l'histoire derrière les cigares. Hergé ne se refuse rien dans le registre de l'invraisemblance. Il réussit même une prouesse technique qui a dû laisser pantois les cinéastes les plus chevronnés. En effet, il se permet de faire disparaître Tintin et Milou dans un nuage au cours d'un combat aérien au-dessus de l'Arabie saoudite et de les faire réapparaître l'instant d'après tombant de leur nuage... en Inde ! Une manière de record dans l'art de l'ellipse.

Prisonnier, évadé, poursuivi, on a du mal à suivre Tintin mais qu'importe. Le rythme est trépidant, on est emporté. Le signe de Kih-Oskh, véritable fil d'Ariane, reste le seul élément visuel significatif qui nous rattache à l'origine de cette histoire abracadabrante. Ne parlons pas de l'égyptologue dont l'attitude de plus en plus incohérente est plutôt de nature à faire perdre le peu de repères qui restent. D'autant qu'il ne semble redevenir normal que lorsqu'on le prend pour Ramsès II. Rien d'étonnant à ce que, quand le récit repart sur les chapeaux de roue, on se retrouve dans un asile d'aliénés. Désormais, à tout instant, on s'attend à voir surgir d'une case un personnage encore inédit d'illuminé qui glisserait son visage à travers une meurtrière et demanderait au lecteur du monde libre : « Vous êtes nombreux là-dedans ? » Comment ne pas songer au mot de Samuel Beckett : « On naît tous fous, quelques-uns le demeurent » ? Mais il faut croire qu'Hergé a convoqué tous ces « quelques-uns » dans cette aventure. Il n'est pas jusqu'à Tintin lui-même qui se débarrasse d'une dangereuse noria de serpents à lunettes *(sic)* en leur jetant une barre de chocolat. Tout cela pour nous révéler que le tombeau de Kih-Oskh abritait une organisation internationale de trafiquants de stupéfiants et d'armes de guerre. C'est un fidèle reflet de l'air du temps, les trafics en tout genre étant un thème récurrent de la presse d'extrême droite. Quant aux cigares, ultime coup de théâtre : c'étaient des faux. En vérité, ils camouflaient de l'opium. Cette histoire de fous s'achève avec la sortie des personnages : ils partent pour la morgue, l'asile ou la prison. C'est le seul instant de logique de ce récit au charme fou.

« Je voulais m'engager dans le mystère, le roman policier, le suspense et je me suis si bien emberlificoté dans mes énigmes que j'ai bien failli ne jamais m'en sortir », reconnaîtra Hergé bien plus tard[90].

C'est le moins qu'on puisse dire. Malgré tout, cette quatrième aventure de Tintin marque une nouvelle étape dans sa progression. Elle serait même décisive en ce qu'elle recèlerait ce fameux déclic qui donnera un jour « la ligne claire ». L'abondance de figures égyptiennes, d'hiéroglyphes et de profils aboutirait sans équivoque à un graphisme géométrique[91].

Dès la parution des premiers épisodes dans *Le Petit Vingtième*, Charles Lesne lui écrit de Tournai pour lui dire son enthousiasme : « Palpitant ! *L'Atlantide*... mais en plus tragique ! Du sur-Pabst[92] ! » Dans son adaptation du roman de Pierre Benoit, le réalisateur allemand vient d'ajouter au légendaire du palais d'Antinéa en soulignant la folie de certains personnages, ce qui transforme son film en une œuvre authentiquement expressionniste. Cela ne rend pas plus pertinent le jugement de Charles Lesne mais donne la mesure de son amitié pour Hergé. Désormais, c'est son auteur.

Les Cigares du pharaon est le premier album d'Hergé à paraître sous le label désormais exclusif de Casterman. En vertu d'un contrat établi cette fois en bonne et due forme, Georges Remi touche trois francs de droits d'auteur par exemplaire jusqu'à 10 000 et deux francs au-delà [93].

Ce nouvel album est bien accueilli par les jeunes lecteurs du *Petit Vingtième* qui ont été chauffés à blanc par la prépublication de « cet excellent roman policier pour gosses[94] » dans les colonnes de leur journal préféré. Ils n'ont pas attendu la parution de l'article que lui a consacré Mgr Schyrgens dans *Le Vingtième Siècle artistique et littéraire* pour se faire une idée. On se demande d'ailleurs si l'évêque ne rédige pas un imprimatur plutôt qu'une critique :

« On ne sait ce qu'il faut le plus admirer chez le dessinateur Hergé : ou sa verve intarissable, ou son aimable fantaisie, ou la technique très sûre et l'art avec lesquels il fait vivre ses petits personnages et nous les présente dans un mouvement endiablé. J'ajoute un éloge qui rehausse tous les éloges : l'artiste est un moraliste, son œuvre est saine, elle est divertissante au possible, mais en observant toujours l'antique précepte. *Maxima puero debetur reverentia*[95] ».

Le succès ne lui est pas monté à la tête. Ses amis le louent de n'avoir rien changé à ses habitudes, à son mode de vie. Si Georges se dérobe parfois à leur compagnie, ce n'est pas qu'il fuie leur commerce mais parce que le travail n'attend pas. Les commandes affluent, les promesses suivent et le retard s'accumule. En sus des dessins hebdomadaires pour le journal, de la finition des albums et des illustrations publicitaires, il doit également assumer des travaux d'édition. Pour un ambitieux, ce n'est pas une charge mais une reconnaissance.

Hergé est en effet de plus en plus sollicité par des maisons littéraires qui lui confient les couvertures et culs-de-lampe (vignettes gravées en fin de chapitre) de leurs prochains livres tels *Le Christ roi des affaires* et *Pour un ordre nouveau* de Raymond De Becker, cette dernière en rouge et noir, à la manière d'un Mondrian saisi par la débauche. Pour *L'Oiseau de France*, de R. A. Hédoin, il demande à signer « Atelier Hergé » plutôt qu'« Hergé » car le travail a été probablement effectué en collaboration avec son partenaire José de Launoit[96]. Une exigence qui n'est que peccadille en regard du perfectionnisme obsessionnel et de la rigueur maniaque avec lesquels il vérifie toutes ses épreuves, l'œil rivé au compte-fils, inspectant chaque détail au millimètre. C'est parfois pénible, même si sa fermeté demeure toujours courtoise. Les services de fabrication de Casterman apprennent à le connaître. Mais il arrive aussi qu'il ait à subir le poids de leurs contraintes.

Au lendemain du décès d'Albert Ier, roi des Belges, à la suite d'une chute sur les rochers de Marche-les-Dames, l'éditeur s'empresse de réaliser un livre à la gloire de celui qu'on appelait « le Roi-chevalier ». Paul Werrie, écrivain, poète et collaborateur du *Vingtième Siècle*, rédige aussitôt une hagiographie intitulée *La Légende d'Albert Ier*. Chargé de réaliser la couverture du livre de son ami, Hergé épouse l'esprit héroïque du récit. À cet effet, il dessine un caractère fort employé jadis pour les affiches illustrées appelant au recrutement des soldats. Il traite les vignettes en gravure sur bois et en couleurs. Quant au roi, au lieu de le montrer en guerrier désincarné, il le campe en homme raide, sage et hiératique[97]. Cette audace lui est aussitôt reprochée. Casterman n'est pas pour rien « éditeur pontifical » depuis des générations, comme il est indiqué sur son papier à en-tête. La grande maison de Tournai a assis une partie de son succès sur sa prudence en toutes choses. Le patron et son aréopage de conseillers refusent le projet d'Hergé. Il est hors de question de prêter le flanc à la critique. On ne doit pas choquer le public, ni le surprendre, ni même lui laisser imaginer un seul instant que le défunt roi ait pu être caricaturé. Hergé reprend sa copie et retient la leçon[98]. Mais quand son éditeur lui demande de faire un effort supplémentaire pour grandir plus encore l'auguste personne du roi, quitte à en faire un géant comme dans le texte, Hergé menace de rendre son tablier :

« C'est vite dit et vite écrit, mais quant à dessiner cela ! Un géant n'est géant que par rapport à d'autres personnages de taille normale et, à moins de mettre d'autres personnes à côté de lui — ou une échelle métrique —, je ne vois pas du tout comment modifier cela. Même si je grandis le roi, jamais il ne paraîtra géant car il n'existe pas de commune mesure entre lui et la montagne[99]. »

Foi de royaliste ! Mais à chacun ses contraintes. Les problèmes de ce type font partie du travail. C'est la règle du jeu et il l'accepte. Mais certaines parties sont plus délicates à jouer que d'autres. Pour n'avoir pas su dire non à Léon Degrelle, il va sans le savoir ajouter une pièce supplémentaire au procès à charge qui sera en permanence instruit contre lui longtemps après. Pour une couverture de plus, pourrait-on dire. Sauf que celle-ci vaudra non par elle-même mais par ce qu'elle révélera de l'attitude de Georges Remi dans les années trente.

En 1932, Hergé a 25 ans et Degrelle 26. Ils se sont connus dans les couloirs du *Vingtième Siècle*, lieu géométrique de tous les brassages et pépinière de talents divers. Ils se fréquentent, se tutoient. Degrelle possédant une automobile, il passe prendre Georges et Germaine lorsqu'ils sont tous trois invités à dîner chez l'abbé Wallez.

Ils n'ont pas vraiment le même caractère.

Autant Hergé est discret, pudique, effacé, autant Degrelle est fort en gueule, hâbleur, culotté. Il le restera jusqu'à sa mort à 87 ans. Mais avec l'âge, sa mythomanie et sa mégalomanie iront crescendo. Au soir de sa vie, il s'inventera un rôle de plus dans l'Histoire en assurant qu'à son retour d'un reportage en Amérique, il avait inspiré sinon imaginé le personnage de Tintin. Double mensonge, d'abord sur les origines, puis chronologique. Tintin est né le 10 janvier 1929, le voyage de Degrelle outre-Atlantique date de décembre 1929-janvier 1930 et le premier article de son enquête sur les catholiques persécutés au Mexique est paru le 1er février 1930 dans le *Vingtième Siècle*... Ainsi, l'abbé Wallez a-t-il expédié Degrelle au Mexique après avoir décidé d'envoyer Tintin au Congo, et non le contraire.

L'identification de Léon Degrelle à Tintin est d'ailleurs bien trop tardive pour n'être pas *a priori* suspecte. En 1976 encore, enregistrant douze heures de film et vingt heures de bande-son pour y raconter sa vie en long et en large, il ne citera Hergé qu'une seule fois. Pour affirmer que son « grand copain » avait affublé son petit personnage « de mes pantalons de golf[100] ». Comme s'il avait été le seul à en porter alors qu'entre les deux guerres, c'était l'uniforme des grands voyageurs soucieux de leur mise ! Paul Jamin, l'ami commun qu'Hergé partageait avec Degrelle, est souvent cité par ce dernier comme témoin de leur jeunesse et donc de son influence sur le créateur. Las ! Cette version sera contestée sans équivoque par Jamin :

« Degrelle est un vantard. Il n'a jamais été Tintin, ni inspiré Hergé en quoi que ce soit. C'est tellement évident quand on songe qu'en plus, Tintin, lui, est le contraire d'un fanfaron[101]... »

Bien que sa révélation des histoires de George McManus ait été antérieure, Hergé doit à Degrelle d'avoir découvert la bande dessinée américaine grâce aux illustrés que celui-ci lui envoyait depuis le Mexique. C'est tout. Le reste n'est même pas littérature. Mais si Léon Degrelle n'a tenu aucun rôle dans l'imaginaire d'Hergé, cela ne signifie pas pour autant qu'il n'ait exercé aucune influence sur Georges Remi.

Dès le début de son ascension, l'entourage de Léon Degrelle sent bien qu'il n'en restera pas là et que le journalisme n'est qu'un tremplin. Après avoir fait ses humanités chez les jésuites de Namur, celui-ci s'est naturellement retrouvé à l'Université catholique de Louvain. C'est là que le virus de la presse l'a touché. Il s'agitait à réaliser tout seul *L'Avant-Garde*, le journal des étudiants, quand Mgr Schrygens le remarqua. Le prélat-journaliste lui offrit d'être correspondant de divers organes catholiques. C'est ainsi qu'il se retrouva peu après collaborateur du *Vingtième Siècle*. Assez audacieux et opportuniste pour se faire envoyer au Mexique « afin de venger la cause de 12 000 catholiques assassinés », il en ramena des reportages sensationnels, un livre à sa propre gloire dans lequel il pose en soldat du Christ-roi pris dans les convulsions du Mexique rouge et une réputation.

C'est juste assez pour que Mgr Picard, aumônier général de l'Association catholique de la jeunesse belge, lui offre la direction des éditions Christus-Rex. On peut tout lui reprocher sauf son manque de dynamisme. Pressé et entreprenant, Degrelle enlève le Christ mais garde le Rex ainsi que le logo : les trois lettres R.E.X. entrelacées avec une croix et une couronne. Sous sa houlette, la maison d'édition se développe sans tarder, animée par un slogan en guise de programme : « Les ouvrages des éditions Rex, écrits par des Belges, imprimés par des Belges, doivent être lus par des Belges. » Il ne s'oublie pas et publie notamment ses propres œuvres. Après *Mes aventures au Mexique et quelques autres*, vient chez Casterman *Histoire de la guerre scolaire 1879-1884*, une plaquette de 37 pages sur la couverture de laquelle apparaissent le dessin suggestif d'un crucifix violemment barré de rouge et les noms de l'auteur et de l'illustrateur : en haut Degrelle, en bas Hergé.

On ne saurait tenir un dessinateur pour responsable du contenu du livre qu'il a illustré de dessins à l'encre de Chine, faits au pinceau avec retouches à la gouache à la manière des gravures sur bois. Mais on n'imagine pas qu'il l'ait fait contre son gré. À défaut d'être en connivence avec l'auteur, il ne lui est pas hostile, qu'il s'agisse de celui-ci ou de tout autre. On n'a jamais vu un artiste cosigner une œuvre dont l'esprit lui répugnait. Cette plaquette constitue un pamphlet historique certes engagé, mais sa teneur n'a rien d'indigne, surtout en un temps où tout Belge a son avis sur le rôle de l'État dans l'éducation des écoliers. D'ailleurs, bien plus tard, cette collaboration n'entraînera chez le dessinateur « aucun regret, aucun remords[102] ».

Au début des années trente, Hergé n'est pas un militant. Il ne le sera jamais. Pour aucune cause.

Le prosélytisme n'est pas dans son tempérament. Il est réfractaire à l'embrigadement, au dogmatisme et à la discipline de parti. C'est un individualiste farouche, un franc-tireur. Tintin lui ressemble. Ses aventures en témoignent : il vit, comme lui, dans un univers de complot mondial, de gouvernement occulte et d'explication cachée des choses, thèmes que l'on retrouve en permanence dans les feuilles d'extrême droite. Dans ce milieu-là, on est naturellement hostile aux Juifs et aux francs-maçons, avec plus ou moins d'excès ou de modération suivant les caractères. L'anticommunisme y est une seconde nature. Après coup, Hergé s'en amusera, racontant que lorsque Albert Londres périt dans le naufrage du paquebot *Georges-Philippar*, en 1932 en mer Rouge, ses amis de la rédaction suspectèrent aussitôt un pétrolier soviétique qui se trouvait dans les parages alors qu'il se rapprochait pour repêcher des naufragés[103] !

Après quelque cinq années passées au *Vingtième Siècle*, il en a parfaitement acquis la mentalité, les attitudes et les réflexes nationalistes. Pour autant, cela ne fait pas de lui un nervi mais un homme sous influence. Celle de l'abbé Wallez dont on sait les idées politiques. Georges Remi, qui s'est toujours voulu une éponge, en est parfaitement imprégné. Aussi n'est-il pas étonnant qu'il collabore plus avant avec Léon Degrelle, fût-ce discrètement.

Au début de novembre 1932, à la veille des élections générales, celui-ci se voit confier par le Parti catholique la fabrication de son matériel de propagande (affiches, tracts, etc.). Inspiré par le visuel « coup de poing » tel qu'il fleurit en Allemagne et en Italie aussi bien qu'en Union soviétique, ce dernier ne recule devant aucune démagogie. Il fait accepter, par exemple, une affiche représentant une gamine priant au pied de son lit et poignardée par un socialiste en guenilles[104]. L'image a d'autant plus d'impact qu'elle détonne sur les murs de Bruxelles et de Liège. Ils en ont vu d'autres, mais pas de ce style.

Hergé a exécuté un projet d'affiche dans le ton mais pas forcément destiné à soutenir cette cause. Autrement dit, particulièrement sinistre. À mille lieues de Tintin et Milou. Puis il le confie à son ami Adelin van Ypersele de Strihou, correspondant anversois du *Vingtième Siècle* et courtier en publicité. Le dessin de facture expressionniste représente une tête de mort protégée par un masque à gaz. Ce portrait livide se détache sur un fond noir avec des ondulations dégradées vertes de plus en plus foncées.

Un soir, en bavardant dans les couloirs du *Vingtième Siècle* avec Victor Matthys, le secrétaire de Degrelle, Hergé apprend que son projet d'affiche est sur le point d'être envoyé à l'imprimerie. Aussitôt, il s'y oppose formellement en envoyant une lettre recommandée à Degrelle ès qualités. Même s'il lui donne du « Mon cher Léon », ce n'est pas à l'ami mais au directeur des éditions Rex à Louvain qu'il s'adresse. Son opposition tient à des raisons non pas politiques, mais purement artistiques. S'agissant de ce dessin comme de n'importe quel autre, Hergé n'envisage pas de le signer sans l'avoir méticuleusement revu, achevé et définitivement mis au point. Cela étant, Hergé est tout prêt à travailler avec Degrelle.

« Excuse ma franchise, mais je te mets en garde également contre l'idée de faire reprendre le même sujet, ou à peu près, par un autre dessinateur. Si, bien entendu, tu désirais faire éditer mon affiche, nous pourrions évidemment nous entendre. Bravo pour l'initiative des éditions Rex[105]. »

Degrelle n'en fait qu'à sa tête. Aussi, deux jours après, Hergé le menace de poursuites en justice s'il persiste. Il est d'autant plus désolé d'en arriver à une telle extrémité qu'il les tient, lui et les siens, pour « des amis[106] ». Trop tard. L'affiche est éditée. Avec un slogan : « Contre l'invasion, votez pour les catholiques. » Mais en lieu et place de la signature d'Hergé, on peut lire « Le studio des éditions Rex ». Les murs des grandes villes de Wallonie en sont recouverts. Cette fois, Hergé en fait une question d'orgueil personnel. L'artiste en lui est heurté, et son libre arbitre. Et non le citoyen avec ses convictions politiques. Il peut d'autant moins abandonner ce bras de fer qu'outre ses deux lettres recommandées il a également lancé des avertissements verbaux devant témoin.

« Je suis décidé à leur infliger une sérieuse leçon », dit-il au représentant du Syndicat de la propriété artistique[107].

Sommé de s'expliquer, Degrelle excipe de sa bonne foi, assure que ce dessin lui a été proposé comme un don, repousse la faute sur un tiers et précise qu'Hergé n'a de toute façon subi aucun préjudice puisqu'il n'avait pas signé son projet[108].

L'affaire traîne pendant des mois. Aucune des deux parties ne veut céder. Eugène Dejardin, le délégué du Syndicat de la propriété artistique, est prêt à renoncer en les renvoyant dos à dos quand Léon Degrelle propose une solution de la dernière chance : la nomination d'un conciliateur irrécusable. Il lance le nom de l'avocat Pierre Nothomb, collaborateur du *Vingtième Siècle* et lié aussi bien à Hergé qu'à Degrelle[109]. Hergé refuse. Parce que ce médiateur idéal l'est moins qu'on ne le croit étant donné qu'il occupe un siège d'administrateur aux éditions Rex. Et parce qu'il veut aller en justice étant sûr de gagner le procès. Au besoin, il ira seul, sans l'assistance technique de quiconque. Mais il ira[110]. Désormais, il en fait une question de principe. L'attitude de Léon Degrelle le révolte autant que celle de l'abbé Courtois quand il prend des libertés avec ses dessins avant de les passer dans *Cœurs Vaillants*. Car rien ne l'horripile comme la désinvolture, avec l'absence d'éducation, de politesse et de savoir-vivre qu'elle suppose.

L'un est plus entêté que l'autre. Le juriste du Syndicat de la propriété artistique n'en peut mais. Il ne lui reste plus qu'à se lancer dans une procédure longue, coûteuse, à l'issue incertaine, alors qu'il avait tout fait pour éviter cela. Mais avant de remettre le dossier à l'avocat-député M. Jennissen, il tente une dernière fois d'infléchir l'attitude d'Hergé :

« Il est toujours pénible d'en arriver là, entre gens qui sont forcés à des relations constantes puisqu'elles sont de même opinion et qu'elles travaillent dans les mêmes maisons[111]... »

Quatre mois après, Dejardin insiste, faisant jouer la même corde sensible, celle de l'amitié et des affinités :

« J'espère donc bien que nous ne tarderons plus à avoir des propositions sérieuses à votre sujet, sans devoir intervenir judiciairement, ce qui m'a toujours paru désastreux étant donné que vous êtes tous deux dans un même parti politique et susceptibles encore de faire de bonnes et fructueuses affaires ensemble[112]. »

On suppose qu'il fait allusion au Parti catholique mais on ignore si, dans l'esprit du scripteur, il s'agit d'adhésion à des idées ou d'appartenance à une organisation. Dans le premier cas, ce serait une confirmation. Dans le second, une révélation. Dans un cas comme dans l'autre, au fil d'une correspondance toujours fournie, Hergé ne démentira pas. De guerre lasse, après un an de négociations, il obtient 1 500 francs de dédommagement à l'issue d'un règlement à l'amiable. Il en réclamait beaucoup plus, estimant que le dessin lui avait été volé puisqu'il était destiné au départ à l'Union civique et non à Rex[113], Qu'importe. Le principe est sauf. On ne se moque pas de lui impunément.

1934. Hergé fait flèche de tout bois. L'esprit jamais au ralenti, incapable de se reposer sur ses lauriers, il met à profit ses rares temps morts pour trouver autre chose. À croire que son imagination est sans cesse en éveil. Quick et Flupke, plus bruxellois que jamais, ont une fonction de retour aux sources. Ils le reposent des longs voyages de Tintin. Il n'est pas de meilleur dérivatif pour celui qui ne sait pas ne pas travailler. C'est une des raisons, avec l'aspect matériel des choses, qui le poussent à créer des clones de ces deux garnements. Il y eut d'abord Fred et Mile pour *Mon avenir*, le journal des Jeunesses ouvrières catholiques, qui vécurent le temps d'un numéro. Puis vinrent Tom et Millie, dont vingt planches sont publiées dans l'hebdomadaire *Vie heureuse*. Cette fois, avec Popol et Virginie, ça ira peut-être plus loin.

Il conçoit ces nouveaux personnages en réaction à l'univers de Tintin auquel il se donne corps et âme. Pour n'être pas envahi par son réalisme, il éprouve le besoin de s'évader dans un univers d'invraisemblance. Un lieu où la crédibilité n'est pas le paramètre de référence. Le monde des animaux... Walt Disney, en digne héritier de Jean de La Fontaine, a déjà prouvé qu'on pouvait les faire parler entre eux tout au long d'une bande dessinée sans être ridicule. Il ne s'agit pas de le concurrencer, mais de le prendre pour modèle, tout en conservant Gulliver en mémoire.

Popol et Virginie, les noms de ses deux oursons, lui ont probablement été inspirés par le souvenir de *Paul et Virginie*, le roman pastoral de Bernardin de Saint-Pierre. Chapelier désorienté par une mode qui s'inscrit en faux contre son commerce, Popol émigre en Amérique avec sa compagne. Il fait fortune dans l'Ouest en y lançant la mode des couvre-chefs dans la tribu des Lapinos, portant un préjudice certain au fabricant de coiffes en plumes. Désormais, cet étranger est l'homme à abattre, celui qui a déréglé la société. Cela commence par une simple querelle d'intérêts entre commerçants et finit par une vraie guerre. Après quoi, Popol délivrera Virginie du poteau de tortures et affrontera le bandit Bully-Bull en un combat victorieux qui fera de lui le héros de ce coin du Nouveau Monde.

Hergé donne l'impression de n'avoir pas su choisir entre l'histoire pour enfants et le récit pour adultes. Par sa naïveté et sa puérilité, cette série s'adresse aux premiers. Mais par ses clins d'œil à l'actualité politique et économique, elle ne peut intéresser que les seconds. Et par son indigence dans l'imagination, elle ne devrait passionner ni les uns ni les autres. Quant au dessin, il pousse la simplicité au-delà du raisonnable. Le récit arrive à son terme après que *Le Petit Vingtième* en a publié cinquante planches. Puisque cette série est bâtarde, il vaut mieux renoncer et passer à autre chose. Hergé a voulu s'essayer à un genre plus poétique et satirique, au risque de s'écarter de son inspiration habituelle[114]. L'essai n'ayant pas été transformé, la lucidité l'emporte sur l'orgueil. Au moins a-t-il cette sagesse.

Hergé n'a rien à regretter. Car deux mois après avoir mis un point final aux *Aventures de Popol et Virginie au Far West*, un événement se produit en regard duquel ses personnages à l'essai n'auraient vraiment pas fait le poids. À Paris, un nouveau journal est en kiosque. Son succès immédiat provoque une révolution durable dans le monde de la bande dessinée. Le n° 1 du *Journal de Mickey* s'arrache. C'est le premier illustré en France à ne proposer que de véritables bandes dessinées exclusivement américaines. Ce numéro en témoigne. À tout seigneur, tout honneur : il s'ouvre sur « La famille Vole-au-Vent, une symphonie folâtre » *(Silly Symphony)* et « Mickey » de Walt Disney, se poursuit par « Jim la Jungle » d'Alex Raymond, « Touffou » et « Le père Lacloche » de C. D. Russell, « Tout est bien qui finit bien » et « Jacques Beaunez, policier » de Hoban, et s'achève avec « Si Rip le dormeur revenait » et « Les malheurs d'Annie » de Brandon Walsh et Verd.

Désormais, les plus intuitifs artisans de la presse illustrée pour les jeunes savent qu'ils devront se définir par rapport au *Journal de Mickey*, qu'ils s'adaptent à la nouvelle situation créée par son arrivée sur le marché, ou qu'ils la combattent.

Un journaliste polyglotte de 36 ans est à l'origine de ce bouleversement. Il s'appelle Paul Winkler. Après avoir quitté Budapest où son père dirigeait une banque, il a fait ses humanités à Prague et ses premiers pas à Amsterdam. Puis il s'est installé à Paris afin d'y assurer la correspondance de divers journaux européens. Quand il se rendit compte qu'il faisait office d'agence de presse à lui tout seul, il en créa une en 1928, une vraie, à l'enseigne de Mundi Press Service, futur Opera Mundi.

Son entreprise prit un tournant décisif au début des années trente. Par hasard. Paul Winkler ayant lu dans une petite annonce que M. Gortavosky, le directeur du King Features Syndicate, était à Paris dans l'espoir d'y trouver un représentant, il se rendit aussitôt à l'hôtel Ritz. Depuis 1915, cette « agence » appartenant au magnat de la presse William Randolph Hearst dominait le marché. Pour faire ses preuves, Winkler commença par placer les bandes dessinées de Mickey et de Félix le Chat au *Petit Parisien* et au *Petit Journal*. Puis, quand il comprit que le King Features Syndicate était un réservoir inépuisable de matériel et de signatures, il eut l'idée de créer un support. C'est ainsi que naquit *Le Journal de Mickey*, édité par la société

Édimonde, financé à 70 % par Hachette et à 30 % par Opera Mundi, et dirigé par Paul Winkler[115].

Dans le petit calepin qui ne quitte guère sa poche, Hergé a noté le nom de Paul Winkler et l'adresse du King Features Syndicate, non loin des coordonnées d'Alain Saint-Ogan[116]. Sait-on jamais...

Outre la naissance du *Journal de Mickey*, 1934 voit également l'apparition de Mandrake le Magicien et l'avènement du nouveau roi des Belges, Léopold III. Il serait vain de se demander lequel de ces événements, ou de tout autre, a le plus d'impact sur Georges Remi, 27 ans. Ou en quoi son imprégnation de l'air du temps le porte dans telle direction. Il n'y a pas de mystère car il n'y a pas de secret. Rien à expliquer. Juste à comprendre comment et pourquoi Hergé s'apprête à faire une rencontre, anodine en apparence mais en fait si profonde qu'elle va bouleverser sa vie. Et donc son œuvre.

4

L'ami Tchang

1934-1936

La Chine, dites-vous ? Une énigme enrobée d'un mystère. C'est ce genre de poncif qu'évoque la Chine pour Hergé. Des lieux communs propres à tout individu de culture française : un pays-continent lointain, barbare, surpeuplé et indéchiffrable. Son spectre ne quitte guère l'actualité : on craint le pire depuis l'attentat perpétré en septembre 1931 contre la voie de chemin de fer Moukden-T'ien-tsin. Provocation ou pas, les Japonais se sont saisis du prétexte pour envahir Moukden, occuper la Mandchourie, la transformer en État fantoche du Mandchoukouo et même en empire confié à la souveraineté très surveillée de Pu-Yi, dernier empereur mandchou. Depuis plusieurs années, les milieux militaires à Tokyo soutiennent une politique d'expansion et de domination en Asie. Malgré un rapport accablant de la Société des Nations, ils sont bien décidés à maintenir la région sous leur domination. Par la force et sans faire de détail. Quitte à claquer la porte de l'organisation internationale.

La Chine, c'est aussi le reportage dont Albert Londres n'est pas rentré en 1932. Quand il a péri dans le naufrage du paquebot *Georges-Philippar*, il venait de passer plusieurs semaines dans la zone internationale de Shanghai, où Chinois et Japonais s'étripaient sans même s'être déclaré la guerre. Puis il s'était rendu à Moukden. Sur quel sujet explosif menait-il son enquête ? Pour une fois, il n'en avait rien dit à personne, ni aux confrères, ni aux amis, ni surtout aux diplomates, militaires et douaniers. Tout juste avait-il laissé entendre qu'il s'agissait de contrebande, d'armes ou de drogue c'est selon, mais de toute façon d'un trafic aux ramifications politiques. Il est mort en emportant son secret, non dans la tombe mais dans la mer Rouge qui lui servit de sépulture. Dommage pour Hergé qui avait dû se rabattre sur quelques-uns des vingt-sept articles-câblogrammes envoyés depuis Shanghai au *Journal* à Paris. Il se souvenait également d'un premier voyage d'Albert Londres, effectué dix ans plus tôt, décrivant un pays de coupeurs de tête où l'on marche sur la tête, un pays où la folie et l'incohérence sont les seules à obéir à une sorte de logique. Cette série d'articles fut recueillie en un livre à succès d'un sens de l'absurde irrésistible sous le titre éloquent *La Chine en folie*.

La Chine, c'est aussi celle d'André Malraux. Dans *La Condition humaine*, qui est couronné du prix Goncourt en 1933, des hommes ont conscience de jouer leur avenir et leur vie pour l'idéal d'une organisation (l'Internationale communiste) aux yeux de laquelle les destins individuels ne comptent pas. Des personnages s'affrontent dans le Shanghai de 1927, parmi lesquels éclate Tchen, terroriste pour la bonne cause, celle des humiliés, des offensés, des exploités.

Hergé a pu être sensibilisé à la lecture de ces livres et de ces articles. Mais aussi à celle de *Chine* (1931), le récit de voyage de Marc Chadourne le long de la Grande Muraille, ou de cette autre *Chine* (1928) de Vicente Blasco Ibáñez, ou encore de *Von China und Chinesen* de H. von Perckhammer (1930) qui a le défaut d'être en allemand mais l'avantage d'être très illustré.

Quelle force le pousse ainsi vers ce pays ? Aurait-il des amis chinois ? On l'ignore. Cette fois, ce n'est ni l'influence de l'abbé Wallez, ni la manifestation tardive d'un accès de scoutisme. Longtemps après, sans dévoiler l'origine d'une idée dont il ne sait peut-être rien, il dira avoir été guidé par deux thèmes :

« 1) Montrer, tout en racontant une histoire, la mainmise à l'époque des Japonais sur la Chine.

2) Faire mieux connaître les Chinois[1]. »

Soit. Mais pourquoi la Chine et les Chinois ? En s'y attaquant, il comprend vite qu'il devra être inattaquable. Pas un détail ne pourra être contesté. Pour dépasser les clichés les plus éculés sur un sujet qui en a déjà beaucoup charrié, il devra se documenter et se perfectionner dans le texte comme dans l'image. La vraisemblance sera à ce prix. Il lui faudra jouer dans le double registre de la vérité et de l'exactitude. La vérité des sentiments, des attitudes, des expressions et l'exactitude des décors, des situations, des objets.

Eu égard au contexte politique, l'engagement idéologique de Tintin est presque inévitable. Ce ne peut être que d'un côté, celui des opprimés.

Les lecteurs ne comprendraient pas que son héros se batte dans le camp d'en face. En le rendant solidaire des Chinois écrasés sous la botte japonaise, Hergé fait le choix qui s'impose, même si celui-ci ne reflète pas nécessairement la tendance politique de Georges Remi. Sans avoir encore approfondi la question, il sait qu'il devra donc dénoncer l'impérialisme nippon. Cela ne va pas de soi et va même à rebrousse-poil d'une grande partie de la presse d'opinion. De plain-pied dans l'histoire immédiate, il devra être très « politique » s'il veut que son héros modifie le cours de l'histoire tout en restant crédible. Au risque de sacrifier une partie de la dimension comique du récit au profit d'épisodes à la tonalité nécessairement plus grave.

Tel est le prix à payer pour passer de l'aventure pour l'aventure à l'invention d'un monde. Le réalisme documentaire ne lui est pas une fin mais un moyen. Au service de quoi ? Il le pressent confusément : entreprendre d'inventer un monde autour de Tintin et Milou. Et pour y parvenir, créer l'illusion du réel, non à la manière de Benjamin Rabier ou de McManus, mais dans l'esprit de Charles Dickens ou d'Alexandre Dumas.

C'est la première fois que Tintin prend parti aussi nettement dans un conflit entre deux nations. Il semble que le contexte politique des années 1933-1934 et la tension qu'il a entretenue en Europe n'aient pas été étrangers à cette prise de conscience.

Avec *Quick et Flupke*, Hergé est parfois allé un peu plus loin. Récemment encore, après l'incendie du Reichstag et la proclamation du parti nazi comme parti unique, il a mis en scène ses deux garnements bruxellois écoutant à la TSF les proclamations nationalistes du Führer, du Duce, d'Édouard Herriot, de Paul Hymans, de Neville Chamberlain, d'un bolchevik et d'un Japonais, avant de bâillonner le poste pour aller dans la rue écouter une musique plus douce, celle de l'orgue de Barbarie[2]. Quelques mois plus tard, Flupke fait tout pour fuir l'atmosphère de corruption généralisée déclenchée par le scandale de l'affaire Stavisky. En vain puisque la seule île déserte encore libre aura juste été louée par un très honorable escroc[3] !

Même dans *Popol et Virginie chez les Lapinos*, on retrouve un écho de cette récente prise de conscience politique. Elle est d'autant plus incongrue qu'elle s'inscrit dans un univers aux antipodes de ces préoccupations et qu'elle s'adresse à des lecteurs bien trop jeunes pour en saisir la subtilité. En effet, au début de l'histoire, voyant son négoce de plumes menacé par l'installation du chapelier Popol, le chef des autochtones harangue son peuple en des termes qui ne sont pas sans résonance dans l'actualité. L'échec retentissant de la conférence de Londres sur les monnaies incite Mussolini et Hitler à renforcer leur autarcie, les Belges et les Français à consolider le bloc-or. Traduit par Hergé, c'est nettement plus compréhensible :

« Oui, noble tribu des Lapinos, c'est un grand danger qui vous menace ! L'étranger, voyant le succès de son commerce ici, appellera à lui ses parents, ses amis et les amis de ses amis. Bientôt parmi vous, ce sera le chômage et la misère. Il ne faut pas que cela soit. Noble peuple lapinos, sauvegardons notre indépendance et notre liberté, et chassons de notre pays l'envahisseur. »

Suivront, comme de juste, des encouragements à acheter purement lapinos, des exhortations au boycott des produits étrangers et un appel à la mobilisation générale précisant que la mobilisation n'est pas la guerre[4]. Une rhétorique de propagande toujours en vigueur plus d'un demi-siècle après.

Se documenter, soit. Mais auprès de qui ? La tâche est d'autant plus délicate qu'il s'agit de serrer au plus près les réalités chinoises sans quitter Bruxelles. Trois hommes remarquables, tous trois religieux, sont ses premiers guides dans son long voyage sur place.

Le nom et le souvenir radieux du père Édouard Neut s'imposent très vite à lui. Leur rencontre remonte à moins de dix ans. Quand il a achevé ses études à Saint-Boniface, Hergé a fait retraite à Saint-André-lez-Bruges. Cette abbaye, dont un certain nombre de moines vivaient en Chine, abritait alors le père Neut dans ses murs. Très versé dans l'histoire et la culture chinoises, celui-ci avait eu un bon contact avec le jeune étudiant. Plus tard, Hergé reconnaîtra sa dette en des termes univoques :

« Le père Neut fut à l'origine de mon intérêt pour tout ce qui touche à la Chine[5]. »

Dans un premier temps, le dessinateur s'étant ouvert de son projet d'expédier Tintin en Chine[6], le bénédictin lui envoie deux livres : *Aux origines du conflit mandchou* du père Thaddée, et *Ma mère* de Cheng Tcheng. Le premier porte sur les aspects diplomatiques du conflit, le second sur ses répercussions dans la vie quotidienne. Pour compléter son information, il y joint un article annoté de sa main paru en 1932 dans le quotidien français *L'Aube*, organe de la gauche chrétienne, et consacré à ce qui distingue, sépare et oppose les civilisations chinoise et japonaise. À ce stade du projet, l'intuition du père Neut est déjà d'une remarquable justesse, si l'on en juge par ce qu'il prédit à Hergé :

« ... Tintin rencontrera des lettrés chinois, des moines, bonzes chinois, des familles chinoises ; il rencontrera des militaires japonais ; militaires depuis des siècles, militaires pour être militaires et pour se battre comme les Prussiens en Belgique en 1914 : les ketjes [gamins] de Bruxelles ont joué tant de tours pendables aux hobereaux qui nous avaient envahis (...). J'ai le sentiment que ce voyage de Tintin pourrait avoir des répercussions encore plus grandes que celles de ses voyages précédents. Une de ses suites serait d'introduire Hergé dans le monde extrême-oriental et de lui faire trouver des filons bien intéressants pour informer et approfondir son talent, pour le renouveler constamment, tout en collaborant avec combien d'efficacité à une œuvre de compréhension interraciale, et de vraie amitié entre Jaunes et Blancs[7]. »

Hergé en est d'autant plus conscient qu'il veut à tout prix éviter de choquer les Chinois résidant en Belgique. Ou de les blesser par des remarques à l'ironie déplacée. Mais entre sa volonté de n'être pas superficiel et sa faculté à approfondir un sujet dont il ignore tout, il y a un fossé. Pour le franchir, il est prêt à battre sa coulpe. À faire amende honorable sur le sérieux de ses précédents albums. Pourtant, on ne lui en demande pas tant. Cette autocritique vient de lui. Comme s'il en éprouvait l'impérieuse nécessité. En se confiant au père Neut, il semble à la veille d'une révision radicale sur sa manière d'envisager son métier :

« ... Il y a donc là une quantité de points sur lesquels il faut changer les idées qu'on se fait en général, surtout les gosses, sur la Chine et les Chinois. Depuis quelque temps déjà, en préparant mes histoires, j'ai été étonné de constater les idées fausses que j'avais et que des lectures m'ont fait réviser. Et je me découvre ainsi, petit à petit, une réelle sympathie et une réelle admiration pour ce peuple et un vif désir de le comprendre et de l'aimer[8]. »

Outre les livres qu'il lui procure, le père Neut lui présente une personnalité qu'Hergé juge d'emblée fascinante. Lou Tseng Tsieng, polyglotte de haute culture, est un ancien diplomate qui fut jadis ambassadeur aux Pays-Bas puis ministre de Sun Yat-sen, père de la République et fondateur de la Chine moderne. À la mort de sa femme qui était belge, il abandonna tout, reprit ses études comme simple séminariste au monastère de Loppem et se fit ordonner prêtre. Ça fait un an à peine qu'il est devenu le père Pierre Célestin Lou.

Enfin, le troisième homme de cet informel trio de conseillers bien intentionnés est l'abbé Gosset. Aumônier des étudiants chinois à l'université catholique de Louvain, il s'est présenté spontanément à lui. Il a eu vent de son projet en lisant dans *Le Petit Vingtième* un écho relatif aux prochaines aventures de Tintin. Dès leur première rencontre, il le met en garde contre tout dérapage qui ne manquerait pas de heurter la sensibilité de « ses » étudiants.

« Si vous avez le malheur de dessiner un Chinois avec une tresse, par exemple, ou de lui faire manger des nids d'hirondelle en poussant des petits cris — Hi ! hi ! hi ! — vous allez faire des dégâts terribles ici. Parce qu'ils lisent *Le Vingtième Siècle* ! Ils adorent *Le Petit Vingtième* et ils vous attendent au tournant...

— La meilleure chose à faire, c'est que vous me donniez un conseiller chinois. Dites-moi ce qu'il faut faire. Moi, j'ai des aventures comme ça en tête ! Mais pour le reste, aidez-moi[9]... »

17 heures, mardi 1er mai 1934 à Etterbeek, une commune de Bruxelles. Un jeune Chinois de très petite taille, une casquette d'étudiant vissée sur la tête, cherche son chemin. Pourtant, avant de se rendre à son rendez-vous, il a pris soin de consulter une carte locale, d'interroger un policier et de questionner un employé à la poste. On se croirait déjà dans une aventure de Tintin !

Enfin, la rue Knapen. C'est là que vivent Georges et Germaine Remi. Finalement, le visiteur est pile à l'heure, ainsi qu'il l'avait annoncé dans sa lettre[10]. C'est lui, le « conseiller pour les affaires chinoises » promis depuis quelques semaines. Le père Célestin est un ami de son grand-oncle, philosophe célèbre en Chine. Il l'a envoyé à l'abbé Gosset, lequel l'a recommandé à Hergé.

Il s'appelle Tchang Tchong Jen, cet étudiant « catholique depuis plusieurs générations ». En dépit d'un accent prononcé, il se fait parfaitement comprendre des Belges : à 17 ans, il a appris le chinois à un jésuite français de Shanghai qui, en échange, lui a enseigné sa langue. Au bout de trois ans, Tchang et le père Leclerc étaient à égalité.

26 ans (une année de moins qu'Hergé), le regard très mobile, une curiosité des plus vives, l'esprit analytique, il est installé dans le salon depuis quelques minutes à peine et déjà, il a mentalement photographié son hôte. Il l'a cerné :... poignée de main des plus énergiques... travaille beaucoup, trop certainement... ne sait pas se reposer... se consacre entièrement à son œuvre... ses lèvres sèches trahissent le manque de sommeil et le surmenage... ses yeux fatigués évoquent les nuits blanches passées sur la table à dessin... Il conservera toujours en mémoire une image de lui : celle d'un boy-scout à son bureau [11]. Mais il ne faut pas être grand clerc pour deviner qu'Hergé est également la discrétion faite homme. Est-ce l'effet de sa pudeur naturelle ? En tout cas, il a tôt fait de dévier la conversation sur son visiteur dont il ne sait rien.

Issu d'une famille de sculpteurs sur bois installée à Shanghai, ce fils unique a perdu sa mère, une brodeuse sur soie, avant l'âge de 5 ans. Il dit avoir toujours eu le sens des formes et des volumes, comme si c'était dans son héritage génétique. D'ailleurs, il dessine naturellement depuis son plus jeune âge. Après un faux départ comme acteur dans une troupe de théâtre quand sa ville vivait les grandes grèves de 1925, il était retourné à ses premières amours et avait obtenu une bourse pour se rendre dans la lointaine et mythique Europe afin d'y perfectionner son talent d'aquarelliste.

C'est ainsi qu'en 1934, après trois années passées à suivre des cours et passer des concours de peinture et de sculpture à l'Académie royale des beaux-arts de Bruxelles, il a reçu son diplôme et quelques médailles assorties. Cela dit, il ignore tout de la bande dessinée. Qu'importe. Ils ont sensiblement le même âge, ils sont tous deux des artistes, l'un est diplômé, l'autre autodidacte, le reste...

« Je vais envoyer mon Tintin en Chine, lui dit Hergé. Votre pays, je n'y connais rien. Je n'y suis jamais allé.

— Pourquoi en Chine et pas... ?

— Je ne sais pas. Pour changer de continent. Il a déjà été en Europe, en Afrique, en Amérique, au Moyen-Orient... Jamais en Asie.

— Mais que savez-vous des Chinois ? »

Tchang ne tarde pas à comprendre qu'Hergé, comme la plupart des Européens depuis la révolte des Boxers, a l'esprit truffé de lieux communs sur ce peuple supposé belliqueux, fourbe, cruel et paresseux.

« Comment pourriez-vous m'aider ? reprend Hergé.

— Vous savez, je ne suis pas romancier. Je n'ai même jamais essayé de composer une histoire. Mais puisque vous me demandez de vous aider, je veux bien essayer d'inventer une histoire d'après un fond réel. Si vous fabriquez des anecdotes par fantaisie, ça peut être intéressant. Mais si un jour un lecteur s'en aperçoit, votre livre perdra de sa valeur. Alors que si le contexte est authentique, rien ne vous empêche après d'exagérer les anecdotes. Moi, je voudrais construire des histoires d'après la réalité. D'après ce que j'en sais et ce que j'en ai entendu, d'après ce que j'ai vu et vécu... »

Hergé sursaute.

« C'est une très belle idée ! Mes quatre albums ont été faits d'après mon imagination. Je veux bien m'essayer à la réalité. Mais comment procéder ?

— Je vous raconterai ce que je sais. Je vous fournirai en anecdotes[12] »

Rendez-vous est pris pour le dimanche suivant, dans l'après-midi. Et le dimanche d'après et tous les autres dimanches pendant plusieurs mois. Ils parlent beaucoup, prennent des notes, dessinent peu. Au fil des échanges, d'une semaine l'autre, une forte amitié naît qui n'est pas de la familiarité, le voussoiement restant de rigueur. Tchang ne considère pas cela comme un travail. Il n'est d'ailleurs pas rémunéré. Dans son esprit, c'est un coup de main, un service rendu à une relation du père Célestin qu'il admire, en même temps qu'une bonne action pour son pays écrasé par l'impérialisme nippon.

Très vite, Tchang s'adresse à lui comme un maître à son élève. Sans complexe. Gommés l'âge, le statut, les origines et le reste. D'un côté, il y en a un qui sait et de l'autre, un qui veut savoir. Il semble prêt à tout pour apprendre, même à abdiquer ce qui lui reste d'amour-propre. Le « maître » l'a bien compris qui lui offre un jour un manuel destiné à enseigner aux étudiants l'art de faire des traits au pinceau et à l'encre de Chine. Puis, patiemment, il lui explique :

« L'important, c'est de bien conduire les poils. Ce qui compte, c'est le contour puisque c'est lui qui suggère le volume. C'est un travail en deux dimensions pour lequel il faut réduire le dessin à sa plus simple expression. Pensez d'abord à l'ensemble. Pour les proportions, on verra plus tard[13]. »

Tchang est impressionné par l'habileté d'Hergé, tant dans ses croquis que dans ses esquisses. Mais à la moindre occasion, il l'engage à suivre la nature. À faire le choix de la clarté contre celui du clair-obscur. Parallèlement au dessin à la chinoise, il dissèque la langue et explore les étymologies pour lui. Il lui apprend l'écriture et les idéogrammes. En fait, il l'initie à une civilisation. Sans oublier, de temps en temps, de taper sur les Japonais. Il lui est d'autant plus facile de les présenter spontanément comme des agresseurs que dans sa jeunesse, les filatures de sa ville étaient aux mains de patrons et d'exploiteurs japonais. Sous la leçon de dessin, le devoir de propagande n'est jamais loin. Discret, mais présent.

Quand ils ne parlent pas, ils se promènent dans les allées du quartier ou dans le parc du Cinquantenaire. Le moindre détail est de nature à prolonger cet enseignement qui ne dit pas son nom. Il suffit que leur attention soit retenue par un arbre dans le jardin pour que Tchang se lance. Il ne lui explique pas l'arbre, il le lui raconte : les sentiments qu'il a éprouvés jusqu'à être marqués dans sa structure... son premier élan vers la vie, son enthousiasme, son premier découragement... le courage et la ténacité qui l'ont aidé à surmonter ses défaillances...

Hergé est fasciné. Jamais il n'aurait cru que son nouvel ami aurait été ainsi capable de sentir un arbre au point de s'identifier à lui. Grâce à lui, il découvre que l'homme ne fait qu'un avec la nature. Qu'il est l'univers. C'est une des grandes leçons dont il lui sera infiniment redevable. À cause d'un simple petit arbre qu'il n'avait jamais remarqué tant il était à sa place dans le jardin[14].

Les Aventures de Tintin en Extrême-Orient commencent à paraître dans *Le Petit Vingtième* à partir du 9 août 1934. Dès la première case, Hergé cherche à faire le lien avec *Les Cigares du pharaon*. Il reproduit une coupure de presse le localisant chez le maharadjah de Rawhajpoutalah dont il est l'hôte. Le reporter s'est modernisé. Il a un équipement du dernier cri. Rares sont ses confrères qui possèdent un poste récepteur à ondes courtes. Cela lui permet de capter un tas de messages, les plus incompréhensibles étant naturellement les plus excitants. Alors qu'un fakir lui prédit un avenir des plus sombres en lui lisant les lignes de la main, Tintin reçoit la visite d'un mystérieux émissaire venu tout exprès de Shanghai. Au moment où celui-ci veut lui transmettre un important message, il est piqué dans le cou par une fléchette qui le rend fou. Pas une minute à perdre. Le reporter s'embarque pour le grand port de commerce européen en Chine avec comme unique piste un nom à consonance japonaise : Mitshuhirato. Quand il le rencontre pour la première fois, il a confiance en cet honorable commerçant. Il lui offrirait le bon Dieu sans trop de confession.

Très tôt dans le récit, un accident de pousse-pousse en pleine rue permet déjà à notre héros de se poser en défenseur des humiliés. Et par la même occasion, de se faire mal voir d'un trio infernal d'Occidentaux racistes, suffisants et arrogants. Dès lors, celui que ses ennemis déclarés considèrent comme « un Don Quichotte[15] » affronte des incidents de plus en plus anormaux : attentat au revolver, enlèvement avorté, arrestation par la police, tentative d'empoisonnement... Il se lance véritablement dans son enquête, échappe de justesse au sabre de Didi, un « fou » qui veut absolument le raccourcir par le haut. De fil en aiguille, d'une piste l'autre, Tintin habillé en Chinois se retrouve au Lotus bleu, une fumerie d'opium. Dans ce temple des paradis artificiels, il a la surprise de voir sans être vu... l'énigmatique M. Mitshuhirato ! Il le suit mais se fait prendre.

Au même moment, la presse révèle l'affaire du sabotage de la ligne de chemin de fer Nankin-T'ien-tsin, transposition de l'incident de Moukden qui permet à Hergé d'exposer l'agression nippone contre la Chine. Tintin sort des griffes de ses geôliers en feignant très habilement d'être sous l'emprise de leur poison qui rend fou. Mais il est sous liberté très surveillée. Désormais, sa tête est mise à prix. L'occupant japonais le recherche activement. Le trio infernal de la concession internationale également. Poursuivi, rattrapé, emprisonné, échappé, poursuivi à nouveau, il retrouve Rastapopoulos, affronte Mitshuhirato, se soustrait aux militaires... Jusqu'au moment où, à la faveur d'un déraillement, il plonge dans le fleuve pour sauver quelqu'un qui se noie.

Cet orphelin a sensiblement le même âge que lui et s'appelle Tchang. Tout en échangeant les stéréotypes et préjugés en usage dans leurs pays sur leurs peuples respectifs, ils les tournent en dérision. Puis ils scellent leur amitié naissante en décidant d'être solidaires dans l'adversité. Tchang sera son guide dans le dédale des rues comme dans celui des âmes. Direction : Hou-Kou. Cette fois, outre la meute de ses poursuivants, il lui faut aussi compter avec les Dupondt, ses deux amis détectives venus d'Europe pour l'arrêter. Leur présence, qui n'est pas sans rappeler la situation des agents d'assurances Craig et Fry dans *Les Tribulations d'un Chinois en Chine* de Jules Verne [16], provoque des malentendus d'une grande cocasserie. Après bien des mésaventures, Tintin est sur le point d'être exécuté. Décapité au sabre !

C'est le moment que choisit Rastapopoulos pour faire son entrée et apparaître comme le chef du dangereux gang qui cherche à éliminer ce gêneur de Tintin. Il est le cerveau d'un trafic international de stupéfiants. Ainsi, la drogue assure la transition entre les anciennes aventures de Tintin en Orient, et les nouvelles en Extrême-Orient. Grâce à l'intrépidité de Tchang, Tintin s'en sort à nouveau. L'ignoble Mitshuhirato apparaissant comme un agent au service de l'impérialisme japonais, cela permet à Hergé de clore le récit anecdotique sur une fin des plus heureuses puisque Tintin est honoré par les Chinois pour l'éternité et que Tchang trouve une famille d'adoption. Surtout, elle le fonde à dénoncer Tokyo comme l'instigatrice de l'attentat du chemin de fer, de stigmatiser le double langage de son gouvernement dans les institutions internationales, et d'une manière générale de ridiculiser les Japonais. La réaction de Tintin est significative quand il apprend par le journal que Mitshuhirato s'est suicidé :

« Dieu ait son âme !... Mais c'était un rude coquin[17] !... »

Malgré tout, l'histoire s'achève sur une note des plus émouvantes, Tchang, Tintin et Milou pleurant au moment de se séparer dans le hurlement des sirènes du paquebot.

On comprend que certains n'aient pas attendu la fin de l'aventure pour réagir. Les diplomates nippons à Bruxelles ont quelque raison d'être furieux. Outrés par l'attitude de Tintin à l'endroit de leur politique, ils ne tardent pas à le faire savoir. Mais par un intermédiaire des plus inattendus. C'est à se demander s'il ne s'agit pas d'un personnage inédit de fou qui se serait échappé de la bande dessinée d'Hergé ! Le lieutenant-général Raoul Pontus est en effet le président des Amitiés sino-belges. Il a donc tout lieu de se réjouir, en principe. Dans les faits il n'en est rien puisqu'il se rend solennellement dans les locaux du *Vingtième Siècle* afin de transmettre une énergique protestation de la part de l'ambassade... du Japon ! C'est à n'y rien comprendre.

Hergé est inquiet. Il est bien placé pour savoir que le plaignant est une personnalité de poids puisqu'on lui a demandé il y a peu de préfacer *La Légende d'Albert Ier* , un livre qui vient de paraître chez Casterman, écrit par Paul Werrie et illustré par... Hergé ! Fils d'un ancien ministre de la Guerre, intime du monarque dont il fut souvent le commensal au palais de Laeken, il fut chargé en 1910 d'une très importante mission : se rendre en Extrême-Orient afin d'annoncer à Pu-Yi, empereur de Chine, qu'Albert Ier était le nouveau roi des Belges. Il y retourna en 1923 pour une autre mission. C'est pourquoi le roi lui disait souvent, sans que l'on sût trop comment il convenait de le prendre :

« Pontus, vous êtes le plus chinois de mes généraux[18] ! »

Tchang, à qui Hergé fait part de son appréhension, le rassure aussitôt :

« N'ayez pas peur ! Si les Japonais sont fâchés, c'est que nous disons la vérité. Répondez à votre directeur que la Belgique est un pays libre. La liberté d'expression pour les artistes et les écrivains est affaire de responsabilité. S'ils diffusent de fausses nouvelles, ils savent qu'ils peuvent être poursuivis devant les tribunaux.

— Et si le Japon menace de nous attaquer devant la cour de justice internationale de La Haye ?

— Tant mieux ! Car vous ne colportez pas de mensonges. Tout ce que vous racontez s'inspire d'événements authentiques. Alors, tout le monde saura la vérité, et vous serez mondialement connu[19]. »

Quoi qu'il en soit, Hergé n'a rien à craindre. Il s'est fait inutilement du mouron. Le nouveau directeur du journal ne s'en est pas laissé conter par son visiteur galonné, sino-belge projaponais de l'espèce la plus rare[20].

Octobre 1935. Quand à Bruxelles *Le Petit Vingtième* en publie la 124e et dernière planche, là-bas en Chine, l'armée communiste dirigée par Mao Tsé-toung achève dans le Nord une « Longue marche » d'un an et de 12 000 km qui deviendra légendaire. Cette aventure de Tintin également. Mais pas pour les mêmes raisons.

Hergé a resurgi transformé de ses aventures en Extrême-Orient. Il a gagné en rigueur ce qu'il a perdu en improvisation. Depuis qu'il fait de la bande dessinée, c'est la première fois qu'il atteint un tel niveau de qualité graphique, une telle plénitude dans le dessin, une telle maîtrise du récit, un tel contrôle du rythme, une telle technique dans la composition. Plus économe en gags, il mesure ses effets comiques afin de préserver la force poétique de l'ensemble. Cette cohérence dans la construction, la magie qui s'en dégage grâce au génie de l'artiste particulièrement inspiré par la Chine, font mieux ressortir le fameux moment clef de la première rencontre entre Tintin et Tchang. Le jeune reporter y exprime sa philosophie humaniste pour l'éternité :

« Mais non, Tchang, tous les Blancs ne sont pas mauvais, mais les peuples se connaissent mal. Ainsi, beaucoup d'Européens s'imaginent que[21]... »

Dans le moindre détail, l'écriture et l'illustration sont vraisemblables à défaut d'être vrais. Hergé a tenu le pari du réalisme documentaire. Grâce à un décor et à un contexte des plus exacts, il a réussi à donner le cachet de l'authenticité à des anecdotes transposées et recomposées. Pour toutes ces raisons, cette cinquième aventure de Tintin et Milou marque une étape décisive dans l'œuvre d'Hergé. Elle représente une telle rupture qu'elle oblige à distinguer désormais ce qu'il y a eu avant de ce qu'il y aura après. L'auteur lui-même n'en disconviendra pas. Sans pour autant renier ses premiers travaux, il les considérera comme plus légers, plus désinvoltes, plus superficiels, plus approximatifs que les suivants. En un mot : plus amateurs.

Désormais, Hergé est un professionnel.

Sa dette à l'endroit de Tchang est inestimable. L'ingratitude lui étant un sentiment étranger, jamais il ne cessera de se dire son obligé. Ce qu'il lui doit ? Sur le plan technique, un progrès certain. En lui apprenant à calligraphier et dessiner comme on le fait dans les écoles de Shanghai, le jeune artiste lui a montré comment donner plus de volume aux personnages[22]. Par l'énergie du pinceau, quelque chose de l'art chinois est passé dans l'art d'Hergé. Mais l'influence de Tchang est tout autant spirituelle qu'artistique.

En l'écoutant attentivement d'un dimanche l'autre, Hergé a élargi sa vision du monde. Des barrières sont tombées. Sa perspective s'en est trouvée agrandie. Le souci du réalisme documentaire et l'engagement politique de son héros lui ont fait prendre conscience de ses responsabilités vis-à-vis des lecteurs. Désormais, il prend son travail plus au sérieux. Comme s'il avait compris qu'il ne s'adressait pas qu'à des enfants. Il est moins illustrateur que romancier en images. Grâce à l'ami chinois, il a découvert « le vent et l'os », le vent de l'inspiration poétique et l'os de la fermeté graphique.

L'abbé Wallez avait permis au scout de s'émanciper et d'accéder à la maturité. Sans le savoir, Tchang fait la même chose avec l'artiste. Sans ces deux hommes, Hergé ne serait pas devenu lui-même.

Tchang doit quitter précipitamment la Belgique. Sa famille le réclame. Elle a besoin de lui. À Shanghai, la guerre est dans tous les esprits. Le quai de la gare est noir de monde. Tchang monte dans le wagon après avoir à nouveau scruté la foule. Hergé avait pourtant promis qu'il serait là. Pour les adieux. Comme dans leur histoire sauf que là, ce n'est pas Tintin mais Tchang qui rentre au pays. Il se penche par la fenêtre. Toujours rien. Le convoi s'ébranle doucement dans la fumée et les coups de sifflet. Soudain, Tchang aperçoit une haute et mince silhouette de jeune homme courant vers lui du bout du quai. Il agite un mouchoir. C'est lui ! c'est Tintin ! ou plutôt c'est Hergé qui essaie de rattraper le train pour le serrer dans ses bras. En vain. Les histoires finissent toujours mieux dans les livres que dans la vie.

De Tchang, il conservera en mémoire une image plus forte que d'autres : un dimanche, alors qu'il lui racontait la Chine, il se mit à lui lire des poèmes chinois dans sa langue. Tout doucement, des larmes d'une grande dignité coulaient sur son visage. Hergé, bouleversé, l'observait sans oser l'interrompre, la gorge nouée par l'émotion. Quelque chose était passé d'insaisissable et d'intransmissible[23].

Hergé est triste et déçu. Pour se rattraper, il ne lui reste qu'un moyen : envoyer l'album à Tchang dès qu'il sera prêt. « Leur » album, en quelque sorte. Avant de se séparer, il lui aurait proposé de le cosigner[24]. La démarche paraît pour le moins surprenante. Si elle ne cadre pas avec l'orgueil du créateur, elle reflète bien cependant la droiture de l'homme. À moins qu'il ne s'agisse d'une de ces offres que l'on se croit obligé de formuler en priant secrètement pour qu'elle soit refusée. Hergé se doutait bien que Tchang déclinerait la proposition. Par pudeur. Par prudence aussi vis-à-vis d'une situation politique très fluctuante. L'ami chinois signera tout de même. Mais pas sur la couverture. Clandestinement, dans l'album. Son nom apparaît une fois en chinois parmi les innombrables inscriptions dont il fut le patient calligraphe, qu'il s'agisse d'appels au boycott de l'impéralisme japonais, de signalisations (« Pharmacie », « Petite épicerie »...) ou de conseils publics sous forme de proverbes tels que « Posséder mille hectares de terrain ne vaut pas un petit métier sous votre toit » ou « Sur l'eau morte des étangs poussent des plantes et des fleurs libres et sans racines » ou encore la très taoïste maxime : « Le lotus est serein parce que son cœur est vide[25]. »

En février 1936, quand les clichés des *Aventures de Tintin en Extrême-Orient* arrivent chez Casterman, l'éditeur met l'album en fabrication mais se penche personnellement sur la couverture. Désormais, c'est là qu'il faut mettre l'accent. Cet argument de vente a été un peu négligé jusqu'à présent. Charles Lesne, l'interlocuteur privilégié d'Hergé dans la grande maison de Tournai, hésite entre conserver le noir et blanc ou opter pour la couleur. Dans le premier cas, il joue la carte de l'harmonisation avec les précédents albums. C'est un atout pour entretenir la fidélité des lecteurs. Dans le second, l'album serait plus en phase avec le goût du jour. D'une manière ou d'une autre, Casterman prévient son auteur qu'il se retrouvera très bientôt à la veille de révisions déchirantes :

« En ce qui concerne l'intérieur, il faut de toute nécessité, pour la France, entrer dans une nouvelle voie : celle de la couleur[26]. »

Hergé ne s'y résout pas facilement. Il s'accroche d'autant plus au fameux trait noir que celui-ci forme l'ossature de son dessin. Pour l'« enveloppe », il hésite, lui aussi. En donnant son aval au principe de la couleur, il craint de voir son album noyé dans la masse des *Mickey* et des *Zig et Puce*. Or, il est intimement convaincu que pour se distinguer du lot, une couverture d'album doit faire affiche. Il hésite même sur le procédé technique à adopter : trichromie ou dessin au trait rehaussé de couleurs ? De plus, il craint de ne pas avoir le temps d'assurer ce surcroît de travail. Sur son calendrier, semaines et fins de semaine sont déjà prises pour les mois à venir[27].

En attendant de trancher, il faut trouver un titre, un vrai. *Les Aventures de Tintin et Milou* ne doit plus être considéré que comme un titre générique. À la limite, comme un intitulé de collection. *Les Cigares du pharaon*, évocateur et énigmatique à souhait, a montré la voie. Hergé a une idée :

« *Le Lotus bleu* ! C'est court, ça fait chinois et ça fait mystérieux[28]. »

En effet. D'autant que ça ne veut rien dire. Cette plante de type nénuphar n'a rien d'une fleur bleue. Hergé ne veut surtout pas creuser son inconscient pour savoir comment la métamorphose s'est opérée en lui. Le fait est que le contraste est saisissant entre l'imaginaire suscité par le « Lotus bleu » et l'endroit glauque qu'il désigne dans l'histoire (une fumerie d'opium). En tout cas, Hergé veut ignorer d'où cela lui vient. Peut-être est-ce une lointaine résurgence du commerce qu'il entretint avec la vie et l'œuvre de Victor Segalen, lequel fit état d'une réunion des conspirateurs de la « Secte du Lotus bleu » en octobre 1911, dans une maison de passe de Pékin. À moins qu'Hergé ait eu vent de la « Secte du Lotus blanc », groupuscule politique héritier de l'esprit des Boxers mais qui n'a retenu de leur révolte que la volonté de bouter tous les étrangers hors de Chine. Ou encore qu'il se soit inconsciemment référé à la revue de la Société théosophique de France qui portait ce titre depuis sa création, à la fin du XIXe siècle.

Pour des raisons de délai, il faut se décider au plus tôt. Finalement, Casterman adopte le principe de la trichromie à réaliser au trait pour la couverture tandis qu'à l'intérieur, il choisit un encartage de quatre ou cinq hors-texte en couleurs au trait. Le photograveur se fait fort d'obtenir les teintes intermédiaires par le jeu des grisés et des superpositions. Hergé devra donc se contenter du rouge, du bleu et du jaune[29].

C'est peu dire qu'il ne l'entend pas de cette oreille. S'il est prêt à beaucoup de concessions pour tout ce qui concerne l'intérieur de l'album, il ne veut rien céder sur la couverture. Un dragon, un lampion, Tintin et Milou émergeant d'un grand vase... : pas question de travailler tout cela au trait. Le refus est catégorique, sans appel et argumenté :

« Il doit y avoir des dégradés, des teintes fines

par exemple dans le vase et dans le lampion. Ces dégradés, que tu n'as pu voir sur le projet puisque aussi bien il était loin d'être terminé, sont nécessaires pour rendre l'atmosphère mystérieuse propre à attirer les gosses. Je considère donc une bonne couverture comme le premier moyen de publicité. Or le trait, aussi soigné qu'il soit, ne peut donner les demi-teintes et les dégradés nécessaires à cet effet[30]. »

L'auteur tient bon. Mais l'éditeur également. Charles Lesne a plus de patience qu'Hergé de résistance. Il insiste pour que le dessin soit transformé afin d'être exécuté au trait-couleur ou au grain de résine. De son point de vue, il y gagnera certainement en éclat ce qu'il y perdra en finesse. De toute façon, il n'y a plus vraiment d'alternative étant donné le prix prohibitif exigé par le photograveur dans le cas contraire[31].

Cette fois, Hergé rend les armes. Il fera le dessin de couverture au grain de résine. C'est la moindre des trahisons si l'atmosphère est respectée. Mais il craint le pire. Il s'est toujours méfié des interprétations des photograveurs. Si la couverture du *Lotus bleu* est ratée, il ne le pardonnera jamais à son ami Lesne[32].

La voilà enfin. Pas si mal, si l'on fait exception de cette teinte gris sale sur le sol et les têtes de Tintin et Milou. Après retouche, on n'y verra que du feu. En fait, Hergé est agréablement surpris. Il adresse même ses félicitations au photograveur. On n'est pas plus gentleman.

Cinquième album d'Hergé, *Le Lotus bleu* est le premier qui soit le fruit de l'effort et du miracle. Le jour où il le reçoit, il le tourne et le retourne en tous sens. Avec délicatesse, comme s'il s'agissait d'un exemplaire de luxe alors que c'est un exemplaire courant. Ébahi puis stupéfait, il laisse enfin éclater sa joie. Un cri du cœur qui laisse songeur :

« C'est trop beau pour des gosses[33] ! »

5

Neutre dans la tourmente

1936-1940

Tchang est loin maintenant. Dès son arrivée au pays, il a écrit à Hergé. D'abord pour le remercier de lui avoir envoyé un exemplaire du *Lotus bleu*, la première bande dessinée qu'il ait jamais lue. Ensuite pour lui raconter l'accueil qu'il a reçu à Shanghai. Les journaux ont parlé de lui[1].

Tout en courant de Shanghai à Nankin dans les milieux les plus huppés « pour y faire des bustes de grosses têtes » et dans la haute société « pour faire des relations avec eux jusqu'à fatigue totale[2] », il jette les bases de l'établissement qu'il va ouvrir bientôt dans sa ville : la première et la seule école de peinture et de sculpture à dispenser un enseignement à l'européenne. Dans quelques années, un article paraîtra dans *Le Petit Vingtième* à la veille de Noël qui lui ferait chaud au cœur s'il en prenait connaissance. Oncle Jo, qualifiant lui-même ses jeunes lecteurs de « propagandistes », leur demande d'aider les petits Chinois victimes de la guerre japonaise en vendant à leur profit un calendrier six couleurs d'Hergé[3].

Ce beau geste est l'onde de choc du *Lotus bleu*.

Son succès ne se dément pas. La grande fête organisée par *Le Petit Vingtième* pour célébrer le retour de Tintin d'Extrême-Orient est une réussite. Trois mille lecteurs bruxellois, dont bon nombre de scouts, piaffent d'impatience en l'attendant au Cirque royal. À son arrivée, ils lui font une longue ovation ainsi qu'à Hergé et à l'équipe du journal, au contorsionniste Alberto, au clown Ilès venu spécialement de Paris et à la fanfare. Un triomphe, mis en scène par les parrains de l'opération, l'Innovation et le Bon Marché.

Hergé commence à être porté par la vague. Casterman est bien décidé à en profiter. L'éditeur a désormais des atouts en main pour convaincre son auteur de passer définitivement à la couleur sans rechigner. Une lettre lui sert d'argument massue au moment de vaincre les ultimes réticences. Elle vient de Suisse. Les librairies Payot préfèrent s'abstenir de passer des commandes de *Tintin en Amérique* et des *Cigares du pharaon* de crainte de se retrouver avec un stock d'invendus. Leur couverture est en couleurs mais pas l'intérieur. De l'avis des inspecteurs des ventes, qui ne veulent même pas en prendre cent exemplaires en dépôt pour toute la Suisse, ces albums ne supporteront pas la concurrence avec d'autres tout en couleurs. Dire qu'au même moment *L'Écho illustré*, à Genève, publie chaque semaine les aventures de Tintin et que ça ne suffit pas[4]...

Casterman ne nourrit pas seulement d'ambitieux projets pour les albums à venir. Il inclut la réimpression des anciens dans sa stratégie. Le principal souci de l'éditeur est d'harmoniser la série. Dans un premier temps, il demande à

Hergé l'autorisation de supprimer dans le titre des *Tintin en Amérique* réimprimés la mention « reporter du *Petit Vingtième* »[5]. Accordé. Mais on ne modifiera pas plus le titre de cet album que celui de *Tintin au Congo*. De l'avis d'Hergé, ce serait non seulement difficile mais tiré par les cheveux. Car pour ces histoires, contrairement aux deux suivantes, il n'a pas suivi de ligne directrice vraiment nette, de nature à faire jaillir un vrai titre qui s'impose de lui-même[6].

Puis Charles Lesne suggère de remplacer les Peaux-Rouges de la couverture par quelque chose de plus dynamique et de plus enlevé, Tintin sur le marchepied d'une voiture roulant à grande vitesse dans une rue de Chicago, par exemple[7]. Refusé. Les Indiens ont déjà suffisamment été évacués d'une histoire qui était la leur au départ, après l'avoir été de la terre de leurs ancêtres, pour qu'en plus on les chasse de la couverture. Tant pis si ça a un air de déjà-vu !

Lorsqu'il est question de republier l'introuvable *Tintin au pays des Soviets*, Hergé ne s'y oppose pas. Mais il s'abrite derrière une impossibilité technique. En effet, nombre de clichés et de dessins ont été soit égarés, soit définitivement perdus ; une partie de ceux qui restent disponibles sont dans un tel état qu'il faudrait les renouveler. Autant y renoncer[8]. En revanche, Charles Lesne ne veut même pas envisager qu'Hergé ne colorie pas ses anciens albums avant réimpression :

« J'espère que tu ne vas pas refuser d'habiller tes enfants[9]... »

Tout de même pas. Mais il n'y a que sept jours dans la semaine et il n'a que deux mains. Cela n'empêche pas son éditeur de le presser comme un citron. À Tournai, on compte sur lui pour la conception graphique de couvertures de livres, on sollicite ses idées et ses conseils à défaut de ses réalisations. Désormais, il arrive que lorsqu'un projet lui est soumis, on lui demande de fournir l'exécutant idoine. À moins que pour des raisons financières, il n'accepte de remplir lui-même ces besognes mercenaires, illustrant parfois des couvertures de livres édifiants (*La Messe de Petit Pierre, Le Golgotha de la Vierge,* etc.), à condition que sa signature n'apparaisse pas.

Casterman est mieux placé que quiconque pour savoir qu'il n'a plus le temps[10]. Il a d'autres projets en tête, le lancement d'un puzzle Tintin, d'un calendrier Tintin et d'autres produits dérivés qu'il a imaginés. Le coussin brodé « Tintin et Milou » proposé par *Cœurs Vaillants* ne lui suffit pas. Il faut dire qu'au même moment, Walt Disney commence à commercialiser des jeux, des réveille-matin et des maillots de bain à l'effigie de Mickey dans des grands magasins parisiens tels que le BHV ou la Samaritaine. Nous sommes en 1936, Hergé a 29 ans et il fait déjà du *merchandising*. Comme M. Jourdain faisait de la prose[11].

Cette frénésie d'activité, tant du côté du dessinateur que de l'éditeur, est la conséquence directe du succès du *Lotus bleu*. Une fois n'est pas coutume, l'album obtient quelques articles dans la presse. « L'auteur ne craint pas de puiser ses sujets dans l'actualité en prenant parti pour les faibles contre les forts », remarque un journaliste parisien[12], tandis qu'à Bruxelles

Mgr Schyrgens présente dans *Le Vingtième Siècle* « *Le Lotus bleu* tout entier sorti, texte fantasmagorique, dessins supercoquentieux aurait dit Rabelais, hors-texte et couverture d'un pittoresque rutilant, de l'imagination orientale de notre plus fécond fantaisiste, de notre plus spirituel humoriste, Hergé[13] ».

Hergé a pris soin d'adresser personnellement un exemplaire du *Lotus bleu* aux journaux qu'il pense « pouvoir émouvoir[14] » : *Le Vingtième Siècle, La Libre Belgique, La Nation belge, Cassandre*... Et Rex. Un nouveau venu, celui qu'on n'attendait pas. Celui qui trouble le jeu, pour Hergé et les siens.

Un véritable séisme. Aux élections du 8 mai 1936, Rex remporte 11,49 % des suffrages. 21 députés, sur les 202 que compte la Chambre, défendront ses idées. Cette incontestable victoire prend le monde politique au dépourvu. Rien ne l'atténue, que l'on évoque la récente condamnation du mouvement par le cardinal Van Roey ou l'expression d'un vote protestataire contre le Parti catholique. Même si quelques mois auparavant, la Jeunesse ouvrière chrétienne réussissait à remplir le stade du Heysel de drapeaux et de délégués fédéraux pour son congrès jubilaire, cela ne change rien. Ces résultats inespérés permettent à Rex de se présenter comme une force politique indépendante. Son programme ? Derrière les faux-semblants ultracatholiques, les philippiques populistes et les coups bas politiciens, ce n'est en fait qu'un fascisme aux couleurs de la Belgique.

Rex, c'est d'abord un homme. Léon Degrelle

n'est plus éditeur. Il a été beaucoup plus vite que la musique. En trois ans, ce démagogue extraverti a agité son pays au propre et au figuré, usant et abusant du « pacte faustien[15] » dont il tire son talent. Cela, même ses adversaires les plus irréductibles le lui reconnaissent. Tribun hors pair et habile tacticien, ce pur produit du catholicisme réactionnaire a bien d'autres qualités, au premier rang desquelles figurent le culot et l'audace. Mais elles sont limitées et gâtées par son irrépressible tendance à la mégalomanie.

Charles Maurras avait déçu les plus jeunes et les plus activistes de ses admirateurs par sa prudence et sa frilosité lors de la sanglante émeute parisienne du 6 février 1934. Son magistère s'en était trouvé diminué, y compris en Belgique. Degrelle est assez opportuniste pour récupérer les idées du vieillard dont le mouvement a d'ores et déjà été exclu de la conscience chrétienne par Rome. Antiparlementaire et anticommuniste, il se présente comme un défenseur des classes moyennes. Ceux qui viennent de plébisciter spectaculairement les idées dont il se fait le porte-voix ne sont pas tous des fascistes, il s'en faut. Pour beaucoup, ces catholiques partisans d'un régime autoritaire sont prêts à basculer dans le populisme. Dans le milieu d'Hergé, sa génération a de quoi être séduite par le dynamisme de Rex.

Le 3 mai 1936, quand paraît le premier numéro du *Pays réel*, le journal du parti, des cas de conscience se posent dans nombre de rédactions bruxelloises, liégeoises et autres. Que faire, y aller ou pas ? Certains hésitent, d'autres pas. Au *Vingtième Siècle*, le débat est âpre parmi les plus jeunes rédacteurs. Pour beaucoup, ce n'est même plus une question de convictions politiques. Il s'agit de faire un choix entre « un journal de vieux cons » qui sent le curé et un journal neuf, vif, dynamique où l'on s'amuse certainement plus[16].

William Ugeux, un jeune avocat, est à la direction du *Vingtième Siècle* depuis le départ de l'abbé Wallez. Un beau jour, il est stupéfait de voir « la moitié de la rédaction » partir pour *Le Pays réel*. Il compte ses troupes. Avec Hergé, qu'il considère comme un dessinateur pour enfants, le contact est bon depuis le début. Ayant constaté que *Le Vingtième Siècle* vendait un tiers de plus le jeudi grâce au *Petit Vingtième*, il a valorisé le supplément et augmenté son salaire. Mais il craint le pire, Hergé étant à ses yeux « rexiste de cœur » à défaut de n'en jamais être militant, par pente de caractère.

« Alors, Georges, toi aussi tu pars au *Pays réel* ?

— Je n'ai qu'une parole, je suis lié au journal qui a donné sa chance à Tintin, je reste avec toi. Mais toi, tu as tort. Tu ferais mieux d'aller chez les gens de Rex prendre la tête de leur rédaction[17]... »

Tout Hergé est alors dans ce paradoxe : inhibé par les contraintes morales qu'il s'est données, il suggère à d'autres d'accomplir ce qu'il ne peut se résoudre à faire.

Au *Petit Vingtième*, le problème se pose aussi. Politiquement, ce n'est pas un déchirement. En passant en face, on ne change pas vraiment de bord. Les pages du supplément jeunesse, pour ne pas citer son grand frère, publient toujours des histoires juives de plus en plus antisémites. Elles ont redoublé en fréquence et en cynisme. Il est vrai que la rubrique s'intitule « Il faut bien rire un peu », et que Jam a été remplacé par Jiv alias Jean Vermeire, nettement plus radical comme il ne tardera pas à le prouver pendant la guerre. Désormais, dans ses colonnes, on utilise couramment l'expression « aryen 100 pour 100 » sans guillemets. Comme si cela allait de soi. L'Oncle Jo de service explique dans ses éditoriaux que la grande presse se fait peu l'écho des persécutions anticatholiques dans le monde parce qu'elle est au service de la franc-maçonnerie. D'avantageux portraits de Mussolini, bombant le torse et haranguant ses chemises noires, paraissent avec des légendes d'une grande sobriété soulignant que la guerre d'Éthiopie est inévitable, l'Italie ayant décidé d'agrandir son domaine colonial. Bref, rien de neuf sous un soleil de plus en plus brun. Rien d'original, si ce n'est dans le courrier des lettres et des poèmes qui détonnent. Elles sont d'un lecteur de 14 ans parmi les plus fidèles, le futur écrivain surréaliste Christian Dotremont.

Jusqu'à ce qu'il s'émancipe et se retourne contre eux, Léon Degrelle était le grand espoir de certains milieux catholiques. Aussi, au début, est-il encore marqué aux yeux de certains par cette protection. Germaine, plus encore que Georges Remi, le connaît bien car l'abbé Wallez le fréquentait beaucoup. On le croisait souvent dans les couloirs. Un jour dans le bureau du *Petit Vingtième*, Paul Jamin ne cessant de pester contre l'insupportable mentalité cléricale du journal, Germaine lui lance :

« Mais pourquoi ne vas-tu pas voir Léon comme les autres ?

— Quoi ? Encore un calotin !

— Mais non...

— Encore le petit Jésus !

— Mais non... »

Jam, très influencé par le caricaturiste Sennep et la vision satirique de la politique qu'il exprime dans *Candide, Le Charivari* ou *Paris-Soir*, finit par se décider. Sans quitter pour autant *Le Petit Vingtième*, il publie quelques dessins féroces pour le haut personnel parlementaire dans la presse rexiste. Jusqu'au jour où la direction du journal le convoque :

« Vous ne pouvez pas continuer comme ça... Il faut choisir ! Vous comprenez, Degrelle attaque tout le temps le Parti catholique, ce n'est pas possible... »

Jamin saute le pas et passe à Rex[18].

Hergé perd un précieux collaborateur mais pas un ami. Jam et lui ne cesseront jamais de se voir, de se parler ou de s'écrire. Il en est ainsi avec tous ceux qui rejoignent les rangs et la presse de Degrelle. Pas de rupture. Et pour cause : Hergé pourrait lui-même en être. Quand le journaliste Victor Meulenijzer, antirexiste notoire pour ses confrères du *Vingtième Siècle*, annonce qu'il démissionne pour entrer au *Pays réel*, l'éditeur d'Hergé ne peut dissimuler sa stupéfaction. Pas Hergé, blasé et compréhensif, goguenard et indulgent :

« Et que fais-tu du facteur "révélation" ? Saint Paul, après s'être flanqué les quatre fers en l'air, modifia lui aussi sa façon de voir. Tu vois qu'il n'y a rien de nouveau sous le soleil[19]. »

Bien plus tard, Léon Degrelle fera preuve d'une rare pondération dans son jugement, en présentant Hergé non comme rexiste mais comme

« rexisant »[20]. Comment ne pas songer à Hergé lui-même qualifiant l'attitude de l'abbé Wallez non de fasciste mais de « fascistisante » ?

En 1936-1937, Hergé dessine des culs-de-lampe, quelques illustrations et le titre de « L'oasis », le supplément hebdomadaire satirique du *Pays réel*. Mais ça ne va pas au-delà, autant que l'on sache. De toute façon, ce n'est pas un homme engagé. Il a toujours préféré rester isolé. Au-dessus de la mêlée, non pour y prendre de la hauteur, mais pour demeurer hors du tourbillon. Par l'intermédiaire de Quick et Flupke, en pleine montée des périls, il renvoie dos à dos les dictateurs, « Rex » et « Anti-rex », deux bestioles gravitant autour de la grande Faucheuse[21].

Cela étant, par sa formation, par ses amis, par ses idées, par le milieu dans lequel il baigne depuis dix ans, il est d'imprégnation rexiste. Malgré ses sentiments mêlés pour la personne de Léon Degrelle. Ceux de ses proches qui en conviennent savent qu'en ce qui le concerne, il ne s'agit pas d'appartenance à un mouvement ou d'adhésion à un programme, mais de sensibilité, ni plus ni moins. Ce qui le retient de franchir le Rubicon ? L'individualisme et le sens de la parole donnée. La prudence aussi, alliée à la sagesse. En l'occurrence, c'est plutôt bien vu. L'effet Rex, qui avait laissé sans voix les commentateurs politiques, retombe comme un soufflé au bout d'un an. Après une campagne électorale violente, primaire et démagogique (« Rex vaincra » contre « Rex = Hitler »), un Degrelle de plus en plus mussolinien suscite contre lui la sainte alliance des libéraux et des socialistes sous la houlette d'un catholique. Deux jours avant l'élection partielle à Bruxelles du 2 avril 1937, le cardinal Van Roey lui assène le « coup de crosse de Malines », version locale du coup de grâce, en appelant ses ouailles à voter pour la coalition antifasciste menée par le Premier ministre Paul van Zeeland.

Rex passe de 21 à 4 députés. Pour enrayer son déclin, il choisit la fuite en avant et la radicalisation. Dans ces moments-là, Tintin et Milou sont mieux au *Petit Vingtième* qu'au *Pays réel*. Hergé aussi.

L'année où Rex fait sensation en occupant la « une » des journaux, Hergé expédie son reporter chez les Arumbayas. L'histoire commence avec la découverte d'un vol commis au musée ethnographique. Un fétiche en bois, provenant d'une tribu d'Amérique du Sud, a disparu. Tintin écoute la radio en faisant sa gymnastique matinale dans un pyjama chinois, lien visuel avec ses précédentes aventures au pays du Lotus bleu. Dès qu'il entend la nouvelle, il flaire un bon papier pour son journal. À son arrivée sur les lieux du délit, il tombe nez à nez avec les chers Dupondt, pour une fois à pied d'œuvre avant les autres. Mais dès le lendemain, l'objet est à nouveau en place. Comme par miracle. La lettre d'accompagnement précise l'intention du voleur : un pari entre amis... Pour tout le monde, l'affaire est close. Sauf pour Tintin. Il flaire un faux. Le vrai, lui, a une oreille cassée tel Van Gogh en ses autoportraits. Une vérification dans un livre lui donne raison. Mais ça ne lui suffit pas. Songeur comme jamais, il obéit à nouveau à son instinct puissant. Après avoir lu un fait divers sur la mort suspecte d'un sculpteur, il se rend à son domicile pour enquêter. Curieusement, le perroquet du défunt n'a pas souffert de ce prétendu suicide au gaz. Les indices que Tintin réunit lui paraissent former un ensemble pour le moins bizarre. Un avis que le lecteur ne peut que partager tant le récit devient effectivement sinueux.

Le reporter veut récupérer l'animal. En vain. Un étrange Sud-Américain l'a précédé. De toute façon, le perroquet est perdu pour tout le monde : dans la confusion, il s'est envolé. D'une piste l'autre, parfois au péril de leur vie, Tintin et Milou ne tardent pas à se retrouver à Las Dopicos, capitale de la république de San Theodoros. Ils sont aussitôt piégés par leurs adversaires. Soupçonné de terrorisme par la police, Tintin est emprisonné alors que son paquebot repart vers l'Europe. Sur le point d'être fusillé par un peloton d'exécution, il en réchappe de justesse, le général Alcazar venant de renverser le général Tapioca. Mais l'instant d'après, Tintin se retrouve à nouveau au poteau, le révolutionnaire s'étant finalement soumis au dictateur (on ne saurait mieux renvoyer dos à dos fascistes et communistes...). Cette fois, on ne voit pas comment il s'en sortira.

Ultime coup de théâtre : des traîtres ont saboté les armes. Pendant qu'on en trouve d'autres, Tintin et le colonel commandant le peloton sympathisent avec une bouteille d'aguardiente, l'eau-de-vie locale. Ce qui laisse le temps aux troupes révolutionnaires de reprendre à nouveau le dessus, de libérer un Tintin ivre et d'en faire un héros de leur cause. C'est bien connu : quand les événements nous dépassent, feignons d'en être les organisateurs. Le petit reporter, que l'on voit pour la première fois tituber durablement, est nommé colonel sur-le-champ, ce qui ne manque pas d'aiguiser les jalousies. Quand il recouvre ses esprits, il se met aussitôt en quête du fameux fétiche. Après avoir échappé à un attentat, il est kidnappé. Cette fois, son compte est bon. Mais au moment où l'un de ses ravisseurs va l'occire une fois pour toutes, un violent éclair orageux le propulse par la fenêtre de la maison à trente mètres de là (!).

L'histoire repart avec la visite d'un nouveau venu au nom de chewing-gum, un certain M. Chicklett. Sa société aimerait bien avoir l'autorisation d'exploiter un gisement pétrolifère situé en partie sur le territoire de San Theodoros, en partie sur le pays limitrophe. Le colonel Tintin étant pour le moins réticent, l'homme d'affaires convainc sans mal le général Alcazar de déclarer la guerre au voisin et de l'envahir, en échange d'un intéressement personnel sur les bénéfices de l'exploitation. À la morgue de ce ploutocrate succède le cynisme d'un marchand de canons. Tous des vautours, des charognards qui ont fait de la mort leur fonds de commerce. Tintin apparaît de plus en plus comme le seul empêcheur de tuer en rond dans un monde exclusivement guidé par l'appât du gain. Raison de plus pour le supprimer ! Course-poursuite, arrestation, évasion, attentat manqué, course-poursuite... Tintin finit par retrouver en pleine jungle la trace des Arumbayas. Cette fois, des dangers d'un autre ordre le guettent dans sa quête du fétiche introuvable. Il surmonte nombre d'obstacles tragicomiques. Chemin faisant, on apprend que l'objet avait été offert par la tribu à l'explorateur Walkers en signe d'amitié. Mais au moment du départ de son expédition, un métis vola un diamant sacré aux pouvoirs magiques. Pour échapper aux soupçons, il le dissimula dans le fétiche. Ce qui explique l'opiniâtreté avec laquelle tant de gens sont à sa recherche...

À son retour en Europe, d'antiquaires en fabricants en série, Tintin découvre, effaré, des centaines de fétiches arumbayas. En remontant à la source de ces copies, il retrouve sur un paquebot un riche collectionneur américain, M. Goldwood, heureux acquéreur de cet objet dont il ne soupçonne pas la valeur. Au moment de le saisir enfin, le reporter tombe nez à nez avec les bandits de San Theodoros. Dans la bagarre, le diamant tombe à l'eau, perdu à jamais, tandis qu'ils périssent noyés. Quant au propriétaire légitime, il préfère restituer au musée ethnographique ce qui lui appartient : un fétiche rafistolé de toutes parts, qui n'en est que plus attachant.

Dès le début de sa publication, l'histoire passionne les lecteurs du *Petit Vingtième*. D'autant qu'Hergé leur propose pour la première (et la dernière) fois de répondre à des questions, posées sous forme de devinettes et placées en légende de certaines bandes : « Sur quoi Tintin se base-t-il pour affirmer pareille chose ? » « Quelle est votre opinion sur la mort de M. Balthazar ? » « Et quel rapport peut-il y avoir entre cette mort et le vol du fétiche ? »... Le procédé, que l'on ne qualifie pas encore d'« interactif », rapproche le public de son journal. Trop, au goût de certains. Un jour, s'apercevant qu'un de ses anciens élèves travaille à la direction du journal, le préfet des études d'un collège de jésuites lui téléphone pour se plaindre :

« Arrêtez donc ! Le jeudi, les écoliers ne font plus leurs devoirs, ils vous répondent[22] ! »

Pourtant, la partie n'était pas gagnée d'avance. Elle ne l'est jamais puisqu'un auteur ne sait jamais rien du sort de son œuvre avant de la livrer au regard des autres. Mais cette fois, Hergé a placé la barre encore plus haut. Quelques éléments, qui témoignent de cette ambition, seront peut-être autant de malentendus. L'histoire, tout d'abord.

Son idée de départ, celle du fétiche volé, lui paraît vraiment trop compliquée[23]. Pourtant, ce fil d'Ariane donne son unité au récit, qualité qui a souvent fait défaut aux précédentes aventures de Tintin. Celle-ci n'est donc pas une suite de gags conçue dès l'origine dans la perspective d'un suspens hebdomadaire, puis artificiellement condensée en album. C'est une véritable histoire. Et même un solide scénario tant l'inspiration cinématographique semble vérifiable, du moins sur le plan technique. Car le fameux fétiche autour duquel tout commence et tout s'achève relève autant du « rosebud » cher à Orson Welles (un objet introuvable supposé tout expliquer du mystère de la vie d'un homme) que du « MacGuffin » dont Alfred Hitchcock a usé et abusé (prétexte narratif d'autant plus vide qu'il est le plus souvent censé renfermer un secret volé)[24]. D'ailleurs, de même que le maître britannique du suspens, Hergé s'amuse à se faire apparaître sous son propre crayon. Ce n'est ni la première, ni la dernière fois. Cela avait déjà été le cas dans « Une grave affaire », un des exploits de Quick et Flupke dont il avait été ès qualités le héros malheureux. Cette fois, comme s'il voulait d'emblée se débarrasser de cette figure imposée pour ne plus avoir à y penser, il surgit dès la deuxième image de l'histoire, en visiteur du musée ethnographique. Du moins peut-on le supposer en se référant à ses photos de l'époque.

Le thème du double, développé à travers le croisement de vrais-faux fétiches, a également son importance. Un jour, il suscitera bien des savantes et passionnantes exégèses. Mais en attendant, ne passe-t-il pas au-dessus de la tête de bon nombre de lecteurs ? On peut le craindre. Et le titre *L'Oreille cassée*, lointaine réminiscence de *L'Homme à l'oreille cassée* (1862), le roman d'Edmond About : n'est-il pas trop énigmatique ? Dans le doute, Hergé songe même à le faire précéder de la mention « Au pays des Arumbayas » avant d'y renoncer. Parce que ce pays-là est imaginaire contrairement à l'Union soviétique, au Congo ou à l'Amérique. Et parce que ce serait trompeur et abusif, Tintin n'y passant que quelques heures, en l'occurrence quelques pages[25]. Jusqu'au dernier moment, plus que de coutume, Hergé est angoissé à l'idée de n'être pas compris. Il intervient même *in extremis* sur les clichés pour modifier le nom d'un Indien de « carajo » en « caraco », après qu'on lui eut fait remarquer que dans le premier cas, cela signifiait « bordel »[26] !

Autant d'éléments qui, effectivement, font craindre à Hergé que cette histoire serait d'un accès plus difficile que les précédentes. Il en est d'autres en revanche qui donnent à penser le contraire. En premier lieu, il faut remarquer que le héros n'a peut-être jamais été aussi proche de ses admirateurs. Pour la première fois, une partie importante de l'histoire se déroule dans un pays qui n'est certes pas cité mais qu'on peut identifier comme étant la Belgique. Tintin n'en est que plus belge, donc moins fictif aux yeux des lecteurs du *Petit Vingtième* et des albums. D'autant que les dialectes bibaro et arumbaya tels que les parlent les Indiens sont, au-delà d'une simple transposition, une adaptation du marollien tel qu'on l'entend dans certain quartier populaire de Bruxelles[27]. Pour la première fois également, l'intrépide est saoul comme il sied à un grand reporter digne de ce nom. Disons même qu'il a pris une sacrée cuite, si l'on en juge par sa gueule de bois du lendemain. Un tel état, qui n'a pas dû laisser indifférentes les ligues de vertu, rend plus humain un héros de papier par trop irréprochable.

Enfin, les sources qu'a utilisées Hergé pour la préparation de son récit étant dans le domaine public, le lecteur en est d'autant moins dépaysé. Il a de nouveau abondamment puisé dans plusieurs numéros d'une revue non conformiste et richement illustrée publiée à Paris, *Le Crapouillot*, consacrés aux guerres qui menacent l'équilibre de la planète et aux marchands d'armes. Son conflit du « Gran Chapo » est inspiré par un article relatif à la rivalité anglo-américaine du Gran Chaco sur le pétrole, présenté comme le combustible de la guerre. Une source précieuse en choses vues et en images, complétée par la lecture de *La Guerre secrète pour le pétrole* (1934), un livre d'Antoine Zischka[28]. Quant au personnage du marchand de canons, il s'agit de Basil Zaharoff, rebaptisé pour la circonstance Basil Bazaroff. Là encore, de l'aveu même d'Hergé[29], l'essentiel vient d'un numéro du *Crapouillot* sur les « maîtres du monde » dans la pure tradition des 200-familles-qui-nous-gouvernent. Il contient des développements sur Henry Ford « l'homme à la chaîne », Rothschild qu'on ne présente plus et même Bata « le Mussolini de la chaussure » ! Des extraits du long article que Xavier de Hauteclocque y consacre au magnat de la mort subite ont d'ailleurs été publiés en 1932 dans le supplément littéraire du *Vingtième Siècle*. Hergé, qui se trouve encore et pour longtemps sous l'influence intellectuelle de l'abbé Wallez, aurait pu choisir l'un des fauteurs de guerre que son ancien patron n'avait eu de cesse de dénoncer, des industriels allemands tels que Hugo Stinnes, Mannesmann, Wolff ou Krupp[30]. Mais le personnage de Sir Basil, légendaire et mythique de son vivant, est en soi une vraie caricature de bande dessinée. On comprend qu'il n'y ait pas résisté. Cette fois, il n'a pas à forcer le trait, le modèle en rajoute déjà suffisamment dans le cynisme et l'âpreté au gain.

La parution de *L'Oreille cassée* ne marque peut-être pas une étape aussi décisive que *Le Lotus bleu* dans l'œuvre d'Hergé. Elle n'en est pas moins une charnière essentielle. Car si les mésaventures chinoises de Tintin lui avaient permis d'exprimer sa philosophie de la vie, son périple sud-américain lui donne l'occasion de confronter sa culture dite civilisée à une autre dite sauvage, et de poser un regard critique, ironique, distancié et somme toute étranger sur son univers d'origine. Bien plus tard, quand des gens sérieux se pencheront sur les marionnettes de ce monde de carnaval et de théâtre, d'absurde et de folie, ils s'emploieront à réhabiliter cet album éclipsé par d'autres plus connus. Ils y décèleront « l'adaptation de l'univers de Feydeau à la bande dessinée[31] », et même « les fondements d'une anthropologie tintinienne[32] », sans oublier, inévitablement, un véritable « traité sur le fétichisme[33] ».

Dans les dernières planches de *L'Oreille cassée*, quand le fétiche se brise sur le pont du paquebot et que le diamant tombe à l'eau, Tintin et les deux bandits sud-américains suivent le même chemin. Naturellement, le reporter s'en tire et remonte à bord :

« Et... et les autres ? demande-t-il

— Ils n'ont pas reparu ! »

Dans la vignette suivante, des diablotins armés de fourches à deux pointes emmènent les méchants en enfer, comme de juste. Les lecteurs de l'album comprennent donc qu'ils ont péri noyés. Les lecteurs de *Cœurs Vaillants* également, mais pas de la même manière. Car à la demande expresse de l'hebdomadaire catholique, Hergé a remplacé cette image par une autre où l'on voit Tintin, le regard perdu vers la mer, murmurant :

« Dieu ait leur âme[34]. »

Il est ainsi, l'abbé Gaston Courtois. Secrétaire de l'Union des Œuvres et Fils de la Charité, collaborateur prolifique de son propre journal sous le pseudonyme de Jacques Cœur, il doit prendre *Le Petit Vingtième* pour un lieu de débauche. Encore heureux que, cette fois, il ait demandé à Hergé de corriger son dessin. Forcément, il fallait en inventer un autre pour le remplacer. Mais quand il peut se passer de l'avis de l'auteur, généralement il n'hésite pas. Il lui est déjà arrivé de censurer des personnages d'Hergé qui disaient « Quelle chance ! » pour leur faire dire plutôt « Remercions la divine Providence ! »[35]. Ce qui change tout, on en conviendra.

La mystique de *Cœurs Vaillants* tient dans ce triptyque : « Qui sommes-nous ? Des fils de Dieu. Qui est notre chef ? Le Christ. Que faisons-nous ensemble ? Nous bâtissons la chrétienté. » C'est ce journal qui, de l'aveu même de ses animateurs, a été la rampe de lancement d'Hergé en France[36]. Le témoignage du jeune provincial Pierre Pascal, futur directeur du Salon d'Angoulême de la bande dessinée, donne une idée de son impact et de sa pénétration.

> « L'illustré *Cœurs Vaillants* était admis par la famille parce que catholique, sans beaucoup d'enthousiasme : il était trop "patronage" et moi, fils de bourgeois, je n'allais pas au patronage. *Cœurs Vaillants* avait le format des illustrés modernes sans les couleurs. Hebdomadaire rouge et gris, il ne connaissait ni le jaune, ni le vert, ni le bleu. Ignorant totalement les techniques d'impression et leurs coûts, je pensais que cette grisaille était voulue et correspondait à l'état d'esprit des religieux qui fabriquaient le journal. L'un des héros de *Cœurs Vaillants* s'appelait Jim Boum. Imaginez un cow-boy qui passe allégrement du Pôle Nord à l'Afrique noire. Les dessins étaient signés Marijac. Ce nom

m'était familier car je le retrouvais dans bien d'autres journaux.

Mais la véritable star de *Cœurs Vaillants* était Tintin. Le personnage, loin d'avoir conquis sa renommée actuelle, était la vedette des patronages catholiques. Le catéchisme du jeudi se terminait par des projections d'images fixes. Après les sempiternelles vues de la crèche et des Rois mages, nous avions droit à Tintin. Les dessins inanimés reprenaient les vignettes d'Hergé que nous connaissions plus ou moins. Il y avait une sorte de complémentarité entre le journal et un début d'audiovisuel. En fait, c'était beaucoup plus visuel qu'audio. Le son était constitué par les commentaires du curé qui se croyait obligé d'expliquer des gags que nous avions tous compris avant lui[37]. »

À la fin de 1935, tout en s'employant à sortir les patronages de leur isolement, l'abbé Courtois et son adjoint l'abbé Pihan se rendent à Bruxelles. Une fois n'est pas coutume, ce sont eux qui se déplacent pour parler à Hergé. Il est vrai qu'ils ont un grand service à lui demander : créer des personnages spécialement pour *Cœurs Vaillants*. Non à la place de Tintin, mais à côté :

« Vous comprenez, Tintin ce n'est pas mal, c'est bien même. Seulement voilà, il ne gagne pas sa vie, il n'a pas de parents, il ne va pas à l'école, il ne mange pas, il ne dort pas. On aimerait bien une série dans le même genre, dans le même esprit où le héros aurait un père, une mère, une petit sœur et un animal familier, un petit chien ou un petit chat[38]... »

Il est vrai qu'un héros parfaitement chrétien ne saurait se passer d'une famille. Malgré l'œuvre d'Hector Malot dont Hergé a conservé un souvenir puissant. C'est plus normal, plus naturel, plus conforme à l'ordre des choses. Ne fût-ce que pour montrer aux jeunes lecteurs comment leurs héros favoris obéissent à leurs parents. Il accepte la proposition de *Cœurs Vaillants* pour faire plaisir à ses animateurs. Et pour n'être pas ingrat avec un journal qui a dès le début beaucoup fait pour la gloire de Tintin. Même si ça n'a pas toujours été sans mal, sans éclats ni tiraillements de part et d'autre.

C'est ainsi que, entre 1936 et 1939, *Cœurs Vaillants* relayé (une fois n'est pas coutume) par *Le Petit Vingtième*, publie *Les Aventures de Jo, Zette et Jocko,* la seule série d'Hergé faisant vivre une famille complète, une famille française en l'occurrence. Ce petit garçon et sa jeune sœur sont les enfants de Jacques Legrand, un ingénieur en aéronautique. Le détail a son importance tant les savants et les inventions, le mythe de la vitesse et le spectre de la technologie ont la part belle dans ces histoires de science-fiction. Ce qui n'exclut pas le traditionnel cocktail de suspense et de mystères, de kidnapping et de poursuites. Bien qu'une certaine inquiétude sourde çà et, là devant les progrès incontrôlables de la technique et l'effet pervers du modernisme, que ce soit dans *Le Rayon du mystère* comme dans *Le Stratonef H22,* l'ensemble conserve un vrai charme auquel la présence du meilleur ami des enfants, le singe Jocko, n'est pas étrangère. Malgré ces atouts, la série ne trouve pas vraiment son public, les personnages-titres étant des enfants-adultes, solution bâtarde qui ne peut satisfaire ni les uns ni les autres[39]. Elle s'interrompra brusquement à la 25e planche du troisième récit que leur consacre Hergé, celui de leurs aventures au pays du maharadjah de Gopal. C'est d'autant plus dommage que celui-ci est un personnage des plus prometteurs puisque dès le début, fatigué de passer sa colère sur le mobilier, il demande à son sbire de casser des vases à sa place. D'ailleurs, Hergé ne cache pas qu'il s'est attaché à lui. Il n'empêche. C'est décidé, il abandonnera l'expérience au bout de trois ans. Une famille, c'est bien, mais c'est trop lourd à porter. Cela restreint la liberté d'imagination du créateur en même temps que la liberté de mouvement des héros. Il peut désormais méditer en connaissance de cause le mot de Jules Renard : « Tout le monde n'a pas la chance d'être orphelin. »

1936 s'achève. Pour Hergé, elle reste comme l'année des *Temps modernes*, le dernier film muet tourné à Hollywood et l'avant-dernière apparition de Charlot le vagabond à l'écran. La dernière image ? Elle et lui, s'éloignant bras dessus bras dessous sur une route tracée vers l'horizon. Sur un panneau, on peut lire : « Nous nous débrouillerons. »

1936, pour les Belges de la génération d'Hergé, compte d'abord l'annonce par le roi Léopold III du retour de son pays à sa traditionnelle politique de neutralité, après la réoccupation de la Rhénanie par Hitler.

Les bruits de bottes à l'étranger, qui avaient inspiré Hergé au point de pousser son héros à s'engager contre l'impérialisme nippon, pourraient encore le mobiliser. En Europe, la guerre civile espagnole préoccupe autant les opinions publiques qu'elle laisse de marbre les gouvernements, si l'on en juge par leur inertie. Après la révolte militaire des généraux s'appuyant sur des monarchistes, des catholiques et des fascistes, nombre de confrères et amis d'Hergé se départagent encore entre ceux qui adhèrent aux positions de l'Église et ceux qui y sont hostiles. Mais ils sont tous également stupéfaits par la doctrine de la non-intervention. On ne saurait mieux accélérer la désaffection pour les régimes démocratiques, et favoriser l'attirance pour les régimes forts, qu'ils soient fasciste ou stalinien. La guerre d'Espagne ne peut laisser indifférents les idéalistes de tous bords, tel le futur académicien Félicien Marceau :

« Voilà une guerre qui nous intéressait, une guerre où les antagonismes étaient clairs, dont les passions, les thèmes et même les imageries répondaient aux nôtres : démocratie contre dictature, gauche contre droite, les militaires contre les civils[40]. »

Malgré la mythologie romantique qu'ils véhiculent (sierras, bleu de chauffe et mitraillettes), ces événements-là n'inspirent pas Hergé, surchargé d'engagements et de commandes. Quand il n'exécute pas des travaux publicitaires tels que des illustrations au trait pour un dépliant de Ford-Belgique, il mène de front trois séries distinctes, s'ébahissant lui-même de ne pas se mélanger les pinceaux et de n'en pas télescoper les héros : Quick et Flupke ; Jo, Zette et Jocko ; enfin Tintin et Milou.

L'Écosse des faux-monnayeurs, plutôt que l'Espagne de la guerre civile, sera le théâtre de leurs prochaines aventures. *Le Petit Vingtième* en commence la publication à partir d'avril 1937 sans aucune précision de temps ni de lieu. Dès les premières images, l'action ne traîne pas et le mystère s'impose. Le reporter et son chien se promènent dans la campagne quand ils remarquent un avion de tourisme non immatriculé. Un mécanicien y effectue des réparations. Tintin s'approche. Il est terrassé. Fort heureusement, la balle a glissé sur une côte. Dès que l'avion est localisé, il s'échappe de l'hôpital et gagne Eastdown, dans le Sussex. Son voyage en chemin de fer est semé d'embûches auxquelles les Dupondt ne sont pas étrangers. Désormais, au même titre que Milou, ceux-ci ont acquis un statut dans le récit qui les place au-dessus du lot des personnages secondaires. Faire-valoir de Tintin, ils en sont l'indispensable contrepoint.

Deux individus à la mine patibulaire qui veulent l'éliminer depuis le début sont sur le point d'y parvenir, au bord d'une falaise, quand Milou, plus ingénieux que jamais, réussit une fois de plus à sauver son maître. Enfin rendu sur les lieux où le mystérieux avion s'est écrasé, le reporter enquête. En assemblant comme les pièces d'un puzzle des bouts de papier, il reconstitue un semblant de piste dont seul un nom forme un signe cohérent : Müller, qui a fort bien pu être inspiré à Hergé par Adolfo Simoes Müller, l'administrateur du journal de Lisbonne *O Papagaio* avec lequel il entretient régulièrement des relations épistolaires. Sur la route d'Eastdown, Tintin tombe par hasard devant la villa d'un certain Dr J. W. Müller. Sa curiosité est vite punie. Arrêté, il est présenté au propriétaire des lieux, directeur d'un asile d'aliénés d'un style assez particulier : on y entre souvent sain d'esprit mais on en ressort fou. Après une sacrée bagarre, Tintin en réchappe à la faveur d'un incendie qui embrase l'établissement. Cela ne calme pas sa curiosité, bien au contraire. Il retourne sur les lieux du sinistre afin de récolter des indices. Des fils électriques, enfouis dans le jardin, lui permettent de comprendre l'énigmatique message retrouvé dans les débris de l'appareil accidenté : il s'agissait d'un système de balises permettant à un avion de procéder à un largage de nuit. Tintin est au rendez-vous. Les bandits aussi. Il les neutralise et s'empare des sacs tombés du ciel : des billets de banque. Mais les faux-monnayeurs s'enfuient. Tintin et Milou, lancés à leur poursuite, se retrouvent sur un wagon de marchandises, près d'une citerne de whisky. Milou, ivre pour avoir opportunément mis à profit une fuite, est réprimandé par son maître. Une occasion idéale pour Hergé de racheter la propre conduite de Tintin, en de semblables circonstances, dans *L'Oreille cassée* : « Tu devrais avoir honte ! Un vrai chien de rue ne se conduirait pas plus mal[41] ! » Ce qui n'empêche pas Milou de récidiver à la première occasion et elles ne manquent pas, au pays des pubs.

En suivant la piste des bandits, l'intrépide reporter se retrouve à Kiltoch, au nord de l'Écosse, dont il a aussitôt intégré les habitudes vestimentaires. Le kilt a provisoirement chassé les culottes de golf et le béret à pompon masqué la houppe. Il ne tarde pas à comprendre que pour remonter à la source du trafic, il doit se rendre sur l'île noire, dans les ruines du château de Ben More. Un endroit maudit des dieux, si l'on en croit un vieux du village. Tous ceux qui s'en approchent n'en reviennent pas. À cause de la Bête, un monstre bien plus terrible que celui du Loch Ness puisque ses victimes sont identifiées. Cela ne freine pas Tintin, bien évidemment. Aussitôt rendu, il se retrouve nez à nez avec un gorille qui ne semble pas animé des meilleures intentions. D'autant qu'il est dressé par les faux-monnayeurs pour tuer les intrus. Finalement, après bien des péripéties, Tintin maîtrise tout le monde, découvre l'atelier de fabrication des billets, met au jour une piste d'atterrissage et prévient la police. Quant au gorille, qui s'est démis le bras en tombant dans l'escalier, il n'est plus « la Bête » mais bien Ranko, un ami que Tintin va confier, pour son bien, au jardin zoologique de Londres. *King Kong*, le film inspiré par l'œuvre d'Edgar Wallace, n'est pas loin. Il n'est pas vieux, quatre ans à peine.

La publication de cette aventure s'achève dans *Le Petit Vingtième* pour commencer dans *Cœurs Vaillants, L'Écho illustré, O Papagaio,* selon un ordre désormais bien établi. Mais Hergé a déjà l'esprit ailleurs, du côté de l'album. Sur le cahier dans lequel il consigne à la diable ses idées et projets, d'un mot, d'une ligne ou d'un trait, il note : « Couvertures Tintin (album) plus publicitaires. » Puis il essaie différents titres avant d'arriver au bon : « Le Castel maudit... Fausse-monnaie... Faux-monnayeurs... L'Avion mystérieux... *L'Île noire*. » Quant au dessin de couverture, une esquisse révèle qu'il songe à un Tintin en kilt surpris par une armure[42].

Il veut tout prévoir. Malgré cela, son perfectionnisme est parfois pris en défaut par la technique, par la précipitation ou par des malentendus. Quand il reçoit le premier album de *L'Île noire,* il le juge « bien » et non « très bien ». Chez Casterman, on saisit tout de suite la différence. D'autant que l'éditeur est également un grand imprimeur et qu'il vient de faire l'acquisition, coûteuse et révolutionnaire, de presses offset.

Il faut dire que toutes les indications du dessinateur n'ont pas été respectées à la lettre. En effet, la mention « Hergé » n'apparaît pas au-dessus de la ligne « Les aventures de Tintin, reporter », il ne reste qu'une délimitation en noir des lignes vertes qu'il avait indiquées dans le kilt de son héros, l'emplacement des planches en couleurs correspond à des impératifs de brochage et non à des nécessités de rythme graphique, la qualité du papier est telle que parfois les grisés s'empâtent et forment des taches... Bref, désormais, il faudra tout lui soumettre, toutes les épreuves, pour contrôle préalable. Comme avant[43]. Ce n'est pas de la méfiance mais ça y ressemble fort. Hergé est le seul à savoir exactement ce qu'il veut. On ne se refait pas.

1938. Hergé a 31 ans. Il est épuisé, vidé même par le travail d'imagination auquel il s'astreint sans dételer. Quand il va se coucher, il se sent sec, incapable d'aligner deux mots par écrit ou de tracer des lignes. Parfois, au plus profond de sa solitude de créateur, en proie au découragement le plus noir, il se dit que si les dessinateurs sont si peu nombreux en Belgique, c'est qu'on les y a toujours considérés comme des parents pauvres [44]. Dans ces moments-là, une simple lettre, marquée des accents de la sincérité et écrite par un homme de qualité, suffit à lui remonter le moral. Un mot du père Neut, par exemple, auquel il répond aussitôt, non sans laisser pointer une certaine détresse intérieure :

« C'est si bon, parfois, de sentir que quelqu'un s'intéresse réellement et profondément à vous. Et si rare[45]... »

Ces instants de repli sur soi sont exceptionnels. Car il n'a pas le temps de se rassembler et de faire le point. Tout va trop vite. Pour lui et pour l'Europe. Alors que le vieux continent ne vibre que pour la montée des périls autour des démocraties menacées par le réarmement allemand, le monde de la bande dessinée est en plein bouleversement, entre concurrence sauvage et protectionnisme.

En avril 1938, le premier numéro du journal *Spirou* est en kiosque. C'est une affaire de famille, celle des Dupuis, père et fils. Et une idée belge : son héros, un groom dont l'espièglerie est le trait de caractère, tire son nom d'un mot wallon évoquant au sens figuré l'esprit de malice et de farce. Bientôt, pour son premier anniversaire, l'hebdomadaire accueillera les aventures de Blondin et Cirage que Joseph Gillain dit Jijé avait d'abord testées dans le magazine catholique *Petits Belges*. Pour l'occasion, *Spirou* prendra un peu de ventre (quatre pages de plus) et publiera deux séries supplémentaires révélant qu'Hergé exerce déjà une influence sur ses jeunes confrères : *Sus et Flup* (qui n'est pas sans parenté avec *Quick et Flupke*) et *Le Mystère de la clef hindoue* dont le héros, Freddy Fred, est un reporter.

Au même moment, aux États-Unis, un phénomène prend naissance et connaît un essor prodigieux : le « comic book », fascicule de petit format consacré à une ou plusieurs histoires, un ou plusieurs personnages, et, plus généralement, à un genre (policier, science-fiction, etc.). La naissance de Superman dans le premier numéro de *Action Comics* provoque un raz de marée chez les revendeurs. Moins d'un an après, *Detective Comics* lui lance un rival dans les jambes en la personne de Batman, le justicier aux allures de chauve-souris. De toute façon, le marché est tellement vaste qu'il absorbe les nouveaux succès sans nuire aux gloires installées. Tout cela n'empêche pas les producteurs d'épinards d'élever une statue à Popeye et la vertueuse censure de chasser la trop sexy Betty Boop des nombreux quotidiens où elle exerce ses charmes depuis quatre ans.

La censure... S'il fallait élire une « reine de l'année » en 1938 pour la bande dessinée internationale, elle serait couronnée sans mal. En Italie, malgré les consignes nationalistes du gouvernement, un hebdomadaire tel que *L'Avventuroso* prend le risque de publier des bandes dessinées américaines dont *Flash Gordon* est le fleuron. Le ministère de la Culture populaire diffuse une directive interdisant l'importation de bandes dessinées anglaises et américaines, à l'exception de *Mickey*. La souris de Walt Disney aurait, dit-on, la faveur des enfants du Duce. En réalité, Benito Mussolini lui-même est un fervent admirateur. Il se fait projeter régulièrement *Blanche-Neige et les sept nains* ainsi que *Fantasia*. En 1935, il a même reçu Walt Disney très amicalement à la Villa Torlonia, sa résidence officielle. Mais Donald Duck et les siens sont des exceptions. Pour les autres, censure. Toujours est-il que cette situation favorise l'émergence de Dick Fulmine, un héros justicier de fabrication locale, et la recherche d'astuces pour contourner la loi en italianisant les patronymes trop marqués. C'est ainsi que Mandrake devient Mandrache...

En France, le paysage de la presse pour les jeunes s'éclaircit en même temps qu'il se renforce. Du côté de la presse catholique, deux groupes se font face : les éditions Fleurus (*Cœurs Vaillants* et, pour les jeunes filles, *Âmes Vaillantes*) et la Maison de la Bonne Presse (Bayard). Du côté de la presse laïque, deux mastodontes dominent également : Opéra Mundi, l'agence de Paul Winkler (*Le Journal de Mickey, Robinson, Hop-là*) et la Société d'éditions de périodiques illustrés ou SEPI, de Cino del Duca (*Hurrah !, L'Aventureux*).

Ils se mènent une guerre courtoise, comme il se doit dans toute société capitaliste fondée sur le libre-échange et la concurrence. Jusqu'à ce que les perdants utilisent l'arme du protectionnisme pour tenter de renverser le cours des choses. Ce qui aboutit à cette situation contre nature : des créateurs brandissant le glaive de la censure contre leurs confrères étrangers.

L'affaire bout dans la marmite depuis la parution du premier numéro du *Journal de Mickey*, voilà quatre ans. Cette année-là, Georges Sadoul dénonçait haut et fort « l'invasion massive de notre pays par la presse étrangère » dans une plaquette de 50 pages intitulée *Ce que lisent vos enfants*. Ce militant communiste, critique de cinéma et responsable de l'hebdomadaire illustré *Mon camarade*, ne niait pas la virtuosité technique de certaines bandes américaines. Et il ne contestait pas à Walt Disney la qualité d'artiste de premier ordre. Mais il s'en prenait à la dimension industrielle de sa réussite. De plus, il prétendait débusquer l'ombre du magnat de la presse William Randolph Hearst, présenté comme un propagandiste de Hitler, derrière les illustrés pour la jeunesse. En fait, Georges Sadoul ne supportait pas l'efficacité commerciale tant du *Journal de Mickey* que de *Hurrah !* Deux journaux conçus, fabriqués et réalisés à 90 % avec des textes et des dessins venus de l'étranger, installant donc, nécessairement, dans la tête des enfants la corruption des mœurs, la décadence, la violence, la pornographie et « le fascisme » en vertu d'un schéma pour le moins primaire : d'un côté Disney = Hearst = Hitler et de l'autre Del Duca = Italie = Mussolini ! À ses yeux, il n'existait que trois journaux « sains » : *Gerbe* (école expérimentale Freinet), *Copain Cop* (Ligue de l'enseignement) et naturellement *Mon camarade* (Parti communiste). Il alla jusqu'à préconiser à l'excès et en toutes circonstances la lecture des œuvres de Jules Verne à l'exclusion de celles de « la bêtifiante » comtesse de Ségur, au motif que le jeune Maurice Thorez, avant de devenir secrétaire général du Parti communiste français, avait beaucoup aimé *Vingt Mille Lieues sous les mers*[46] !

C'était en 1934, le coup d'envoi de ce qui allait devenir une campagne. Elle transcenda les divergences politiques et religieuses pour mieux combattre l'hydre américaine. L'année suivante, dans le magazine catholique de cinéma *Choisir*, Jean Morienval écrivait :

« Aujourd'hui, nous voyons Mickey étendre son empire jusque sur le journal illustré pour la jeunesse (...). Cette américanisation dès le jeune âge prépare un peuple d'esclaves. L'intelligence française ne sera point greffée par l'humour d'Amérique, mais stérilisée (...). Mickey se meut dans un domaine d'idées et de sentiments primitifs, irréels, anormals *(sic)* au contact duquel les enfants, loin de se former, se détraqueraient l'esprit (...). Les jeunes Français et surtout les jeunes catholiques (...). n'ont que faire d'un journal créé par un Hongrois naturalisé de fraîche date et destiné à glorifier un fantoche américain à cent pour cent[47]. »

Un tel article était loin d'être isolé dans la presse confessionnelle. Son ton n'était pas des plus véhéments comparé à d'autres. Aussi, il n'est pas étonnant de constater qu'en 1938 la campagne de presse se mue en une véritable croisade contre les lectures « malsaines et dissolvantes ». Les mots de « croisé » et de « chevalier » y sont d'ailleurs employés à dessein, avec les artifices et la rhétorique d'une propagande généralement utilisée à des fins plus politiques. Bayard implore ses jeunes lecteurs de se transformer en militants[48]. Et à ses militants en culottes courtes, il demande d'enrôler leurs camarades sous la bannière du nationalisme de la bande dessinée :

« Oriente leurs lectures vers les hebdomadaires illustrés vraiment français, écrits par des

Français, dessinés par des Français, qui veulent faire de leurs lecteurs de bons Français[49]. »

On s'en doute, *Cœurs Vaillants* n'est pas en reste. Ses dirigeants ont organisé avec des centaines de lecteurs de la banlieue sud-est, à l'occasion d'un patronage, un autodafé de « ces illustrés sales ». Après avoir dénoncé la main de Satan derrière cette œuvre d'empoisonnement, ils ont confectionné un gigantesque bonhomme à l'aide de ces journaux honnis et y ont mis le feu. Mais qu'on se rassure : dans l'article célébrant avec force détails cette action d'une haute élévation morale, la direction du journal sent bien ce que cette mascarade peut avoir d'indécent ou de choquant. Aussi les coupables ne sont pas promis aux flammes mais invités à la conversion. Il est vrai que c'est signé Jean Vaillant, pseudonyme de l'abbé Pihan, lequel fut, à ses débuts, militant des Jeunesses patriotes[50]. Au même moment en Allemagne, d'autres autodafés publics font dire à Bertolt Brecht que lorsqu'on commence à brûler des livres, on finit par brûler des hommes.

La tension ne cesse de monter. Le comble, c'est que la tête de Turc est vraiment mal choisie. Car il est paradoxal que les héros anthropomorphes créés par Walt Disney soient le bouc émissaire de la campagne antiaméricaine. Non seulement Mickey est le digne représentant de la classe moyenne américaine, mais son univers s'articule autour de trois axes on ne peut plus rassurants : propriété, autorité et sécurité. On ne saurait être plus conservateur et conformiste[51] ! Mais on sait que les guerres de propagande ne s'embarrassent pas de ce genre de nuances. Et il n'y a pas de raison que celle-ci déroge à la règle.

L'apothéose de cette campagne d'une violence insoupçonnée est un document intitulé « Réclamation des dessinateurs français aux autorités en 1938 ». L'un d'entre eux, Le Rallic, a donné le ton quelques mois auparavant dans une interview au quotidien *L'Œuvre*. Il alarmait les lecteurs sur le niveau de chômage sévissant dans sa corporation[52]. Le document, lui, met les pieds dans le plat. Il vaut d'être médité, tant il est révélateur d'un état d'esprit qui fera bientôt des ravages, en France mais aussi en Belgique.

> « Sommes-nous en France, oui ou non ?
> On ne le dirait pas à contempler les devantures de marchands de journaux où trônent les publications étrangères que l'on offre en pâture à la jeunesse française et dont quelques-unes arborent effrontément des titres exotiques : *Hurrah !*, *Jumbo*, *Mickey*, etc., tandis que d'autres se camouflent sous des noms français : *Robinson*, *Aventures*, etc. Et si encore ces publications étrangères étaient supérieures à ce que nous faisons nous, Français ! Mais il n'est que de jeter un coup d'œil sur leurs pages bariolées pour s'apercevoir du contraire. En effet, trois constatations s'imposent au premier chef : 1) Ces illustrés se singularisent par une vulgarité criante. 2) Ils mettent en relief, dans les sujets traités, des sentiments, des coutumes, des mœurs qui ne sont pas de chez nous et dont la morale est souvent exclue. 3) Ils glissent à profusion dans leurs images

des personnages à peine vêtus (hommes et femmes), ces dernières étalant avec complaisance des formes toujours avantageuses, et bien propres à troubler les sens en éveil de nos jeunes lecteurs.

C'est à croire que les parents se désintéressent complètement des lectures de leurs enfants et ne les contrôlent jamais. Certaines lectures sont dangereuses pour la jeunesse, chacun sait cela. Mais certains dessins trop suggestifs le sont bien plus encore. Nous comprenons maintenant le succès, qui ne s'expliquerait pas autrement, de ces "canards" auprès de nos gosses : ils leur proposent sous couleur d'aventures des images qui parfois ne seraient pas déplacées dans un journal libertin "pour les enfants de plus de 40 ans" comme eût dit Caran d'Ache.

Le nu est chaste, soit, mais pas les dessins représentant des formes aux trois quarts nues dont les détails sont accusés volontairement et les attitudes trop "exciting". De plus, dans ces illustrations, hommes et femmes, toujours peu vêtus de préférence, s'enlacent fréquemment et l'on peut y voir des scènes de rapt, des individus au faciès concupiscent se jetant sur la proie désirée : une vamp aux formes saillantes et à peine voilées, etc. Nous en passons et des meilleures. Voilà pour le côté nettement malsain de ces publications d'importation et ceci suffirait, si tous les parents en étaient avertis, pour que l'on fasse chaque semaine, dès leur parution, des autodafés de tous les *Robinson* et autres *Hurrah !*

Quant à la question "culture étrangère", elle n'est pas négligeable non plus. Nous ne tenons pas, sous ce rapport, à rétrograder ; car ce n'est pas d'outre-Atlantique, par exemple, que nous viendra un progrès moral quelconque. La fréquentation des Américains donne le goût des salles de bains et des water-closets tout confort, rarement celui de la lecture de Tite-Live ou de Plutarque. Ceci n'est pas un reproche adressé aux Américains, qui forment une nation de culture bien moins ancienne et développée que la nôtre, mais une simple constatation, qui ne leur enlève rien, notamment les qualités inhérentes à tout peuple jeune.

Il y a trois ans que *Le Journal de Mickey*, premier du genre, a paru en France. Il est, comme la plupart de ses semblables, de conception et d'origine entièrement américaines. Les sous-titres eux-mêmes sont traduits là-bas, ce qui explique pourquoi ils sont en général bourrés de fautes d'orthographe. Le succès de Mickey était assuré grâce à la série de dessins animés de Walt Disney, dont il est l'expression inanimée. Or, encouragées par ce précédent, dix-huit publications étrangères dont quelques-unes ont disparu se sont implantées par la suite sur notre sol (...). Disons le mot : c'est un scandale. Car les conséquences désastreuses de cette invasion, pour des quantités de travailleurs français, sont incalculables. Ainsi, en deux ans, six journaux français qui faisaient vivre, outre des dessinateurs, une foule de travailleurs, sont tombés du fait de la concurrence déloyale que leur faisaient les feuilles étrangères installées chez nous ! À une époque où la vie pour tous les artistes est devenue si difficile, c'est un fait honteux que nos nationaux ne soient pas mieux protégés. (...) Les flans ou clichés qui servent à l'impression des publications du genre *Mickey* sont importés et payés des prix dérisoires, 10 % de ce que coûterait un cliché français. Autrement dit, une page en couleurs qui coûte en France 2 500 francs (texte, dessins et clichés) ne revient qu'à 250 francs à l'importateur de flans étrangers. (...) Les travailleurs lancent à présent un cri de détresse. Ils sont beaucoup plus nombreux qu'on ne le pense car il faut compter dans l'hécatombe les littérateurs, les ouvriers typographes, les photograveurs. (...) Nous nous sommes déjà, comme on dit, remués. Il y a eu en pure perte une réunion chez le président des éditeurs de journaux illustrés, M. Malexis. Assistaient notamment à cette réunion des délégués des dessinateurs et M. Winkler, directeur de *Mickey* et de pas mal de ses succédanés. M. Winkler, mis au pied du mur, a avoué qu'il n'employait qu'un seul dessinateur français : Daix, auteur de la série *Nimbus*. Il en a cherché d'autres, paraît-il, mais n'en a pas trouvé. Quel bobard ! Nous lui en fournirons cinquante, s'il le désire, tous aussi talentueux que n'importe lequel des artistes étrangers dont il publie les dessins. M. Winkler se dit français. Pour le croire, il faudrait qu'il se comporte autrement vis-à-vis de ceux qui lui font l'honneur de le traiter en compatriote (...)[53]. »

On l'aura compris, la situation est difficile, la concurrence sévère. Aussi, tous les moyens sont bons pour pénétrer le marché et occuper le terrain. Dans cette perspective, dès qu'un dessinateur commence à connaître un certains succès, il devient beaucoup plus qu'un dessinateur. Hergé comme les autres. Plus que les autres même, dirait-on, tant la gestion et la diffusion de son œuvre le préoccupent.

Par contrat, *Le Vingtième Siècle* a toujours l'exclusivité de ses histoires pour la presse belge d'expression française. Mais qu'en est-il de la presse néerlandophone et des journaux étrangers hormis ceux avec lesquels il travaille déjà depuis des années ? À son ami Adelin Van Ypersele, publicitaire anversois qui se propose de jouer le rôle d'agent sur ce marché, Hergé communique des arguments à faire valoir. Des conseils parfaitement en phase avec l'air du temps, qui reflètent tant ses préoccupations politiques que son pragmatisme en affaires :

« 1) Les histoires de *Mickey, Donald Duck*, etc., si elles sont excellentes, sont tout de même américaines. Il est incontestable que des séries composées par un Européen (c'est moi, l'Européen !) seront plus compréhensibles pour les gosses européens.

2) Les *Mickey, Donald Duck* sont archiconnus. *Tintin, Quick et Flupke* constituent réellement de l'inédit (je parle pour la presse flamande et de Luxembourg).

3) Si tu t'adresses à un journal catholique, ne

pas manquer de citer tous les journaux catholiques qui publient *Tintin*. Cela constitue un brevet de moralité, garanti sur facture.

4) Le créateur est le plus grand artiste de tous les temps modernes et c'est lui qui a le mieux compris la mentalité enfantine[54]. »

Août 1938. La Wehrmacht a envahi l'Autriche voilà cinq mois. Son rattachement *(Anschluss)* à l'Allemagne a été proclamé, peu avant qu'un plébiscite le consacre par 99,73 % des voix. Devenue province du grand Reich, l'Autriche s'appelle désormais l'Ostmark. C'est alors que *Le Petit Vingtième* commence la publication des aventures de Tintin en Syldavie.

Après la Chine, l'Europe. C'est la deuxième fois qu'Hergé choisit de se colleter avec l'histoire immédiate. Il en mesure les dangers et les profits. Car si son histoire risque d'être vite démodée par l'actualité quand celle-ci devient folle, elle a autant de chances d'être portée par la vague de cette même actualité. Dans son cahier de notes, il a succinctement consigné l'argument de son prochain récit :

« Bande internationale d'anarchistes faisant sauter, l'un après l'autre, tous les grands bâtiments d'Europe. Tintin les traque : repaire de la bande dans les Balkans[55]. »

On peut effectivement résumer les choses ainsi. On peut aussi aller plus loin. En se promenant avec Milou dans un jardin, Tintin trouve une serviette oubliée sur un banc. Scout toujours, il la rapporte aussitôt à son légitime propriétaire le professeur Halambique. Ce savant distrait, cousin de l'égyptologue des *Cigares du pharaon* et nouvelle préfiguration du futur professeur Tournesol, est un distingué sigillographe, autrement dit un spécialiste de l'étude des sceaux. Il est d'ailleurs sur le départ puisqu'il doit se rendre en Syldavie afin d'y étudier ceux du roi Ottokar IV. En le quittant, Tintin est le témoin de différents incidents qui l'intriguent, d'autant qu'ils ont tous la Syldavie comme point commun. Aussi décide-t-il d'y accompagner le professeur Halambique en qualité de secrétaire. En plein vol, le pilote de l'avion mis à leur disposition par le gouvernement syldave ouvre subrepticement une trappe. Largué dans l'atmosphère, Tintin s'écrase... dans une meule de foin ! Il se rend aussitôt à la gendarmerie de la région pour faire part de son inquiétante intuition. Selon lui, un complot se trame contre l'actuel roi de Syldavie Muskar XII. Les conjurés s'emploieraient à lui ravir son sceptre puisque selon la tradition, un monarque est obligé de renoncer au trône dès qu'il en perd le précieux symbole.

Tintin se rend à Klow, la capitale. Chemin faisant, il fait connaissance de Bianca Castafiore, de la Scala de Milan, cantatrice au timbre redoutable et redouté, comme en témoigne la course folle des lapins sur la route. Rendu sur place, il doit affronter mille et un obstacles. Les comploteurs ont le bras long et armé. Tintin en réchappe, animé par la volonté opiniâtre de parler directement au roi afin de le prévenir du danger qu'il court. Recherché par la police et dénoncé comme anarchiste, il se retrouve par hasard, à la faveur d'un banal accident de la circulation, nez à nez avec Muskar XII. Que de hasards ! Le reporter réussit à l'avertir du complot ourdi par son entourage le plus proche contre son auguste personne. Tintin et le roi se rendent au plus vite dans la pièce du château où le sceptre est placé sous bonne garde. Las ! L'objet sacré a disparu, et le professeur Halambique, l'opérateur qui le photographiait avec lui et leurs gardes sont évanouis. La notoriété des Dupondt, « détectives diplômés », est vraiment internationale puisqu'on les fait venir tout exprès pour dénouer cette affaire. Ils jurent de lui ramener son sceptre « pieds et poings liés ». Leur mission est d'autant moins aisée que le professeur Halambique et son photographe se sont échappés, ce qui confirme les soupçons que Tintin n'a pas cessé de nourrir depuis le début à l'endroit du savant. Après avoir découvert l'ingénieux mécanisme par lequel l'attribut royal a pu sortir d'une salle aussi bien gardée, il retrouve sa trace et se lance dans une course-poursuite à travers la Syldavie pour coincer ceux qui l'ont emporté sous son nez. Ils se le transmettent comme les coureurs d'un relais 4 × 400 mètres se passeraient le témoin. Le reporter finit par mettre la main dessus à la frontière Syldavo-Bordure. Il découvre alors qu'un certain Müsstler, chef du parti de la Garde d'acier, préparait bien un coup d'État en bonne et due forme. Son objectif n'était pas seulement de prendre le pouvoir mais de rattacher la Syldavie à la Bordurie. Le sceptre récupéré et le complot déjoué, le roi peut exprimer sa gratitude à Tintin comme il le mérite. Pour la première fois dans la longue histoire du royaume, un étranger est fait chevalier de l'ordre du Pélican noir...

La publication de cette nouvelle aventure dans

Le Petit Vingtième s'achève le 10 août 1939. Vingt jours plus tard, les blindés allemands envahissent la Pologne. Hergé capte si bien l'air du temps qu'il le précède et l'annonce. Rarement une bande dessinée aura été ainsi synchronisée avec l'Histoire en train de se faire.

Ce récit marque une nouvelle étape dans l'œuvre d'Hergé en raison de ses qualités d'invention (un pays avec sa langue, son histoire, ses traditions) et par son inscription dans les événements. Syldavie et Bordurie sont des nations imaginaires dont les sources le sont beaucoup moins. Qu'il s'agisse des décors et des paysages, de l'architecture ou des costumes, Hergé a puisé un peu partout dans la région : Serbie, Albanie, Monténégro, Hongrie... Une vraie macédoine[56] ! L'atmosphère de conspiration à tous les coins de rue semble issue en droite ligne du recueil de reportages d'Albert Londres *Les Comitadjis ou le terrorisme dans les Balkans* (1932). Le roi Muskar XII de Syldavie fait inévitablement penser à Zog Ier qui a régné sur l'Albanie de 1928 à 1939. D'autre part, l'histoire ancienne de la Tchécoslovaquie a fourni à Hergé de quoi étayer la noble ascendance de l'un de ses héros. En effet, Ottokar II, prince de la famille des Prjemyslides, a bien été le maître de la Bohème et de la Moravie en 1251. Bien plus tard (en 1976, pour tout dire...), à la faveur de travaux de restauration dans la cathédrale Saint-Guy de Prague, on découvrira en ouvrant son tombeau qu'il s'était fait enterrer avec... son sceptre[57] ! Quant à la langue syldave, qui suscitera un jour nombre d'exégèses du côté de l'Université, elle emprunte au français pour la syntaxe et au marollien pour le vocabulaire[58]. Hergé s'amuse à jouer sur les mots et à forger d'invraisemblables néologismes afin d'adresser des clins d'œil à ses compatriotes bruxellois familiers de ce patois. Il en use comme d'une prime offerte aux initiés. Ce qui n'exclut par pour autant la masse des autres ; ils apprécieront certainement sa sonorité exotique[59]. Quant à l'ambiance même de l'histoire, elle paraît très imprégnée par *La Veuve joyeuse*, l'opérette de l'autrichien Franz Lehár telle que le cinéma l'a restituée à travers les films d'Érich von Stroheim (1925) et d'Ernst Lubitsch (1934).

Reste enfin la dimension politique de l'aventure : la Bordurie est-elle fasciste ou communiste ? La question est inévitable. En cette fin des années trente, Hergé ne passe pas vraiment pour un homme de gauche, c'est le moins qu'on puisse dire. Sa réputation est telle dans le milieu de la presse catholique qu'il reçoit même commande de « dessins et caricatures anticommunistes » d'une revue dirigée par un dominicain — offre qu'il décline[60].

Comme à son habitude, il renvoie les deux régimes totalitaires dos à dos. Pour mieux éviter toute identification, Hergé procède à un habile amalgame de détails précis. Isolés, ils ont une signification symbolique bien déterminée. Mêlés à d'autres, ils n'en ont plus. Ainsi, il reconnaît penser à Staline quand il dessine une moustache à un personnage. Mais pour désorienter le lecteur, il met à son uniforme des insignes SS[61].

Que dire de l'énigmatique Müsstler, l'âme de la conjuration, qu'on redoute tant mais qu'on ne voit jamais ? La genèse de son nom résulte de toute évidence de la contraction de Mussolini et de Hitler. On ne peut s'empêcher de penser alors à la couverture et à la double page d'un *Petit Vingtième* de 1935, dans lesquelles Quick et Flupke, déguisés en Führer et en Duce, tournaient en dérision l'« entretien de Venise » ; quand tout le monde les croyait occupés à refaire le monde, ils se consacraient à une sorte de jeu à base de croix gammées[62] ! Le procédé n'est pas nouveau dans la littérature pour la jeunesse, même si ce genre de références peut échapper au plus grand nombre. Pour ne citer que lui, Lewis Carroll avait caricaturé Disraeli et Gladstone à travers Morse et Charpentier dans les aventures d'*Alice au pays des merveilles*, pour ne rien dire du traitement tout aussi insolent qu'il avait fait subir à l'entourage de la reine Victoria à travers la cour de la reine de cœur et celle de la reine rouge[63].

Cela dit, la sonorité de Müsstler, si importante pour un fabricant de langages tel que Hergé, a d'autres sources. Elle est une citation tant d'Oswald Mosley, le dirigeant fasciste britannique, que d'Anton Mussert, la figure de proue du fascisme hollandais. On peut même dire qu'à lui seul, ce dernier pourrait fort bien avoir inspiré Hergé tant la ressemblance entre les deux noms est patente. Mais pour mieux brouiller les pistes, Hergé en a fait le chef d'une « Garde d'acier » qui nous éloigne des Pays-Bas pour nous rapprocher des Balkans. De la Roumanie plus précisément, celle de l'ultranationaliste antisémite Corneliu Z. Codreanu, qui avait créé en 1927 la « Légion de l'archange Michel », secte d'illuminés terroristes d'inspiration chrétienne. Trois ans plus tard, il la transformait en « Garde de fer », organisation qui n'aurait rien à envier à ses cousines fascistes du reste de l'Europe[64].

Cette nouvelle aventure de Tintin étant le récit d'un Anschluss avorté, l'Allemagne se trouve dans le collimateur. Dans l'Europe de 1938-1939, il n'y a qu'elle pour envahir les voisins. Cela paraît évident. Pendant l'Occupation, Hergé n'insistera pas trop sur cette interprétation. Après l'Occupation, ses thuriféraires la monteront en épingle pour exciper de son antinazisme. Quant à lui, il donnera une version tout hergéenne de cette histoire :

« Tintin n'est pas le défenseur de l'ordre établi, mais le défenseur de la justice, le protecteur de la veuve et de l'orphelin. S'il vole au secours du roi de Syldavie, ce n'est pas pour sauver le régime monarchique, c'est pour empêcher une injustice : le “mal”, ici, aux yeux de Tintin, est le rapt du sceptre[65]. »

En somme, cette histoire aura permis à Hergé de montrer que même en pleine montée des périls, Tintin reste scout toujours. Traduit dans un langage plus politique, cela se dit « neutre ». C'est d'ailleurs la tendance vers laquelle Georges Remi penche de plus en plus. Ce que l'on prenait pour une dénonciation métaphorique de l'expansionnisme hitlérien, deux ans avant *Le Dictateur* de Chaplin, se voulait le récit d'un fait divers haut en couleur. C'est peut-être décevant mais c'est ainsi. Quand une œuvre est publiée, elle n'appartient plus à son créateur mais aux lecteurs. Ils peuvent lui faire dire ce qu'ils veulent. Mais cela ne modifie pas l'intention de départ.

En mai 1939, alors que sa parution hebdomadaire se poursuit, Hergé pense toujours intituler le futur album *Tintin en Syldavie*. Mais les bruits de bottes en Europe révèlent un homme avisé derrière l'artiste à bulles. Il insiste auprès de son éditeur pour que son album paraisse impérativement dans l'année :

« Si tu as un peu suivi l'histoire, tu verras qu'elle est tout à fait basée sur l'actualité. La Syldavie, c'est l'Albanie. Il se prépare une annexion en règle. Si l'on veut profiter du bénéfice de cette actualité, c'est le moment ou jamais[66]. »

Plus tard, il démentira toujours n'avoir songé qu'à un seul pays. Exactement comme Georges Simenon qui niait s'être inspiré d'une nation de l'Est en particulier pour le cadre de son roman *La neige était sale*. Dans un cas comme dans l'autre, il s'agit avant tout de déjouer une identification trop précise afin de conférer à l'histoire une portée encore plus universelle.

Hergé n'est pas à une contradiction près : il veut tirer son album vers le haut en utilisant l'actualité politique la plus chaude comme rampe de lancement, tout en le tirant vers le bas du côté de la mythologie du grand fait divers. En juin, il décide que la mention « reporter » sur la couverture après « Les aventures de Tintin » a fait son temps et la supprime définitivement. Le titre aussi a changé. Il n'est plus question de *Tintin en Syldavie* mais du *Sceptre d'Ottokar IV*. Casterman tique. Pas assez commercial, difficile à retenir, impossible à prononcer... Hergé a la bonne foi de reconnaître qu'il y a un hiatus entre « kar » et « IV ». L'éditeur accepte un compromis : ce sera *Le Sceptre d'Ottokar*, sans plus. Ce n'est pas assez coulant, tous les enfants ne lisent pas bien un mot comme « sceptre » mais tant pis. Lesne préfère se concentrer sur les autres exigences du dessinateur, autrement plus délicates à satisfaire.

Plus précis et minutieux que jamais, Hergé veut qu'on emploie un caractère genre onciale (rouge) pour le titre, qu'on supprime les filets entourant l'illustration centrale, qu'on utilise une impression or pour le sceptre et les armoiries et qu'on reproduise sur une double page couleurs sa magnifique re-création de la célèbre tapisserie de la bataille de Zileheroum en 1127 au cours de laquelle les Syldaves battirent les Turcs.

C'est beau, mais c'est cher. Trop cher, pour Casterman comme pour n'importe lequel de ses confrères. D'autant qu'il ne cesse de demander à Hergé de ne pas dépasser cent pages afin de réduire un prix de revient jugé trop élevé. Après avoir négocié point par point, l'auteur et l'éditeur doivent affronter un dilemme. Pour que le sceptre et les armoiries soient imprimés en or et que seule la chevelure de Tintin soit en jaune, il faudra obligatoirement utiliser une cinquième couleur. Juste pour ce détail ! Financièrement, ce serait un non-sens. Casterman propose donc de conserver l'or mais de teindre Tintin en brun. Hergé ne peut s'y résoudre. Il refuse, et pas seulement pour des raisons d'amour filial :

« Depuis toujours, Tintin a les cheveux filasse et ce serait justement là une erreur d'ordre commercial que de lui faire les cheveux bruns et de le rendre ainsi moins reconnaissable. »

En fin de compte, on utilise différentes nuances de jaune, sans cinquième couleur. Ainsi tout le monde est content. Hergé a préféré sacrifier l'or du sceptre plutôt que la chevelure de son enfant[67]. La décision est d'autant plus délicate à prendre que la situation commerciale de l'entreprise Tintin n'est pas des plus florissantes. À Tournai, où on enregistre un net fléchissement des ventes, certains responsables de Casterman envisagent même de cesser ou, du moins, de suspendre la publication des albums d'Hergé.

Qu'importe. Jamais il ne touchera au visage et à la coiffure de Tintin. Au même moment, Mickey entreprend une métamorphose étalée sur plusieurs années. Des yeux normaux remplacent un regard qui était symbolisé par deux ronds noirs fendus. Puis le torse s'allonge tandis que l'arrondi de la tête se fait de plus en plus ovale. Bientôt, il perd son appendice caudal et sa culotte courte pour s'habiller en adulte. Comme Tintin. Et il se fait justicier et moralisateur.

1939. Le mois de septembre s'achève. Ayant brusquement interrompu à la 25e planche la parution de *Jo, Zette et Jocko au pays du maharadjah* dans *Cœurs Vaillants*, probablement en raison des événements, Hergé se sent plus libre. Comme s'il avait réussi à se débarrasser d'une contrainte qui lui pesait. Il peut désormais se consacrer à Tintin et Milou dans *Le Petit Vingtième*. Dès le début de ce nouveau récit, après deux planches de gags explosifs dont les Dupondt sont les protagonistes, l'aventure colle à l'Histoire immédiate. Le reporter lit son journal à haute voix :

«“ La situation est grave”... “Aurons-nous la guerre ?”... “Sommes-nous prêts ?”... “Rappel de classes”... “L'armée veille”... Eh bien ! C'est gai tout ça...[68]. »

Rarement il y aura eu une telle adéquation entre la bande dessinée du *Petit Vingtième* et le contenu des pages politiques du *Vingtième Siècle*. Car au même moment, l'Europe est sur le pied de guerre.

Comme tous les Belges de sa génération, Georges Remi alias Hergé est appelé sous les drapeaux. Mais comme peu de Belges, son départ fait chuter les ventes du *Petit Vingtième*. Le dessinateur Pierre Ickx, un ami de la presse scout retrouvé lors de ses débuts en journalisme, croit avoir trouvé le moyen de sauver la vie de Tintin : de son poste, Hergé établit scénario, dessins et croquis ; puis, à sa table de dessin, Ickx exécute à la manière de l'auteur un dessin clichable. Le tout serait signé « D'après Hergé » ou « Atelier Hergé ». Le paiement serait partagé à égalité entre l'inventeur et le réalisateur[69]. C'est mal connaître Hergé que de l'imaginer capable d'accepter une pareille proposition.

Affecté près de Turnhout, une petite ville du Nord, il s'organise sans perdre de temps. Il réussit à envoyer presque chaque semaine deux planches des nouvelles aventures de Tintin à la rédaction du *Petit Vingtième*. Militaire ou pas, il travaille. Il a promis de fournir normalement la suite et il tiendra parole. D'autant que la direction du journal lui a maintenu son traitement malgré son absence, pour lui prouver à quel point elle tient à lui[70]. De plus, dessiner est le seul moyen qui lui permette de tenir le coup dans cette ambiance kaki de plus en plus pesante. Quand il ne dessine pas pour le journal, il remplit ses carnets de croquis de scènes de la vie militaire et de portraits.

Au début, on se croit chez Courteline et le meilleur. Au fil des semaines, on tombe dans du mauvais Kafka. Officier de réserve dans une compagnie de mitrailleurs francophones, il se retrouve instructeur dans une compagnie d'infanterie néerlandophone. À croire qu'ils le font exprès ! Dans une aventure de Tintin, le gag n'aurait pas excédé quelques cases. Mais à la caserne de Turnhout, où l'on n'a pas le même sens du rythme, ça dure, ça dure... Les heures creuses le sont chaque jour davantage. Le point de non-retour est atteint le jour où on lui confie la délicate mission de réquisitionner les vélos dans les fermes de la région. Lui qui se faisait une haute idée de la défense de l'Occident, la voilà réduite aux dimensions d'un guidon. En fait, la mobilisation du soldat-citoyen se traduit par la démobilisation de l'individu : pris en charge par une organisation militaire et administrative qui lui dicte tout ce qu'il doit faire, il se sent déresponsabilisé[71].

Vu de Turnhout, Bruxelles paraît loin. Et la Chine plus encore. Il l'a pourtant toujours en tête. Rendu à la vie civile pour cause de « drôle de guerre », il fait la connaissance de Dominique de Wespin, une journaliste de 28 ans, correspondante de l'hebdomadaire parisien *Candide*. À la veille de partir pour Pékin y oublier un chagrin d'amour, elle lui rend visite à l'instigation d'amis chinois de l'Université libre de Bruxelles. Car à leurs yeux, Hergé compte parmi ces rares auteurs européens qui n'aient pas publié des horreurs sur leur pays. Ils sympathisent aussitôt. Le dessinateur a manifestement très envie de parler de ce pays qui le fascine :

« Je voudrais tellement aller en Chine et retrouver Tchang... Croyez-vous à l'astrologie ? Moi si. Je suis Gémeaux. Voyez-vous, j'ai quatre pattes : deux qui veulent toujours aller en avant, deux qui tirent toujours vers l'arrière... »

Il lui offre un exemplaire du *Lotus bleu* en témoignage de leur amitié naissante et lui fait promettre de lui raconter son voyage à son retour de ce pays où il n'arrive pas à se rendre.

« Pas facile de se décider, quand on est Gémeaux...[72]. »

Parfois, les circonstances décident pour lui. Elles forcent son irrésolution. C'est précisément le cas alors que 1939 s'achève. La Chine l'invite ! Une coïncidence comme seul Tintin en vit.

Tchang Kaï-chek, le chef du gouvernement nationaliste, s'est « beaucoup amusé » à la lecture du *Lotus bleu*[73]. Il est vrai que l'album a tout pour lui plaire : le héros démasque l'impérialisme de l'armée japonaise ; il révèle l'une des grandes qualités du peuple chinois, en l'occurrence sa capacité à résister à l'envahisseur. Aussi a-t-il chargé sa femme Sung Mei-ling, qui joue une rôle politique important dans ses relations avec l'étranger, d'inviter Hergé à visiter leur pays. Et accessoirement à dessiner pour le gouvernement chinois. Celle-ci ne pouvait trouver meilleur intercesseur que le père Neut, directeur du *Correspondant chinois* en Belgique et ami d'Hergé. Même si le dominicain est gêné de passer de la sorte pour un agent officieux chinois[74].

Hergé brûle de se rendre en Chine et d'y séjourner au moins plusieurs mois. D'autant que tous les frais sont à la charge du gouvernement de Nankin. Le détail n'est pas à négliger en un temps où il accepte même les commandes mercenaires, afin de payer les traites de sa voiture et calmer le receveur des contributions. Pourtant, la mort dans l'âme, il doit décliner l'invitation des Tchang Kaï-chek. D'une part, il vient d'être averti par le ministère de la Défense nationale qu'il risquait d'être rappelé à tout instant sous les drapeaux. Compte tenu de l'évolution des événements en Europe, il serait trop aléatoire d'organiser un si long voyage en spéculant sur sa démobilisation ou sur ses permissions. D'autre part, il est tenu par contrat de remettre chaque semaine deux séries de dessins au *Petit Vingtième*. Même s'il en exécute un certain nombre à l'avance et que Germaine y met la dernière main en son absence, il risque fort de devoir rentrer en urgence sous peine de rupture de contrat. Tant pis ! Ou plutôt, dommage[75]...

Ses regrets ne sont pas de circonstance mais des plus sincères. Les retrouvailles avec l'ami Tchang sont reportées.

En cette fin 1939, pour les uns et pour les autres, l'actualité pèse d'un poids plus lourd. Alors que la loi de neutralité a été promulguée aux États-Unis, le gouvernement français obtient les pleins pouvoirs de la Chambre des députés pour la durée de la guerre. Le même jour, la Finlande est envahie par les troupes soviétiques. Au-dessus de la mêlée en période de paix, munichois il y a un an quand les démocraties occidentales crurent avoir la paix en sacrifiant le territoire des Sudètes à Hitler, Hergé est logiquement devenu neutraliste, mot magique, gris et pourtant chargé de sens.

Il se veut neutre, à l'image de son pays, comme toujours. Neutre comme la Belgique l'était depuis le traité de 1831 et comme elle l'est redevenue en octobre 1936. Neutre comme l'est le roi Léopold III qu'il respecte plus que tout, surtout lorsqu'il déclare : « La Belgique constitue avec les autres États neutres une citadelle de paix et un élément de cette conciliation qui, seule, peut sauver notre civilisation de l'abîme vers lequel la précipiterait une guerre générale [76]. » Neutre comme Mgr Van Roey lorsqu'il dit dans un sermon, du haut de sa chaire : « Si elle reste en dehors du conflit, et à cette condition seulement, la Belgique peut devenir l'instrument de la Providence, d'abord pour soulager les misères qu'une guerre prolongée entraînera inévitablement et ensuite pour rendre accessibles éventuellement les voies de la paix[77]. »

Soit. Mais la neutralité n'est pas une attitude passive. Les vrais neutres s'affichent comme tels. Or rien n'est plus étranger à l'esprit de Georges Remi que l'engagement, fût-ce pour prôner le désengagement. Il approuve et soutient en privé mais pas en public. Ainsi, on ne trouve pas son nom au bas d'un manifeste pacifiste de septembre 1939 signé par un aréopage d'intellectuels et de journalistes (Marcel Dehaye, Jean Libert, Georges Marlier, Paul Colin Paul Herten...) parmi lesquels il compte nombre d'amis[78].

Quand il serait indigne de ne pas s'exprimer du tout, il le fait à sa manière. Sous son crayon, en 1931 déjà, Quick refusait de jouer au soldat.

Mais il n'en levait pas moins une armée de pacifistes afin de déclarer la guerre aux gamins de sa rue enrôlés sous la bannière des bellicistes[79]. L'engagement, pour un homme de presse, ne se réduit pas au contenu de son travail. Compte aussi le choix du support dans lequel il le publie. En période de crise, une telle attitude relève de l'acte politique. C'est bien ainsi qu'Hergé l'entend en décidant de donner des dessins à *L'Ouest*. Et par conséquent, en le cautionnant au même titre que tout autre collaborateur du journal. Ce serait mépriser Hergé et à travers lui sa profession que d'imaginer qu'un dessin engage moins qu'un article. Ou que sa signification est plus anodine. Ils ont la même valeur. L'essentiel reste la signature et le prestige qui y est attaché. Que l'on commente la politique étrangère ou que l'on dessine des petits bonshommes.

L'Ouest est né dans un salon politico-mondain connu à Bruxelles comme le « salon Didier ». En cette année 1939, de brillantes réceptions se succèdent au domicile de la ravissante Lucienne Didier, égérie pleine de grâce. Dès 1935, son mari Édouard Didier, fondateur du club Jeune Europe, y avait fait parler le francophile Otto Abetz, sémillant hitlérien en tweed. Grâce à ce couple, les Affaires étrangères et la Propagande nazies disposent d'une antenne privilégiée à Bruxelles. Rien de tel que l'exaltation de l'amitié germano-belge, sur le mode discret et raffiné qui sied à ce genre de rencontres, pour pénétrer et manipuler l'*establishment* local. Le salon Didier se transforme en lieu géométrique des conciliabules officieux et des travaux d'approche. On y croise le ministre des Affaires étrangères Paul-

Henri Spaak, le président du Parti ouvrier belge Henri de Man, des journalistes, des diplomates, des hommes politiques, et avant tout des Européens neutralistes. L'exposé d'un hôte de marque et la discussion qui s'ensuit en témoignent deux fois par mois. Pour Max Liebe, attaché à l'ambassade d'Allemagne, le salon Didier constitue un vivier de choix. L'homme de Ribbentrop a l'embarras du choix pour tisser sa toile et étendre son réseau dans la haute société bruxelloise. C'est chez Mme Didier qu'il fait connaissance de Raymond De Becker et qu'il l'aide à monter un journal neutraliste[80].

Hergé connaît De Becker, de cinq ans son cadet, depuis le début des années trente pour avoir illustré, on s'en souvient, deux de ses livres : *Pour un ordre nouveau* et *Le Christ, roi des affaires*. En 1937, Hergé avait dessiné un profil de Marianne, dont le trait s'achevait par un H, pour la couverture de son essai *Destin de la France*. Ancien militant de l'Action catholique, animateur de revues telles que *L'Esprit nouveau, Communauté* et les *Cahiers politiques,* Raymond De Becker vient de quitter *L'Indépendance belge* pour lancer son propre journal.

L'Ouest se présente comme un hebdomadaire de combat favorable à la neutralité de la Belgique et par conséquent hostile à toute politique belliciste. Il ne veut connaître qu'un seul parti : celui de la nouvelle Europe. De l'aveu même de son rédacteur en chef, il est rédigé par des habitués du salon Didier. Au fil des pages, on relève les noms du directeur Jean de Villers, Robert Poulet qui signe une chronique « du point de vue de Sirius » sous le pseudonyme d'Orlando, Pierre Daye qui fut chef du groupe parlementaire rexiste à la Chambre, le peintre Marcel Stobbaerts, le journaliste Marcel Dehaye, le dessinateur Paul Jamin dit Jam et son vieil ami Hergé « dont le prestige dans le monde de l'enfance n'est égalé par personne en Belgique et qui y donna quelques heureuses caricatures contre le bourrage de crâne[81] ».

Pour la bande qu'il publie chaque semaine dans les premiers numéros du journal en décembre 1939, Hergé crée un nouveau personnage, M. Bellum, le bien-nommé ! Archétype tant du belgicain que du franchouillard (il lit *Paris-Soir*), l'allure distraite d'un professeur dans les nuages, ce belliciste se caractérise par sa peur panique et sa couardise.

L'existence de *L'Ouest* est des plus éphémères. Son tirage est de 10 000 exemplaires, le nombre d'abonnés de 500 et la vente au numéro plafonne à 1 000 par semaine. On ne fait pas la guerre à la guerre sans se compromettre. Un jour, on apprendra qu'il bénéficiait depuis le début de subventions indirectement versées par l'ambassade d'Allemagne[82]. Qui en aurait vraiment douté ? Les Dupondt, peut-être. Mais sûrement pas Tintin.

L'Europe est sur le qui-vive. Dans les conversations, il n'est question que d'alertes, de masques à gaz et de provisions. Désormais, chaque jour semble relever d'un invisible compte à rebours.

10 avril 1940. Alors que les troupes allemandes viennent d'envahir le Danemark et la Norvège, Georges Remi réussit à se faire démobiliser pour raisons de santé. Il obtient trois mois de conva-

lescence. En un temps où le pays est en état d'alerte, cette prouesse est due à l'entregent de son protecteur, l'ancien ministre des Transports Charles du Bus de Warnaffe, très proche du *Vingtième Siècle*. Deux mois auparavant, celui-ci était déjà intervenu auprès du colonel Servais, le commandant de l'unité dans laquelle Hergé est affecté, pour lui faire octroyer des congés exceptionnels de deux jours consécutifs[83].

Georges Remi quitte l'uniforme pour travailler. Pourtant, en février, il a reçu une lettre mettant fin à sa collaboration : les approvisionnements sont trop incertains, les recettes publicitaires insuffisantes...[84]. En fait, le journal continue à paraître. Mais par prudence, la direction a préféré envoyer un préavis de licenciement à tous les collaborateurs.

Vaille que vaille, malgré les impondérables, il a réussi à poursuivre son récit depuis bientôt huit mois à raison de deux planches par semaine. Qu'est-il advenu de Tintin ? Intrigué par les explosions dont ont été victimes les Dupondt à chaque fois qu'ils ont voulu utiliser de l'essence, il se lance dans une enquête qui le mène tout naturellement au pays de l'or noir. En plein désert, il se retrouve emprisonné à la suite d'un quiproquo. En effet, le cheikh Bab el Ehr le prend pour un trafiquant d'armes qui l'a vendu à son pire ennemi, le cheikh Ben Kalish Ezab. Tintin réussit à prendre la fuite. Parrallèlement aux Dupondt, il découvre les dures réalités du désert. Et un personnage des plus inattendus : le Dr Müller, une vieille connaissance puisqu'il dirigeait le réseau des faux-monnayeurs dans *L'Île noire*. Grâce à une ruse, le bandit a le dessus. Il va exécuter Tintin d'un coup de fusil tiré à bout portant quand...

Cette fois, le coup de théâtre ne vient pas de l'imagination d'Hergé mais de celle de Hitler. En lançant ses troupes à l'assaut de la Hollande, de la Belgique et du Luxembourg, en route vers la France, ce dernier provoque un incident qui prolonge le suspense : l'arrêt de la parution du *Vingtième Siècle* et de ses suppléments le 8 mai et des aventures de Tintin à la 56e planche.

Deux jours après, Georges Remi se présente aux autorités militaires pour être réintégré dans son unité. Il est jugé inapte[85]. La « neutre » Belgique est envahie par la Wehrmacht. Après la stupeur consécutive à l'écrasement de leur armée, les Belges éprouvent comme un soulagement physique[86].

12 mai. De retour chez lui, Hergé reçoit un coup de téléphone de la direction du *Vingtième Siècle* :

« Les parachustistes allemands viennent de sauter sur le fort d'Eben-Emael, celui-là même qui défend l'accès à Bruxelles. C'est à 80 km à peine ! La ville va être occupée. Partez le plus vite possible[87] ! »

Il ne se le fait pas dire deux fois. Germaine est prête. Elle l'attend avec les valises et Thaïke, leur chatte siamoise qui aura bientôt deux ans. Ils prennent la voiture et se mêlent à l'exode. C'est le chaos. En un flot indescriptible, des Belges par dizaines de milliers se dirigent vers la France pour s'y réfugier, dans les départements du Nord tout naturellement puis jusqu'aux Charentes, à La Rochelle où le centre d'accueil est dirigé par

Georges Simenon, familier de la région depuis quelques années.

Comme la plupart de leurs compatriotes de leur génération et de celle de leurs parents, les Remi ont la première occupation en mémoire. Ils font étape à l'abbaye Saint-André-lez-Bruges. Les retrouvailles y sont chaleureuses avec les parrains spirituels du *Lotus bleu*, le père Neut et le père Lou. Ce dernier, hors du temps comme seuls les hommes de Dieu savent l'être, focalise toute son attention sur Thaïke. Il n'a de cesse de la caresser :

« Je vous félicite de ne pas l'avoir abandonnée, c'est bien[88]... »

Dehors, pas très loin, c'est la fin d'un monde. Il est vrai que cette rencontre, que le père Lou juge « providentielle », se produit le jour de la Pentecôte. Mais contrairement aux apparences, la douce présence de l'animal ne lui fait pas oublier la barbarie des hommes. Elle l'aide à surmonter l'épreuve :

« Dieu en tirera le plus grand bien et les peuples martyrs en sortiront rénovés... », écrit-il aux Remi en leur dédicaçant le livre qu'il leur offre en souvenir : *Le Père Simon A. Cunha s.j., l'homme et l'œuvre artistique* (Chang-Hai 1914)[89].

15 mai. Les Allemands viennent de changer le cours des événements de manière décisive en enfonçant le front français entre Sedan et Namur. La brèche ainsi ouverte permet à leurs blindés de foncer vers la Somme et l'Oise. Les Remi sont à Paris. Juste une étape pour passer au siège de *Cœurs Vaillants* se faire régler par l'abbé Courtois les paiements en retard. À peine le temps de laisser le moteur de l'Opel refroidir

et ils repartent. Cette fois, cap sur Saint-Germain-Lembron, près d'Issoire, dans le Puy-de-Dôme. Le dessinateur Marijac leur a prêté sa maison. Bientôt rejoints par leur belle-sœur et nièce, les Remi y attendent la suite des événements. En l'absence de Marijac mobilisé, sa femme et sa mère sont aux petits soins pour eux. Comme leurs compatriotes, les Remi suivent moins la foudroyante progression de la machine de guerre allemande que les spéculations sur les attitudes respectives du roi, du cardinal et du Premier ministre. Celle du roi, surtout. Va-t-il assister impuissant à l'occupation de son pays comme Albert Ier face à l'hécatombe de la première guerre ? Va-t-il, lui aussi, se contenter de limiter les dégâts ? À croire que Georges Remi, comme nombre de ses compatriotes, attend sa déclaration pour engager son propre destin. Rarement une dynastie et un souverain auront été aussi populaires. À croire que tout le pays est royaliste comme un seul homme.

25 mai. Une entrevue dramatique a lieu à Wynendaele entre le roi et le gouvernement. La condamnation est réciproque. Les deux parties se séparent sur un constat de rupture. Léopold III choisit de rester en Belgique avec les Belges et de se constituer prisonnier. Parmi ses soldats mais avec le palais de Laeken pour geôle. Renonçant à ses prérogatives de chef de l'État tant que durera l'Occupation, il entend limiter les dégâts par sa politique de présence. Une manière de protester tout en étant bâillonné, afin que continue à exister une Belgique écrasée. Il veut sauver ce qui peut l'être malgré l'engrenage en perspective, de concessions en compromis.

C'est le début de l'accommodation. Les ministres optent, eux, pour la solution de l'exil. Le divorce entre légalité et légitimité lézarde le pilier sur lequel repose la Belgique depuis ses origines.

28 mai. Léopold III, non le souverrain mais le chef suprême des armées, signe la capitulation militaire. Bien que le mot, sinon le fait, soit difficile à admettre pour nombre de léopoldistes, l'opinion publique se range massivement derrière le monarque. Par instinct, par fidélité et pour ne plus avoir à osciller entre l'incertitude et le désarroi. De toute façon, elle n'a pas à se forcer pour serrer les rangs autour du symbole qu'il incarne. Bien plus tard, Georges Remi confiera au colonel Remy, ancien agent secret de la France libre :

« Pour ma part, le sentiment et la raison m'ont placé d'emblée, et sans une seule hésitation, du côté de ceux qui approuvèrent la décision du 28 mai. Bien des années ont passé depuis. Jamais, je ne pense, aucun témoignage n'a ébranlé ma conviction initiale (...). Le roi a eu raison[90]. »

Hergé ne laissera jamais dire que le roi a capitulé avec plaisir. Toute sa vie, il mettra un point d'honneur à défendre l'image d'un chef qui a agi à la dernière minute comme l'eût fait n'importe quel individu à bout de nerfs. À ses yeux, Léopold III demeurera toujours celui qui a eu la noblesse de rester avec son peuple pour partager son adversité. Une attitude qui restera à ses yeux, sans l'ombre d'un doute, mille fois plus honorable que l'exil londonien de la reine Wilhelmine des Pays-Bas aux côtés de son gouvernement et des Alliés. La question royale est un des rares sujets sur lesquels Georges Remi se montrera toute sa vie intraitable, sinon intolérant. Cela ne se discute pas, voilà tout[91].

L'impopularité du Premier ministre M. Pierlot est au zénith. Son gouvernement a déclaré « sans valeur légale » la capitulation. Après une étape française, théâtre de déclarations confuses et contradictoires qui n'arrangent rien, le gouvernement présente sa démission dans une royale indifférence. Le chef de la diplomatie, M. Spaak, a ce mot de dialoguiste : « Nous n'étions pas défaitistes, nous étions défaits[92]. »

Désormais, tant le pays réel que le pays légal et leur incarnation suprême sont dans la même situation. Toute la Belgique est entre parenthèses[93].

10 juin. À Bruxelles, l'administration du pays se réorganise. Un accord est passé entre le « collège des secrétaires généraux », incarnation de l'État, et les autorités militaires d'occupation. Quatre jours après, la Wehrmacht entre dans Paris. Le 17, le maréchal Pétain ayant fait demander les conditions d'un armistice, l'Angleterre de Churchill se retrouve seule pour continuer la lutte.

28 juin. En se rendant au village pour faire des provisions, Georges Remi apprend par un automobiliste rentrant de Vichy que la route est enfin libre. L'après-midi même, les bagages et la famille sont dans la voiture. Il lui tarde de rentrer à Bruxelles. Il est sans nouvelles de son frère Paul, officier d'active. Les lettres qu'il lui a adressées sont restées sans réponse. De plus, les parents sont sans nouvelles d'eux, tant Georges que Paul. Il les imagine fous d'inquiétude. Rai-

son de plus pour ne plus traîner. Collanges, Vichy, Fontainebleau, Bruxelles enfin[94].

30 juin. Eu égard aux circonstances, la direction du *Vingtième Siècle* ignore si la parution du journal sera maintenue. En vertu d'un nouveau préavis de licenciement, les fonctions d'Hergé devront prendre fin dans trois mois exactement[95]. De toute façon, dans sa tête, le choix est fait depuis longtemps. Voilà un an déjà, il avait essayé de franchir la ligne et de rompre son contrat. Mais la direction du journal avait su *in extremis* le rattraper au collet. Depuis, il n'attend qu'un signe pour récidiver[96].

Sa maison vient d'être réquisitionnée par l'occupant. Un officier de la Propagandastaffel vit provisoirement chez les Remi. Quand Georges souffre d'un abcès au pied, celui-ci met sa voiture à sa disposition pour le conduire à l'hôpital. Nazi, mais poli[97].

10 août. Hergé écrit à son éditeur : « *Le Vingtième* est mort. *Le Petit Vingtième* aussi. Attendons la suite[98]. »

Il n'aura pas longtemps à attendre. Parce que la passivité n'est pas dans son tempérament. Et parce que les événements le portent. Les dés sont jetés.

Pour une fois, il n'épouse pas la courbe de son pays. Georges Remi, 33 ans, n'a pas l'intention de mettre son destin entre parenthèses.

6

L'âge d'or

1940-1944

Il faut reprendre le travail. Le roi l'a demandé. Or pour Hergé, c'est lui et nul autre qui incarne l'esprit de résistance en Belgique. Il n'interprète pas autrement le grand discours prononcé par Léopold III au lendemain de la capitulation. Après l'avoir médité à la lettre, il en traduit l'esprit en se disant que la guerre est finie, que la Belgique n'a pas d'alliés, que les Allemands occupent le pays et que pour gênante qu'elle soit, la situation n'est pas éternelle. Autrement dit, soyons pragmatiques et adaptons-nous en attendant des jours meilleurs.

« Et c'est pour ça que je n'ai eu aucun scrupule à travailler à un journal comme *Le Soir*[1]... »

Une attitude d'accommodement qui marque aussi un premier pas dans la voie de la collaboration passive. Car dès le début, Hergé se range résolument du côté de ceux qui cherchent à être « embochés » (comme disent leurs détracteurs) dans la presse sous la botte. Le cas de conscience, qui aboutira chez certains de ses confrères à « briser sa plume », lui est étranger. Pour s'en prémunir, il use et il usera longtemps après d'une antienne des plus primaires :

« Je travaillais, un point c'est tout. Comme travaillait un mineur, un receveur de tram ou un boulanger ! Mais alors qu'on trouvait normal qu'un machiniste fasse marcher un train, les gens de la presse étaient prétendument des traîtres[2]. »

Hergé chercherait à se déculpabiliser qu'il ne s'y prendrait pas autrement. En présentant les choses ainsi, il récuse jusqu'à la notion même de responsabilité des écrivains et journalistes. Comme s'il croyait qu'un receveur de tramway et le collaborateur d'un grand journal bénéficiaient du même statut moral, jouaient le même rôle intellectuel, et exerçaient un semblable magistère dans la société. Cette attitude, qui traduit une fuite devant les responsabilités incombant à sa charge, couvre chez Hergé un sentiment inavoué. À savoir que pendant toute la durée de l'Occupation, nombre de ses amis de jeunesse sont au pouvoir. Ils accèdent à des postes de direction dans la presse. Dans cette perspective, il ne voit vraiment pas pourquoi il se priverait de travailler avec eux. Au contraire ! D'autant que politiquement, il n'y a pas d'hiatus entre eux et lui. Quant aux Allemands, ils finiront bien par partir un jour...

Comment se présente le monde de la presse pour un journaliste belge en septembre 1940 ? Bizarrement. *Le Vingtième Siècle* est fermé. Pour de bon. Il ne rouvrira plus, Georges Remi en est convaincu. Cette fois, il n'y a plus de contrat, de fidélité au passé ou de parole donnée qui tiennent. De surcroît, le journal lui doit de l'argent. Il lui faudra attendre quatre mois pour que l'occupant lève le séquestre, qu'il touche le solde de son préavis et règle ses arriérés d'impôts [3]. Heureusement que Casterman, en retard dans l'établissement de son relevé de comptes, lui a envoyé 10 000 francs pour patienter[4].

Au début de l'Occupation, il y a trois sortes de journaux : ceux qui continuent à paraître de leur propre initiative (ils sont au nombre de onze), ceux qui paraissent pour la première fois (on en compte neuf) et ceux auxquels on accole l'infamante épithète de « volé » car ils paraissent contre la volonté de leurs propriétaires ou de leurs conseils d'administration (il y en a treize).

Deux nouveaux journaux n'ont pas tardé à solliciter Hergé. Le premier n'était encore qu'à l'état de projet lorsque ses animateurs lui en ont exposé les grandes lignes, le 5 juillet au café Cap Nord. Ce jour-là, M. Maréchal, Joss Rezette et Roger Saussus ont proposé au dessinateur de lancer avec eux un hebdomadaire pour enfants. Ils étaient partis d'une analyse très simple du marché : *Le Petit Vingtième* moribond et les illustrés français hors course, *Spirou* restait le seul concurrent. Et comme ils se faisaient fort d'obtenir une autorisation de publication... Après avoir réfléchi quelques jours, Hergé déclina leur proposition pour des raisons matérielles. On ne lui offrait pas grand-chose au départ, seulement des perspectives très alléchantes à court terme en cas de succès. Or, il préférait étudier d'autres propositions ayant l'avantage de le rétribuer immédiatement de manière beaucoup plus substantielle[5].

Le deuxième journal à le solliciter n'est autre que *Le Pays réel*. Victor Matthys, lieutenant de Léon Degrelle, entame des travaux d'approche auprès d'Hergé[6]. L'organe officiel du rexisme cherche à masquer son caractère propagandiste afin de se donner un véritable lectorat, national et populaire. La corporation des journalistes est peut-être surreprésentée dans ce mouvement, elle n'en manque pas moins de plumes prestigieuses. Hergé en est une, et des plus prisées. Outre sa popularité chez les lecteurs de tous âges, on sait son impact certain sur la courbe des ventes.

Il décline les avances des gens de Rex. Pour des raisons moins politiques que stratégiques. Il ne croit pas qu'un tel journal puisse se défaire de son esprit de propagande et, partant, gagner de nouveaux lecteurs. Son intuition est la bonne. Entre août et novembre 1940, la diffusion du *Pays réel* passe de 65 000 à 23 000, avant de s'effondrer jusqu'à 5 000 exemplaires, ne subsistant plus que par les fonds de l'ambassade d'Allemagne[7]. Comme prévu, le journal ne cessera de se radicaliser. Aux antipodes de la volonté de désengagement d'Hergé.

En temps de crise plus encore qu'en période de paix, la prudence est sa vertu cardinale. Dès la fin de l'été 1940, Hergé a passé un accord avec *Het Algemeen Nieuws* pour qu'ils aient l'exclusivité de *Quick et Flupke* dans la presse flamande de Belgique[8], et avec *Het Laatste Nieuws* (journal « volé ») pour qu'il en soit de même avec les aventures de Tintin[9].

Sa prudence s'exerce même dans l'édition de ses albums, dès les premiers temps de l'Occupation. Ainsi, contre l'avis de Casterman, il préfère publier un *Quick et Flupke* plutôt que *Popol et Virginie au pays des Lapinos* :

« *Popol et Virginie* représente certaines histoires de guerre économique et de marchands de canons, très anodines en temps normal mais qui pourraient en ce moment nous causer certains ennuis, sinon nous faire refuser l'imprimatur[10]. »

De toute façon, quitte à rejoindre certains de ses amis du côté de la presse de combat, plutôt que le journal de Rex, Hergé se dirigerait vers *Le Nouveau Journal,* quotidien de sensibilité rexiste et d'une incontestable qualité journalistique. Lancé le 1er octobre 1940 avec l'équipe de l'hebdomadaire *Cassandre,* il est dirigé par Paul Colin, un ultra de la collaboration. Sans nier son attitude extrémiste (et comment l'aurait-il pu ?), Hergé jugera toujours celui-ci comme « un homme de tout premier plan, très sympathique[11] ».

La presse belge sous la botte allemande vit un curieux paradoxe : elle est lue mais elle n'est pas crue. Trop servile pour être crédible, elle n'en est pas moins achetée et dévorée ligne par ligne. Malgré les problèmes de fabrication et de diffusion, son tirage total est à peu près égal à celui de l'avant-guerre. La pénurie, les privations et les duretés de l'existence ont transformé l'homme de la rue en un lecteur frénétique. Il lit tout, livres ou brochures. Son esprit critique reste pourtant intact. Car, à l'instar de la majorité de la population, il écoute la BBC. Cela rétablit l'équilibre, corrige les erreurs d'optique et dissipe les derniers doutes sur l'origine d'une information. La grande erreur de l'occupant a été de ne pas confisquer les postes TSF comme aux Pays-Bas[12].

Parmi les journaux en langue française, *Le Soir* exerce toujours le même magistère. Dès le 15 juin, les Belges retrouvent le vieux réflexe qui consiste à le demander en kiosque en fin de journée. Pour les gens de la Propaganda Abteilung, c'est un instrument privilégié de pénétration de l'opinion publique. Pas question d'en faire un organe militant sous la coupe de Léon Degrelle. Si les efforts répétés du leader fasciste pour mettre la main dessus aboutissaient, il le rendrait impropre aux desseins allemands. Ceux-ci veulent donner l'illusion qu'il s'agit d'un journal belge, fait par des Belges pour des Belges. Avec des Allemands derrière. Un faux-semblant qui se vendra chaque jour à 250 000 exemplaires en moyenne pendant toute la durée de l'Occupation. Eggert Reeder, chef de l'administration militaire d'occupation, le reconnaît : « *Le Soir* neutralise un public d'anglophiles et combat la germanophobie de la bourgeoisie. » On ne saurait mieux dire[13].

La famille Rossel, propriétaire du titre, a essayé de reprendre son bien en négociant avec l'occupant. En vain. Car si les Allemands consentaient à restituer l'entreprise, ils ne s'en réservaient pas moins le contrôle de la rédaction. Ce qui était inacceptable pour les Rossel. De leur point de vue, c'était tout ou rien. Ce sera rien[14].

À la fin de l'été 1940, croisant Paul Jamin dans une réunion, Raymond De Becker lui demande :

« Tu vois encore Hergé ?

— Régulièrement...

— Il ferait bien encore des bandes dessinées ?

— Sûrement ! »

Jam ne se fait pas prier pour poser la question directement à l'intéressé. *Le Soir*, Hergé en rêve. En soi, c'est une consécration. En 1939 déjà, il avait failli en être. Depuis, il n'attend qu'un signe. Celui que De Becker lui adresse à la faveur de l'occupation allemande est une divine surprise. Hergé manifeste aussitôt son enthousiasme, préoccupé qu'il est d'avoir des revenus réguliers et de ne pas se faire oublier du grand public. Deux assurances que *Le Soir* est un des rares à pouvoir lui donner[15].

Hergé retrouve avec plaisir Raymond De Becker à la rédaction en chef du journal. « Volé » ou pas, peu lui chaut. Les deux hommes étaient déjà sur la même ligne à l'époque de *L'Ouest*. Ils le sont toujours. La première fiche de paie de Georges Remi indique 2 000 francs par mois. Pour l'époque, c'est une somme.

L'heure est aux grands projets. Le dessinateur n'en manque pas, tant il est obsédé par l'urgence d'occuper le terrain, dans les librairies comme dans les kiosques. Le 5 septembre, il peut écrire à son éditeur :

« Je crois, pour ma part, que ce n'est pas le moment de se laisser oublier. Il faut, au contraire, profiter de l'absence de concurrence française pour s'imposer. D'autre part, *Le Soir* m'a demandé de mettre sur pied un hebdomadaire illustré pour enfants, dans le genre du *Petit Vingtième*. Tout est prêt. On n'attend plus que l'autorisation[16]. »

Hergé est bien décidé à reprendre Tintin, la nouvelle direction du *Soir* également. Il faut dire que nombreux sont les Belges qui lisent un journal collaborateur pour ses informations pratiques sur le ravitaillement, son feuilleton romanesque et, *last but not least*, ses bandes dessinées. Leur impatience commune est aiguillonnée par la réapparition précoce de la concurrence française.

Passé le coup de massue de la défaite, les éditeurs de presse se sont vite réorganisés et adaptés au goût du jour. Ainsi, après s'être brusquement interrompu pendant l'été pour cause de débâcle générale, *Le Journal de Mickey* reparaît en fanfare dans les kiosques le 22 septembre. Imprimé à Marseille et toujours publié avec l'autorisation de Walt Disney, il n'est plus dirigé par Paul Winkler ; en sa qualité de Juif, celui-ci a préféré s'exiler aux États-Unis. À la une, *Mickey* et *Pinocchio*. À l'intérieur, un bouquet de bandes dessinées plus attrayantes les unes que les autres : *Jim la Jungle, La Patrouille des Aigles, Pim Pam Poum, Cora, Bernard Tempête, Marc Luron, Richard le Téméraire, Prince Vaillant* et le feuilleton *La Rivière fantôme*. Certains sont nouveaux, d'autres pas. Mais l'éditorial vaut d'être médité. Intitulé « Le club Mickey » et signé « Votre vieil onc' Léon », il a la gravité de l'air du temps. Évoquant les heures douloureuses que vient de vivre la France, il écrit en réponse au courrier des lecteurs :

« Le Maréchal, en vous accordant l'appui de son prestige et une confiance que vous devez tous mériter, vous a tracé le chemin : de grandes choses restent à accomplir pour refaire une meilleure France et c'est à vous qu'incombe ce devoir (...). Vous savez tous, mes chers neveux et nièces, que *Le Journal de Mickey* n'était pas pour vous une publication faite simplement pour vous divertir et c'est dans cet esprit que nous allons continuer, maintenant, où plus que jamais la France a besoin pour revivre de l'élan enthousiaste de tous ses enfants[17]. »

Peu après, alors que la collaboration franco-allemande est entrée dans les faits, onc' Léon leur raconte la visite triomphale de Pétain à Marseille en des termes que ne justifie aucun lyrisme, même pour expliquer l'enthousiasme à de jeunes lecteurs :

« Là, vous auriez pu voir — et entendre — la différence qu'il y a entre les engouements passagers dont les hommes sont souvent le jouet et l'immense adhésion d'un peuple qui reconnaît son Chef ! (...) L'affection, la joie, le respect groupaient si bien les voix qu'il semblait que ce fussent les maisons elles-mêmes, les monuments et le ciel qui aient trouvé voix pour acclamer l'illustre visiteur[18]. »

17 octobre 1940. « Tintin et Milou sont revenus ! » Ce titre triomphaliste barre la couverture du premier numéro du *Soir-Jeunesse*. À côté du reporter tout sourire, sac à dos, marchant d'un pas décidé sur une route, on peut lire sur une borne : « Toulouse-Bruxelles ». Deux pages sur huit sont consacrées à leurs aventures. Tout cela a un léger parfum de *Petit Vingtième* ressuscité. D'ailleurs, l'ami Jamin y collabore. Un nouveau venu complète le trio : Jacques Van Melkebeke, peintre et dessinateur de talent, de surcroît critique artistique au *Soir*.

Ce premier numéro offre à Raymond De Becker l'occasion de donner le ton. Il appelle les enfants à songer « à la pureté et à la force qu'il vous faut acquérir dès maintenant pour assurer, plus tard, la relève dont le pays a besoin pour se redresser et trouver sa place dans l'Europe nouvelle ». Mais dès le numéro suivant, la morale politique est évacuée. Dans les informations brèves, on s'intéresse moins à l'évolution de la situation internationale qu'à la mort de Tom Mix, roi des cow-boys. Cet entrefilet n'est pas signé mais il pourrait être de la plume d'Hergé. On le reconnaît dans cet éloge du « Don Quichotte américain qui sut, dans une époque de veulerie, faire revivre l'esprit de chevalerie, d'aventure, de générosité[19] ». Outre Edgar Poe et son *Scarabée d'or* découpé en feuilleton, Hergé et ses nouvelles aventures de Tintin et Milou, Jacques Van Melkebeke se taille la part du lion en illustrant *Hans le rude*, un conte de Grimm, *Buffalo Bill* et *Les Nouvelles Aventures du baron de Crac*.

Raymond De Becker et ses employeurs allemands peuvent être contents. L'affaire s'annonce sous les meilleurs auspices. Pour autant, si elle rencontre un indéniable succès, elle ne fait pas l'unanimité. Dès l'annonce du retour de Tintin, Hergé reçoit une lettre manuscrite anonyme :

> « Permettez, monsieur, à un père de famille nombreuse de vous dire sa tristesse et sa déconvenue à voir “Tintin et Milou” paraître dans le nouveau *Soir*. Avez-vous réfléchi à la responsabilité que vous assumez ainsi ? Sans Tintin, le nouveau *Soir-Jeunesse* tombera à plat en six semaines. Avec vos amis, il tiendra parce qu'on les connaît,

parce qu'on les aime, parce qu'on achètera le journal pour suivre leurs aventures.

Et alors, les enfants subiront peu à peu la nouvelle influence. Perfidement, sournoisement, en marge de vos amusants dessins, on leur infiltrera le venin de la religion néo-païenne d'outre-Rhin. On ne leur parlera plus de Dieu, de la famille chrétienne, de l'idéal catholique... Et vous pourriez accepter de collaborer à cette mauvaise action, véritable péché contre l'Esprit ?

Ah, monsieur, songez-y ! Si vous le pouvez encore, faites machine arrière. Vous trouverez, j'en suis certain, cent, mille familles catholiques qui vous aideront à faire revivre Tintin et Milou dans leur vrai milieu, qui s'uniront pour couvrir les frais de votre petit journal à condition qu'il reste dans la tradition.

Excusez-moi de ne pas signer. Les temps sont trop incertains et je ne sais qui lira ces lignes. Mais s'il en est temps encore, écrivez un mot Poste restante AZR/55 à Bruxelles. Je ferai l'impossible pour vous aider[20]. »

Hergé est certainement touché, pour ne pas dire ébranlé, par la dignité de cette lettre. On en veut pour preuve le fait qu'il l'ait conservée dans ses papiers. Mais la secousse est de courte durée. Et de toute manière, sans effet. Deux jours plus tard, il est fier de pouvoir annoncer à un ami que *Le Soir* vient de doubler le cap des 300 000 exemplaires[21]. Une prouesse à laquelle il n'est pas étranger. Cela seul compte à ses yeux. Le reste n'est que littérature et images pieuses.

A-t-il le choix ? Sans aucun doute. Comme tout citoyen belge occupé. Et comme chacun de ses confrères en Europe. Tous les cas de figure sont possibles. Jijé, qui continue à beaucoup produire dans le journal *Spirou* (Don Bosco, Jean Valhardi, Christophe Colomb, Spirou...), prouve qu'on peut travailler sans se compromettre. En Italie, dans le journal *Il Vittorioso*, Kurt Caesar n'hésite pas à engager le héros de sa série « Romain le légionnaire » aux côtés des fascistes dans leur lutte contre les Alliés. Aux Pays-Bas, le dessinateur-scénariste Alfred Mazure entre dans le camp de la Résistance ; alors que les Allemands tentent de lui forcer la main, il refuse obstinément de mettre son personnage de Dick Bos au service de leur cause. Au même moment, en France, André Delachenal dit André Daix continue sur sa lancée d'avant-guerre, quand il donnait des dessins à des feuilles d'extrême droite telles que *Le Franciste* ; il publie désormais *Le Professeur Nimbus* et *Le Baron de Crésus* dans *Le Matin* et dans des journaux nettement plus collaborationnistes.

Ils ont tous le choix. Hergé aussi.

Le 17 octobre 1940, *Le Soir-Jeunesse* commence donc la publication des nouvelles aventures de Tintin et Milou. Après un démarrage assez lent, pour ne pas dire laborieux, et une série d'incidents qui sont autant de pistes et d'indices bien dans sa manière, Tintin résume la situation en une bulle : « Une boîte à conserve + un noyé + cinq fausses pièces + Karaboudjan + un Japonais + une lettre + un enlèvement = un fameux casse-tête chinois[22]... » Comme il est désormais de règle, il s'embarque à bord d'un cargo pour aller affronter l'aventure sur son terrain. Le reporter ne tarde pas à découvrir que les boîtes de crabe contiennent en vérité de l'opium. Pour échapper aux contrebandiers qui tiennent le navire, il s'embarque sur une chaloupe avec le capitaine Haddock. Les deux hommes s'emparent d'un hydravion et s'écrasent en plein Sahara marocain, manière pour Hergé de retrouver un paysage auquel l'invasion de la Belgique par les Allemands l'avait fait brusquement renoncer. À nouveau le soleil, la chaleur, la soif, les mirages et l'épuisement physique. Il n'y a guère que Milou que cela rende heureux tant les ossements aux formes généreuses y sont abondants. Recueillis par les méharistes du lieutenant Delcourt, commandant le poste d'Afghar, ils poursuivent leur route vers la côte afin de retrouver l'épave de leur bateau. Après bien des courses-poursuites, Tintin finit par démonter les ramifications de la bande et par envoyer les trafiquants derrière les barreaux.

Cette aventure est souvent jugée comme médiocre car deux histoires s'y enchevêtrent inexplicablement. La clarté du dessin semble sans effet sur celle du scénario. Mais un vrai charme se dégage de l'ensemble, du moins pour ceux qui demeurent sensibles à l'exotisme et à la nostalgie de l'Empire. Les lecteurs français notamment y retrouvent le parfum de leurs colonies d'Afrique du Nord. Même si Hergé assure que les villes citées sont imaginaires et qu'elles constituent un pays que l'on ne peut localiser sur d'autre carte que celle de sa fantaisie. On sent qu'il a dû lire et relire *L'Escadron blanc* (1934). À travers le destin d'un lieutenant de cavalerie exorcisant un chagrin d'amour dans une action héroïque, Joseph Peyré y retraçait la geste haute en couleur et en coups d'éclat d'un escadron de méharistes français en Tripolitaine. Hergé a peut-être également vu sa transposition italienne réalisée par Augusto Genina en 1936 au plus fort de l'affaire éthiopienne. Il a en tout cas été impressionné par les films à grand succès qui exaltèrent avec brio cette atmosphère de sable chaud, ceux de Julien Duvivier *La Bandera* (1935) adapté par Charles Spaak d'après un roman de Pierre Mac Orlan, et *Pépé le Moko* (1936), ou celui de Christian-Jaque *Un de la légion* (1936).

Cela ne rend pas l'aventure de Tintin mieux construite mais plus attachante. Quoi qu'il en soit, elle compte dans l'œuvre d'Hergé, au moins pour une excellente raison. Elle nous permet de faire la connaissance d'un membre essentiel de sa famille en devenir, un personnage qui ne sera jamais secondaire, entrant de plain-pied dans son univers sans passer par l'étape de faire-valoir comme les Dupondt. Au fil des albums, il va prendre une telle place et gagner une telle popularité qu'Hergé devra taper du poing sur la table. Et insister publiquement sur le fait qu'à ses yeux, Tintin est bien « le » héros de ces aventures, et non le capitaine Haddock. Il est vrai qu'on avait fini par en douter.

Au physique, celui-ci est facilement identifiable. Cheveux et barbe noirs, costume assorti, pull à col roulé bleu frappé d'une ancre marine au milieu de la poitrine, casquette de capitaine de navires marchands, pipe vissée entre les dents. Pas de doute, on ne peut pas le confondre.

Il est immédiatement « lisible », selon le vœu de son créateur. Moralement, c'est plus compliqué, comme Hergé nous le laisse supposer dès le départ. En lui donnant un visage bien plus expressif que celui de Tintin, il l'a doté en conséquence d'une vie intérieure bien plus intense.

De prime abord, on le jugerait enthousiaste, impulsif, débordant d'énergie. Sa distraction résulte d'un mélange de spontanéité et de nervosité. En fait, son humeur est si irrégulière qu'on est vite pris d'un doute. Alternant des états de profond désespoir proches de la mélancolie et des situations où il se sent le maître du monde, le capitaine présente un joli profil de maniaco-dépressif. Soit il se foule aux pieds, soit il plastronne. Dans le premier cas, il fait penser à Georges Remi pendant ses périodes de découragement. Dans le second, il évoque son frère Paul Remi, quand il se laisse aller à son naturel de fanfaron et de fort en gueule. Bien entendu, Haddock évolue au fil des histoires, mais sa personnalité reste identique. On le retrouve toujours coléreux et maladroit, très humain et dépourvu d'orgueil, bourru mais grand cœur, burlesque mais pas clown. Un personnage d'emblée touchant, qui en fait et en dit toujours trop, qui souffre quand il ne parvient pas à satisfaire ses désirs.

Le capitaine Haddock, c'est d'abord un métier fait homme. Il appartient naturellement, intrinsèquement et essentiellement à l'espèce marine. Cela saute aux yeux avant même qu'il ait prononcé un mot. Il est à lui seul un condensé de mythologies littéraires, tout à la fois Falstaff, Sancho Pança et le Capitaine Crochet. Sans oublier le plus récent d'entre tous, le fameux Captain de ces *Katzenjammer Kids (Pim, Pam, Poum)* qui ont tant impressionné le jeune Hergé. Celui-ci niera bien évidemment toute volonté de copie. Il récusera même la moindre inspiration, ne concédant que les hasards d'une rencontre après moult croquis de visages de marins barbus[23].

Le capitaine d'Hergé porte le nom *ad hoc*. Son patronyme se devait d'évoquer la mer et d'en avoir la saveur. Il figure depuis quelques années dans le cahier de notes d'Hergé, placé là en réserve avec d'autres noms à consonance anglaise. Germaine, sa femme, assure qu'elle l'a trouvé sans trop chercher, l'églefin fumé étant un de leurs plats préférés[24]. Hergé lui-même reconnaît avoir conservé un souvenir ému d'une dégustation de haddock en Angleterre[25]. Pour cette raison, il voulait rattacher son personnage à la famille des morues... tout en situant ses origines du côté de la perfide Albion ! Le choix de Haddock s'imposait donc. Le fait est que la marine de Sa Majesté Britannique ne manque pas de Haddock qui furent vraiment capitaines sur ses navires, sous toutes les latitudes.

Certains attributs du personnage, telle la casquette, viendront plus tard. Mais deux ont suffi à le typer : le langage et l'alcool.

Le vocabulaire dont use Haddock semble inépuisable bien qu'il ressortisse au mode unique de l'imprécation, sinon de l'insulte. Il est vrai que ce marin a vécu et qu'il est doté d'un certain tempérament, lequel se traduirait mal dans le registre de la nuance. Au début, il use essentiellement de deux types de jurons : les premiers sont d'ordre professionnel (« Marin d'eau douce ! »), les seconds entraînent un jugement moral ou philosophique (« Boit-sans-soif ! »). Dès cette première aventure, comme pour affranchir le lecteur, Haddock offre un échantillon bien dans sa manière en se lançant à l'assaut de belliqueux Berabers en plein désert :

« Canailles !... Emplâtres !... Va-nu-pieds !... Troglodytes !... Tchouk-tchouk-nougat !... Sauvages !... Aztèques !... Grenouilles !... Marchands de tapis !... Iconoclastes !... Chenapans !... Ectoplasmes !... Marins d'eau douce !... Bachi-bouzouks !... Zoulous !... Doryphores !... Froussards !... Macaques !... Parasites !... Moules à gaufres[26] !... »

Avec le capitaine, l'imagination est au pouvoir. Sur ce plan-là, comme sur les autres, il est le négatif de Tintin. Hergé assure avoir puisé son inspiration dans la réminiscence d'un souvenir personnel. L'incident s'était produit sur un marché de Bruxelles. Une cliente ayant osé émettre des doutes sur la fraîcheur de sa laitue, une marchande des quatre-saisons l'avait traitée vertement et bruyamment de « pacte à quatre ! ». Il est vrai que cela se passait en juin 1933 et que toute la presse ne parlait que de cela. Non de la qualité de la salade, mais des négociations entre les chefs des diplomaties de France, d'Angleterre, d'Allemagne et d'Italie aux fins d'établir une sorte de concertation européenne au sein de la SDN[27].

Il n'est pas interdit de penser qu'Hergé s'est inspiré de son frère Paul, un officier qui aimait à provoquer son entourage en s'exprimant dans une langue de soudard. On y perçoit également l'influence de cette tradition littéraire du début du siècle illustrée par le catholique Léon Bloy (il traitait Zola de « crétin des Pyrénées »), et dans la presse de l'entre-deux-guerres par de brillants pamphlétaires d'extrême droite au premier rang desquels figurent Léon Daudet et Henri Béraud. Même si l'extrême gauche n'était pas en reste sur ce plan-là, maniant l'invective avec un égal doigté. Il est curieux de constater les parentés entre le langage fleuri du capitaine et la rhétorique d'un Léon Degrelle quand il dénonce haut et fort ses adversaires politiques : « anthropophage », « troglodyte ensoutané » (le cardinal van Roey), « requin d'argent pourri jusqu'aux métacarpes » (le sénateur Philips), « Gugusse de Warnaffe », « cagot débile » (le ministre du Bus de Warnaffe), « pillard larmoyant » (le Premier ministre van Zeeland), « débris bruyant » (Churchill)[28]...

Malgré le monde qui les sépare, ou à cause de lui, Haddock respecte Tintin. Dès le début, Hergé les fait spontanément se vouvoyer et il en sera presque toujours ainsi. Pour justifier cette attitude aux antipodes d'une familiarité qu'il exècre, il citera un jour ce mot : « Le tutoiement est la fausse monnaie de l'amitié[29]. »

Pour comble, Haddock est alcoolique. Il est accroché à sa bouteille de whisky comme le capitaine Crochet à ses cigares. Sauf que cette dépendance produit un tout autre effet. Elle acccentue ses tendances dépressives, dans le sens du désarroi ou de l'euphorie, l'irascibilité en ponctuant inévitablement l'issue. Il n'empêche : le capitaine Haddock est désormais de la famille. Il s'impose si vite comme un personnage de premier plan qu'on n'imagine plus qu'il puisse ne pas être au prochain rendez-vous. Aux côtés de Tintin, et non derrière lui.

19 novembre, au *Soir*. Les rotatives sont à l'arrêt, le marbre est prêt, le plomb aussi. À la rédaction, on attend. Hergé, comme ses confrères, est là qui guette la moindre dépêche annonçant un accord. Léopold III s'entretient avec Hitler. Il s'est rendu à Berchtesgaden « avec des pieds de plomb », comme il dit, mais il s'y est quand même rendu, tel un prisonnier à la rencontre de son geôlier. Il est venu s'informer et plaider la cause des Belges. Mais on ne dérange pas le Führer pour l'entretenir de difficultés de ravitaillement. Le prétendu dialogue tourne au monologue. Celui de Hitler. La rencontre est un échec. Jusqu'à présent, le roi gênait l'occupant par son attitude. Désormais, il ne fait même plus obstacle[30].

Que va devenir Tintin ? Son père peut légitimement se poser la question quelques mois après que l'Allemagne nazie s'est installée en Europe. Le Reich pour mille ans, promet-elle. Dans le monde qui s'annonce, le reporter à l'âme scoute est au pied du mur : ou il s'engage plus avant et prend son siècle à bras-le-corps ; ou, au contraire, il s'en échappe et poursuit ses aventures dans un univers nettement plus imaginaire. La littérature belge, confrontée au même moment à une semblable alternative, s'oriente vers des genres désengagés tels que le fantastique (Michel de Ghelderode, Jean Ray, Thomas Owen) et le policier (Stanislas-André Steeman).

Entre la confrontation et l'évasion, Hergé ne choisit pas vraiment. Tel album va l'entraîner d'un côté, tel autre sur le bord opposé. Quand on est Gémeaux, c'est pour la vie. Il faut dire que le monde de la bande dessinée est également soumis à un tel dilemme.

À la veille de Noël 1940, la publication de *Tintin au pays de l'or noir* à Paris dans *Cœurs Vaillants* est brusquement interrompue après épuisement du stock de planches. Le récit d'Hergé est remplacé en catastrophe par *La Cité perdue*, scénario collectif de la rédaction et dessins de Robert Rigot. Anastasie a-t-elle encore joué du ciseau ? Ce prénom désuet, sobriquet de la censure, est la hantise des rédactions. Les seules pages de l'hebdomadaire catholique dans lesquelles elle s'est jusqu'à présent manifestée sont les plus appréciées des enfants, celles des bandes dessinées. Les aventures de Tintin y occupent une place de choix. Avant cet arrêt brutal, elle avait déjà obtenu de sérieux coups de gomme : les allusions à la lutte des Juifs contre les Arabes en Palestine, la substitution de « rebelles » à « combattants » s'agissant des activistes de l'Irgoun et la francisation de « Salomon Goldstein » en « Durand »[31].

Cœurs Vaillants, qui demeurera pendant toute l'Occupation de même qu'avant la guerre l'antenne d'Hergé en France, exprime un soutien sans faille au Maréchal, du moins jusqu'à l'hiver 1941. D'un numéro l'autre, il est clair que la Providence a envoyé à la France un rédempteur en la personne de Philippe Pétain, véritable héros récurrent, plus encore que Tintin ou Jim Boum, Jeanne d'Arc ou Du Guesclin. Cela correspond parfaitement au souhait de Vichy de revenir à la tradition formelle dans les récits pour enfants, et de rejeter les personnages des bandes dessinées américaines au profit du plus illustre des Français vivants. Le journal de l'abbé Courtois a assimilé le message. Il faut mettre l'accent sur l'aventure, l'épopée coloniale et les riches heures de l'histoire de France. C'est plus facile à dessiner que la philosophie du Maréchal, quand il attribue la décadence française à la victoire de l'esprit de jouissance sur l'esprit de sacrifice.

Antirépublicain et antigaulliste, l'hebdomadaire catholique ne se contente pas d'exalter le brillant passé militaire de la France à travers ses figures les plus glorieuses. Ou de dénoncer les méfaits de la Révolution française et de la guerre civile espagnole à travers des récits de fiction. Son nationalisme le pousse à se faire l'écho sans la moindre réserve de toutes les initiatives pour la jeunesse lancées par Vichy au nom de la Révolution nationale. Les propagandistes s'en félicitent d'autant plus que la qualité technique du journal ne cesse de s'améliorer. L'offset lui permet de paraître en quadrichromie avec de nouvelles couleurs et le papier a une bien meilleure « main »[32].

Au Nord, en zone occupée, les propriétaires des deux grands groupes d'édition pour enfants ont été aryanisés et spoliés. Au Sud, en zone libre, La Bonne Presse et L'Union des Œuvres se sont repliées à Limoges et Lyon. Sur les huit illustrés y paraissant régulièrement, six sont catholiques. *Cœurs Vaillants* est le plus pétainiste de tous[33]. Dans cette surenchère rien moins qu'innocente, il ne connaît qu'un rival de la même envergure : *Benjamin*.

Lancé par Jean Nohain, dit Jaboune, il est animé dès février 1941 par Alain Saint-Ogan, père de *Zig et Puce*. Le maître révéré d'Hergé est parfaitement à l'aise dans ce « journal intégralement français ». Avant-guerre, il collaborait notamment au *Coup de gratte*, périodique de droite à l'antisémitisme bon teint. Son *Benjamin*, qui passe pour la conscience intellectuelle de la presse enfantine[34], est naturellement vichyste. Saint-Ogan reste d'ailleurs le dessinateur le plus souvent sollicité par le ministère de l'Information. Affiches pour la fête des mères, illustrations pour un jeu colonial, décoration pour les écoles... Toutes choses qui participent d'une « propagande par la distraction[35] » et que l'intéressé qualifiera plus tard d'« anodines »[36].

1er janvier 1941. Il faut croire que l'heure est grave puisque Raymond De Becker réunit ses plus éminents collaborateurs dans son bureau. Hergé en est, naturellement. Sur un ton aussi solennel que l'exigent les circonstances, le rédacteur en chef du *Soir* leur lit une lettre du Palais :

« ... Je sais, votre position n'est pas facile, vous aurez à lutter, vous serez mal compris, vous serez peut-être attaqués, mais il vous faut affirmer la présence belge partout où c'est nécessaire[37]... »

Toujours la politique de présence, malgré l'évolution de la situation. Le roi ne dévie pas de sa ligne, quel que soit l'impact de sa muette protestation. Au siège même du *Soir*, elle ne fait pas l'unanimité. Deux mondes s'y côtoient. S'ils pouvaient, ils s'ignoreraient. Il y a l'étage de la rédaction et, au-dessus, celui de la photogravure. Quelques dizaines de marches d'escalier les séparent. Hergé est un des rares à effectuer la navette entre journalistes et techniciens. Il s'était aventuré une première fois chez ces derniers alors qu'il préparait le supplément jeunesse. Tombant sur Henri Lemaire, une vieille connaissance du *Vingtième Siècle*, il s'était fait sèchement accueillir :

« Tiens ? Qu'est-ce que tu fous ici, toi[38] ? »

Cette prise de contact un peu agressive ne l'empêche pas de préférer l'atmosphère de l'atelier à celui de la rédaction, l'odeur de l'acide nitrique dilué si caractéristique de l'eau-forte à celle de la colle. À chaque fois qu'Hergé franchit le seuil, les photograveurs devinent qu'il y a de l'orage dans l'air. Car Henri Lemaire est convaincu de la défaite allemande en raison de l'intérêt commercial des États-Unis pour le marché européen.

« Le jour où ils se décideront à intervenir, tu les verras filer tes petits copains ! lance-t-il à Hergé pour le piquer au vif.

— Dans ces conditions, je me demande ce que tu fais ici et pourquoi tu ne t'es pas engagé... »

D'une provocation l'autre, leur dialogue tout en éclats et en colères rentrées aboutit le plus souvent à un claquement de porte. Lemaire étant sur son territoire, Hergé s'en va en haussant les épaules :

« Salut ! Je reviendrai quand tu seras de meilleure humeur... »

La scène se reproduisant régulièrement, ses amis de l'atelier mettent le photograveur en garde contre de tels excès de langage. S'ils étaient répétés à la direction de la rédaction, ils pourraient lui valoir des ennuis. Visiblement, celui-ci est le seul à ne pas s'en inquiéter :

« Pensez-vous ! Je le connais comme ma

poche. Remi est totalement incapable d'une vilenie de ce genre. C'est un brave garçon qui s'est bêtement fourvoyé, c'est tout[39]... »

D'aucuns lui prêtent une telle candeur que c'est à se demander parfois s'ils parlent d'Hergé ou de Tintin. À moins qu'ils n'aient inconsciemment superposé les faiblesses de l'un sur les vertus de l'autre.

Toujours est-il que Georges Remi paraît avoir besoin en permanence d'un guide. Intelligent et cultivé, il n'est ni un intellectuel ni un esprit attentif au mouvement des idées. L'intuition et le sens de l'observation demeurent ses instruments de connaissance privilégiés. Conscient de ses limites, il semble s'être toujours mis à la remorque d'une tête pensante. Norbert Wallez, isolé aux confins de la Carolorégie, travaille à plusieurs livres à la fois, sur les origines et les vicissitudes de la nationalité belge, sur l'activité millénaire de l'abbaye d'Aulne, sur Proudhon et sur Mussolini ! Après l'abbé, et sans que leur aura et leur magistère soient comparables, Raymond De Becker impressionne de plus en plus Hergé par sa culture encyclopédique, la rapidité de ses raisonnements, la vivacité de son esprit. Sans être à proprement parler un théoricien, c'est un architecte de systèmes de pensées, fussent-ils les plus étranges. Il arrive souvent à formuler dans ses éditoriaux ce qu'Hergé ressent confusément. On serait admiratif à moins. Mais dans ces moments-là, Hergé semble abdiquer tout esprit critique. De même qu'il refusait d'envisager les perspectives totalitaires auxquelles sa logique vouait son maître Norbert Wallez, il ne voit pas l'engrenage dans lequel l'orgueil entraîne inéluctablement son ami Raymond De Becker.

Outre les prises de position exprimées dans ses articles et l'orientation donnée au *Soir*, celui-ci prend des initiatives. Avec Édouard Didier, l'hôte du salon neutraliste de 1939, et le journaliste Pierre Daye, il lance les Éditions de la Toison d'or. Le trio se présente comme les principaux actionnaires de la société. En réalité, ils agissent en hommes de paille puisque le capital est détenu par le trust allemand Mundus, lié au ministère des Affaires étrangères de Joachim von Ribbentrop. Selon une note interne, cette maison est conçue « comme une fonction européenne ayant pour but de faire pénétrer la culture germanique et nordique en Wallonie et en France et cela par le moyen de la langue française elle-même[40] ».

Comme de juste, cette entreprise de promotion d'une certaine culture va de pair avec une vaste initiative des services de la censure littéraire. La création des éditions de la Toison d'or coïncide avec la diffusion d'un document répertoriant des centaines de titres de livres, intitulé en français et en flamand : « Contre l'excitation à la haine et au désordre » et sous-titré : « Liste des ouvrages retirés de la circulation et interdits en Belgique ». Élaborée de concert avec les professionnels belges du livre, elle a reçu l'imprimatur du général-baron Alexander von Falkenhausen, gouverneur militaire pour la Belgique et les départements du Nord et du Pas-de-Calais. Son but est naturellement d'éliminer de la circulation les écrits jugés anti-allemands et néfastes à l'épanouissement de l'esprit belge dans ce qu'il a de plus germanophile. Autrement dit les livres signés par des communistes, des francs-maçons et des Juifs. Mais aussi, souci plus original, des textes importés de l'étranger et notamment d'un pays voisin que l'on croyait ami. La préface de cet inventaire de proscription se révèle d'une lecture édifiante :

« Rien que la liste des ouvrages hostiles d'origine française en est un exemple frappant à tel point qu'intellectuellement la Belgique était devenue le champ presque exclusif de ces influences. Car les ouvrages belges anti-allemands sont dans une proportion insignifiante tandis qu'une majorité très importante est importée de Paris. C'est bien la faute tragique des dirigeants belges qu'un pays, dont la production propre en ouvrages dirigés contre l'Allemagne était relativement peu importante, soit devenu le terrain de la propagande française et anglaise en dépit du préjudice qui fatalement devait en résulter pour lui[41]. »

On ne sera donc pas étonné de constater que 80 % des 1 500 livres bannis sont d'origine française. En éditeur avisé, La Toison d'or publie des essais de Bertrand de Jouvenel, Alfred Fabre-Luce et Henri de Man ainsi que des romans de Hans Grimm, Louis Carette et Robert Poulet. Des noms que l'on retrouve pour certains dans un projet de nouvelle organisation politique, sorti tout droit armé du cerveau de Raymond De Becker. Elle a l'ambition de fédérer toutes les énergies romanes pour le redressement et la réorganisation du pays, rien de moins.

En mai, le rédacteur en chef du *Soir* multiplie les réunions privées dans son bureau. Il ne s'agit pas tant d'y évoquer l'avenir du journal que celui de la nation. Entouré de confrères et amis de la presse écrite (Pierre Daye, Robert Poulet), de la radio (Louis Carette, Gabriel Figeys) ou d'organismes syndicaux et corporatifs (Henri Bauchau), il entend jeter les bases du « Parti Unique des Provinces Romanes de Belgique ». Tout un programme. Il part d'une constatation d'évidence, à savoir que ce pays a toujours souffert d'être un « entre-deux », coincé entre la France et l'Allemagne. Pour éviter d'être absorbé, il se doit d'être un État fort comme au temps des Ducs de Bourgogne.

Les lignes directrices du nouveau parti tiennent en quatre feuillets : soutien à la révolution européenne, défense des intérêts wallons dans un esprit de cohabitation amicale avec les Flamands au sein d'un État fédéral, respect du roi, construction d'un État autoritaire et corporatif, établissement d'une politique de protection de la famille et de la race par un statut des Juifs[42].

En tirant des plans sur la comète, De Becker et ses amis se persuadent qu'ils représentent une véritable force politique. Ce n'est pas totalement illusoire dans la mesure où cette assemblée de journalistes s'adresse quotidiennement à une large frange de l'opinion publique. On ignore qui leur projet peut séduire mais on sait qui il gêne : Rex. Car le parti de Léon Degrelle n'a d'autre ambition que de devenir le parti unique wallon. Celui-ci l'a tout de suite compris, qui les attaque en leur reprochant de confondre lecteurs et électeurs[43].

Las ! Le 5 août, le « Parti des Provinces

Romanes de Belgique » a vécu, étouffé dans l'œuf. L'initiative de De Becker est jugée prématurée par les Allemands. En refusant de l'autoriser, ils expliquent que l'heure n'est pas venue d'un mouvement de masse favorable à leurs thèses en Belgique francophone. Au cours d'une ultime réunion, Raymond De Becker et Pierre Daye lisent une lettre sonnant le glas de leur projet :

« Étant donné l'attitude adoptée par les autorités allemandes à l'égard de toute initiative politique nouvelle, il nous paraît inopportun, jusqu'à nouvel ordre, de reprendre les conversations[44]... »

Inopportun... Avec son orgueil intellectuel, voilà l'autre grand défaut de Raymond De Becker. Quoi qu'on pense de la pertinence de ses idées, elles arrivent toujours trop tôt ou trop tard. Comme s'il avait de longue date des problèmes personnels avec la chronologie[45].

Le mois suivant, la situation matérielle des Belges menace de s'aggraver de manière chronique, entre la crainte d'un hiver rigoureux et les difficultés économiques que traverse le pays. On commence même à parler de famine. Durant toute l'Occupation, Hergé n'en souffrira pas, loin s'en faut. Ce n'est pas tant une question de moyens financiers que d'organisation pratique. Puisque l'illustré de Lisbonne *O Papagaio* continue de publier les aventures de Tintin, il a demandé à son rédacteur en chef l'abbé Varzim de ne pas lui verser ses droits d'auteur en espèces mais de les transformer chaque mois en nourriture. Ainsi, pendant toute la durée de la guerre, Hergé reçoit-il du Portugal des figues, des amandes, du poisson, des fruits secs et des sardines qu'il a commandées dans des quantités hors de proportion avec sa seule consommation personnelle. Il a constitué un tel stock sur les rives du Tage dans le but d'aider les siens qu'il peut se permettre de faire envoyer directement par le journal de précieux colis de vivres à son frère Paul Remi, prisonnier dans un stalag à Prenzlau, en Allemagne. À une condition toutefois, comme le dit l'abbé Varzim dans son français de porcelaine : il faut obéir à la Croix-Rouge portugaise qui exige « l'étiquette du camp de concentration[46]... »

Hergé est parfois tellement déconnecté des réalités que les restrictions paraissent l'avoir en tout point épargné. Ainsi, à l'automne 1941, alors que l'image de Léopold III se détériore d'un coup par l'annonce de son remariage avec Mary-Lilian Baels, fille de l'ancien ministre et gouverneur de la Flandre-Occidentale, le dessinateur n'a d'autre urgence que de faire porter à leurs Altesses Royales les princes héritiers des exemplaires de son dernier album imprimés sur un papier de luxe. Tout cela parce que de son stalag, son frère Paul lui a écrit avoir vu une photo du jeune Baudouin plongé dans la lecture des aventures de Tintin ! Chez Casterman, on devra lui expliquer que ce n'est pas vraiment le moment, eu égard aux problèmes de l'heure. Baudouin et Albert devront se contenter d'un album certes chaleureusement dédicacé mais avec de « simples » gardes spéciales sous custode rouge frappée aux armes royales. Il en sera de même pour les suivants[47].

En cette rentrée 1941, la restriction touche le papier aussi, tant pour *Le Soir* que pour Casterman. La situation oblige la direction du quotidien à se serrer la ceinture : l'approvisionnement en pâte étant de plus en plus problématique, *Le Soir-Jeunesse* saute. Il est sacrifié sur l'autel de la pénurie. Mais pas Hergé. Il a eu chaud. Un temps, il a vraiment cru qu'on lui demanderait d'achever sa série en cours dans les plus brefs délais. En fait, on lui demande de poursuivre cette aventure non plus tous les jeudis mais tous les jours. Cette évolution se traduit concrètement par la publication d'une bande quotidienne à côté des cours de la Bourse.

C'est mieux que rien. Surtout, cela force Hergé à modifier son schéma narratif puisqu'il doit livrer désormais vingt-quatre dessins par semaine au lieu de douze[48]. Il en tire une nouvelle discipline de travail, qu'il s'agisse du rythme, de la mise en place des gags, de la manière de tenir le lecteur en haleine et de l'art de lui faire tourner la page une fois parvenu à la dernière image.

Du côté de Casterman également, les restrictions de papier posent de sérieux problèmes. La maison d'édition de Tournai, de même que le quotidien de Bruxelles, ne demandent pas à leur auteur-vedette de renoncer à sa production mais de l'aménager. Pour le prochain album, il lui faut donc envisager de réduire le nombre de pages. C'est le seul moyen de l'imprimer en couleurs par le nouveau procédé offset. Hergé en discerne immédiatement l'intérêt commercial, surtout sur le marché français. Mais il craint que cette réduction ne s'exerce au détriment de la qualité du récit. Ainsi abrégées, ses histoires risqueraient de devenir des historiettes. Attrayantes dans le cadre d'un journal, elles le seraient nettement moins dans le contexte d'un album. Cela l'obligerait à trouver à chaque fois un sujet original, sous peine de tomber dans les travers des *Buffalo Bill*, Ricardo Gomez et autres brochures où la trame est réduite à sa plus simple expression.

De cela, il ne veut pas[49]. D'autant que pour la première fois, la courbe de vente de ses albums prend enfin de la hauteur, dépassant allègrement le cap des 100 000 exemplaires. Aussi, afin que Casterman obtienne le supplément de papier qu'on lui refuse, Hergé n'hésite pas à s'entremettre personnellement auprès des autorités d'occupation. Pour la plus grande gloire de Tintin. Sa notoriété, son poste au *Soir* et ses amitiés dans la presse collaboratrice l'autorisent à entreprendre ses démarches. Il se rend à plusieurs reprises au 39, rue du Commerce, siège bruxellois de la Propaganda Abteilung. D'une audience l'autre, il plaide successivement sa cause auprès de ceux qui ont la haute main sur le papier d'édition, le professeur Teske, M. Bremisch et M. Ernalsteen. Autant de rencontres cordiales à l'issue desquelles il espère obtenir douze tonnes de papier sur la trentaine qu'il a demandée. Vu les circonstances, cela constituerait un remarquable résultat[50].

De plus, il y a urgence. Son nouvel album va sortir et il n'est pas question de ne pas profiter de l'envolée générale des ventes en librairie. Tout s'arrache, *a fortiori* ce qui est nouveau et de qualité.

Pour le titre, il hésite. Dans un premier temps, de concert avec son éditeur, il choisit *Le Crabe rouge*. Cela lui paraît mieux en harmonie avec *Le Lotus bleu* et *L'Île noire*. Une telle option renforcerait dans l'esprit du lecteur l'idée que chaque album s'inscrit dans une lignée. Malheureusement, il est déjà trop tard. Sans savoir comment l'idée lui en était venue, Hergé avait provisoirement opté pour *Le Crabe aux pinces d'or*, titre qui figure au dos des autres albums réimprimés. Tant pis, on fera avec. En revanche, il est encore temps de faire modifier son nom au sommet de la couverture afin qu'il soit imprimé en antique et non plus en cursive[51]. Plus vétilleux que jamais, Hergé se bat jusqu'à la toute dernière minute avec les photograveurs de Casterman pour que les teintes indiquées par ses soins pour le dessin de couverture soient scrupuleusement respectées. Il avait livré un dessin plein d'éclat et il retrouve quelque chose de fade, pâle, délavé et dépourvu de relief. Qu'il s'agisse du ciel, des chameaux ou du sable, rien ne correspond à ce qu'il avait souhaité. Fou de rage, Hergé exige qu'on refasse le cliché. En attendant, il ne dort pas à l'idée de signer ça[52]...

Ses efforts sont récompensés. Trois semaines avant la Saint-Nicolas, le carnet de commandes de Casterman est plein. Le tirage est épuisé. Les ateliers de fabrication ne peuvent pas suivre le rythme. C'est la fièvre à Tournai. De toute façon, il n'y aura pas assez de papier. Mais pour l'auteur comme pour l'éditeur, rien ne se perd. Car en attendant d'obtenir leur exemplaire du *Crabe aux pinces d'or*, les lecteurs achètent des anciens albums de Tintin. C'est leur manière de calmer leur impatience. On comprend que d'un commun accord, Hergé et Casterman préfèrent ajourner la publicité qu'ils comptaient passer dans *Le Soir* pour annoncer la venue de leur dernier enfant[53] !

Hergé ne cesse de se démultiplier. Il enchaîne une série sur l'autre sans même prendre le temps de souffler. On ne voit guère que Simenon pour soutenir un tel rythme de production. Le dessinateur, à l'instar du romancier, ne se contente pas de faire ce qu'il sait faire, en l'occurrence une bande dessinée plébiscitée par des lecteurs de plus en plus nombreux, fidèles et enthousiastes. En octobre 1941, entre la fin d'une série et le début d'une autre, il réussit même à se signaler là où on ne l'attendait plus, en collaborant au livre d'un autre, Robert du Bois de Vroylande. Cela fait un peu plus d'un an que l'affaire est en route. L'auteur de ces *Fables* avait alors lui-même sollicité son talent d'illustrateur. Appelé sous les drapeaux, Hergé avait dû décliner la proposition avant de la reprendre en considération une fois démobilisé. À l'issue d'une abondante correspondance essentiellement technique[54], les deux hommes se mettent d'accord pour qu'Hergé touche 10 % sur le prix de vente de chaque livre vendu, étant entendu qu'il se charge de la couverture et de toutes les planches à l'intérieur.

L'auteur et le dessinateur sont à l'unisson à défaut d'être des amis. Hergé, pas plus qu'aucun de ses pairs, ne pourrait illustrer un texte avec lequel il serait en désaccord, ne fût-ce que sur un plan éthique. L'écrivain Robert du Bois de Vroylande avait déjà publié plusieurs ouvrages en tout genre notamment aux éditions Rex, dont il était rédacteur en chef et actionnaire avant de se fâcher en 1935 avec son chef contre lequel il publia alors de violents libelles (« Quand Rex était petit », « Léon Degrelle pourri »...). Il avait tenté de rejoindre la presse collaboratrice dès les premiers temps de l'Occupation. À cet effet, il a demandé à son ami Pierre Daye, responsable de la rubrique de politique étrangère au *Nouveau Journal*, d'intervenir. En vain. Le directeur Paul Colin a mis un veto absolu à son engagement dans la rédaction en raison d'un sérieux différend qui les avait opposés en 1936. Il s'agit probablement du véhément pamphlet que du Bois de Vroylande avait publié pour dénoncer les travers de Léon Degrelle. Ces quatre années noires sont vraiment une période qui défie les jugements hâtifs. Car ce même publiciste qui, au début de l'Occupation, tente de prendre pied dans un journal collaborationniste sera interné en 1943 comme prisonnier politique au camp de Breendonck, arrêté par la Gestapo et déporté quelques mois avant la Libération à Buchenwald et Dora puis au camp d'Elrich où il trouvera la mort[55].

Que dire de ses *Fables* si ce n'est qu'elles ne sont ni d'Ésope, ni de La Fontaine ? Dans l'ensemble, elles ne manquent pas de charme, d'autant que les dessins d'Hergé les rehaussent et que les éditions Styx à Louvain ont fait un excellent travail. Le premier article qui y est consacré ne tarit pas d'éloges :

« ... C'est Hergé, dont il est superflu de vanter la fantaisie aux lecteurs du *Soir*, qui a commenté graphiquement ce joyeux recueil. Il l'a fait avec ce talent, cette gravité comique qui ont fait le succès de ses fameux albums. Bref, un délicieux ouvrage, qui plaira aux petits et aux grands[56]. »

Il est vrai que cela paraît à la « une » du *Soir,* sous la signature de l'ami Jacques Van Melkebeke. Mais il en est également d'autres tout aussi favorables, non suspectes d'un tel copinage, dans d'autres journaux. De la lecture des lettres et des articles, il ressort clairement que ces *Fables* sont un livre à deux mains tant le texte et les dessins s'épaulent. Hergé et du Bois de Vroylande l'évoquent d'ailleurs comme leur « œuvre commune ». L'expression revient dans leur correspondance. Il y est fait allusion à « notre bouquin ». Comme à son habitude, Hergé rechigne lorsque le photograveur prend trop de libertés avec ses planches. Mais il ne trouve rien à redire sur le contenu, allant même jusqu'à fournir à son associé une liste de souscripteurs.

Sur les dix fables recueillies dans cet ouvrage, deux paraissent marquées par l'air du temps. Dans l'une, le personnage principal, un Anglais, est impitoyablement ridiculisé. Dans l'autre, les Juifs ne subissent pas un meilleur traitement. La fable, longue de cinq pages, s'intitule « Les deux Juifs et leur pari ». Elle met en scène Isaac, un affairiste sans scrupules qui a les moyens de satisfaire son penchant pour la gastronomie la plus onéreuse, et Lévi, un malin qui n'a pas le sou. C'est à celui qui bernera l'autre. Cette caricature s'achève sur une note morale : « Un Juif trouve toujours un peu plus juif que soi. » Les deux dessins qui l'accompagnent sont du même esprit. Ils n'évoquent pas des visages mais des faciès[57].

Il n'y a pas de quoi fouetter un antisémite. C'est du niveau du *Petit Vingtième*, du temps d'Hergé et Jamin. Mais le moment est mal choisi pour enfoncer le clou. À moins qu'il ait été trop bien choisi, au contraire. Par opportunisme. Depuis que la Belgique est occupée, il est permis de détester les Juifs sans entrave. Certains ne s'en privent pas. À quelques-uns le registre de la haine, à d'autres celui de la dérision. Les moyens diffèrent, la cible est la même.

En ce même automne 1941, les Juifs résidant en Belgique, qu'ils soient belges, étrangers ou apatrides, sont déjà des citoyens de seconde zone. En vertu de différentes ordonnances qui se sont succédées depuis un an, ils sont soumis à un statut spécial. Ils n'ont plus le droit d'être fonctionnaires, avocats, enseignants, journalistes, administrateurs. Confinés dans quatre villes (Anvers, Bruxelles, Liège et Charleroi), ils n'ont pas le droit de sortir entre 20 heures et 7 heures. En attendant pire[58].

Pour Hergé, cela ne change rien. Sa vision des Juifs fait partie de sa vision de la comédie humaine. La fable et les dessins ? De l'humour, voilà tout. Avec un zeste d'ironie et de satire. Qu'importe à ses yeux si c'est inopportun. Il le prouvera sans tarder, dans la nouvelle aventure de Tintin et Milou. Elle commence à paraître dans *Le Soir* du 20 octobre 1941.

Dès les premières images, Tintin est intrigué par le cours des astres dans le ciel, notamment par la présence inattendue d'une grosse étoile dans la Grande Ourse. Pour en avoir le cœur net, il se rend à l'observatoire. Avec Hippolyte Calys, son directeur, il découvre qu'une énorme boule de feu d'une aveuglante clarté se dirige vers la Terre. On ne saurait mieux annoncer que la fin du monde est imminente. Dehors, différents signes en attestent : des flots de rats désertent les égouts, des pneus de voiture éclatent et l'asphalte fond sous l'effet d'une chaleur anormale pour la saison. Et pour corser le tout, un illuminé qui se présente comme Philippulus le prophète, et qui n'a de cesse de diaboliser Tintin, annonce les pires catastrophes.

En fait, ce n'est qu'un tremblement de terre de faible amplitude. Les astronomes s'étant quelque peu pris les pieds dans leurs calculs, la « chose » a raté la terre de quelque 45 000 km... Mais elle aura au moins permis à Hippolyte Calys de découvrir un métal nouveau, qu'il s'empresse bien évidemment de baptiser « calystène ». Pour le prouver, il doit impérativement récupérer un morceau de l'aérolithe tombé dans l'océan Arctique. Qu'à cela ne tienne : le savant monte une expédition européenne comme on lève une armée, sans oublier d'y inclure Tintin en qualité de journaliste et le capitaine Haddock, promu président de la Ligue des marins antialcooliques, pour commander le navire *Aurore* qui les embarquera. Un monde fou vient les saluer au port le jour de leur départ. On y reconnaît même les Dupondt et... Quick et Flupke ! Mais d'emblée, on comprend que le périple ne sera pas de tout repos.

La banque américaine Blumenstein vient en effet de financer une expédition rivale dans le même but mais dans une perspective peu scientifique. Son patron, une caricature de capitaliste new-yorkais particulièrement lâche et arrogant, veut en fait tirer d'énormes profits de l'exploitation de ce nouveau métal. Pour parvenir à ses fins, il ne recule devant rien, surtout pas la déloyauté et les sabotages, les coups fourrés et les coups tordus les plus contraires à l'éthique navale. On ne saurait mieux dire que les grands financiers internationaux sont des gens sans morale. Malgré cela, Tintin parvient à planter le drapeau de l'équipe européenne sur l'aérolithe juste avant son concurrent américain. Le navire étant immobilisé en raison d'une avarie de machines, l'intrépide reporter préfère attendre sur son rocher brûlant pour le surveiller en compagnie de Milou. Car l'expédition rivale n'a certainement pas dit son dernier mot. Il est témoin de phénomènes pour le moins étranges : des champignons géants qui poussent sous ses yeux avant d'éclater, un trognon de pomme qui engendre un pommier lequel produit des pommes grosses comme des boules de bowling... Secoué par un séisme, l'aérolithe est alors englouti par les eaux déchaînées. Tintin est secouru de justesse par un canot de sauvetage, non sans avoir auparavant sauvé Milou et sauvegardé un bloc de calystène pour le savant. La Science l'ayant emporté sur la Finance, la morale est sauve. Même si le whisky a le dernier mot...

Jamais une aventure de Tintin n'aura débuté dans une telle atmosphère d'apocalypse. Rarement elle se sera poursuivie en distillant un tel sentiment d'angoisse et de malaise. Elle est truffée de faux-semblants, de chausse-trapes et de signes. De prime abord, elle donne à penser qu'Hergé a opté pour l'évasion. Mais elle apparaît vite ancrée dans la réalité. C'est à une sorte de guerre que s'y livrent bons Européens (représentants les pays de l'Axe et les pays neutres) et méchants Américains. Au moment où l'Europe est allemande par la force et où l'Amérique commence à faire des entorses à sa politique de neutralité, une telle dualité n'est évidemment pas innocente.

Hergé n'a pas choisi la nationalité de ses protagonistes en pointant son doigt au hasard sur une mappemonde. Trois semaines après le début de la série dans *Le Soir*, les États-Unis autorisent l'armement défensif de leurs navires de commerce et leur envoi dans des zones de guerre. En décembre, après la désastreuse attaque surprise contre leur flotte à Pearl Harbor, le Japon, puis l'Allemagne et l'Italie leur déclarent la guerre. Désormais, les choses sont claires. Dans un message au Congrès, le président Roosevelt assure que le pays se battra sur tous les fronts. Force est de constater que dans la bande dessinée d'Hergé, les Américains n'ont pas le beau rôle. Il leur fait en quelque sorte perdre la guerre par anticipation. L'adéquation est remarquable entre l'esprit de cette bande quotidienne d'Hergé et celui des pages politiques du *Soir* au même moment.

On ne peut évidemment la réduire à cette seule dimension, si essentielle soit-elle. Certains préféreront voir dans cette histoire une illustration du conflit entre la religion et la science. D'autres se féliciteront de constater l'irruption du fantastique dans l'univers de Tintin. Ou celle de la folie à travers la présence récurrente d'araignées dans l'histoire. Car cet animal arthropode poursuit notre héros du début à la fin, surgissant au moment où il l'attend le moins. Frayeur garantie, tragédie en perspective : ne dit-on pas « avoir une araignée dans le plafond » ? Les mots « fou » et « folie » étaient certes omniprésents dans les bulles des *Cigares du pharaon* et du *Lotus bleu*, mais pour la première fois, Hergé introduit le spectre arachnéen de la folie à l'intérieur de son récit, mêlant rêve et réalité jusqu'au cœur du délire de Tintin[59].

D'autres encore, plus amateurs d'invraisemblances et d'inexactitudes, s'emploieront à les y déceler. Il est vrai que l'absence de maquette préalable, qui aurait pu lui servir de modèle, rend tout à fait improbable la faculté de l'*Aurore* à flotter. Hergé conviendra lui-même que s'il appareillait hors d'une bande dessinée, ce navire-là aurait tôt fait de couler[60].

Plus inquiétant est le manque de sérieux scientifique relevé dans certains détails du récit. Plus surprenant aussi, de la part d'un maniaque de la précision comme Hergé. Manifestement, les livres, les documents et les photographies réunis pendant la préparation ne lui ont pas suffi, y compris ceux que son confrère du *Soir* Bernard Heuvelmans lui a procurés sur la désintégration de la matière[61]. Le fait est que ni une comète ni un astéroïde ne peuvent engendrer l'intense degré de chaleur évoqué au début de l'histoire. Seule une petite étoile dite « naine blanche » pourrait y arriver. Mais selon les spécialistes, le jour où elle pénétrerait dans le système solaire, il n'y aurait plus personne pour la voir car elle l'aurait pulvérisé. Quant à l'aérolithe, les experts assurent que s'il tombe en pleine mer, il n'y flottera pas tout fumant mais s'enfoncera aussitôt dans l'écorce terrestre en provoquant un raz de marée d'une puissance inimaginable[62]. Qu'importe, au fond. Hergé a le droit d'être exact ou inexact au gré de sa fantaisie et de son inspiration. Un créateur a tous les droits, plus encore si c'est un artiste. Il ne connaît d'autres limites que celles fixées par son imagination et par sa conscience.

En 1941-1942, si l'imagination d'Hergé l'autorise à prendre des libertés avec la rigueur scientifique, sa conscience ne l'empêche pas de confier le rôle du méchant à un Juif.

Dès les premières planches de l'histoire, alors que l'encombrant prophète de malheur Philippulus le poursuit de sa vindicte en pleine rue, Tintin passe devant une boutique sur laquelle il est écrit « Lévy ». Deux commerçants, debout devant la vitrine, observent le manège. Deux caricatures : barbe fournie, nez crochu, oreilles décollées, bouche lippue, main recroquevillée... Ils ressemblent trait pour trait au boutiquier peu coopérant qu'Hergé avait mis en scène dans *L'Oreille cassée*, quand Tintin était à la recherche des deux fétiches[63]. Leur dialogue ?

« Tu as entendu, Isaac ?... La fin du monde !... Si c'était vrai ?

— Hé ! Hé !... Ce serait une bonne bedide avaire, Salomon !... Che tois 50 000 frs à mes vournizeurs... Gomme za che ne tefrais bas bayer...[64]. »

On ne saurait mieux accréditer l'idée que les Juifs sont âpres au gain, profiteurs et opportunistes. Encore n'est-ce là qu'une incidente dans le récit. Le personnage du banquier

Blumenstein, lui, y occupe une place centrale puisqu'il incarne le mal et la malhonnêteté par opposition au bien et à la vertu symbolisés par Tintin. Son cas n'est certes pas exceptionnel dans la bande dessinée. Mais tous ne sont pas comme ici des portraits à charge. La plupart du temps, ils sont prétexte à humour et entraînent la sympathie. Même quand le trait est forcé et sans indulgence. C'est le cas, par exemple, du vendeur de voitures Abe Kabibble, héros de la série *Abie the Agent* publiée dans plusieurs journaux américains jusqu'en 1940.

Avec le Blumenstein d'Hergé, il en va tout autrement. Son patronyme sonne comme celui de Loewenstein. Quelques mois plus tôt, l'hebdomadaire collaborateur *Voilà* rappelait qu'en prenant la direction du *Vingtième Siècle*, l'abbé Wallez avait su mettre un terme à « la tyrannie de ce Juif de finance[65] ». Hergé a lu ce grand portrait consacré à son ancien patron, sans aucun doute. Qu'importe si Loewenstein est l'homme de la City de Londres et Blumenstein celui de la ploutocratie new-yorkaise. Ils représentent une seule et même figure, honnie pour avoir été si souvent dénoncée tant dans *Le Vingtième Siècle* que dans *Le Soir* « volé » : l'exploiteur sans foi ni loi. Aussi la retrouve-t-on naturellement sous le crayon d'Hergé.

« Parce que c'était une mode », dira-t-il sans convaincre[66].

Si c'est vraiment le cas, elle dure depuis longtemps en Belgique. Car tant chez Hergé que chez Simenon, pour ne citer qu'eux parmi beaucoup d'autres de leurs contemporains, on a du mal à trouver un personnage de Juif qui soit dépeint de manière positive. Il n'y a guère que les activistes de l'Irgoun, rencontrés dans *L'Or noir*, qui puissent susciter la sympathie. Encore ces Juifs-là ont-ils fait le choix de vivre dans un État juif qu'ils entendent ressusciter dans les marais et dans le désert. Loin de l'Europe, selon le vœu de nombre d'anti-Juifs. Même Jules Destrée, père spirituel du patriotisme wallon, prônait un antisémitisme racial. C'était en 1898, au moment de l'affaire Dreyfus ; mais en 1934, deux ans avant sa disparition, il avait clairement condamné le sort réservé aux Juifs dans la nouvelle Allemagne. Que dire alors de l'avocat Edmond Picard, sénateur socialiste, chantre de l'Âme belge et théoricien violemment raciste[67].

Avec tous les relents suspects qu'elle charrie, cette nouvelle aventure de Tintin correspond à l'air du temps. L'apocalypse est d'actualité. Elle se situe quelque part sur le front russe. Les Juifs aussi sont d'actualité, en Belgique même. Entre le début et la fin de la publication de cette histoire, soit entre octobre 1941 et mai 1942, plusieurs ordonnances leur interdisent notamment de quitter le pays ou les menacent des « camps de travail », au moment où tout Belge est susceptible d'être soumis au service du travail obligatoire. Six jours après la fin de la série, l'étoile jaune est instaurée[68].

Au moment où Hergé voue aux gémonies son Blumenstein, la presse collaboratrice prend un malin plaisir à rappeler que l'homme politique libéral Camille Gutt, ministre des Finances du gouvernement belge en exil, s'appelle en réalité Guttenstein. Pour n'être pas en reste, *Le Soir* lance une grande enquête sur les aspects culturels du judaïsme intitulée « Les Juifs et nous ». On y dénonce pêle-mêle leurs traits physiques, leur ruse et leur ténacité, leur responsabilité de fauteurs de guerre et les torts qu'ils ont faits aux Belges. Le journal précise, au cas où un doute subsisterait encore :

« Notre antisémitisme est d'ordre racial[69]. »

Le chroniqueur littéraire Paul de Man n'est pas en reste. Il conclut ainsi son étude :

« ... Une solution du problème juif qui viserait à la création d'une colonie juive isolée de l'Europe n'entraînerait pas, pour la vie littéraire de l'Occident, de conséquences déplorables. Celle-ci perdrait, en tout et pour tout, quelques personnalités de médiocre valeur et continuerait, comme par le passé, à se développer selon ses grandes lois évolutives[70]. »

Qu'il s'agisse des pages politiques, des rubriques culturelles ou de la très attendue bande dessinée, c'est un même son de cloche. Hergé est vraiment au diapason du *Soir*.

De toute sa production de la période d'Occupation, c'est son seul récit « engagé ». Comme de juste, alors que les contingents de papier sont très strictement rationnés, on en trouvera pour l'occasion. L'ami Paul Jamin a fait jouer ses relations et obtenu d'une mystérieuse personne (elle n'est jamais nommée dans les correspondances, par mesure de prudence) qu'elle cède à Casterman des stocks de papier en grande quantité à un prix qui ne soit pas celui du marché noir[71]. Au printemps, l'éditeur de Tournai en reçoit dix tonnes. Pour commencer.

Quand l'album est prêt, Hergé hésite entre deux titres : *L'Étoile mystérieuse* ou *L'Aérolithe mystérieux*. Aucun des deux ne le satisfait vraiment (preuve, si besoin est, qu'il ne dissimule aucun sous-entendu derrière cette étoile-là...). Casterman n'est guère plus imaginatif. Celui-ci penche finalement pour le premier titre mais renonce à mettre une étoile d'or dans le O de « étoile ». Pour des raisons techniques. Cela l'obligerait à refaire un nouveau film lors de la traduction du titre en langue étrangère[72]. Ce jour-là, paradoxalement, tant l'auteur que l'éditeur ont été bien inspirés. Que n'aurait-on dit, plus tard, de la présence d'une étoile jaune, à cette époque, en couverture d'une telle histoire !

Ils n'y songent même pas, tout préoccupés qu'ils sont non par l'exégèse future mais par les problèmes de l'heure. En l'occurrence, le passage du noir et blanc à la couleur, et de la centaine de pages aux 62 pages. Pour Hergé, c'est une révolution. Quand il en adopte le principe au printemps 1942, ce n'est pas dans l'esprit d'un essai. Sa décision a été suffisamment mûrie pour être irrévocable. Il saute le pas[73].

Jeudi 5 mars 1942. Une journée ordinaire en Belgique occupée. Ce jour-là, en tournant machinalement le bouton de sa TSF, l'auditeur de Radio-Bruxelles a droit comme d'habitude à un large programme de musique classique (Debussy et Fauré, la *Sérénade* de Gounod et le *Granada* d'Albeniz), saupoudré de variétés (Lucienne Boyer), entrecoupé de chroniques artistiques et surtout de bulletins d'informations. En français et en allemand. Le bilinguisme de cette Belgique-là n'est pas celui qu'on croit. Radio-Bruxelles n'est pas sous influence mais sous contrôle. On a droit dans le moindre détail au récit des reculades alliées dans l'île de Java, aux pertes des bolcheviks dans le secteur sud du front de l'Est, au bilan précis des bombardements britanniques sur la banlieue parisienne, à la mort du duc d'Aoste qui affecte tant le Duce ou à la fréquentation du Palais des beaux-arts de Bruxelles pour l'exposition du Livre allemand. Mais le clou de cette journée n'est pas, comme on pourrait le croire *in fine*, le portrait du fabuliste wallon Horace Pierard. C'est une interview d'Hergé, annoncée de 17 heures à 17 h 10. Pour nombre d'auditeurs, et pas seulement les plus jeunes, l'événement est autrement plus excitant que la littérature du terroir carolorégien. Car écouter Hergé revient à entendre Tintin. Une sorte de miracle radiophonique.

C'est peu dire qu'il n'est pas à l'aise devant le micro. L'exercice ne lui est guère familier. Sa pudeur, sa réserve et sa timidité naturelles s'y manifestent par un laconisme qui pourrait désarçonner son interlocuteur. Aussi l'interview est-elle rédigée au préalable, quitte à ce qu'elle paraisse moins naturelle. Le journaliste André Colard l'a bien compris qui, après les questions d'usage sur sa formation, ou plutôt son absence de formation, lui demande d'exposer sa méthode de travail. Hergé se découvre assez rarement pour que cela se remarque. D'autant qu'il s'exprime non comme un dessinateur mais comme un metteur en scène :

> « ... Je considère mes histoires comme des films. Donc, pas de narrations, pas de descriptions : toute l'importance, je la donne à

l'image. Mais il s'agit de films sonores et parlants 100 %... Les dialogues sortent directement de la bouche des personnages.

— En effet, tous les procédés de cinéma sont vôtres : gros plans, travellings, vues plongeantes, etc.

— J'ai même mes sous-titres, mais je ne les emploie guère que pour indiquer de temps à autre la durée : par exemple "huit jours après" ou "pendant ce temps", petites indications que ne pourrait donner un dessin car, comme au cinéma, la durée est la chose la plus difficile à rendre.

— Puisque nous voilà au cinéma, dites-nous un mot de vos scénarios.

— Je prends habituellement un thème général, un canevas, sur lequel je brode une histoire.

— Une histoire magnifique d'ailleurs. Mais vos brouillons ?

— Je jette les idées à la suite telles qu'elles me viennent. J'accumule les gags, les trouvailles au fur et à mesure qu'ils naissent dans mon esprit. Tout cela est noté directement au dessin, pensé en dessin et, très souvent, remanié jusqu'au résultat qui me semble le meilleur.

— Puis viennent naturellement le découpage et le montage, vraisemblablement.

— Parfaitement. Il s'agit en effet de faire alors entrer l'histoire ainsi composée dans le cadre de la publication hebdomadaire, ou journalière, comme c'est le cas actuellement.

— En quoi consiste donc exactement le problème ?

— D'abord à opérer la soudure avec les dessins du jour précédent ; à faire ensuite en sorte "qu'il se passe quelque chose" et pour finir, à terminer sur une scène qui prépare les dessins du lendemain...

— Et qui laisse donc les lecteurs en haleine ?

— Naturellement ! Si le lecteur pouvait à coup sûr deviner la suite, il n'y prendrait plus aucun intérêt. C'est pour la même raison qu'il convient de doser l'élément comique et l'élément dramatique... »

Hergé en profite au passage pour saluer en son ami Jam « le seul caricaturiste de grande classe que nous ayons jamais eu en Belgique ». Puis, citant deux journaux pro-allemands qui publient ses dessins, il use d'une formule qui vaut son pesant d'inconscient : « *Het Laatste Nieuws* et l'*Algemeen Nieuws* m'ont permis effectivement de collaborer[74]. » On ne saurait mieux dire.

Dans le contexte de l'époque, cette interview au micro de Radio-Bruxelles est un privilège, prolongé peu après par l'initiative de l'hebdomadaire *Voilà* qui, pour être satirique n'en est pas moins rexiste. Le journal consacre en effet sa couverture à Hergé ainsi qu'un grand reportage entrecoupé de réclames pour *Signal*, et il ne s'agit pas du dentifrice. Cet honneur, car c'en est un au même titre que son intervention à la radio officielle, Hergé le partage avec l'éditeur Robert Denoël, l'écrivain-journaliste Alphonse de Chateaubriant, le bourgmestre du grand-Bruxelles Jean Grauls et même l'abbé Wallez. Isolé dans son exil d'Aulne, ce dernier n'en revient certainement pas de l'irrésistible ascension de son scout.

On l'aura compris, sous l'Occupation, il n'est pas de dessinateur mieux en cour qu'Hergé. Pourtant, malgré sa position et les introductions dont il bénéficie, il lui arrive de rencontrer des problèmes avec la censure. On imagine ce que les autres subissent...

Ils s'appellent le lieutenant Karowsky et le capitaine Karduc. Avec de tels noms, on croirait des personnages de bande dessinée ! Ce sont pourtant de véritables censeurs, en chair et en os, que la Propaganda Abteilung a placés en permanence au *Soir* pour veiller au respect de la ligne.

Encore plus prudent que lui, Casterman a déjà affranchi Hergé sur les risques qu'il courrait en traitant la censure avec désinvolture. Persuadé qu'en la matière rien ne vaut la prévention, l'éditeur lui a même suggéré d'atténuer l'esprit antijaponais du *Lotus bleu* à la prochaine réimpression. Pour ne pas se faire remarquer. Pour n'être pas mis à l'index[75]. Hergé a parfaitement saisi le message. Il ne fait rien pour provoquer la censure allemande, au contraire. En envoyant une série de ses albums à Berlin en compagnie du directeur à la production du dessin animé, il prend soin de distraire du lot *Le Lotus bleu*[76]. L'officier-censeur ne tarde pas à se manifester. Pour un détail :

« L'avion, là, dans *Le Sceptre d'Ottokar*, c'est un Heinkel, n'est-ce pas ? Il ne faudrait pas recommencer trop souvent ce genre de plaisanterie[77] ! »

Hergé ne se le fait pas dire deux fois. Il demande aussitôt à son éditeur de modifier certains clichés des pages 96, 97 et 98. Une bricole, biffer la marque sur la carlingue de l'appareil... Pour ne pas paraître trop aux ordres de la censure, il ajoute :

« S'il est trop tard, tant pis. Heinkel continuera à bénéficier d'une publicité gratuite[78]... »

Il ne veut pas d'ennuis, ce qui se comprend. Ce n'est pas le moment de faire des vagues, en Belgique comme en France. *Junior,* un des hebdomadaires de jeunes les mieux faits, celui-là même qui publiait entre autres *Tarzan* et *Charlie Chan* depuis 1936, doit interrompre sa parution. Même *Le Journal de Mickey,* pourtant exilé à Marseille, est désormais contraint à une publication chaotique, les Huns de *Prince Vaillant* n'ayant pas été du goût de la censure. Si Tintin s'apprête à refaire surface en France avec la publication du *Crabe aux pinces d'or* dans *Cœurs Vaillants*, l'hebdomadaire catholique a depuis peu tempéré sa ferveur maréchaliste. Hergé, qui suit attentivement son évolution, n'en conserve pas moins deux fers au feu. Tout en lui restant fidèle, il permet à des autonomistes bretons favorisés par l'occupant de publier *Tintin au pays des Soviets* dans *O lo lê,* leur nouveau périodique pour la jeunesse[79].

Au printemps 1942, alors que les nouvelles techniques mises en place à Tournai sont capables de donner une nouvelle impulsion à son œuvre, Hergé entend se consacrer à Tintin et Milou. Exclusivement, si possible. Il refuse toutes les propositions qui pourraient l'éloigner de son personnage fétiche. Même les publicités, c'est dire.

De plus en plus sollicité de toutes parts pour l'exploitation de ses personnages en produits dérivés (puzzles, jeux, cubes, albums à colorier), il se tourne dans un premier temps vers son éditeur. Il lui paraît d'une saine logique commerciale de concentrer l'ensemble de ces affaires dans la même entreprise[80]. Casterman préférant ne pas quitter le terrain de la librairie pour celui de la papeterie, le dessinateur reprend alors contact avec un intermédiaire qui l'avait démarché à cet effet.

Bernard Thiéry se présente comme éditeur et homme d'affaires. Quand Hergé reçoit Thiéry et son secrétaire Alfred Coerten, chez lui à Boistfort, il saisit vite l'enjeu. M. Thiéry négociera ses contrats à sa place, il aura toute latitude pour décider à sa place en Belgique comme à l'étranger et il sera le concessionnaire exclusif des droits de reproduction de ses dessins sur tous les objets Tintin et Milou. Hergé y gagne la paix et la volupté de se consacrer enfin entièrement à son art. Ça lui paraît cher payé. Il n'en donne pas moins son accord de principe. Le lendemain, en recevant un contrat d'association, il est effrayé par le montant de la commission réclamée par son agent : 40 % des gains obtenus par lui ! Les frais de déplacement et de représentation ne suffisent pas à la justifier. Après une rapide négociation, ils conviennent verbalement que ce pourcentage ne s'appliquera qu'aux dessins existants et non à la création de nouveaux dessins. Mais très tôt, au bout de quelques mois, leur correspondance exclusivement technique révèle un malaise entre les deux hommes. Le créateur reproche à son représentant de ne pas tenter tout ce qui devait l'être s'agissant des papiers à lettre, des cartes postales, des papiers peints et de tout le reste. Positifs ou négatifs, il veut des résultats[81].

En attendant, la méfiance s'installe. Mais comme il a mieux à faire, il laisse pourrir la situation pour éviter le conflit et l'affrontement, fatal enchaînement dont la pensée même lui fait horreur. Ce trait de caractère le définit mieux que tout autre. Il en sait les effets pervers. Mais au printemps 1942, sa priorité est vraiment de se consacrer à son œuvre. Il y a urgence.

Hergé ne peut plus faire front tout seul. Entre l'histoire en cours dans *Le Soir*, l'album à venir chez Casterman et les réimpressions, il n'y arrive plus. Matin et soir, sept jours sur sept et ça ne suffit pas. Il faut vraiment que la situation lui paraisse intenable pour que ce travailleur solitaire, amateur malgré lui de nuits blanches et de petits matins blêmes, devienne un individualiste à l'esprit d'équipe. Par la force des choses.

Quand il s'était défendu en 1934 d'avoir plagié son confrère français Mat dans *Tintin en Amérique*, Hergé avait menacé, à court d'arguments, de faire témoigner « [ses] collaborateurs »[82]. Mais aujourd'hui, huit ans après, la situation les lui impose. Sa conviction est renforcée depuis sa visite des nouvelles installations d'impression offset à Tournai.

Après mûre réflexion, il sait qu'il ne pourra pas assurer tout seul le travail de mise au format de ses anciens albums, leur coloriage, leur redécoupage pour les faire tenir impérativement en 62 pages... Sans compter tout ce qu'il lui faudrait redessiner ! Un travail de titan en perspective. S'il nourrissait la folle ambition de l'exécuter entièrement lui-même, il devrait pour bien faire démissionner du *Soir*, hypothèse qu'il ne veut pas envisager.

En fait, il songe à monter une sorte d'atelier qui, moyennant une somme forfaitaire, fournirait à l'éditeur un album flambant neuf adapté aux nouvelles normes et prêt à être imprimé. Tant pis si en n'étant plus *stricto sensu* l'auteur complet de ses albums, il rompt avec une tradition maintenue de Töpffer à Saint-Ogan. D'une part, il n'a pas le sentiment de n'être plus l'unique dessinateur-scénariste de ses histoires au motif qu'il s'entoure ; de l'autre, l'engagement de collaborateurs lui paraît être l'évolution logique suscitée par le développement de sa production. Mais pas un seul instant il n'envisage qu'elle mette en doute son entière paternité sur les aventures de Tintin et Milou.

Puisque Louis Casterman s'est dit prêt à financer ce surcroît de travail, Hergé s'est donc mis en quête de dessinateurs pour le seconder. Pas question de collaborateurs occasionnels ou à mi-temps. Car il leur faudra du temps pour assimiler son trait[83].

Dans un premier temps, le 15 mars 1942, il engage à l'essai Alice Devos, une jeune femme de 30 ans, en qualité de dessinatrice à 1 200 francs par mois. Il faut croire que l'essai est concluant puisqu'elle est vite augmentée à 1 500 francs[84]. Mais dans l'esprit d'Hergé, en dépit de ses qualités, elle n'est qu'une petite main. Or il lui faut un poids lourd. Il a bien un nom et une silhouette en tête. Mais l'intéressé acceptera-t-il ? Est-il seulement libre ? Et puis...

Ils se sont rencontrés un an plus tôt au Théâtre royal des Galeries Saint-Hubert, ici à Bruxelles. Hergé présentait la première de *Tintin aux Indes ou le Mystère du diamant bleu*, une pièce policière en trois actes écrite avec son complice du *Soir* Jacques Van Melkebeke. Une curiosité des plus exotiques qui ne fut pas un grand moment de théâtre. Les Dupondt s'appelaient les Durandt, le rôle de Tintin était joué par Jeanne Rubens (!) et la troupe des Mignonnettes évoluait sur scène en lieu et place du grand ballet hindou de Padakhore ! Heureusement que la mise en scène fut dévolue à Paul Riga, l'animateur du Théâtre de la jeunesse. Il sut rendre cette entreprise moins périlleuse que prévue. Les centaines d'enfants présents aux représentations réagirent avec force applaudissements à la matérialisation de leurs héros de papier. Hergé avait eu raison d'être téméraire. Mais ce pari l'avait épuisé. Car il avait voulu veiller à tout, dans le moindre détail, des décors aux costumes en passant par l'interprétation et le reste. Méticuleux sur ces planches-là comme sur les siennes. Il avait d'ailleurs fait stipuler dans le contrat le liant au directeur du Théâtre que rien ne devait se faire sans son approbation « afin que la ou les pièces Tintin gardent la même atmosphère que celle des albums[85] ».

C'est donc là, à l'issue d'une représentation, que Jacques Van Melkebeke présenta Hergé à Edgar P. Jacobs, de trois ans plus âgé que lui. Puis il les emmena finir la soirée dans son atelier en face du *Soir*, de l'autre côté de la rue Royale. De cette rencontre naîtra une amitié et une collaboration des plus fécondes. Avec des hauts et des bas. Mais la vie et l'œuvre d'Hergé en resteront marquées à tout jamais.

Jacobs, c'est d'abord un physique et une voix. Sa silhouette en impose. Par sa gestuelle, on dirait un homme de théâtre. Par son comique involontaire et les gaffes dont il est la victime, il ressemble plutôt à un personnage de bande dessinée. Sa faconde est telle qu'on le sent toujours en représentation. Il a le goût de la mise en scène et donc du spectacle en toutes choses. Mais il a suffisamment le sens de l'autodérision pour n'être pas ostentatoire. Si l'histoire et le dessin sont ses *hobbies*, la musique et la marche le transportent d'enthousiasme. L'opéra, mieux que tout autre endroit, est le lieu géométrique de toutes ses passions.

Son ami Jacques Van Melkebeke l'a rencontré il y a longtemps déjà, quand ils peinaient tous les deux dans une école de comptabilité. Ce n'est pas là que Jacobs connut son heure de gloire mais à l'Opéra de Lille en qualité de baryton. Depuis qu'il a dû abandonner la scène, tout récemment, il s'est remis au dessin mais en professionnel cette fois. Dans l'espoir d'en faire un métier. Jusqu'à cette époque, la bande dessinée lui était si étrangère qu'il ne connaissait même pas le nom d'Hergé[86] ! Il y est venu par un concours de circonstances.

Jacques Laudy, qui avait étudié le dessin avec Van Melkebeke à l'Académie royale des beaux-arts, manœuvre pour faire engager leur ami Edgar à *Bravo !*. Cet hebdomadaire pour les jeunes, publié uniquement en néerlandais à l'origine, a lancé une édition en français fin 1940 pour élargir son lectorat. Laudy en est un des piliers puisqu'on lui a confié l'illustration de la couverture de ce premier numéro. Le jour où les censeurs de la Propaganda Abteilung donnent un coup d'arrêt brutal à *Flash Gordon*, la direction se met d'urgence en quête d'un dessinateur pour achever le travail dans le même esprit. Désœuvré, Jacobs tombe à pic. Peu importe s'il n'en a jamais fait, il improvisera. Il relève le pari et poursuit le travail sous le titre de *Gordon l'intrépide*[87]. Avec brio. Le pli est pris. Une nouvelle vie commence pour le baryton défroqué.

Hergé et Jacobs se sont revus à maintes reprises depuis leur première rencontre au Théâtre des galeries. Ils ont appris à se connaître. Hergé a découvert un esprit curieux fasciné par l'Égypte ancienne, influencé par l'œuvre de H. G. Wells, obsédé par les grottes, les gouffres et les labyrinthes depuis un traumatisme survenu à l'âge de 3 ans, quand il avait été précipité au fond d'un puits...

Ce 9 février 1942 particulièrement glacial, en se rendant à l'invitation d'Hergé à dîner chez lui à Boistfort, il se doute de quelque chose. Jacques, leur ami commun, n'est pas de la fête. Et pour cause. Hergé, dont on sait la pudeur et la discrétion, ne veut pas de témoin. Ce qu'il propose à Jacobs ? D'être son principal collaborateur, tout simplement. Il est prêt à l'engager à plein temps et à le payer en conséquence. Mais il a besoin de sa réponse avant d'en parler à Casterman[88].

Jacobs ne refuse pas, mais il ne peut accepter

dans l'immédiat. Engagé dans la création d'une bande dessinée de son cru pour *Bravo !*, il entend la mener à bien avant de prêter main-forte à Hergé. Faux départ, donc. Ce n'est que partie remise, de quelques mois à peine.

Une fois n'est pas coutume, Tintin reporter apparaît ès qualités. C'est bien dans *Le Soir* mais pas dans une bande dessinée. Dans une vignette solitaire, on le voit téléphoner :

« Allô ? *Le Soir* ? Ici Tintin. Mon cher secrétaire de rédaction, pouvez-vous m'accorder un mois de congé ? Le temps de faire nos préparatifs pour partir à la recherche du trésor de Rackham le Rouge. »

Hergé est effectivement reparti dans une nouvelle aventure. Déjà... Entre la lecture quotidienne du journal et celle ponctuelle de ses albums, il ne laisse aucun répit à ses fidèles. Guère plus qu'il ne s'en accorde. Il enchaîne une histoire sur l'autre. C'est à se demander comment il s'y retrouve. D'autant que désormais la question des réimpressions l'oblige à se projeter plusieurs années en arrière, dans des personnages qu'il avait évacués de son imagination.

Le récit s'ouvre sur la relation d'un fait divers dans toute sa sécheresse : un réseau organisé de pickpockets sévit depuis quelque temps dans des lieux publics... Les Dupondt sont sur l'affaire. Enquêtant à la foire à la brocante du Vieux Marché, ils se font voler leur portefeuille ! Pas Tintin qui découvre par hasard une magnifique maquette de navire. Il a le coup de foudre et l'achète. Mais au même moment un premier collectionneur puis un second surgissent et surenchérissent pour emporter l'objet de toutes leurs convoitises. En vain. Tintin est bien décidé à l'offrir au capitaine Haddock. Celui-ci est immédiatement frappé par la ressemblance avec la *Licorne*, le navire figurant en arrière-plan sur le portrait de son aïeul François, chevalier de Hadoque, grand marin devant Louis XIV, grand buveur et insulteur devant l'Éternel. Bon sang ne saurait mentir. Profitant d'une absence du reporter, des cambrioleurs volent sa maquette puis mettent à sac son appartement. Tintin trouvera par hasard ce qu'ils y cherchaient : un message des plus énigmatiques, échappé du mât du vaisseau dans lequel il était dissimulé. Outre des signes indéchiffrables, on peut y lire :

« Trois frères unys. Trois Licornes de conserve vogant au soleil. De midi parleron. Car c'est de la lumière que viendra la lumière. Et resplendirra. »

Le capitaine Haddock a lui aussi trouvé un indice, et de taille, puisqu'il s'agit des Mémoires de son ancêtre. Les ayant dévorés, il s'identifie à lui avec un réalisme convaincant et retrace avec force détails son épopée mouvementée, lorsqu'il fit voile de Saint-Domingue vers l'Europe avec une cargaison de rhum... l'abordage avec les flibustiers... leur victoire... le massacre des blessés... le chevalier de Hadoque fait prisonnier... sa rencontre avec le chef des pirates Rackham le Rouge... son butin de diamants volés à des Espagnols... la vengeance de Hadoque qui réussit à s'échapper pour mettre le feu aux poudres avant de se sauver... Réfugié sur une île, il y rédige ses Mémoires et lègue trois « Licorne » à ses trois fils, trois modèles au mât principal spécialement agencé pour contenir un morceau de parchemin. La réunion des trois permet de localiser le trésor de Rackham le Rouge.

Partis à la recherche des deux morceaux manquants, Tintin et le capitaine sont témoins de mystérieuses tentatives de meurtres. Jusqu'à ce que le reporter soit lui-même victime d'un enlèvement. Ses ravisseurs, les frères Loiseau, antiquaires de profession, le séquestrent au château de Moulinsart dans le but de lui faire avouer où il a caché les parchemins. Mais il réussit à s'échapper, à alerter le capitaine Haddock et à en neutraliser un. Enfin en possession des trois parchemins, Tintin les superpose face à une forte lumière et trouve les coordonnées exactes de l'endroit où la *Licorne* a coulé. La suite ? C'est une autre histoire... Quant aux portefeuilles régulièrement dérobés depuis le début de cette aventure, ils ne l'étaient pas par un gang mais par une sorte de kleptomane des plus originaux, un vieux collectionneur de portefeuilles... Hitchcock a dû apprécier le détail.

Il ne faut pas être grand clerc pour deviner l'influence du Stevenson de *L'Île au trésor* sur cette histoire. L'esprit, sinon la lettre y sont omniprésents. La « Licorne » elle-même, objet de toutes les convoitises car détentrice de tous les secrets, est en fait un des personnages pivots. Elle débride l'imagination d'un lecteur toujours prêt à s'évader. Surtout en 1942, et la bande dessinée du *Soir* est lue dans les prisons et dans les camps... Pour autant, elle n'est pas sortie toute construite du cerveau d'Hergé. Elle doit beaucoup à son ami Gérard Liger-Belair, secrétaire à la Fédération des scouts catholiques, fervent amateur de bateaux, fils d'un ancien officier de la marine de guerre française à voile et surtout propriétaire à Bruxelles d'un magasin de modélisme. Ils ont déjà eu l'occasion de travailler ensemble quatre ans plus tôt. Hergé lui avait alors demandé de fabriquer un modèle réduit d'avion « Stratonef H-22 », commercialisé par les soins du *Petit Vingtième* au moment de la publication des exploits de Jo, Zette et Jocko[89]. Cette fois, après que le dessinateur lui a exposé la trame de cette nouvelle aventure de Tintin, Liger-Belair se lance dans des recherches documentaires.

De sa plongée dans les archives et bibliothèques, il resurgit avec non pas une mais trois *Licorne* : une frégate anglaise, un bateau marchand hollandais et un vaisseau de guerre français. Hergé ayant jeté son dévolu sur ce dernier, son ami trouve dans un livre d'époque intitulé *Architectura Navalis* des détails (château-arrière, etc.) du *Brillant* et du *Soleil royal*, assez représentatifs de ce que devaient être des vaisseaux de 3e rang et de 56 canons dans la marine de Louis XIV vers 1690. Quant à la licorne en figure de proue, il l'emprunte sans vergogne à une frégate anglaise.

Après avoir exécuté un brouillon au crayon à l'échelle 1/100e puis un calque, il peut livrer une maquette qui servira de modèle[90]. Hergé l'attend avec d'autant plus d'impatience qu'elle répond à son exigence de précision. De plus, une fois n'est pas coutume, il a trouvé sans hésitation aucune le titre de l'album. Le nom si évocateur du navire y est mis en vedette. Ce sera *Le Secret de la Licorne*[91]. Ce qui ne l'empêchera pas d'affirmer plus tard que la maquette est née après et non avant l'album. Il est vrai que « sa » *Licorne*, telle qu'il l'immortalise par son crayon, présente quelques anomalies architecturales relevées par les spécialistes : batteries mal réparties, largeur trop étroite du tableau arrière[92]... Qu'importe, au fond. La « vraie » *Licorne* d'origine, celle de l'escadre de l'amiral de Tourville, a rapidement coulé à la bataille de La Hougue. Celle de Liger-Belair, dont des milliers de plans seront vendus pendant des années, trône à une place de choix, hors de portée des plumeaux assassins, dans bien des maisons belges et françaises. Quant à celle d'Hergé, elle n'a pas fini de nous faire rêver.

Mais c'est pour d'autres raisons que cette nouvelle aventure de Tintin et Milou, présentée d'ailleurs comme « extraordinaire » chaque jour dans *Le Soir*, marque une nouvelle étape dans son œuvre.

On sent qu'Hergé s'est enfin fait plaisir en renouant avec ses fantômes familiers, ceux de l'épopée flibustière et des horizons lointains, des trésors enfouis et des exils insulaires, quand le rêve et l'action se mêlent sans jamais faire ralentir le rythme du récit. À travers le chevalier de Hadoque, saisi dans toute la majesté de son portrait d'ancêtre, on ne peut se défendre d'y percevoir également un autre spectre, plus intime : celui de la propre ascendance de Georges Remi, mystérieuse à souhait car supposée hautement aristocratique. Essentielle mais inavouable. C'est la première fois qu'Hergé éprouve la nécessité de transposer ainsi son secret de famille. L'architecture du récit est si habile que c'est à se demander s'il n'a pas conçu toute cette histoire, consciemment ou pas, dans le seul but d'exorciser ses propres démons.

Automne 1942. Paris comme Bruxelles résonnent encore des grandes rafles. On sait désormais à quoi ont servi les différentes ordonnances qui se sont succédées depuis près de deux ans. À isoler légalement les Juifs du reste de la population. Dans le seul but de les rendre disponibles pour une solution radicale de leur « problème », devenue depuis peu la solution finale. Ils ont été confiés à la police nazie par les polices locales. Une affaire de collègues, en quelque sorte. Direction : là-bas. On ne veut pas trop savoir où. Les Belges trouvent cela injuste, ils n'en demeurent pas moins indifférents. C'est la clef de leur paradoxe. Ils sont pour la plupart hostiles à la persécution raciale tout en n'aimant pas trop les Juifs. Il faut vraiment que des gens en uniforme arrachent des enfants des bras de leurs parents pour qu'ils se révoltent et organisent entraide et solidarité, souvent au péril de leur vie[93]. On est loin de la position exprimée par *Le Soir* dès la première année de l'Occupation : le transfert hors d'Occident de tous les Juifs qui s'y trouvent encore, seule solution pour « extirper du corps de l'Europe l'élément étranger qui menace sa santé morale et physique[94] ».

La population s'inquiète plus pour l'évolution de la situation sur le front russe. Ou en Afrique où les forces de Rommel et celles de Montgomery s'apprêtent à se livrer une bataille décisive autour d'El Alamein.

Hergé sait tout cela. Il travaille au cœur d'un grand journal où l'on brasse des informations de toutes origines, à commencer par celles qu'on s'empresse de lire parce qu'on sait qu'on ne pourra pas les passer. De plus, par ses amis bien placés, il dispose de ses propres renseignements. Ainsi en octobre, il est déjà en mesure d'annoncer à son éditeur ce qui se prépare en coulisses pour la fin de l'année : la fermeture progressive d'industries, la mise en disponibilité de main-d'œuvre, le renforcement du travail obligatoire[95]...

En ce même mois d'octobre 1942, Hergé est également bien placé pour suivre l'évolution de son ami Raymond De Becker. Le rédacteur en chef du *Soir* franchit le Rubicon et passe à Rex. Après avoir vitupéré pendant des mois son collaborationnisme sans scrupules, il loue désormais « son orientation fermement nationale[96] ». Les grandes manœuvres de José Streel, l'idéologue du mouvement, ont réussi. En créant le « Conseil politique de Rex », un organisme consultatif composé de collaborateurs francophones et non rexistes, il le désenclave. Raymond De Becker et Pierre de Ligne (*Le Soir*), Paul Colin et Pierre Daye (*Le Nouveau Journal*), René Letesson (*La Legia*) font une croix sur les insultes et polémiques et « ravalent leur orgueil[97] ».

L'intronisation de ces personnalités pro-allemandes donne au parti de Léon Degrelle un vernis de respectabilité qui lui faisait cruellement défaut.

Un grand meeting au Palais des sports de Bruxelles est l'occasion pour Raymond De Becker de marquer son adhésion totale aux idéaux de Rex. Dans son éditorial intitulé « En marche vers l'unité » et publié le lendemain à la « une » du *Soir*, il reprend les arguments développés au micro par Victor Matthys, le chef du mouvement en l'absence de Degrelle. Plus de réserves, plus d'obstacles, plus rien ne les sépare[98]. Le tribun n'a pas seulement exalté le parti unique, l'État fort et l'Europe allemande. Il a déclaré la guerre « au clergé politicard, aux asociaux, aux oisifs et aux swings » ! Sans oublier ces « parasites » que sont les 130 000 patrons de café[99] ! De Becker et ses amis, qui sont souvent ceux d'Hergé également, doivent passer par cette démagogie populiste pour se rendre de l'autre côté... Des arguments que Raymond De Becker avale comme autant de couleuvres tant son orgueil politique et intellectuel l'aveugle. Ce qui n'empêchera pas Hergé de déclarer un jour, bien plus tard :

« L'équipe du *Soir* de guerre dirigé par Raymond De Becker n'était en aucune façon un "groupement rexiste". De Becker était un antirexiste convaincu, entouré d'antirexistes ou de non-rexistes. Le seul "rexiste" venu au *Soir* fut le théoricien de ce mouvement, José Streel, précisément au moment de sa rupture avec *Le Pays réel*, organe du rexisme. Quant à moi, je n'ai jamais "adhéré" ni sentimentalement ni de quelque autre manière au rexisme, que j'ai toujours eu en aversion[100]. »

La mémoire d'Hergé est un peu sélective. Elle a tendance à condenser à l'excès les événements qui ne collent pas avec sa vision de l'Histoire. Surtout quand ses proches en sont les acteurs. Disons qu'en l'occurrence, elle lui a fait gommer près de quatre mois particulièrement denses de cet hiver 1942. Car il est vrai qu'au soir du 17 janvier 1943, l'idylle est terminée. Les milieux de la collaboration sont secoués par un nouveau grand rassemblement rexiste au Palais des sports de Bruxelles. Cette fois, c'est Léon Degrelle, le chef lui-même, qui prend la parole à son retour de Berlin. Il se lance dans un discours radical qui officialise sa récente collusion avec Himmler et, par conséquent, celle de Rex avec les SS. Dans son délire, il revendique l'héritage germanique de la Wallonie, rêve à voix haute de l'absorption de la Belgique dans un empire allemand et nie jusqu'au principe d'un État belge unitaire. Un pavé dans la mare. Nombre de Wallons, séduits par ses idées et son dynamisme depuis ses débuts en politique, lui tournent définitivement le dos. José Streel lui-même, idéologue de Rex, claque la porte et rejoint la rédaction du *Soir*[101].

Dans les couloirs de son journal, De Becker crie au fou. Il envoie aussitôt une lettre de démission à Degrelle, explicitant ses refus de toute annexion de la Belgique à l'empire allemand, de tout accord germano-wallon dans le dos des Flamands et de tout ce qui pourrait amoindrir les droits de la dynastie royale[102].

Hergé est-il aussi ingénu en politique que Tintin est naïf dans la vie ? On peut en douter. Dans les deux grands quotidiens où il a travaillé, il s'est arrangé à chaque fois pour être au plus près du soleil. Quand une trentaine de membres du personnel du *Soir* sont envoyés d'office en Allemagne pour y fournir de la main-d'œuvre, il sait qu'il ne sera jamais inquiété. Quand les sirènes d'alerte retentissent et que tout le monde se précipite dans les sous-sols, il est de ces journalistes qui snobent ces exercices. Comme s'il se sentait protégé[103].

Avec sa femme, il continue à rendre visite régulièrement au cher abbé Wallez en son abbaye d'Aulne. Celui-ci est peut-être retiré des affaires, il ne se consacre pas exclusivement à la restauration du monastère. Partisan de l'intégration de son pays à l'ordre nouveau européen, il a prononcé une conférence dans ce sens intitulée « Dons et torts des Wallons[104] ». Elle lui a aussitôt valu un sévère rappel à l'obligation de réserve de la part de l'évêque de Tournai[105].

Si l'abbé Wallez avait l'intention de reprendre publiquement le combat, c'est raté. Mais Hergé ne voit rien de critiquable dans ses idées. À ses yeux, l'abbé demeure intouchable. Ce qu'il couvre de son prestige ne saurait être mauvais. C'est chez lui qu'il fait la connaissance d'un certain Burckas, officier allemand attaché à Mons. Comme ils sympathisent, le dessinateur se montre très bavard et expansif, n'hésitant pas à satisfaire les curiosités de son interlocuteur. Tant et si bien que dès le lendemain, il lui fait porter un exemplaire dédicacé du *Secret de la Licorne*. Peu après, son éditeur lui raconte avoir reçu à Tournai la visite particulièrement inquisitrice d'un représentant des autorités d'occupation, M. Kreift, lequel était accompagné d'un officier du nom de Burckas qui semblait curieusement bien renseigné sur la maison Casterman[106]...

Hergé n'en revient pas. Sa surprise ne paraît pas feinte. Ça s'était passé chez l'abbé, c'était donc sans danger...

Février 1943. Un tournant dans la guerre. Les

Allemands ont perdu la bataille de Stalingrad. La reddition de l'armée commandée par le maréchal von Paulus a une valeur tant stratégique que symbolique.

À Bruxelles, *Le Soir* commence la publication quotidienne d'une nouvelle aventure de Tintin et Milou. Elle durera sept mois et 183 *strips* (bandes). La précédente s'est achevée il y a un mois à peine. Un mois de suspense. Car *Le Secret de la Licorne* appelait naturellement une suite. Après avoir réussi à localiser le trésor de Rackham le Rouge, Tintin et Haddock avaient hâte d'aller le chercher.

La presse ayant ébruité leur projet d'expédition, ils sont assaillis par des supposés ayants droit à l'improbable généalogie, réclamant tous leur part du futur butin. Le capitaine leur fait dévaler l'escalier plus vite qu'ils ne l'ont monté. Sauf un qui s'impose par son originalité plutôt que par son insistance. Ce savant s'appelle Tryphon Tournesol et il présente toutes les caractéristiques de l'hurluberlu dont on ne sait si son léger grain relève du génie ou de la folie. Sa mise inspirée du XIXe siècle, sa calvitie plus artistique qu'esthétique, sa distraction prétexte à gags et sa surdité qui favorise les quiproquos en font un personnage épuisant car désarmant. Toutes les paroles qui lui sont adressées sont perçues comme des malentendus. Il est irrésistible au sens propre du terme. Quoi qu'on lui oppose, il répond sur un autre registre car il est toujours sur une longueur d'ondes différente de celle de son interlocuteur. L'idée de génie d'Hergé est de rendre inséparables le capitaine Haddock, personnage qui parle tout le temps, et le professeur

Tournesol, qui n'entend pas quand il n'a pas son appareil.

Ce personnage de « *mad professor* » distrait, maladroit, doux, déconnecté des réalités autres que scientifiques est tellement répandu qu'il serait injuste de prétendre qu'Hergé a puisé sans l'avouer du côté du savant des *Katzenjammer Kids*. Autant reprocher à Töpffer d'avoir plagié *Le Bourgeois gentilhomme*, archétype tellement courant qu'il a échappé depuis des lustres à Molière ! Le Tournesol d'Hergé ressemble à son propre père, Alexis Remi, par sa galanterie d'un autre âge, sa manière de considérer les dames comme des choses un peu fragiles. Il tient également de Charlot quand celui-ci s'essuie les pieds sur le paillasson en sortant de chez lui, dans *How to make movies* (1919).

Ce fâcheux-là, Tintin et Haddock ne peuvent pas ne pas l'écouter. D'autant qu'à la différence des autres, il n'est pas guidé par l'appât du gain. Inventeur d'un petit sous-marin en forme de requin, il veut le mettre à la disposition du reporter et du capitaine pour leur éviter de se faire chatouiller par de vrais squales. À l'examen, ceux-ci préfèrent emporter un scaphandre, du type de celui qu'Hergé avait dessiné il y a treize ans en illustrant *Un terrible drame au fond des mers* de Milanesi dans le supplément littéraire du *Vingtième Siècle*. Un bon vieux scaphandre, ce sera plus sûr.

Malgré de mauvais présages qui découragent le superstitieux Haddock, les deux héros embarquent dans un port français de l'Atlantique[107] à bord du chalutier *Sirius* où ils sont bientôt rejoints par les Dupondt. Les deux détectives ayant appris que l'antiquaire Loiseau s'est évadé se sont invités à la dernière minute afin de protéger le capitaine. Quant à Tournesol, il est également du voyage, s'étant faufilé dans une chaloupe comme un passager clandestin. Après bien des déboires, Tintin retrouve la *Licorne* grâce à son sous-marin. Équipés d'un scaphandre, le reporter et le capitaine plongent chacun à son tour pour explorer l'épave. Le premier en ramène une croix en or, le second une bouteille de rhum. Comme de juste, dans un cas comme dans l'autre. À l'issue de plusieurs tentatives, ils exhument un vieux coffre renfermant des parchemins à la signification énigmatique. Jusqu'à ce qu'ils parviennent enfin à les déchiffrer. La clef du mystère ne se trouve ni au fond des mers, ni sur l'île où s'était réfugié le chevalier de Hadoque mais en son château de Moulinsart. Le capitaine rachète donc la demeure de ses ancêtres avec l'argent que l'État a versé à Tournesol pour le brevet de son submersible. À l'issue d'un jeu de pistes, ils trouvent enfin le trésor :

« Et dire que nous avons été le chercher là-bas, au bout du monde, alors qu'il se trouvait ici à portée de notre main », s'exclame Haddock, condensant en une phrase la morale de l'aventure et la philosophie de l'histoire. Une dizaine de cases avant la dernière, c'est le vrai mot de la fin, plutôt que le trop convenu « Tout est bien qui finit bien ».

Le diptyque formé par *Le Secret de la Licorne* et *Le Trésor de Rackham le Rouge* permet à Hergé de franchir un nouvel échelon dans la progression de son art. S'il est une de ses séries les plus attachantes, ce n'est pas seulement parce qu'elle fait la part belle au rêve, au mythe et à l'évasion. Ou parce qu'elle est le complément et le prolongement visuel idéal d'un univers littéraire qui va de Jules Verne à Pierre Benoit en passant par R. L. Stevenson et Joseph Conrad. En complétant la famille de Tintin par le personnage du professeur Tournesol et en leur donnant Moulinsart comme port d'attache, Hergé fixe les choses sans pour autant les figer. Juste à mi-parcours de son œuvre. Il les installe pour l'éternité dans la maison commune au moment où lui-même s'achète une propriété près de Bruxelles, à Céroux-Mousty. Tout est en place pour que les nomades soient enfin sédentarisés. Ça ne les empêchera pas de voyager mais ça leur permettra de se retrouver le plus naturellement du monde... chez eux ! Au créateur désormais de relever le défi qu'il s'est lancé. Il lui faudra désormais renouveler son inspiration sans renoncer ni à cette unité de lieu qu'est le château ni au franchissement des frontières que suggère l'exotisme[108].

Le nom de Moulinsart est l'inversion de celui de Sart-Moulin, village du Brabant wallon. Le château lui-même n'est pas purement imaginaire. La partie centrale, la façade et une partie de l'intérieur sont inspirées de celles du château Renaissance et classique de Cheverny (Loir-et-Cher)[109].

Pour l'état civil de son nouveau personnage de professeur, Hergé a commencé par le prénom. À force de passer devant l'enseigne de Tryphon Beckaert, un menuisier des environs de Boistfort, il a fini par trouver le sien cocasse. Il ne lui en fallait guère plus pour le lui emprunter.

Encore devait-il l'assortir à un nom qui renforce sa sonorité insolite. Après avoir cherché du côté des fleurs quelque chose qui lui paraisse à la fois poétique et aérien, il ne trouva pas mieux que Tournesol et l'adopta. Enfin, pour la description physique du personnage, il s'inspira du physicien suisse Auguste Piccard, concepteur du ballon à nacelle étanche pour les ascensions stratosphériques. À ceci près qu'il était grand alors que Tournesol est petit[110]. Suprême ironie de l'histoire, le professeur Piccard réalisera son fameux bathyscaphe cinq ans après que le professeur Tournesol eut envoyé son sous-marin de poche taquiner l'épave de la *Licorne*...

Pour essentielles qu'elles soient, l'invention de Moulinsart et l'irruption du professeur Tournesol dans l'univers de Tintin ne suffisent pas à conférer à ce diptyque (*Le Secret de la Licorne* et *Le Trésor de Rackham le Rouge*) le statut envié de « moment clef ». S'il fait rupture, c'est aussi parce que Tintin est passé de la sphère politique de l'intérêt collectif à un enjeu, plus privé et plus familial, qui consiste à aider Haddock à résoudre sa quête d'identité. Plus gratuit encore, son combat n'en est que plus noble[111].

Hergé a-t-il laissé Tournesol contaminer son entourage ? Toujours est-il que jamais l'absurde, le non-sens et la folie douce n'ont engendré une telle subtilité dans le comique de ses bandes dessinées. Le délirant professeur ne comprend jamais rien, sauf quand Tintin est en danger ; là, il est capable d'assurer normalement une vraie conversation[112]. Autour de lui, tous les personnages s'y mettent comme si c'était leur seul moyen de suivre. De ne pas être largués par l'histoire. Les gags ont rarement aussi bien fait mouche sous le crayon d'Hergé, qu'il s'agisse de l'utilisation du scaphandre (coincant la barbe d'Haddock ou le transformant en outre gonflée d'eau), de l'usage détourné de l'alcool (quand un requin est ivre mort après que Tintin lui a coincé une bouteille de rhum entre les mâchoires), de ridiculiser un Dupont (quand il se retrouve au fond des mers la tête en bas pour avoir oublié de chausser les semelles de plomb)... Encore ne s'agit-il là que de comiques de situation. Le langage n'est pas en reste. Humour, pirouettes et litotes, Hergé s'en donne à cœur joie. Tout le monde s'y met, Tournesol (« Dites capitaine, est-ce un poisson, cet animal qui vient de sauter hors de l'eau là-bas ? »), Haddock (« Non, c'est un piano à queue. »), Milou (« Que d'eau, que d'eau ! »)... Jusqu'aux perroquets de l'île où avait survécu le chevalier de Hadoque : depuis plusieurs siècles, ils se sont transmis son délicat langage de génération en génération (« Moule à gaufres ! Sapajou ! Boit-sans-soif ! »). Un festival !

Le pari de cette nouvelle aventure n'était pas gagné d'avance, si tant est qu'il le soit jamais. Hergé le sait mieux que quiconque. En privé, il n'est pas peu fier d'avoir tiré un tel parti d'une intrigue qu'il juge lui-même « excessivement mince »[113].

3 septembre 1943. Ce vendredi-là, Hergé devine à la mine soucieuse de Raymond De Becker que d'importantes décisions sont dans l'air. Il en a la confirmation quand son ami convoque toute la rédaction pour une réunion

exceptionnelle. Le contexte international s'y prête : après un débarquement allié, la chute du régime fasciste et l'arrestation de Mussolini, l'Italie vient de capituler. C'est un grand pas, un de plus vers l'effondrement de l'Europe totalitaire.

« Mes camarades... »

Le rédacteur en chef du *Soir* veut répondre aux inquiétudes de ceux de ses collaborateurs qui se demandent si la défaite des troupes allemandes n'est pas devenue inévitable. Après un long discours remontant à l'autre défaite, celle de 1940, il résume sa pensée :

« La psychologie fondamentale allemande est restée la même malgré le national-socialisme. Elle est caractérisée par une bonne volonté indiscutable mais aussi par un grand irréalisme et par une profonde difficulté de pénétrer la psychologie d'autrui... »

Que faire, alors ? Certains journalistes, revenus de tout, se demandent s'il n'est pas temps de changer de cap sans pour autant avoir l'air de retourner sa veste. De Becker sait que ce genre d'exercice, quand il est effectué trop brusquement, risque de faire éclater les coutures. Aussi préconise-t-il une évolution crescendo :

« Nous devons continuer à occuper notre poste pour défendre les intérêts belges et occidentaux tant que les Allemands nous permettent de le faire. Partir maintenant sans y être forcés serait une lâcheté. Nous nous sommes engagés dans une politique et il faut la défendre jusqu'au bout (...). L'unité politique des Belges n'est pas possible en ce moment mais l'unité morale est indispensable. C'est pourquoi il faut être réservé dans le journal à l'égard de tout ce qui touche la propagande allemande. Nous ne sommes pas une agence de propagande allemande mais une institution belge collaborant avec les Allemands, c'est là une directive que je vous ai toujours donnée. »

Et Raymond De Becker d'appeler ses troupes à se défier de mouvements à la botte de l'étranger tels que Rex, de prôner une réconciliation anglo-allemande et d'appeler de ses vœux la consolidation de l'unité européenne. Avant de préciser, *in fine*, pour dissiper tout malentendu :

« J'espère que vous aurez compris que rien d'essentiel n'est changé dans l'orientation que je veux donner au *Soir*. Ce qui est changé, ce sont les événements, ce n'est pas votre idéal[114]. »

Il rêve encore de faire coïncider les thèses nationalistes belges et les intérêts de l'ambassade d'Allemagne. Un vrai travail d'équilibriste. De toute façon, une telle utopie n'est plus de saison. Un mois après son discours, Raymond De Becker est révoqué par ceux qui l'avaient fait roi. La Propaganda Abteilung le fait placer en résidence surveillée en Belgique, puis dans un hôtel en Autriche.

Pour le remplacer, les Allemands font appel à l'écrivain-journaliste Robert Poulet, autrement brillant, célèbre et lu. Ce bourgeois de Liège, héros de la première guerre, ingénieur raté et scénariste de cinéma, a un nom depuis le succès critique de *Handji* (1931), son premier roman publié à Paris par son compatriote Robert Denoël. Ce tremplin lui permit d'exercer jusqu'à 1940 la redoutable fonction de polémiste à *La Nation belge*. Ils sont quelques-uns comme lui, dans sa génération, dont on peut dire qu'ils auraient mieux fait de ne jamais trahir la littérature pour la politique. Depuis le début de l'Occupation, alors qu'il est rédacteur en chef du *Nouveau Journal*, il n'y écrit pas sans se demander ce que le roi en pensera. D'ailleurs, il rencontre régulièrement le comte Capelle, secrétaire de Léopold III, qui lui donne en permanence une sorte de souverain imprimatur, source de bien des malentendus. Le paradoxe de Robert Poulet tient en une réflexion scandalisée qu'il n'a pu réprimer après avoir vu les portraits de Léopold III et de Léon Degrelle encadrant celui de Hitler, dans une profusion de croix gammées, à une fête des Gardes Wallonnes. Tout de même ! La collaboration a des limites ! On ne peut pas laisser croire que le Führer passe avant le roi :

« Je sais tout ce qui est dû à la grande espérance européenne ; je serais le dernier à refuser de reconnaître le génie du chancelier allemand, ainsi que l'importance du service qu'il est en train de rendre à la communauté continentale. Mais il y a une question de délicatesse patriotique[115]... »

De son point de vue, c'est encore un peu tôt pour les embrassades. Cette réaction reflète néanmoins la liberté d'expression dont jouit Robert Poulet. Pour comprendre alors pourquoi la Propaganda Abteilung ferme les yeux et le sollicite même, il suffit de s'en remettre à cette note interne à ses services :

« Il ne se passe pas de jour sans que ce journaliste dépasse les limites du tolérable. Nous aurions dû l'interdire depuis longtemps. Mais comme il dit, avec son autorité de patriote belge, que nous aurons la victoire, il vaut encore mieux le laisser faire[116]. »

La radicalisation de Degrelle lui a fait abandonner ses responsabilités au *Nouveau Journal* depuis huit mois. Il entend se consacrer à ses travaux littéraires. Aussi Robert Poulet décline-t-il la proposition de la Propaganda. Hergé a de quoi être déçu. S'il avait accepté, un de ses nouveaux amis aurait ainsi succédé à l'un de ses vieux amis. Car Poulet et lui ont fait connaissance voici deux ans. Cette première rencontre, scellée par l'envoi d'un album de Tintin à sa fille, marque le début d'une forte amitié qui se poursuivra jusqu'à la fin de leur vie[117].

Alors que la tension monte au *Soir*, le lendemain du jour où s'achève la publication du *Trésor de Rackham le Rouge*, Hergé est préoccupé par un problème plus technique : ses cartons à dessins sont vides. La prochaine aventure de Tintin n'est pas prête. Elle ne le sera pas de sitôt. Aussi consent-il à faire ce qu'il ne veut plus faire depuis qu'il a acquis une notoriété certaine : illustrer le texte d'un autre. Le projet est né en bavardant avec son ami Paul Kinnet dans un café de la rue Royale :

« Après tout, je suis auteur de romans policiers, lui dit celui-ci, et je pourrais utiliser les Dupondt comme détectives dans une de mes histoires. Prête-les-moi. Dans deux ou trois jours, je te passerai les premières pages de mon récit, déjà découpé pour la mise en pages, et tu les illustreras. Ainsi, tu n'auras à fournir qu'un dessin par jour sans avoir à te préoccuper du scénario. Ça ne te prendra guère de temps et ça résoudrait ton problème.

— Oui, oui... C'est peut-être une idée, pour autant que ton récit me plaise[118]. »

L'expérience dure un peu plus d'un mois sur une distance de quarante bandes. Quand on songe que juste avant la guerre, dans un moment de grand doute, Hergé voulait tuer les Dupondt une fois pour toutes et que son ami Paul Jamin l'en avait dissuadé[119]... En tout cas, cela donne des idées à certains lecteurs. Croyant à une panne d'inspiration, ils se manifestent pour lui fournir des textes et des idées, offres qu'il s'empresse de décliner[120].

Hergé s'est autorisé cette exception à la fois parce que ça l'arrangeait provisoirement et pour son ami Kinnet. Entré au *Soir* peu après lui, en janvier 1941, il y publie des articles sur le jazz et le music-hall. Mais la direction de la délicate rubrique judiciaire et les comptes rendus de procès occupent le plus clair de son temps. À ses heures perdues, ce polygraphe assure une correspondance pour l'agence collaboratrice Belgapress, donne des contes policiers à un journal édité par le Front allemand du travail et publie des livres. Bientôt, dans quelques mois, il sautera le pas et quittera *Le Soir* pour *L'Avenir*[121] Pas Hergé. Il en a pourtant l'occasion, lui aussi.

Créé en 1943 sur le modèle de *Paris-Soir*, avec force images et informations, ce quotidien rexiste remporte un certain succès. Il sert la propagande, mais en douceur. Et comme il dispose d'importants contingents de papier, il a les moyens de ses ambitions[122]. Victor Meulenijzer, son rédacteur en chef, est un ami d'enfance d'Hergé. Ils ne se sont jamais perdus de vue depuis l'école. En 1930, c'est lui qui signait à la

« une » du *Soir* le reportage sur le retour triomphal de Tintin du pays des Soviets.

Au cours de l'été, en bavardant place Madou, les deux hommes ont déjà eu l'occasion d'évoquer un « transfert » en douceur : Quick et Flupke pour commencer, Tintin et Milou pour finir... Hergé n'a dit ni oui, ni non. Il a voulu se donner le temps de la réflexion.

Quelques jours avant l'éviction de Raymond De Becker, son journal étant des plus vulnérables et ses collaborateurs des plus fragilisés, l'homme de *L'Avenir* repart à l'assaut. Cette fois, Hergé doit refuser. Poliment, amicalement, avec regret mais il refuse. Il reste fidèle au *Soir*. S'il veut bien s'en expliquer, ce sera de vive voix, mais pas par écrit[123]. Encore son refus est-il chaleureux. Alors qu'il y a quelques mois, lorsque l'éditeur-imprimeur Gordinne lui a demandé d'inventer une autre histoire dans l'esprit de Tintin, il a sèchement répondu non[124]. Il est vrai qu'elle entrait dans le cadre d'un hebdomadaire illustré destiné à voir le jour après la « libération ».

Prudent, Hergé ? On pourrait le croire. Pourtant, au même moment, alors qu'il s'apprête à publier *L'Étoile mystérieuse* en bandes quotidiennes dans le journal collaborateur en langue flamande *Het Laatste Nieuws*, son éditeur l'incite à y surseoir :

« ... C'est en soi un excellent événement. Je me demande toutefois, et ici je te livre une réflexion toute personnelle, s'il ne serait pas plus opportun pour toi d'attendre la fin de la guerre pour intensifier la parution de tes dessins dans les journaux... Nous ne sommes peut-être plus tellement éloignés de la fin des hostilités et il pourrait se produire, une fois la guerre finie, des réactions qui, pour être injustifiées, n'en seraient peut-être pas moins désagréables. As-tu réfléchi à cette hypothèse[125] ? »

L'auteur de ces lignes, Charles Lesne, interlocuteur privilégié d'Hergé chez Casterman, est, lui, vraiment prudent. C'est un sage armé de patience. À l'écoute de la BBC comme la majorité de ses compatriotes, il sait qu'il y a neuf mois à Londres, le gouvernement belge en exil a jeté sur le papier les bases juridiques et politiques de la future épuration. MM. Pierlot, Spaak, Gutt et Delfosse ont signé un arrêté-loi qui ne se distingue pas par sa souplesse. Il prévoit de punir sévèrement tous ceux qui ont aidé l'ennemi, notamment par l'action de propagande.

Hergé le sait, lui aussi. Mais il traite la menace par la dérision. Inconscience ou cécité ? Un mélange des deux, probablement. Sans oublier cette fuite en avant qui caractérise les esprits orgueilleux au moment de se retourner et de dresser un premier bilan. Sa réponse à son éditeur témoigne de cet état d'esprit que d'aucuns qualifieraient de suicidaire :

> « C'est le moment ou jamais de prendre pied dans le plus grand nombre de journaux possible, même si ces journaux devaient disparaître ou changer de direction après la guerre. De toute manière, j'aurai touché un plus grand public. Et c'est là un excellent résultat si l'on songe qu'après tout cela, les dessins et les albums de dessins américains feront leur réapparition, appuyés par la propagande du dessin animé. Les réactions que

tu crains sont fort possibles. Je dirais même qu'elles sont probables. Il y a de cela des indices non équivoques. Mais je suis déjà catalogué parmi les "traîtres" pour avoir publié mes dessins dans *Le Soir*, ce pour quoi je serai fusillé ou pendu (on n'est pas encore fixé sur ce point). Le pire qui puisse donc m'arriver, c'est que, ayant été fusillé (ou pendu) pour ma collaboration au *Soir*, je sois refusillé (ou rependu) pour ma collaboration au *Laatste Nieuws*, et rerefusillé (ou rerependu) pour ma collaboration à l'*Algemeen Nieuws*, dans lequel mes *Quick et Flupke* paraissent depuis septembre 40. Le plus terrible, c'est quand on est fusillé ou pendu pour la première fois. Après cela, il paraît qu'on est habitué... Quoi qu'il en soit, les réactions me mettent seul en cause. Au contraire, pour les albums, songe à l'excellente publicité que cela leur ferait[126]... »

Ce 9 novembre n'est pas un mardi comme les autres pour les nombreux lecteurs du *Soir*. En se précipitant comme chaque jour vers leurs « aubettes » favorites, ils découvrent dans leur journal un ton auquel ils ne sont guère habitués. Insolent, drôle, impertinent. Et bien informé, pour une fois. Pour tout dire, cette édition de 17 heures paraît anormalement « débochée ». Et pour cause : c'est un faux, un pastiche, une satire. En quelques heures, des Ardennes au littoral, le pays est secoué d'un immense éclat de rire. L'occupant est ridiculisé, ses séides avec lui. En lançant clandestinement dans leurs jambes 50 000 exemplaires de leur « zwanze », les militants du Front de l'indépendance ont réussi un « précipité de galéjade méridionale et de bluff anglo-saxon[127] ». Le temps d'un après-midi d'automne, la Belgique redevient farceuse, narquoise et joviale. Les trois résistants qui ont rédigé cette page recto-verso s'en sont donnés à cœur joie. Leurs cibles privilégiées ? Raymond De Becker, Marcel Dehaye, Jacques Van Melkebeke, Paul Kinnet, Paul Werrie, Pierre Deligne...

Faux-*Soir* contre *Soir* « volé ». Au journal, du moins à l'étage de la rédaction, on rit jaune, quand on rit. On ignore comment Hergé accueille cette blague politique d'une incontestable portée symbolique. Il a d'autres chats à fouetter. La censure lui fait des misères. Pour avoir suivi les déboires de certains de ses confrères autant en France qu'en Belgique, il sait qu'il ne faut pas la prendre trop à la légère.

Sur ce plan-là, 1943 est vraiment l'année de tous les dangers. À Paris, ses activités clandestines valent de sérieux ennuis à *Cœurs Vaillants*, l'époque de la ferveur pétainiste étant définitivement révolue. En mars, la Gestapo a fait une descente rue de Fleurus, mis les scellés sur les portes des bureaux et envoyé deux aumôniers ainsi que deux responsables côtoyer les punaises de la prison de Fresnes pendant trois mois :

« Vous faites du scoutisme, c'est interdit[128] ! »

C'est à cette époque que Georges Dargaud, qui avait monté sa maison d'édition en plein Front populaire, crée *Allô les jeunes*, son premier journal de bandes dessinées. Mais à Marcinelle, *Spirou* doit interrompre sa parution. Son éditeur, Dupuis, a en effet refusé la proposition de la

Propaganda Abteilung de nommer un Allemand au conseil d'administration.

Ces événements n'empêchent pas certains auteurs de bandes dessinées de se sentir pousser des ailes, au fur et à mesure que l'Europe occupée s'enfonce dans la nuit noire de la répression, de la politique des otages et de la déportation. Des Français proches de la Propaganda Abteilung lancent *Le Téméraire*. Très vite, le tirage de ce bimensuel pour les jeunes, que l'on surnommera « le petit nazi illustré[129] », oscille entre 100 000 et 150 000 exemplaires. Il faut dire que ses bandes ne sont pas dessinées et scénarisées par les plus mauvais : Jean Ache, Érik (André Joly), R. Gire (Eugène Giraud), Le Rallic, Auguste Liquois, Mat (Marcel Turlin), Raymond Poïvet...

En échange d'abonnements souscrits par le ministère des Colonies et d'une subvention du ministère de l'Information, Alain Saint-Ogan met les colonnes de son *Benjamin* à la disposition de la propagande vichyste afin qu'elle puisse directement s'adresser aux jeunes[130]. André Daix, plus fervent collaborationniste que jamais, fait désormais paraître son *Professeur Nimbus* dans le grand quotidien parisien *Le Matin*. Il doit sourire en lisant *Les Corrupteurs de la jeunesse*, la brochure que vient de publier Henry Coston. Cette diatribe contre « la mainmise judéo-maçonne sur la presse enfantine » dénonce violemment le trio infernal coupable d'avoir américanisé et marxisé les adolescents (Paul Winkler, Robert Lajeunesse et les frères Offenstadt). Mais comme elle ne peut éviter de constater que l'excellent Daix publiait ses dessins dans *Le Journal de*

Mickey, elle révèle qu'il avait été honteusement exploité pendant des années[131]... Pendant ce temps à Hollywood, Donald Duck remporte le premier et unique oscar de sa carrière pour son rôle dans le film satirique antinazi *Der Fuehrer's Face*, contribution de Walt Disney à l'effort de guerre.

Mais la pire des mésaventures est encore celle survenue au dessinateur Aldebert. Elle montre qu'un trait de trop peut mener loin. Dans le numéro daté du 1er octobre 1943 de *Ric et Rac*, il a publié un dessin sans importance : une scène de dîner mondain au cours duquel un convive est dépité de ne pouvoir retirer sa main du sucrier. Or il se trouve que cette image, dite « la métaphore du sucrier », avait été utilisée avant-guerre par la propagande anti-allemande au moment de l'affaire de Dantzig. Circonstance aggravante, le personnage en question porte une petite moustache et une mèche plaquée sur le front... La direction du journal a beau rappeler que son dessinateur est de ceux auxquels le ministère de l'Information à Vichy passe régulièrement des commandes, rien n'y fait. *Ric et Rac* est saisi. Quant à Aldebert, il est recherché, arrêté et déporté à Buchenwald puis à Mauthausen[132].

Hergé n'en est pas là, et pour cause.

Son nom, pas plus que celui de Tintin ne figuraient en 1941 sur la liste des livres proscrits et retirés de la circulation. Pourtant, on y trouvait les *Contes bleus* de Jeanne Cappe et toute la collection de *L'Album Lisette* et celle de *L'Album Pierrot*[133].

Après avoir joué de la carte de l'actualité politique, il semble avoir définitivement choisi celle de l'évasion. Distraire avant tout, ce qui correspond à la stratégie de la Propaganda. Peut-être est-ce la raison pour laquelle il décline l'offre d'une firme allemande de publier *Tintin au pays des Soviets* dans le cadre de la propagande anticommuniste[134]. En tout cas, il est probable que l'indifférence de Tintin aux événements qui secouent l'Europe sous le joug plaide en sa faveur auprès des « autorités compétentes » dans l'octroi du papier d'imprimerie. C'est l'oxygène des auteurs et des éditeurs, qu'il vienne de Finlande ou d'ailleurs. J. Van Weyenbergh, l'ami d'Hergé qui fait office d'intermédiaire, assure que s'il insistait sur le côté culturel des albums, ses demandes passeraient mieux.

« Il faudrait mettre l'accent sur la nécessité qui existe de donner à la jeunesse des œuvres saines, instructives et moralisatrices », estime-t-il[135].

Quand Casterman présente aux services de la censure ses demandes d'autorisation de réimpression (10 000 exemplaires en français et autant en flamand, pour chaque titre), le résultat n'est jamais gagné d'avance. Mais cela ne sera jamais perdu. Durant toute la durée de l'Occupation, aucun album de Tintin n'est interdit. Il arrive que parfois les officiers de la Propaganda tiquent, maugréent ou haussent le ton. Mais s'agissant d'Hergé, ils ne lui interdisent rien.

Tintin en Amérique ? Ils veulent lire avant de se prononcer[136]. Hergé ne se fait aucun souci. C'est lui qui rassure son éditeur :

« Tout cela est si anodin[137]... »

Il a raison. Quelques jours après, l'album reçoit l'autorisation d'être réimprimé. Mais Hergé retient la leçon. Pour devancer tout ennui lors d'une prochaine demande, il s'autocensure. Quitte à le remettre après la « libération », il retire d'un dessin de l'avant-dernière page le drapeau américain trônant à la réception de *Tintin à New York*. C'est plus sûr. Car une fois mise en couleurs, la bannière étoilée risque de sauter aux yeux des censeurs auxquels elle a échappé jusqu'à présent en noir et blanc[138]...

L'Île noire ? Louis Casterman est certes réprimandé pour le caractère trop britannique de l'histoire et du visuel. Le kilt de Tintin en couverture et les policiers de la dernière page notamment sont mis en cause. La maison est sanctionnée : elle ne recevra pas de nouvelles autorisations pendant trois mois. Aucune importance, elle n'en a pas à solliciter avant quelque temps[139].

Ce sont les deux seuls albums qui posent problème. Plus tard, Hergé dira qu'ils ne paraissaient pas sous l'Occupation[140]. Ses thuriféraires auront tôt fait de les présenter comme des albums interdits, manière de le dédouaner quelque peu de son attitude. En fait, la Propaganda en a parfois retardé la réimpression en arguant de la pénurie de papier. Mais la mesure n'a même pas empêché *Tintin en Amérique* et *L'Île noire* d'être disponibles en permanence pendant la guerre, foi d'éditeur[141]...

Edgar P. Jacobs est prêt désormais à rejoindre Hergé. *Le Rayon U*, sa bande dessinée pour *Bravo !*, est sur les rails et ne lui prend que la moitié de son temps. Heureusement, car du côté des *Tintin*, les anciens, les actuels et les futurs, il y a embouteillage. On dit que Jacobs a mauvais caractère parce qu'il est d'un naturel susceptible et méfiant. C'est le revers d'une médaille au dos de laquelle sont inscrites des qualités qui réjouissent Hergé avant de l'irriter : le perfectionnisme, la méticulosité, la minutie. À preuve ce jugement :

« Il m'a beaucoup appris. Quelle exigence envers lui-même, et quelle honnêté ! C'est un dessinateur qui ne triche jamais[142]. »

Ce qu'il apprécie le plus dans son nouveau collaborateur, ce sont ses talents de coloriste et de metteur en page, et son sens de l'intensité dramatique. Mais à ses yeux, il vaudra toujours mieux par ses dessins que par ses scénarios.

Jacobs, lui, est d'emblée frappé par l'exceptionnelle sensibilité et le côté vivant du trait d'Hergé. Mais alors que celui-ci ne s'intéresse qu'au mouvement, il le pousse à moins négliger les décors. À mettre de vrais programmes au fronton de ses cinémas. Les voitures de Jacobs sont de véritables automobiles dotées d'une marque identifiable. Celles d'Hergé ne sont peut-être plus des autos comiques, à la Walt Disney, mais elles n'ont pas la précision maniaque de celles de Jacobs. Non parce qu'il ne sait pas les faire mais parce que le détail lui paraît sans importance. Son souci d'exactitude documentaire exige que ses avions puissent voler et que ses navires puissent naviguer. Et non qu'ils soient reproduits au millimètre près.

Avec Jacobs, ce parti pris va évoluer. De même lui fera-t-il indirectement modifier quelque peu le personnage d'Haddock en... l'inspirant ! La fréquentation quotidienne de son collaborateur pousse en effet Hergé à accentuer le franc-parler, le côté bourru, les grands gestes larges et l'apitoiement sur ses petits malheurs chers au capitaine[143].

Mais c'est avant tout pour le seconder dans le travail de refonte des albums qu'il a engagé Jacobs. Il lui faut en priorité adapter les plus anciens aux nouveaux paramètres, les réduire à 62 planches/pages, les mettre en couleurs, les enrichir et en profiter parfois pour corriger quelques erreurs tant dans l'image que dans le texte. Parfois, ce n'est qu'une question de style, généralement dans un but de précision ou de simplification. Mais c'est aussi l'occasion d'atténuer une charge jugée trop appuyée avec le recul.

Dans le processus de modernisation de *Tintin au Congo*, la bulle « Nous allons la descendre, cette bestiole ! » devient « Beau trophée de chasse en perspective ». L'album y gagne en qualité d'écriture ce qu'il y perd en force comique. Hergé entreprend en fait de transformer la saga de Tintin en mythe, et sa série d'albums en une œuvre compacte. Il introduit fugitivement les Dupondt dès la première image, sur le quai de la gare, quand Tintin part pour le continent noir. C'est une manière artificielle de marquer la présence de la « famille » de Tintin dès le début de son épopée. Pour donner une portée plus universelle à son héros, il s'efforce de dissoudre la chronologie au risque de l'anachronisme, et de gommer sa belgitude. C'est ainsi que le voyage d'un Belge au Congo devient celui d'un Européen en Afrique. Dans sa leçon aux petits indigènes, Tintin leur enseignait la géographie (« Mes chers amis, je vais vous parler aujourd'hui de votre patrie : la Belgique ! »). Dans la nouvelle version de l'album, il leur apprend le calcul (« Deux plus deux égalent ? ») [144]. Ce qui reflète de manière saisissante l'évolution de la société.

Les deux dessinateurs se comprennent bien car ils se complètent bien. Leur tandem est désormais lancé. Il fait vite ses preuves. Après *Tintin au Congo*, ils s'attaquent à la refonte des *Cigares du pharaon*, au coloriage du *Lotus bleu* et à la « balkanisation » des décors et costumes du *Sceptre d'Ottokar*. Edgar P. Jacobs travaille officiellement pour le compte d'Hergé à dater du 1er janvier 1944. Il est engagé au titre de collaborateur au salaire de 4 500 francs par mois. Mais tant qu'il ne pourra consacrer que ses matinées aux albums de Tintin (et ses après-midi à sa propre bande dessinée), il ne percevra que la moitié de ses appointements. Hergé songe aux perspectives d'avenir. D'un côté, il exige un préavis de six mois en cas de renonciation à leurs accords. De l'autre, il lui promet d'examiner dans un an une possibilité d'intéressement ou de pourcentage sur leur travail commun une fois qu'il sera édité [145].

Une fois Jacobs installé à ses côtés, Hergé peut souffler un instant. Il a enfin l'esprit relativement en paix. Suffisamment en tout cas pour lancer son héros dans une nouvelle aventure. Elle débute le 16 décembre 1943 dans les colonnes du *Soir* selon une technique désormais éprouvée. Ce procédé efficace consiste à résumer le problème et à planter le décor grâce à une coupure de presse. Un visuel purement typographique qui est aussi le degré zéro du dessin. Hergé y résiste rarement :

« L'expédition ethnographique Sanders-Hardmuth vient de rentrer en Europe après un long et fructueux voyage au Pérou et en Bolivie. Les explorateurs ont traversé des territoires fort peu connus où ils ont découvert plusieurs tombeaux incas. Dans l'un d'eux notamment, ils ont trouvé une momie encore coiffée du "bora" ou diadème royal en or massif. Certaines inscriptions funéraires ont permis d'établir avec certitude qu'il s'agissait de l'Inca Rascar Capac. »

Une fois rendus à Moulinsart, le reporter et son chien retrouvent le capitaine, son majordome et le professeur Tournesol. Il ne manque plus que les Dupondt pour que le premier cercle soit au complet. Ils ne vont pas tarder à apparaître. Mais ça ne suffit pas. Pour donner immédiatement au lecteur l'impression d'être en famille, Hergé fait également revenir des personnages de ses précédents albums. Au Music-Hall Palace défilent le général Alcazar, échappé de *L'Oreille cassée*, mis au chômage technique par la révolution tapiociste et recyclé en lanceur de poignards, et Bianca Castafiore, le rossignol milanais fidèle à son répertoire varié, qui n'était pas passée inaperçue dans *Le Sceptre d'Ottokar*.

Le soir même, des signes étranges se manifestent. Ils ne laissent pas d'intriguer Tintin. Un à un, les membres de l'expédition ethnographique sont frappés d'un sommeil léthargique. Ce n'est ni une maladie ni une épidémie, mais quelque chose de plus incontrôlable. À chaque fois, on retrouve des fragments d'ampoules de cristal aux côtés des victimes. Tintin essaie de les prévenir mais il arrive toujours trop tard. Sauf chez le professeur Bergamotte, ancien condisciple du professeur Tournesol. La fameuse momie de Rascar Capac trône dans son bureau. Alors que l'orage gronde au-dehors et que des éclairs zèbrent le ciel, une boule de feu pénètre par la cheminée et serpente à toute vitesse autour des uns et des autres, faisant léviter Tournesol et sa chaise avant de briser la vitre protégeant Rascar Capac. Quand le calme revient enfin, la boule de feu a disparu. La momie également. La prophétie s'est réalisée. L'heure du châtiment approche pour ceux qui ont violé son tombeau. En pleine nuit, alors qu'ils dorment au domicile de Bergamotte, Tintin et Haddock font le même cauchemar : le fantôme de la momie ricanant puis brisant une boule de cristal à leur chevet... Au réveil, la frayeur est partie. Les bijoux de Rascar Capac également. Quant à Tournesol, il se volatilisera le lendemain matin. Le reporter et le capitaine se lancent à la poursuite des ravisseurs. À La Rochelle, ils apprennent que ceux-ci ont appareillé pour le Pérou à bord d'un cargo. Il ne leur reste plus qu'à prendre l'avion pour arriver avant eux...

Décidément, Hergé semble avoir pris goût aux diptyques. Pour la deuxième fois consécutive, il donne une fin « ouverte » à son histoire. Cet album en appelle un autre, et *Les 7 Boules de cristal* un prolongement qui sera suite et fin. Pour l'heure, il se contente d'intriguer le lecteur. Et il réussit assez bien. Car le récit est d'autant plus séduisant qu'il est énigmatique à souhait, quand il n'est pas effrayant. La silhouette, le masque et le regard squelettiques de Rascar Capac ont dû vraiment agiter le sommeil de plus d'un adolescent. Mis à part ce genre de détail, le récit et sa mise en forme sont d'une telle homogénéité qu'ils ne sont guère critiquables. En faisant revenir des personnages secondaires de ses précédents albums, Hergé a emprunté à la tradition littéraire du XIXe et du début du XXe siècle, elle-même héritière du roman de la Table ronde et des pièces de Molière et de Marivaux. Ce secret de fabrication des grands cycles romanesques a été notamment illustré par Balzac *(La Comédie humaine)*, Zola *(Les Rougon-Macquart)*, Proust *(À la recherche du temps perdu)*, Jules Romains *(Les Hommes de bonne volonté)*... Rien de tel pour que des livres fassent bloc, et que le bloc ait l'apparence massive, compacte et cohérente d'une œuvre.

Plus tard, d'aucuns reprocheront à Hergé l'immense étoile enserrant une chauve-souris, peinture servant de décor à la prestation d'un illusionniste. Ils voudront y voir une étoile de David, symbole juif chargé de sens en un temps où l'étoile jaune est obligatoire. Or, elle est totalement absente de la bande du *Soir*, n'ayant été rajoutée que quelques années plus tard pour les besoins de l'album. D'autre part, on peut croire en la sincérité d'Hergé quand il assure avoir dessiné le sceau de Salomon, symbole alchimique et hermétique, et non l'étoile de David, bien qu'elles se ressemblent fort[146]. D'ailleurs, on ne voit pas ce qu'elle viendrait faire sur une scène de music-hall pendant un tour de passe-passe. Même sous le crayon d'un dessinateur malintentionné. À moins qu'il ait voulu accréditer l'idée que le judaïsme était affaire de sorcier...

« Seigneur, libérez-nous de nos Protecteurs et protégez-nous de nos Libérateurs[147] ! »

C'est ce que murmure Hergé en songeant aux bombardements à venir. Il médite le cours des événements du fond de son lit où un méchant virus l'a cloué. Au point même de lui faire suspendre quelques jours la poursuite des aventures de Tintin dans *Le Soir*. Nous sommes à la mi-juin 1944.

Les Alliés ont débarqué en Normandie il y a une douzaine de jours. Une bataille décisive pour laquelle une impressionnante logistique a été déversée par 4 266 navires de tout tonnage sur les côtes françaises : 50 000 hommes, 1 500 chars, 3 000 canons... La libération de l'Europe a commencé. On entendrait souffler le vent de l'Histoire, diraient les poètes en évoquant une force irrésistible portée par quelque chose d'autre que la technique et les machines. À quoi songe Hergé en ces instants cruciaux où l'Europe bascule pour la seconde fois en quatre ans ? À se mettre en règle vis-à-vis des réquisitions du travail. Le contrôle devenant de plus en plus sévère, il en est encore à solliciter sa carte de collaborateur régulier auprès du journal *Het Laatste Nieuws*[148]. S'il est un Belge à qui on ne pourra pas faire le procès d'opportunisme, c'est bien lui !

Au début du mois, le lendemain du jour J, le roi a été arrêté. Enlevé au palais de Laeken ainsi que les princes royaux, Léolpold III a été transféré outre-Rhin, dans un château non loin de Dresde. À Bruxelles, l'ambiance au *Soir* se modifie de jour en jour au fur et à mesure que se déroule la bataille de France. On croirait assister à une application inédite du système des vases communicants : plus l'étage du personnel est gagné par la liesse, plus celui de la rédaction est envahi par la morosité. L'espoir des uns grandit à mesure que s'accentue l'angoisse des autres.

À la photogravure, les traditionnelles disputes politiques entre Hergé et Henri Lemaire ont cessé. Elles ne sont plus de saison. Les typographes, observant le dessinateur vedette du journal, le trouvent désormais pensif, préoccupé, vaguement confus[149]. Vu la tournure des événements, on le serait à moins.

À Tournai, Louis Casterman n'a pas de tels états d'âme, bien qu'il ait été bourgmestre de sa ville pendant toute la durée de l'Occupation. Si Hergé est encore trop désorienté pour préparer l'après-guerre qui s'annonce, son éditeur s'en charge pour lui. Son objectif ? Arriver premier sur le marché français en l'inondant de la collection des albums de Tintin dès la Libération. Pour y parvenir, il se donne les moyens de ses ambitions. Une fois n'est pas coutume, il est prêt à se lancer dans une importante campagne de publicité[150]. Pragmatique, l'éditeur fait le bilan de la production de son auteur vedette depuis quatre ans. Non seulement il s'avère largement positif mais il est des plus prometteurs. Le fait est que pour Hergé, comme pour un certain nombre d'écrivains et d'artistes, l'Occupation a correspondu à un « âge d'or », ainsi qu'en témoignent la qualité, la richesse et l'abondance de leur travail durant cette période. Ce paradoxe, que tout le monde n'accepte pas sans réticence tant l'expression peut surprendre sinon choquer, ils le partagent, par exemple, avec le cinéma français, lequel n'a jamais été aussi brillant que sous la botte allemande.

Alors que le destin de l'Europe se joue en Normandie, la bande dessinée française continue à présenter un étonnant reflet de son époque. D'un côté, Auguste Liquois publie dans *Le Mérinos*, éphémère périodique collaborateur, une bande dessinée intitulée « Zoubinette » dans laquelle les maquisards sont représentés comme des truands et des tueurs sans scrupules. De l'autre, Marijac, prisonnier évadé d'Allemagne, crée en Auvergne *Le Corbeau déchaîné*, bulletin satirique illustré, dans lequel il fait paraître une bande à la gloire de ses camarades de combat sous le titre « Les trois mousquetaires du maquis ». Entre les deux, un album des plus originaux fait une apparition inattendue. Signé Victor Dancette et Jacques Zimmermann pour le scénario et E. F. Calvo pour le dessin, *La bête est morte* est une transposition du *Roman de Renart* dans le contexte de la Seconde Guerre mondiale. Tous les protagonistes en sont des animaux : des loups (les Allemands avec Hitler en chef de meute), un putois (Goebbels), une hyène (Mussolini), des ours polaires (Staline et les Russes), des bulldogs (Churchill et son peuple), des bisons (les Américains), des lapins et des écureuils (les Français) sans oublier la grande cigogne en majesté (de Gaulle)[151]...

Au moment où Paris est libéré, Hergé passe quelques jours chez l'abbé Wallez, à Aulne. Cet exil intérieur, dans un lieu de prière et de méditation, lui est indispensable à chaque fois qu'il a besoin de faire le point. Moins pour prier que pour méditer, se retrouver, se rassembler et écouter l'abbé.

Dans son numéro daté du 2-3 septembre 1944, *Le Soir* publie la 152e bande des *7 Boules de cristal*. Il n'y en aura pas d'autre alors que ses précédents récits comptaient une vingtaine de *strips* en plus. L'énigme du professeur Tournesol reste en suspens. Sur le papier, l'histoire n'est pas finie. Dans la vraie vie, une autre histoire commence pour Hergé avec la libération de la Belgique.

Il a 37 ans. Son destin va basculer pour la troisième fois. Mais cette rupture-là, tout aussi riche d'enseignements que les précédentes, sera nettement plus douloureuse. Appelons ça comme on veut, le fait est qu'Hergé est de ces Belges qui auront finalement mieux vécu l'Occupation que la Libération.

II

SOLITUDE

7

La providence des inciviques

1944-1946

Le jour où Bruxelles recouvre sa liberté, Hergé perd la sienne. Le dimanche 3 septembre 1944, alors que les Welsh Guards du lieutenant-général Allan Adair chassent les Allemands de sa ville, il est arrêté chez lui, 17, avenue Delleur à Boistfort. À minuit, comme un malfrat.

Ces justiciers improvisés n'en ont pas après Hergé, mais après un certain Georges Remi. De toute évidence, le rapport entre les deux leur a échappé. Doit-il s'en réjouir ? Il ne sait plus. Il faut dire que l'effervescence régnant dans la capitale ne fait qu'ajouter à la confusion. Au moment où la 1re brigade belge du colonel Piron fait son entrée dans la ville, on ne sait plus trop qui fait quoi au nom de quelle autorité. Il en est ainsi pendant les premiers jours de tension que vit Bruxelles enfin libre alors que la guerre fait toujours rage ailleurs, pas si loin.

À la délation succède la dénonciation. C'est la même chose, le même état d'esprit que sous l'Occupation, mais dans le sens inverse et sans l'aide d'une puissance étrangère. Une affaire entre Belges. Parfois, les soldats britanniques ne dissimulent pas leur écœurement en assistant aux règlements de compte. Ils ignorent que pendant quatre ans, la Seconde Guerre mondiale ne fut pas seulement celle des grandes batailles mais aussi celle des guerres civiles. Lorsqu'ils le savent, ils comprennent mieux que la libération de l'Europe soit également celle des mauvais sentiments.

Les activistes de la Résistance qui se présentent ce soir-là chez Hergé ont lu le dernier numéro de *L'Insoumis*, « bulletin d'informations et de combat contre les mauvais Belges ». Une plaquette y est jointe. Intitulée « Galerie des traîtres » et sous-titrée « Dans l'antre du *Soir-ersatz* », elle dénonce les collaborateurs du journal, tous accusés de s'être sciemment mis au service de l'ennemi. Avec noms, adresses, curriculum vitae et photographies à l'appui. Ainsi, chacun pourra faire justice lui-même. En cas d'hésitation, un bref texte les encourage à ne pas faiblir :

« ... Amis lecteurs, regardez ces têtes ! Le vice se lit sur la face de ces tarés. Tout commentaire nous paraît superflu. Le crime de ces gens est connu et prouvé. Le châtiment que nous réclamerons pour eux sera impitoyable[1] !... »

Des quarante journalistes dénoncés dans ce tract de presse, le père de Tintin est le seul qui ait le privilège d'y figurer deux fois. La première sous le nom d'Hergé, avec sa photo, son adresse, quelques lignes biographiques et un peu de fiel pour la route : « Selon certains renseignements obtenus, serait rexiste, mais nous n'avons pu obtenir confirmation. » La deuxième sous le nom de Georges Remi, sans photo mais avec ce commentaire : « Impossible d'obtenir des renseignements sur cet individu. Tout ce que nous avons appris, c'est qu'il doit être surveillé de près. »

Manifestement, ils n'ont pas fait le rapprochement entre les deux. C'est dire...

Georges Remi est arrêté à quatre reprises. Par la Sûreté de l'État, par la Police judiciaire, par le Mouvement national belge (MNB) et par le Front de l'indépendance. À quatre reprises, il est remis en liberté. Par des policiers ou par des résistants.

Le 7 septembre, il est interrogé par Olidon Opdecam, commissaire de la Sûreté de l'État. Deux jours plus tard, à 15 h 30, Jean Tafniez, un inspecteur de ce même service accompagné d'un membre du MNB, perquisitionne à son domicile de l'avenue Delleur. En vain. Puis Hergé est emmené à la division centrale de la police de Bruxelles afin d'y être interrogé. Dès ses réponses aux premières questions, il adopte une ligne de défense dont il ne déviera pas : il n'est pas d'activité moins politique que celle de dessinateur pour enfants... Las ! Le 11 septembre, il est interpellé chez lui par deux agents qui le conduisent aussitôt au palais de justice pour y subir un nouvel interrogatoire chez le substitut[2]. Ces péripéties lui donnent l'occasion d'apprécier furtivement la paille humide de la prison. Une seule nuit derrière les barreaux, mais il ne l'oubliera jamais.

À Saint-Gilles, il croise Robert Poulet dans une coursive, le temps d'échanger « un sourire vaillant de rigueur », avant de se retrouver dans une cellule au milieu d'une dizaine d'autres proscrits. Il ne connaît pas le compagnon d'infortune dont il partage le bat-flanc. Mais dès que la conversation est entamée, ils se tutoient. Comme il est d'usage dans la presse entre confrères :

« Enfin, c'est tout à fait ridicule, cette histoire ! Je me présente : Paul Herten...

— Hergé...

— Nom de Dieu ! Toi aussi ! Mais enfin, ils sont complètement fous ! Tu vas voir, ils vont me coller dix ans ! Ils sont fous, mon Dieu ! Tout le monde est devenu fou ! Ils vont me coller dix ans[3]... »

L'ancien collaborateur de *Cassandre* et celui du *Soir* « volé » ont beaucoup de choses à se raconter. Ils passent la nuit à parler de Paul Colin, dont Herten prit la succession à la tête du journal après son assassinat par un résistant en pleine occupation. Hergé est vite élargi. Herten n'a pas cette chance. Pour lui, ce ne sera pas dix ans ni même vingt, mais le peloton d'exécution.

Cinq jours après la libération de Bruxelles, le haut-commandement allié fait paraître un communiqué à la « une » des quotidiens. *Le Soir* « nettoyé » comme les autres :

« Tout rédacteur ayant prêté son concours à la rédaction d'un journal pendant l'Occupation se voit momentanément interdire l'exercice de sa profession[4]. »

Georges Remi a du souci à se faire. La plupart de ses amis également. Ils se retrouvent tous à l'index, en attendant pire. Ils sont inscrits sur une liste noire qui n'a pas besoin d'être divulguée pour fonctionner. Boycottés, certains le sont plus que d'autres. Une chose est de ne pas trouver de travail, une autre est de subir une campagne de presse. Étant l'un des membres les plus connus de sa corporation, Hergé est naturellement l'un des plus visés.

La Patrie prend le relais de *L'Insoumis*. Dès la Libération, cet hebdomadaire issu de la Résistance publie dans son premier numéro une bande dessinée au graphisme maladroit sinon médiocre, intitulée *Les aventures de Tintin et Milou au pays des nazis*. Les dialogues en sont éloquents :

« Tintin : Capitaine, enfin libérés ! Hergé a levé le pied !

Haddock : Hergé est un marin d'eau douce, un bachi-bouzouk, un canaque. Au fond, j'ai toujours été anglophile...

Tintin : Moi, Hergé n'a jamais pu m'empêcher d'aimer les cow-boys !

Milou : Et moi, jamais il n'a pu me faire passer pour un berger allemand[5] ! »

Dans l'épisode suivant, Tintin lève une division pour découvrir le secret de fabrication des V2 avant que les Allemands n'en fassent usage. Cette fois, la bande est sous-titrée : « (À la manière de M. Hergé, indisponible pour cause de libération)[6]. »

Enfin, dans le troisième numéro, Tintin lancé à la tête de sa division réquisitionne un Messerschmitt et saute en parachute sur le quartier général des nazis. La dernière case est prétendument censurée par l'autorité militaire. En guise d'explication, on peut lire : « Des documents saisis hier par l'I.S. (Intelligence Service) sur un membre de la 5e colonne prouvent que les Allemands qui comptaient sur M. Hergé pour établir la formule du V2 attendent à présent la fin de cette histoire pour connaître cette formule[7]. »

Voilà pour l'ambiance. Hergé s'en accommode tant bien que mal. En ces jours de septembre, il semble encore sonné par les événements. Plus blessé que révolté. La réaction viendra plus tard. Pour l'instant, c'est un spectateur. De son point de vue, il n'a rien à se reprocher. Par conséquent, il n'envisage pas un seul instant de quitter sa maison, sa ville ou son pays. D'autant que l'idée d'une comparution en justice ne l'effleure pas. Mais le contexte lui fait un peu ravaler son orgueil :

« Les optimistes avaient tort. Tort de ne pas être plus optimistes. Les pessimistes — dont j'étais, je l'avoue — en sont pour leur courte honte. L'essentiel est que tout cela se soit passé à la vitesse de l'éclair et que pour la seconde fois, notre pays ait été, dans l'ensemble, miraculeusement préservé. Deux miracles en quatre ans, c'est beaucoup, et je n'aurais jamais osé l'espérer. J'ai eu tort. Tant mieux[8] ! »

Il faut vraiment être Hergé pour réduire quatre années d'affrontements entre collaborateurs et résistants à une sorte de querelle des anciens et des modernes opposant les pessimistes aux optimistes. Au début de l'hiver 1944, l'État et la justice, pour ne rien dire du monde politique et de l'opinion publique, voient les choses d'un autre œil.

Plus les jours passent, plus Hergé découvre son pays. Il est écœuré par le spectacle de la vengance et des règlements de compte, de la dénonciation et de l'opportunisme, de la jalousie et du ressentiment, de la lâcheté et de l'égoïsme. Toutes choses qui avaient également fait des ravages pendant l'Occupation sans que le principe même l'ait jamais heurté. N'ayant pas eu à en souffrir, il avait fermé les yeux. Aujourd'hui, il est directement visé par ces justiciers pour qui la haine de ceux qui ont trahi est une haine sacrée.

Dans sa situation, il n'a pas à craindre une peine capitale mais une sanction morale et sociale. Il est moins hanté par le spectre de la mort que par celui de la mort civile, symbolisée par un mot : « incivique ». Cet adjectif du XVIIIe siècle est considéré comme hors d'usage, car trop vieilli, par les dictionnaires de langue française. La Première Guerre mondiale l'avait remis au goût du jour. L'épuration belge lui donne une nouvelle jeunesse, si bien que les historiens de la Seconde Guerre mondiale croient à une sorte de belgicisme.

Cette appellation infamante fait peser le soupçon sur quantité de gens. Un ministre de la Justice ne tarde pas à en convenir : « Le gouvernement de Londres est rentré en Belgique avec ce préjugé, je dirais volontiers instinctif sinon explicite, que les huit millions de Belges qui étaient restés au pays devaient faire la démonstration de leur civisme[9]. » L'homme de la rue traduit cette opinion par une boutade selon laquelle le seul Belge à n'avoir pas d'ennui à la Libération est le tramway de Bruxelles, bien qu'il ait transporté des Allemands pendant quatre ans... L'hebdomadaire satirique *Pan*, né en janvier 1945, se délecte de ces bons mots. Dans ses colonnes, la Belgique n'est plus désignée que par métaphore, comme « la petite terre d'héroïsme », allusion à une expression forgée par un conseil de guerre.

Les juges militaires condamnent quelque

30 000 Belges à une peine correctionnelle, et environ 25 000 autres à une peine criminelle dont 5 500 à la peine capitale ou à la détention à vie[10]. De même qu'en France, les collaborateurs économiques bénéficient d'une indulgence disporportionnée en regard de la sévérité qui frappe les collaborateurs politiques. Et de même qu'en France, la clémence des tribunaux s'avère de plus en plus sensible avec le temps. Ainsi, l'éloignement et la durée jouent en faveur de ceux qui retardent l'affrontement avec leurs juges[11].

Pendant trois ans, les orateurs se succèdent à la Chambre des représentants pour donner un sens à un terme de plus en plus galvaudé. D'un côté, il y a les partisans d'un châtiment exemplaire, sévère mais juste. De l'autre, ceux qui ne veulent pas reconstruire leur pays sur une morale de la haine. Selon M. Lambotte, rapporteur du budget de la Justice, la vertu civique doit se situer d'abord sous l'angle moral, avant d'être envisagée dans sa dimension juridique. Le civisme est donc la qualité du bon citoyen, laquelle se reflète dans la conception qu'il se fait de ses devoirs quotidiens :

« Quand le pays est envahi, le devoir civique consiste chez l'homme de cœur à se replier sur lui-même, pour mieux résister à l'occupant, et devenir une sorte de personnification de cet État accablé, mais qui vit et ne veut pas mourir[12]. »

En décembre 1942 à Londres, quand il avait jeté les bases juridiques de la future épuration, le gouvernement belge en exil ne s'était guère embarrassé de considérations morales. Il n'avait pas fait dans le détail et avait mis dans le même sac toutes sortes de collaborateurs, sans même distinguer les profiteurs vénaux des fascistes sincères, et les délateurs des propagandistes. À la Libération, la classe politique toutes tendances confondues s'appuie sur cette base pour éliminer de son champ cette extrême droite qui l'avait tant gênée à la fin des années trente avant de lui livrer une guerre sans merci au début des années quarante avec l'aide des Allemands.

C'est ainsi qu'au lendemain de la Libération, presque tous les Belges sont présumés inciviques jusqu'à ce qu'ils apportent la preuve du contraire. Pour les citoyens en situation délicate, le sésame à une vie sociale et professionnelle normale porte un nom : le certificat de civisme. Celui-ci n'a aucun titre légal, ni royal, ni même ministériel, mais est délivré par le commissaire de police ou le bourgmestre, selon les termes d'une circulaire du ministère de l'Intérieur. À défaut, on peut se retrouver au ban de la société ou projeté dans « une marche kafkaïenne à travers les institutions » ainsi qu'en témoignent les dossiers [13]. En l'absence d'une réglementation claire et précise, les abus se multiplient. Favoritisme, concussion et trafic d'influence aboutissent à la délivrance de certificats à d'authentiques inciviques. Tandis que des collaborateurs fort improbables mais moins bien introduits dans le milieu politique se morfondent au plus noir de leur exil intérieur.

À la Chambre, deux tendances s'affrontent autour de ce morceau de papier, véritable enjeu politique. L'avocat Charles du Bus de Warnaffe, député catholique de Bruxelles et protecteur d'Hergé depuis l'avant-guerre, plaide sans relâche pour sa suppression. Après en avoir rappelé l'origine douteuse, les effets pervers et les abus répétés, il en dénonce l'absurdité :

« ... De même que sous l'Occupation, il fallait établir qu'on n'était pas juif, il faut à trente-six occasions prouver actuellement qu'on n'est pas incivique. Veut-on obtenir un passeport, un port d'armes, être admis à une université, toucher des avances sur pension pour accident, bénéficier de dommages de guerre, participer à une adjudication publique, obtenir une licence d'importation, s'inscrire au registre de commerce, louer ses services et que sais-je encore, il faut attester qu'on n'est pas "incivique" et pour cela produire le certificat *ad hoc*... Du train où vont les choses, on peut entrevoir le jour où il faudra produire un certificat de civisme à l'appui de la demande tendant à l'obtention d'un certificat de civisme[14]. »

En face, son contradicteur à la Chambre s'appelle Fernand Demany. Député communiste de Charleroi, cet ancien résistant fut de ces clandestins à l'origine du « faux-*Soir* » de 1943. Journaliste au « vrai-*Soir* » avant la guerre, il a quelque raison de ne pas aimer Hergé et les siens. Pour empêcher un nouvel incivisme, il faut, selon lui, commencer par tuer l'ancien. Il ne veut pas s'occuper en priorité du reclassement des bannis pour ne pas susciter dans l'autre camp une armée de mécontents et d'aigris. Non seulement il s'oppose à la suppression du certificat de civisme, mais il demande qu'on en fasse une nouvelle notion juridique de manière à pouvoir l'incorporer dans le droit civil[15].

En juillet 1947 seulement, une circulaire du ministère de l'Intérieur fusionnera le certificat de civisme avec le certificat de bonnes mœurs, manière habile d'en atténuer les effets [16]. En attendant, il fait des ravages chez les journalistes[17].

Ce soir-là, le bruit court dans Bruxelles qu'une importante manifestation patriotique doit se dérouler dans la commune de Boistfort. Pour punir les traîtres. Quand l'épuration légale semble traîner des pieds, l'homme de la rue se croit toujours autorisé à rendre la justice au coin du bois. Surtout s'il est en nombre.

Après dîner, on sonne chez les Remi. Ils n'attendent personne. Dehors, les acclamations de la foule se rapprochent. Ils ouvrent : ce n'est pas un délégué de l'expédition punitive mais Edgar Jacobs. Faisant mine de rentrer chez lui après ses courses, il dépose tout naturellement un gourdin dans le porte-parapluie et s'installe dans le salon. Ce n'est qu'en repartant en fin de soirée qu'il avouera n'être venu que dans le but de défendre Hergé contre d'éventuels agresseurs[18].

Telle est encore l'ambiance dans les premiers mois de 1945. Si Hergé peut travailler pour Casterman à la refonte de ses albums, le journaliste Georges Remi est ès qualités interdit de publication. Comme tant d'autres de ses confrères, il fait l'objet d'une instruction judiciaire. L'enquête porte sur sa collaboration permanente pendant toute l'Occupation à des journaux inféodés aux Allemands : *Le Soir* dit « volé », *Het Laatste Nieuws* et *Het Algemeen Nieuws*. Son dossier est concocté pour le substitut Vinçotte par le Service central de documentation, véritable banque de données de l'Auditorat militaire [Parquet]. Georges Remi risque gros en un temps où les gros risquent peu. Parce qu'il est journaliste, ce qui rend son dossier rapide à constituer. Parce qu'il est connu et que l'opinion publique chauffée à blanc par une presse revancharde réclame des têtes. Parce que son succès a fait des jaloux dans son milieu. Et parce qu'il est de ces boucs émissaires idéaux, le pays n'ayant pas besoin de cette catégorie de citoyens pour la reconstruction économique et le redressement national. Pour toutes ces raisons, il vit dans la crainte, même s'il n'en laisse rien paraître. Il ignore encore que le magistrat chargé de son dossier est d'ores et déjà bien disposé à son endroit.

« En principe, j'incline à ne pas exercer de poursuites. J'estime que cela serait de nature à ridiculiser la justice que de s'en prendre à l'auteur d'inoffensifs dessins pour enfants », écrit alors M. Vinçotte dans une lettre confidentielle adressée à l'Auditeur général [procureur général]. Mais comme Hergé a travaillé au *Soir* de guerre, il lui est difficile de ne pas inclure le dessinateur dans les poursuites : « On me fait en effet remarquer de tous côtés que Remi, par ses dessins, est un de ceux qui ont le plus fait acheter *Le Soir* sous l'Occupation. Comme je vais être forcé de poursuivre des chroniqueurs littéraires, sportifs, etc., dont les écrits personnels ne sont pourtant pas sujets à critique, on pourra me dire qu'Hergé a, autant et plus qu'eux, contribué à agrémenter et diffuser le journal[19]. »

Le substitut Vinçotte n'a plus qu'à attendre le rapport d'expertise pour se décider. Amer et abattu, étrangement fataliste, Hergé s'en remet, lui, au hasard et à la chance pour échapper à une condamnation redoutée et passer entre les gouttes de l'épuration. Un beau jour d'octobre 1945, sans que rien ne le laisse prévoir, ils se présentent à lui. Ils ont un nom, un visage et une poignée de main. Ceux de Raymond Leblanc, résistant.

Petit et râblé, soucieux de sa mise, cet homme entreprenant est de huit ans son cadet. Décoré de la croix de guerre, il fait partie de ces rares Belges qui n'ont pas à attester de leur civisme pendant les années noires. Jeune officier dans la prestigieuse unité des Chasseurs ardennais durant trois ans, il avait su exprimer les sentiments des hommes de sa génération, en plein traumatisme de la défaite, dans un livre intitulé *Dés pipés* (1942). Ce reportage sous forme de journal, écrit dans un style sobre et puissant, relatait le profond dépit de ceux qui s'étaient crus bernés en faisant leur devoir. L'affaire ayant été étrangement réglée en dix-huit jours, ils se demandaient si les dés n'étaient pas pipés... Devenu fonctionnaire-officier des douanes au ministère des Finances, il avait appartenu dans la clandestinité au Mouvement national royaliste, organisation de résistance léopoldiste qui entendait contrebalancer l'influence de la résistance communiste[20].

À la Libération, il s'est fait éditeur en s'associant à André Sinave, autre ancien résistant pétaradant d'idées neuves mais piètre administrateur, et Albert Debaty, qui fut successivement correcteur d'imprimerie, enseignant et journaliste à l'hebdomadaire *Bloc*, puis pendant l'Occupation au rexisant *Voilà* où il assurait une chronique sur le langage. Yes, la maison d'édition qu'il ont créée, repose essentiellement sur deux collections : « Cœur » (romans d'amour) et « Ciné-sélection » (récit des nouveaux films). Au début, ils mettent eux-mêmes la main à la pâte, c'est-à-dire à la plume, avant de déléguer la corvée à des polygraphes spécialisés dans la production d'eau de rose.

À la Libération, le papier d'imprimerie est encore le nerf de la guerre. En avoir ou pas, tout le problème est là. Sinave, qui a connu la paille humide des cachots à la forteresse de Huy, se souvient d'un de ses camarades d'infortune. Il s'appelait Raoul Tack et était journaliste sportif à *La Dernière Heure*. Aujourd'hui, le sénateur Tack est un homme d'influence. Grâce à lui, l'entreprenant trio obtient un stock de papier finlandais au prix officiel. Il n'en faut guère plus pour lancer la maison. Très vite, ça ne leur suffit plus. Ils doivent trouver autre chose. Un jour, André Sinave sort une idée extravagante de son chapeau. Une de plus :

« Eh bien voilà, nous allons lancer un hebdo pour enfants ! »

Ses deux associés font la moue. Ils ont appris à se méfier de ses éclairs de génie. Le plus souvent, ils sont aussi séduisants qu'irréalisables. Avec lui, l'aventure est souvent au bout du chemin. Il reprend aussitôt :

« Fort bien, mes amis, je devrai donc chercher ailleurs les candidats-éditeurs qu'intéresse un hebdo pour gosses ayant Hergé comme principale vedette. Je ne doute pas d'en trouver...

— Hergé ? Tu as dit Hergé ? Tu t'es mis en rapport avec lui ? Il serait d'accord pour redessiner ? Nous pourrions traiter ensemble ?

— Enfin, c'est tout comme[21]... »

Toujours pareil avec Sinave. Mais cette idée-là fait son chemin car Raymond Leblanc y croit. Et il est aussi organisé, rigoureux et gestionnaire que son associé ne l'est pas. Encore faut-il trouver le joint avec Hergé. Nul ne le connaît. Ils sont tous trois également intimidés par la notoriété de cet aîné. Ils ignorent jusqu'à son adresse. De toute façon, on dit qu'il se cache. Pas question de passer par Bernard Thiéry, son agent. Heureusement que Sinave connaît quelqu'un qui...

Il s'appelle Pierre Ugeux. Cet ancien du *Vingtième Siècle* a côtoyé Hergé avant que leurs chemins ne divergent après 1940. Et pour cause : avec son frère aîné William, il s'est illustré dans la Résistance au moment où Hergé s'intéressait aux journaux de la collaboration. Pourtant aujourd'hui, à la fin de 1945, ça ne semble plus poser de problème. Pierre Ugeux, qui s'est toujours considéré comme un démocrate-chrétien, ne le tient ni pour un ancien collaborateur, ni pour un vrai coupable, ni même pour un incivique. Pour avoir été personnellement témoin d'un abus de l'épuration, il n'en est que plus tolérant : après plusieurs interventions dont la sienne, un homme injustement condamné à mort a finalement obtenu un an de prison... D'autre part, sachant qu'Hergé doit beaucoup produire pour honorer diverses traites, il se montre compréhensif[22].

Raymond Leblanc, lui, est porté par l'admiration qu'il voue à son œuvre depuis sa jeunesse. Ses parents ayant été de fidèles lecteurs du *Ving-*

tième Siècle, il est de la génération qui a pu déguster *Au pays des Soviets* dans son jus. Il en a conservé un souvenir ému[23].

Quoi qu'il en soit, la mauvaise image d'Hergé ne les freine pas. Son passé controversé n'est plus un obstacle alors que ces deux résistants l'auraient volontiers situé, un an plus tôt, dans le camp de l'ennemi. De plus, l'officier Paul Remi, frère d'Hergé, a fait plusieurs tentatives d'évasion quand il était prisonnier en Allemagne afin de rejoindre en Angleterre une des unités belges commandées par Jean-Baptiste Piron. Quand on leur parle du *Soir* « volé », les nouveaux amis résistants d'Hergé préfèrent se souvenir que leurs camarades de clandestinité, emprisonnés à Saint-Gilles sous la garde des Allemands, attendaient la bande dessinée quotidienne d'Hergé comme une bouffée d'air pur.

Le projet d'un hebdomadaire pour enfants soutenu par Hergé est d'une telle originalité, il fait entrevoir de telles perspectives artistiques, commerciales et financières, qu'il balaie ces scrupules. Il est si excitant et prometteur qu'il les rend inopportuns et anachroniques. Cela vaut bien pour ses promoteurs de faire l'impasse sur un comportement douteux.

Hergé, quant à lui, y voit également tout de suite son intérêt. Certes, le stimulant de la parution quotidienne ou hebdomadaire lui manque. Mais il n'y a pas que cela. Rien de tel qu'un journal lancé par d'anciens résistants pour refaire surface et se réintégrer au corps social. Au moment où d'autres voudraient lui coller à vie l'étiquette d'incivique sur le front, ça ne peut tomber mieux. On voit mal autrement pourquoi il s'engagerait dans une telle aventure avec de jeunes inconnus sans référence professionnelle, sans appui dans la presse et sans soutien financier.

La première rencontre se déroule au domicile d'Hergé. Elle est suivie par plusieurs autres, chez lui ou dans le petit bureau que le trio loue à une vieille dame au 55, rue du Lombard. Les discussions demeurent courtoises, dépourvues de l'âpreté typique des négociations commerciales. C'est que les deux parties veulent vraiment aboutir et qu'elles ont conscience d'être indissociables. Il ne peut faire ce journal sans eux, ils n'auront pas l'autorisation de le faire sans lui. Car ce sera de toute évidence le journal *Tintin*. Ils sont condamnés à s'entendre, chacun étant très lucide sur ses intérêts bien compris.

Raymond Leblanc étant éditeur, il se fait fort de se procurer du papier. Albert Debaty, qui entretient de bonnes relations avec les messageries, s'occupera de la diffusion. Et le reste ? On évoque la participation effective d'Hergé, un titre de directeur artistique qui lui permettrait de superviser l'ensemble, la publication en exclusivité dans la double page centrale des nouvelles aventures de Tintin et Milou, la pagination fixée à douze pour commencer, la constitution d'une équipe... Et l'argent dans tout cela ? Effectivement. Raymond Leblanc réussit à le trouver en la personne de Georges Lallemand, un ancien résistant reconverti dans la production de films.

À l'issue de plusieurs réunions de travail, Hergé est toujours aussi enthousiaste à l'idée de voir son héros ainsi consacré. Germaine également qui sympathise aussitôt avec cette jeune équipe. Mais il est toujours aussi sceptique quant à leur faculté de la faire aboutir. Non à cause d'eux mais à cause de lui :

« Vous vous rendez compte ? Moi, lancer un journal *Tintin*, avec tout ce qu'on me reproche !

— Ça, c'est mon problème, répond Leblanc. J'ai des références. Tout ce que je veux, c'est un contrat[24]. »

Hergé sait d'ores et déjà que lorsqu'on racontera sa vie, on pourra marquer l'époque de l'épuration d'une pierre noire. De là date son premier échec. Car c'est la première fois, depuis vingt ans qu'il est dans la vie active, que son ascension est freinée. Pour mener à son terme le projet du journal *Tintin*, ses promoteurs savent qu'il ne leur reste plus désormais qu'un obstacle à surmonter. Mais il est de taille. Il s'agit de procurer un certificat de civisme à Hergé. Sans cela, il n'y aura pas de journal. Pour que l'imprimeur Van Cortenbergh, l'un des rares à travailler en héliogravure sur presses rotatives, accepte de s'en occuper, Hergé doit impérativement présenter un certificat de civisme. Même s'il n'apparaît pas comme le gérant ou le responsable légal, le fait qu'il y joue un rôle artistique suffit. De toute façon, tout Belge bien né sait qu'il est le père de Tintin. Un journal portant ce nom ne saurait se faire sans son assentiment sinon sa collaboration effective.

Hergé n'a jamais eu autant de résistants dans son entourage. Même s'ils ne sont pas là pour des raisons politiques, c'est le moment d'en profiter. Pendant des semaines, ils s'emploient sans relâche à lui procurer ce méchant bout de papier que personne ne veut lui donner.

Raymond Leblanc effectue quelques sondages. Il ne tarde pas à comprendre qu'il y a deux clans. Ceux qui répondent violemment : « Ce collabo ? Pas question ! » Et ceux qui disent plus sereinement : « Il y a un cas Hergé. On l'étudie[25]... »

De son côté, Pierre Ugeux a commencé à tâter le terrain du côté du comité d'attibution du papier. À peine a-t-il évoqué le nom de Tintin et, dans la foulée, celui d'Hergé que la tension monte d'un cran. Pourtant, en tant que membre des SAS, il porte encore son uniforme de parachutiste. Il n'empêche. L'atmosphère est électrique quand un contradicteur monte sur l'estrade et l'interpelle :

« On ne peut pas donner du papier au journal d'un collaborateur !... Et d'abord, êtes-vous un ancien de la Résistance ?

— Évidemment !

— Où ça ?

— À Londres. Et vous ?

— Moi aussi.

— J'étais dans une unité combattante. Et vous ?

— Dans un ministère[26]... »

Aussitôt, le calme revient. Pierre Ugeux a remis un gêneur à sa place. Pour éviter que d'autres se manifestent, il en profite pour dire que si on doit proscrire les journaux, autant le faire avec tous ceux qui ont paru sous la botte. Il ne repart pas sans avoir obtenu son contingent de papier. Sa prochaine étape : le bureau de son propre frère William Ugeux, une des plus hautes personnalités de la Belgique combattante. Un homme clef pour les gens du journal *Tintin*. Car dans ses attributions, on trouve aussi bien la censure, le rationnement du papier, les certificats de civisme...

Délégué officieux des mouvements de résistance à Londres dès 1941, il s'y installe l'année d'après comme directeur des services secrets belges en exil. Rentré à Bruxelles avec le grade de colonel, il prend la tête du Service national d'information, directement rattaché au cabinet du Premier ministre Hubert Pierlot. Il est bien placé pour aider Hergé. À divers titres. D'abord parce qu'il l'a fort bien connu quand il était à la direction du *Vingtième Siècle*. Ensuite parce qu'il est devenu par le jeu des circonstances un homme d'influence dans la Belgique de l'immédiat après-guerre. À Londres, il avait participé à la mise au point de la législation sur l'épuration de la presse, tout en la jugeant un peu sévère. Par la fonction qui fut la sienne au cœur des réseaux de renseignements, il connaît parfaitement les tenants et les aboutissants de nombre d'affaires sensibles. C'est un des hommes les mieux informés de la capitale en cette époque troublée où l'on ne sait plus qui a fait quoi dans un passé récent.

Quelle vision a-t-il d'Hergé en 1945 ?

« Quelqu'un qui s'était bien conduit à titre personnel, mais qui n'en est pas moins demeuré un anglophobe évoluant toujours dans la mouvance rexiste. Il illustrait bien la passerelle qui reliait l'esprit scout primaire et la mentalité élémentaire des rexistes : goût du chef, du défilé, de l'uniforme... Un maladroit plutôt qu'un traître. Et candide sur le plan politique[27]. »

Outre la plaidoirie de son frère Pierre, William Ugeux a droit à celle de Raymond Leblanc et même à celle de Louis Casterman. L'éditeur n'est pourtant pas directement intéressé à l'affaire. Mais tout ce qui touche son auteur vedette le concerne, sans oublier que la notoriété d'Hergé et les ventes de ses albums ont pris un essor considérable pendant la guerre : de 34 000 albums vendus jusqu'en 1939, on atteint 324 000 entre 1940 et 1945[28] !

Les uns et les autres voudraient que M. Vinçotte, le substitut chargé du dossier Hergé, consente à le refermer. Célèbre par la force des choses mais pas vraiment populaire, ce substitut donne naissance à son corps défendant au cruel néologisme de « vinçottise » qui fait fureur dans les parloirs de Saint-Gilles et Forest. Pierre Ugeux, qui l'a bien connu à Londres, lui téléphone à plusieurs reprises pour vaincre ses hésitations. D'autres en font autant afin d'accélérer le processus. Qu'a donc trouvé le magistrat instructeur ? Sur le plan matériel, la courbe des confortables émoluments d'Hergé au *Soir* (55 000 francs en 1941, 78 000 en 1944). Sur le plan politique, rien. Pas d'adhésion à un parti ou à un mouvement. Pas d'article compromettant. Aussi plaide-t-il pour l'indulgence. Il préconise la clémence tant pour *Le Soir*, « qui avait une position relativement modérée dans la collaboration » que pour Hergé, « un dessinateur dont c'est le gagne-pain de faire des dessins pour les enfants dans les journaux[29] ».

Si certains détenus considèrent Vinçotte comme un Fouquier-Tinville, on imagine ce qu'ils disent de l'homme qui a la haute main sur toutes les affaires délicates. Walter Jean Ganshof van der Meersch, 45 ans, surnommé « Jupiter », fait peur à tout le monde. Ceux qu'il n'intimide pas le détestent parce qu'il a maudit Léopold III, authentique crime de lèse-majesté. Même dans le « faux-*Soir* » satirique de 1943, on trouvait cette perfidie à son endroit, glissée dans les petites annonces :

« Suis acheteur potences, piloris, guillotines. Écrire Ganshof van der Meersch, Londres. »

C'est dire sa réputation. Haut-commissaire à la sûreté de l'État dans le gouvernement en exil, il a retrouvé à la Libération son poste d'Auditeur général près de la cour militaire. C'est lui le superviseur de l'épuration judiciaire. Un soir, il reçoit à son domicile la visite de William Ugeux, « londonien » comme lui.

Ugeux a mauvaise conscience. Il lui raconte les démarches parfois insoutenables dont il est la cible quotidiennement. Celle d'une mère de deux enfants, épouse du journaliste Victor Meulenijzer, un vieil ami d'Hergé, fusillé pour ses activités dans la presse rexiste. Elle s'est jetée à ses pieds dans son bureau :

« Vous n'avez rien fait pour l'empêcher ! Vous l'avez assassiné ! »

Ébranlé, Ugeux n'oublie pas. Peu après, quand une autre femme vient le voir pour aider son mari condamné à mort, il lui sauve la vie en le faisant envoyer au Congo. Il en est ainsi à sept ou huit reprises. À chaque fois, il se porte garant de leur patriotisme, se persuadant qu'ils ont été déviés du droit chemin par la 5e colonne du salon Didier. Tout ça parce qu'il est poursuivi par le remords, par la vision de Mme Meulenijzer en larmes, à genoux, l'accablant de reproches.

C'est la raison pour laquelle il a demandé à son

ami « Jupiter » l'autorisation de consulter le fameux dossier Hergé. Il veut en avoir le cœur net. Tout le monde en parle, mais personne ne l'a vu.

Il est là, sur la table de la salle à manger. Ugeux s'y plonge. Qu'y reproche-t-on à Hergé ? De s'être affiché en permamence avec des collaborateurs, d'avoir fréquenté de près les gens du *Brüsseler Zeitung*, d'avoir travaillé de bon cœur et de plein gré pour la presse « volée »... En feuilletant, il trouve également des lettres de dénonciation chargeant Hergé, certaines particulièrement ignobles. En poursuivant son édifiante lecture, William Ugeux comprend que nombre de professionnels de la presse et de l'édition se réjouiraient de voir Hergé et Jamin pendus au bout d'une corde. Il prend aussi la mesure de l'inextinguible volonté de revanche de certains de ceux qui avaient « cassé leur plume » quand leur pays était occupé. Ils sont amers de constater qu'aujourd'hui, on ne fait rien pour eux.

« Rien de grave[30]... » Telle est sa conclusion en refermant le dossier. Beaucoup de bruit pour rien, en quelque sorte. En tout cas, sa conviction est établie. Suffisamment pour qu'il donne un coup de pouce décisif à une affaire qui n'attend que cela pour être classée. Plus tard, le comte William Ugeux écrira en sa qualité de président du Comité des chefs de réseaux de la Résistance :

« Je n'ignore pas qu'à la Libération, on a pu reprocher à Hergé d'avoir vu ses dessins dans les éditions du *Soir* "volé". Enquête faite, j'ai été amené à témoigner en faveur d'Hergé parce que je n'ignorais pas qu'il n'avait pas de responsabilité directe et personnelle dans la publication de bandes dessinées par les éditeurs du *Soir* “volé”. À mon sentiment, Hergé n'avait aucune raison de risquer des sanctions graves pour empêcher le *Soir* “volé” de publier des dessins à lui qu'il s'était engagé à donner au *vrai Soir*[31]. »

William Ugeux enverra un jour à Hergé son livre de souvenirs sur la Résistance, *Le Passage de l'Iraty*, ainsi dédicacé : « En hommage très intime à Hergé, collaborateur d'hier et ami de toujours[32]. » Il faut, bien entendu, lire « collaborateur » dans le contexte de leur travail en commun au *Vingtième Siècle*...

Le 22 décembre 1945, le dossier « Georges Remi dit Hergé » fait l'objet d'un classement sans suite. Justifiant sa décision dans une lettre au ministre de la Justice, le tout-puissant Auditeur général près la cour militaire Ganshof van der Meersch explique :

« En principe, celui qui exerce dans un journal collaborateur... Ce principe doit toutefois être appliqué avec mesure et pondération. Eu égard au caractère particulièrement anodin des dessins publiés par Remi, des poursuites devant le Conseil de guerre eussent été à la fois inopportunes et aléatoires [33]. »

Cette victoire n'est qu'une première étape. Les inventeurs du journal *Tintin*, concernés de près par les tribulations politiques et administratives d'Hergé, ne crient pas victoire. Pas encore. Grâce aux actions conjuguées des frères Ugeux et de Raymond Leblanc, le procureur du roi, un autre « londonien » du nom de Raymond Charles, a pris connaissance du dossier Hergé. Après avoir consulté les milieux résistants, il donne un avis favorable.

Cette fois, le certificat de civisme est pratiquement dans la poche. Las ! Quinze jours après, un coup de téléphone du cabinet du Premier ministre annonce qu'une autorité vient de remettre en question ce qu'une autre autorité donnait pour acquis. À nouveau, les protagonistes reprennent leurs démarches, frappent aux portes, font antichambre, plaident sans relâche. Peu après, c'est arrangé. Pour de bon cette fois[34]. En mai 1946, le procureur du roi peut enfin signer l'autorisation de délivrer un certificat de civisme à George Remi dit Hergé.

Normalisation ou réhabilitation ? Le terme est *ad libitum*. Peu lui importe. La fierté, après tout ça... D'autant qu'il vient de perdre sa mère. Morte à 60 ans sans qu'ils se soient vraiment connus.

Il lui reste à récupérer ses droits afin de retravailler comme avant. Dès le mois suivant, le commissaire de police de Watermael-Boistfort lui délivre un premier certificat de civisme destiné à lui permettre d'obtenir un permis de roulage. À l'automne, il est suivi par un second visant, celui-là, à l'autoriser à solliciter un emploi. Dans un cas comme dans l'autre, le commissaire a dû déclarer qu'« il n'est pas à ma connaissance que Remi Georges ait manqué à ses devoirs de citoyen au cours de l'occupation ennemie[35] ». De son côté, l'intéressé s'emploie à récupérer le passeport qui lui avait été confisqué[36]. Désormais, la boucle est bouclée. Il est officiellement blanchi. Son pays ne lui en veut plus pour l'Occupation. Mais lui, il en veut toujours à son pays pour l'épuration.

Même si, en public, il affecte de laisser glisser les événements en les prenant avec l'ironie qui sied à un auteur de bandes dessinées, en privé Hergé ne peut dissimuler ses blessures. Elles affleurent dans les conversations et les lettres. Il y apparaît meurtri tant par l'atmosphère de chasse aux sorcières que par le fait d'avoir été traité en incivique.

Au soir de sa vie, quand on lui demande quelle a été son expérience la plus importante, il répond d'instinct : « La guerre... » Puis il se reprend, en rectifiant : « L'après-guerre. » Et précise *in fine* : « Dans le sens de la répression et de la haine... Ça a été une expérience de l'intolérance absolue. C'était affreux, affreux[37] ! » Dans son souvenir, cette époque reste nimbée par le halo d'une injustice épouvantable. Car il s'est convaincu durablement que la moitié de la Belgique s'est retrouvée en prison à ce moment-là[38]. Comme la plupart des épurés, il ne songe pas un instant que ces horreurs, et d'autres bien pires encore, avaient sévi dans la société belge pendant l'Occupation. Jamais il ne trouve de mots pour dénoncer les rafles, arrestations, emprisonnements, tortures et déportations quand ses amis et lui se trouvaient du côté du manche, quoi qu'ils en disent.

Cécité ou fausse naïveté ? Toujours est-il qu'il ne voit pas ce qu'on peut lui reprocher. Ni à lui, ni aux siens. Quand le dessinateur Pierre Ickx, un camarade de jeunesse qui fut poursuivi par la Gestapo pendant un an, lui apprend qu'il était « de l'autre bord », Hergé lui répond :

« J'avoue ne pas comprendre. Quant à moi, j'appartiens au bord de ceux qui pratiquent leur métier avec le plus de conscience possible, et je salue toutes les victimes de la guerre, à quelque bord qu'elles appartiennent[39]. »

C'est bien le moins. Mais on retrouve dans cet hommage tous azimuts un trait caractéristique de sa mentalité. Une manière bien à lui de renvoyer dos à dos les belligérants, y compris les civils. Dans cet esprit de légende, il réécrira la destinée des adolescents qui jouèrent Tintin, l'un retour du Congo, l'autre retour du pays des Soviets. Selon Hergé, le premier est devenu un grand résistant et le second un collaborateur qui se battit sur le front de l'Est dans la division Wallonie. Or, s'il est vrai que Henry den Doncker fut un héros sous l'uniforme anglais, Lucien Pepermans, quant à lui, affirme s'être tenu bien tranquille pendant toute la durée de la guerre, ne s'engageant ni d'un côté ni de l'autre[40] !

Dos à dos, toujours. C'est sa façon d'atténuer les dégâts causés par le camp auquel il a appartenu. À la Libération, il ne faut pas beaucoup le pousser pour qu'en lieu et place de la censure qui sévit toujours, il évoque « notre Propaganda Abteilung nationale[41] ». Comme si c'était du pareil au même.

Le fait est que, sur le fond, Hergé ne renie rien de son attitude, ni du milieu dans lequel il a baigné depuis vingt ans. En un sens, c'est un bel exemple de fidélité aux hommes et aux idéaux de sa jeunesse. Malgré leur différence de statut et de fonction, il n'est pas abusif de penser qu'il aurait pu faire siens ces propos exprimés longtemps après par son ami Robert Poulet : « Je n'étais pas un collaborateur. J'étais journaliste pendant une période de l'occupation allemande en Belgique. Je ne collaborais pas avec les Allemands, j'écrivais pour mon pays, pour les gens de mon pays, pour le maintien à la fois de mon pays, de valeurs chrétiennes et de la dynastie[42]. »

Le plus fascinant dans l'itinéraire d'Hergé reste qu'il ne regrette rien. Rançon du péché d'orgueil ou conception trop rigide de la parole scoute ? Qui sait... Il donne l'impression de n'avoir rien appris et rien retenu. Son frère Paul est rentré d'Allemagne le 5 juin 1945, après avoir passé cinq ans dans un oflag d'officiers. Ils ont dû parler des camps, celui-ci et bien d'autres, plus secrets car plus criminels.

Plus tard, interrogé dans le cadre d'un film sur sa vie, il confiera hors micro, lors d'un tête-à-tête avec l'un des réalisateurs :

« C'est vrai que certains dessins, je n'en suis pas fier. Mais vous pouvez me croire : si j'avais su à l'époque la nature des persécutions et la solution finale, je ne les aurais pas faits. Je ne savais pas. Ou alors, comme tant d'autres, je me suis peut-être arrangé pour ne pas savoir[43]... »

Hergé ne démord pas de cette attitude, même avec son proche collaborateur Jacques Martin, requis deux ans par le service du travail obligatoire comme ingénieur chez Messerschmitt à Augsbourg. Comme ce dernier lui racontait sa vision des camps de la mort entrevus lors de ce séjour forcé en Allemagne (« les cadavres qui marchaient, l'odeur insupportable... ») et la version des gardiens qu'il avait interrogés (« ce sont des prisonniers de droit commun ! »), Hergé réagit avec incrédulité :

« Tu as mauvaise mémoire, tu as été impressionné, tu as mal vu... Et d'abord, comment sais-tu que c'étaient des Juifs ? C'étaient sûrement des droits communs. »

Jacques Martin y passe la soirée mais échoue à le convaincre de quoi que ce soit. Hergé récuse tout en bloc et en détail. Ce n'est pas que ça ne l'intéresse pas. Pis encore : il ne veut pas le savoir. Après cette vive discussion, les deux hommes éviteront toujours de reparler de la guerre[44].

Pendant toute sa traversée du désert, Hergé lit beaucoup : Simenon, Balzac, Félicien Marceau... Il ne cesse de penser à deux hommes : Norbert Wallez et Henry de Montherlant. Ceux-ci l'aident à tenir face aux attaques. Il n'oublie pas la royale indifférence que l'abbé opposait aux journaux satiriques qui le mettaient en pièces : « S'il y a une mouche là-bas qui pète dans ma direction, que voulez-vous que ça me fasse ? » disait-il à son jeune collaborateur souffrant de le voir ridiculisé[45]. Quant à l'écrivain de *Service inutile*, il puise dans sa *Lettre d'un père à son fils* un conseil d'une valeur inestimable :

« Ménagez-vous quelques périodes de déconsidération ; alternez-les avec des périodes où vous serez considéré. Quand vous vous serez aperçu qu'elles ont exactement le même goût, vous aurez fait un bon pas vers une vue saine des choses[46]. »

Un étranger découvrant l'histoire de la Belgique contemporaine à travers la biographie d'Hergé pourrait avoir l'impression qu'il n'y eut guère de libéraux, de socialistes, de communistes dans ce pays. Le fait est que s'ils y étaient tout de même nombreux et puissants, on les chercherait en vain dans son proche entourage. Surtout dans les années d'après-guerre. Mis à part ses nouvelles relations nées du projet de journal *Tintin*, ses vrais amis sont pour la plupart des condamnés, des sursitaires ou des inciviques.

C'est peu dire qu'il n'a rien à leur reprocher. Il n'a même pas le sursaut de Robert Poulet qui se demande parfois : « Est-on jamais tout à fait innocent ? » La question de leur culpabilité ne se pose pas plus que la fameuse « question royale ». La régence confiée par le parlement au prince Charles peut bien être indéfiniment prolongée, cela ne change rien. Aux yeux d'Hergé, le régent est le régent, et le roi est Léopold III. Malgré son estime pour le prince Charles, avec lequel il entretient des relations très cordiales, il est de ceux pour qui l'exil du monarque doit prendre fin au plus tôt. Se demander si le roi a eu raison de signer la capitulation et de rester en Belgique occupée relève déjà du crime de lèse-majesté.

Hergé reste aussi fidèle à ses amis qu'envers Léopold III. Nul ne pourra le prendre en défaut sur ce plan-là. Il les défend bec et ongles, surtout s'ils sont dans l'adversité. Quelle que soit la réalité des faits, il arrive toujours à trouver des circonstances atténuantes aux vaincus de la Libération.

Paul Herten, directeur du *Nouveau Journal* à partir du printemps 1943, accusé d'avoir dénoncé aux autorités le meurtrier de son prédécesseur, fusillé pour intelligence avec l'ennemi ?

« Il le faisait [son travail de journaliste] d'une façon tout à fait technique. Il a pris ses distances, la fin de la guerre approchait[47]... »

Et Victor Meulenijzer, rédacteur en chef du quotidien rexiste *L'Avenir*, connu sur les bancs de l'école, fusillé pour intelligence avec l'ennemi ? « Il avait pourtant sauvé la vie de plusieurs Belges en intercédant en leur faveur auprès de l'autorité occupante. L'abbé Stevens, notamment, est venu témoigner lors du procès que c'est grâce à lui qu'il a échappé à la mort. Rien n'y fit. La justice des hommes est inexorable[48]. »

Et Jean Vermeire, ambassadeur personnel de Léon Degrelle à Berlin, en 1943 à l'âge de 24 ans ? Hergé, qui a bien connu « Jiv » au *Petit Vingtième*, signe sans hésiter une pétition soutenant son recours en grâce auprès du prince régent. Non sans préciser qu'il n'a pas attendu les coupures de presse sur son procès « pour être convaincu qu'il n'a cessé d'agir par idéalisme[49] ».

Et Louis Carette alias Félicien Marceau, condamné pour trahison à quinze ans de travaux forcés à cause de ses émissions à Radio-Bruxelles ? Il a eu raison de considérer ses juges comme des adversaires, de se soustraire à leur autorité et de passer la frontière française. Raison de se rendre compte à temps qu'en matière de procès politique, la seule justice est de ne pas être là. Et la vraie sagesse, de quitter la ville qui vous persécute pour celle qui vous accueille. De cela comme du reste, Hergé n'en doute pas.

Et Julien de Proft, condamné à deux ans de réclusion pour avoir dirigé la mise en pages et l'édition de nuit du *Soir* « volé » ? D'après Hergé, il avait accepté ce poste la conscience tranquille :

auparavant, il avait consulté le bras droit du Cardinal, lequel lui avait assuré que cet acte accompli par devoir empêcherait le journal de tomber aux mains des SS[50]...

Et l'abbé Wallez ? Arrêté et incarcéré dès la Libération, condamné en 1947 à quatre ans de prison et 200 000 francs d'amende par le conseil de guerre de Tournai, il voit sa peine aggravée en appel. Hergé est l'un des rares à rester en contact avec lui, à ne pas lui ménager son aide, à l'assurer de sa fidélité quand il est au plus profond de la solitude.

Et Paul Jamin, l'ami par excellence, le complice de toujours ? Condamné à mort pour ses dessins dans *Le Soir, Volk en Staat,* le *Brüsseler Zeitung* et *Le Pays réel,* il voit sa peine commuée en réclusion à perpétuité. Hergé ne le lâche ni moralement ni matériellement. Quand il est en prison, il aide sa femme. Quand il en sort au bout de six ans, il l'aide directement. Jamais il ne lui réclame le moindre argent[51].

Et Robert Poulet ? Pareil. D'autant que c'est un des plus menacés. En mai 1945 encore, on peut lire dans la presse des articles signés demandant qu'il soit exécuté sans plus tarder[52]. Condamné cinq mois plus tard par le conseil de guerre à la fusillade en place publique, sentence confirmée par la cour militaire, il reste un peu moins de trois ans dans la cellule des condamnés à mort, située dans l'aile A de Saint-Gilles qui passe pour l'antichambre du poteau. Puis un peu plus de trois ans dans celle de Monsieur-tout-le-monde avant d'être libéré. À condition toutefois de s'exiler. Bien peu crurent qu'une personnalité aussi symbolique sauverait sa peau. Alors, par quel miracle ?

Pendant l'Occupation, Poulet n'écrivait rien sans l'assentiment du roi, du moins tel que Robert Capelle son secrétaire le lui transmettait. À la Libération, quand il comprit qu'il était promis au peloton d'exécution, l'écrivain-journaliste lança donc un appel au monarque qu'il n'avait jamais vu de près. Celui-ci répondit par une royale indifférence, à la manière de Charles VII réagissant au procès de Jeanne d'Arc. Du moins fut-ce le sentiment de certains de ses fidèles, parmi les plus déçus. Acharnée dans ses démarches pour soustraire son mari à la mort, Germaine Poulet dévoila publiquement toute l'affaire. C'est alors qu'intervint le dirigeant socialiste et journaliste antifasciste Victor Larock. Il rendit visite à Poulet dans sa prison. Le condamné en sursis s'était résigné à rendre publique sa correspondance avec le roi puisque celui-ci refusait de le couvrir. Larock, antiléopoldiste acharné, avait lancé le journal dont il était le directeur politique, *Le Peuple*, dans une campagne pour hâter l'abdication de Léopold III. Ce dossier explosif ne pouvait mieux tomber. En échange, sa « caution formelle[53] » permit à Robert Poulet de sauver sa tête.

Robert Poulet, bientôt remis en liberté, reprendra ses activités journalistiques. Victor Larock deviendra ministre du Commerce extérieur puis des Affaires étrangères. L'épuration, c'est aussi cela.

Cette période sombre renforça l'amitié naissante entre Hergé et Robert Poulet. Leur complicité est scellée par des petits riens : une même habitude, dans leur correspondance, d'évoquer *Le Soir* « emprunté » plutôt que le *Soir* « volé ». Comme un code entre initiés.

Se souvenant de ces années d'après-guerre, Robert Poulet dira d'Hergé : « Il fut la providence des inciviques, le grand recours des honnis et des bannis dont il connaissait la parfaite honnêteté[54]. » Loyal, l'écrivain aura attendu la mort d'Hergé pour lui rendre cet hommage que d'aucuns pourraient considérer comme un cadeau empoisonné.

Hergé, providence des inciviques... La formule est encore plus juste qu'on ne le croit. Car non seulement il aide ses amis, les amis de ses amis et d'autres Belges en difficulté, mais aussi des épurés français qu'il ne connaît même pas. Sa réputation de samaritain des collaborateurs en détresse a passé la frontière. Son adresse est de celles qui circulent. Avec eux comme avec les autres, il ne se fait pas prier.

Un cas parmi d'autres, celui de Ralph Soupault. Vendéen d'une quarantaine d'années, il fut le dessinateur le plus sollicité de la presse collaborationniste française. C'est peu dire que ce caricaturiste politique a mis son art au service de ses idées. Son influence de propagandiste fut d'autant plus grande qu'il était un des plus talentueux de sa corporation. Fasciste, antisémite et anticommuniste, il fut même en 1944 responsable de la fédération de Paris du PPF, le mouvement de Jacques Doriot. À son procès, il est le seul à justifier son attitude pendant l'Occupation non par des motifs matériels mais par des raisons politiques. Sans rien renier de son engagement, il affirme avoir dessiné « par devoir patriotique ». On ne s'étonnera pas d'apprendre qu'il est le plus lourdement condamné de tous les dessinateurs français passés à l'équarrissoir de l'épuration[55]. Jugé coupable d'intelligence avec l'ennemi, il est condamné à quinze ans de travaux forcés et à la dégradation nationale, peine bientôt commuée en dix ans de réclusion. Ralph Soupault, libéré prématurément pour raisons de santé, essaie de changer de registre. De même que des journalistes politiques épurés se reconvertissent dans la critique gastronomique (seule spécialité à ne pas exiger de carte de presse), des dessinateurs politiques tout aussi compromis cherchent à se recycler dans les illustrés pour la jeunesse. Bien que son expérience en la matière se soit jusqu'alors limitée à une collaboration épisodique au pétainiste *Fanfan la Tulipe*, Soupault livre des dessins sous le pseudonyme de Jean-François Guindeau dans *Cœurs Vaillants, Fripounet et Marisette...*

Plus tard, à chaque fois qu'il fera appel à Hergé, celui-ci s'emploiera à l'aider alors qu'il ne l'a jamais vu. Parce qu'il se recommande de Paul Jamin. Et parce que Hergé est sensible à ces petits signes perceptibles des seuls initiés. Dans leur correspondance, Soupault ne s'apitoie pas sur son sort, s'exprime par des litotes, ne dit pas qu'il a fait de la prison mais qu'il se trouvait « en retraite pieuse (n'insistons pas)[56] »... Pour ce clin d'œil complice qui résume tout, Hergé n'hésitera pas à recommander chaudement cet inconnu au passé si lourd tant au rédacteur en chef du journal *Tintin* qu'au directeur de Casterman.

Il donne l'impression de se précipiter au-devant de toute promesse d'amitié avec un persécuté de la Libération quel qu'il soit. Comme s'il tenait à tout prix à mériter la Légion d'honneur des épurés. À croire qu'il veut vraiment mourir dans la famille au sein de laquelle il a grandi. C'est affaire de fidélité. Même si, en l'occurrence, ce trait de caractère le pousse à se radicaliser. Témoin cette avance à Maurice Bardèche, infatigable propagandiste d'un néo-fascisme français pur et dur depuis la fin de la guerre et beau-frère de l'intellectuel qui symbolise la trahison aux yeux de l'Histoire :

« Quelle preuve vous donner, à mon tour, de l'amitié que je ressens spontanément pour tous ceux auxquels le souvenir de Robert Brasillach est lié ? Vos enfants ont-ils tous les albums *Tintin* ? S'il leur en manque, je les leur offrirai avec joie[57]. »

Ce lundi-là, Hergé le redoute depuis des mois. Plus qu'une date, c'est une échéance. Réhabilité *de facto* à titre personnel, virtuellement détenteur de ses fameux certificats de civisme, il attend avec impatience ce 3 juin 1946 où s'ouvre le procès du *Soir* « volé ». Ce Conseil de guerre de Bruxelles, il le considère comme la dernière station de son chemin de croix. Pourtant, il ne figure pas au banc d'infamie, parmi les vingt-huit inculpés. C'est tout comme. Il a tenu à en être, dans la salle. Une manière d'exprimer sa solidarité à ces futurs condamnés dont la plupart sont ses amis. Il n'aura pas cette attitude deux semaines plus tard au procès d'Alphonse Martens, le rédacteur en chef de *Het Algemeen Nieuws*.

Après cette étape, il estime qu'en ce qui le

concerne, la page de l'épuration sera tournée. En attendant, tout peut encore arriver.

M. de La Vallée Poussin, le président de la 4e chambre, est un ancien directeur du *Vingtième Siècle*. On se trouve déjà en terrain de connaissance. Le ministère public est assuré comme de juste par l'Auditeur militaire Vinçotte, celui-là même qui fut chargé du dossier Hergé. La « une » du *Soir* « retrouvé » évoque déjà « cette feuille au service de l'Allemagne ». Le ton est donné. Les audiences peuvent commencer. Les dépositions des témoins et les interrogatoires des inculpés passionnent l'opinion publique. L'intérêt ne faiblit pas au fur et à mesure que dure ce marathon judiciaire. Le réquisitoire de l'Auditeur militaire est cinglant :

« La presse a pris une très grande part aux engagements des Belges dans les rangs de l'armée allemande. Aujourd'hui, les journalistes collaborateurs essaient de minimiser cette action (...). La grande faute du *Soir* a été de créer l'équivoque et de faire croire que l'on pouvait collaborer avec l'Allemagne sans faire tort au pays[58]. »

Les inculpés ont beau exciper de leur bonne foi et de leur sincérité, l'Auditeur militaire réclame contre Raymond De Becker la perpétuité et non la mort, peine réservée à « des chefs intellectuels de la collaboration comme Colin et Poulet ». Question d'envergure. Il n'aura donc pas l'honneur de toiser le peloton d'exécution. Gageons que son orgueil s'en est accommodé. Pour les administratifs, l'Auditeur réclame de dix à vingt ans de réclusion. Pour le critique dramatique Georges Marlier dix ans. Et pour Paul Kinnet, à qui Hergé avait fait l'amitié de prêter ses

Dupondt, dix ans : dans ses comptes rendus de procès, il avait traité les résistants comme des criminels de droit commun.

Quand Raymond De Becker prend la parole, Hergé écoute attentivement son plaidoyer *pro domo* :

« Je dois convenir que j'ai commis une erreur en croyant pouvoir collaborer avec le IIIe Reich (...). Je me suis trompé mais je ne demande pas l'indulgence. J'ai entraîné certains de mes collaborateurs mais j'ai cru servir un grand idéal. Le temps dira si nous avons pu sauver quelque chose en Belgique ou si nous aurions pu sauver quelque chose en cas de victoire allemande. Ce fut une illusion d'avoir voulu modérer l'Allemagne et le national-socialisme, mais la politique de collaboration était une nécessité, on était dégoûté de la démocratie et on redoutait le communisme. On a eu tort de ne pas voir la violence des fascismes. J'ai eu tort de me laisser impressionner par l'esprit de force, tous mes collaborateurs portent de ce fait une responsabilité collective dont ils doivent se repentir et j'en exprime mes regrets[59]... »

Nul n'a enregistré la réaction d'Hergé à ce moment-là. Dommage. Peut-être qu'en cet instant précis, sa fidélité inconditionnelle à De Becker a été entamée par son esprit critique. On eût aimé savoir s'il se sentait, lui aussi, coresponsable et repentant. À moins qu'il ait déjà saisi que ces paroles n'étaient qu'un discours de circonstance destiné à se concilier le président. Et que De Becker n'en pense pas moins.

De toutes façons, Hergé redoute moins les interventions des inculpés que celles de leurs avocats.

Ceux-ci sont à tout instant capables de le mettre en cause pour mieux décharger leur client. Ça ne manque pas. Pour comble, ce coup de pied de l'âne vient de Me Struye, résistant, artisan de *La Libre Belgique* dans la clandestinité et défenseur de l'un de ses amis, Julien de Proft. Sa ligne est simple : mon client n'était qu'un technicien du journalisme, il n'a jamais rien signé... Mais quand le président fait allusion à son traitement élevé (10 000 francs par mois), le plaideur ne se contente pas de rappeler qu'il travaillait quatorze heures par jour :

« Le dessinateur Hergé touchait plus de 10 000 francs par mois, on ne poursuit pas l'auteur de *Tintin*, cependant celui-ci a collaboré au succès du *Soir* volé[60] ! »

Me Struye a osé. Non qu'il s'agisse d'un tabou ou d'un crime de lèse-majesté. Mais il a enfreint une sorte de pacte informel liant les anciens du *Soir* « volé ». Il consistait à ne pas mettre en cause ceux des leurs qui s'étaient débrouillés pour passer entre les gouttes de l'orage épurateur.

L'idée fait son chemin. Trois jours après, un éditorial publié à la « une » du *Soir* semble regretter indirectement l'absence d'Hergé au banc des inculpés. Pas seulement parce qu'il est Hergé mais parce que tout collaborateur d'un journal y a sa part de responsabilité. Nul n'en est exempt, surtout pas les dessinateurs :

« Avec l'illustration, les collaborations secondaires servent d'appât aux lecteurs et tendent à faire lire la propagande (...). La collaboration des “emballeurs” doit être poursuivie comme complicité (...). On ne comprend pas pourquoi l'Auditorat n'a pas poursuivi tous les valets de plume de l'ennemi[61]. »

Et l'éditorialiste de demander qu'on s'inquiète un peu plus des « laissés-pour-compte des gros dossiers, ceux qui ont bénéficié de sans suite ou de non-lieu ». Pour lui, ce sont eux qui constituent le vrai danger. L'opinion publique est à l'unisson. Rares sont ceux qui savent, y compris dans les milieux informés, qu'en coulisses des personnalités de la Résistance ont fait chorus pour soustraire Hergé à la vindicte des épurateurs. Dans un but, un seul : lancer un journal en association avec lui.

Il y a bien une raison officielle. Entre deux audiences, un avocat a demandé :

« Mais pourquoi n'a-t-on pas également arrêté Hergé ? »

Et l'Auditeur Vinçotte lui a répondu :

« Je me serais couvert de ridicule[62]... »

Dès lors, la vulgate ne cessera de reprendre cette version. Au début de l'affaire, un avocat lié de longue date à la bande de Capelle-aux-Champs, Gaston Duval, dont Hergé fut souvent le commensal pendant la guerre, avait longuement entrepris l'Auditeur dans un couloir du palais de justice :

« Vous ne pouvez pas arrêter Hergé, le père de Tintin ! Vous aurez toute la jeunesse de Belgique contre vous[63] ! »

Le fait est qu'au lendemain de la Libération, Georges Remi est sauvé par Tintin. Par le projet de journal qui porte son nom, mais aussi par son image, sa popularité et la sympathie qui s'en dégage. Une fois n'est pas coutume, un héros se porte au secours de son créateur. Il est vrai qu'aux yeux de ses fidèles lecteurs, ce serait un comble de poursuivre Hergé pour incivisme alors que Tintin est le parangon du civisme. Pour le reste, après les premiers sourires dissipés à l'évocation de Tintin et Milou, l'Auditeur Vinçotte aurait fort bien pu juger le citoyen Remi Georges, dessinateur au *Soir* « volé », sans se couvrir de ridicule. Après tout, le jeune Jean Vermeire, avant de devenir l'homme de Degrelle auprès des Allemands, était dessinateur. Il publiait un feuilleton illustré pour enfants dans *Le Pays réel*. Quand on l'évoqua au procès des presses de Rex, cela ne fit rire personne. Et les lourdes peines réclamées contre des journalistes sportifs ou des critiques musicaux pour « trahison et intelligence avec l'ennemi » n'ont arraché aucun sourire non plus.

Le 24 juillet, près de deux mois après le début du procès, le président prononce le verdict. Six condamnations à la peine de mort dont celle de Raymond De Becker, une peine de réclusion à perpétuité, cinq condamnations à vingt ans, deux à quinze ans... La famille Rossel, propriétaire du *Soir*, obtient le franc symbolique qu'elle réclamait et l'État belge 12 millions de dommages et intérêts. Dans ses attendus, le jugement constate que tous ceux qui ont collaboré à la rédaction, l'administration ou la mise en pages du journal ont servi la politique de l'ennemi et qu'ils étaient donc les valets de la Propaganda Abteilung[64].

Un an plus tard, la cour militaire confirme les satisfactions données aux parties civiles mais réduit les peines. Un esprit de clémence en harmonie avec l'air du temps. Raymond De Becker passe de la mort à la perpétuité, de l'angoisse à l'espoir. L'arrêt constate que si le quotidien de la rue Royale était plus modéré que les autres journaux de guerre, cette modération ne lui permettait pas moins de servir les intérêts allemands. *In fine*, le président laisse une porte ouverte aux condamnés :

« La cour forme le vœu qu'en sortant de cette audience, vous ayez conscience que vous avez commis une faute. Il existe pour vous une possibilité de rachat[65]. »

En 1951, nombre d'entre eux se retrouveront libres.

L'été 1946 s'achève. La date de sortie du premier numéro du journal *Tintin* se rapproche. Hergé peut enfin montrer une maquette de l'hebdomadaire à Raymond Leblanc. Celui-ci est ravi :

« Bravo ! C'est vous qui...

— Non, c'est lui l'auteur ! Je vous le présente, c'est un graphiste, peintre et dessinateur de grand talent. Et qui plus est, un ami très cher. C'est Jacques Van Melkebeke, il sera notre rédacteur en chef...

— Mes compliments ! »

Les deux hommes font connaissance sans entrer dans les détails. Le temps presse. Il faut encore préparer la publicité, prévenir la presse pour le lancement, revoir l'imprimeur. Peu après, à son bureau, Raymond Leblanc reçoit un coup de fil de Pierre Ugeux :

« Est-ce vrai qu'un certain Van Melkebeke fait partie de l'équipe ?

— En effet...

— Tu as une heure pour le faire déguerpir, la

police arrive ! Fais-le vite partir et ne dis pas qu'il a travaillé au journal *Tintin*[66]... »

Comme prévu, un commissaire de police ne tarde pas à faire irruption à la recherche de Jacques Van Melkebeke, ancien critique artistique et illustrateur. Bientôt, à la Chambre, le communiste Fernand Demany le dénoncera du haut de la tribune :

« Le nommé Van Melkebeke, collaborateur au *Nouveau Journal* et au *Soir* volé, condamné à une peine de prison, n'a jamais été arrêté. L'auditeur chargé de cette affaire se retranche derrière un ordre venu d'en haut[67] ! »

Cette affaire est à l'origine du premier froid entre Raymond Leblanc et Hergé, associés de fraîche date. L'éditeur est scandalisé, le dessinateur n'en peut mais :

« C'est inadmissible de faire une chose pareille ! Et surtout de ne pas me le dire ! Vous auriez pu au moins me prévenir, me dire qu'il était...

— Je croyais que ça allait s'arranger...

— Tout de même !

— J'ai été imprudent. Je ne pensais pas que c'était si important, je suis désolé. »

Ça se tasse. Mais quand Jacques Van Melkebeke est à nouveau arrêté et emprisonné, c'en est trop. Jacobs, son camarade de jeunesse, et Hergé, son ami de guerre, sont obligés de se séparer de lui. Ils lui font abandonner la rédaction en chef au profit d'André Fernez, un ami de Raymond Leblanc. Mais ils n'en continuent pas moins à lui confier dans l'ombre, en toute discrétion, l'exécution de dessins et de scénarios. C'est ainsi que le brillant Jacques Van Melkebeke, citoyen semi-clandestin pendant des années, devient le nègre tout à fait clandestin du journal *Tintin*.

Il faut vraiment qu'Hergé y soit acculé pour qu'il se résigne à cette extrémité. Peu après cet incident, quand l'hebdomadaire cherchera un responsable pour un projet d'édition flamande, Hergé lui recommandera un jeune homme irréprochable. Par une source extérieure, Raymond Leblanc apprendra qu'il est le fils d'un collaborateur condamné, ancien membre du VNV, le parti nationaliste flamand. Cette fois, il n'en tiendra pas compte. Bien plus tard encore, en suggérant au directeur du journal de publier des contes de temps en temps, Hergé lui fournira l'auteur idoine. Passe encore qu'il signe d'un pseudonyme. Mais qu'il fasse encaisser ses chèques sous le nom de jeune fille de sa femme ne manquera pas d'intriguer Raymond Leblanc. Il laissera faire, pendant des années. Jusqu'au jour où il apprendra que le conteur en question n'était autre que Robert Poulet :

« Vous auriez pu me prévenir !

— Je ne voulais pas vous ennuyer[68]... »

La providence des inciviques, jusqu'au bout.

8

Les années noires

1946-1950

Désormais, il existe deux « Tintin » : le premier est né le 10 janvier 1929, le second apparaît le 26 septembre 1946. Au départ, l'aventure du journal a mobilisé beaucoup d'influences et d'énergies. À l'arrivée, il n'y a pas foule. Seuls demeurent en course ceux qui ont de l'argent à investir immédiatement dans l'hebdomadaire. Ils ne sont plus que trois. Selon les statuts de la société éditrice qu'ils ont constituée à cet effet, le capital et les bénéfices sont répartis entre le directeur général-gérant Raymond Leblanc (50 %), le gérant Georges Lallemand (40 %) et le directeur artistique Hergé (10 %). Le premier fait fonction d'éditeur du journal, le deuxième de financier tandis que le troisième en est l'âme.

Hergé ne recrute pas une équipe mais une bande. Edgar Jacobs et Jacques Van Melkebeke, c'est bien. À ses yeux, c'est même ce qu'il y a de mieux. Mais ça ne suffit pas. Pas pour un hebdomadaire. Ils lui présentent un dessinateur-scénariste débauché à *Bravo !*, Jacques Laudy. Jusqu'à présent, il a surtout signé deux bandes dessinées, *Bimelabom et sa petite sœur Chibiche* ainsi que *Gust le flibustier*. Au début, il s'intègre parfaitement à la petite équipe, notamment grâce à son humour. Sur ce plan-là, les quatre joyeux drilles, liés par une estime réciproque, sont vraiment au diapason. Mais plus tard, les relations entre Jacques Laudy et Hergé se détérioreront. En tout cas, ce dernier n'en conservera pas le meilleur souvenir.

Il a senti instinctivement qu'ils ne seraient jamais sur la même longueur d'onde. Laudy demeure envers et contre tout un artiste. Il se soucie comme d'une guigne de rendre ses travaux à l'heure. Les contraintes de la presse en général et celles de la bande dessinée semblent le laisser indifférent. Ce nouveau venu, qui a exactement le même âge que lui, n'est pas près de renoncer à l'illustration. Il se fiche de savoir qu'un phylactère se lit de gauche à droite, refuse d'envisager que l'histoire puisse jamais primer sur le dessin et... ne veut pas prendre l'ascenseur ! Autant dire que c'est un homme du Moyen Âge[1].

Quelques mois auparavant, sa première rencontre avec le cinquième des quatre mousquetaires s'est déroulée dans un tout autre esprit. Paul Cuvelier n'a pas 25 ans. Mais il a commencé tôt puisque, dès l'âge de 6 ans, il réussissait à publier un dessin dans... *Le Petit Vingtième*[2] ! C'est d'ailleurs un neveu de l'abbé Wallez qui l'amène aujourd'hui à Hergé. Pour solliciter des conseils du plus prestigieux des aînés.

Le jeune homme tend ses carnets de croquis au maître sans disciple. Le premier contient des esquisses de jeeps américaines, telles qu'il a pu en observer dans sa région natale lors de la Libération, et de chevaux. Hergé ne dit mot tant il semble impressionné. Mais il est carrément ébloui par le contenu d'un autre carnet : des aquarelles en pleine page racontant l'histoire de Corentin Feldoë, un jeune orphelin breton du XVIIIe siècle, maltraité par son oncle, et qui s'enfuit à bord d'un bateau de passage :

« Vous venez me demander conseil, dites-vous. Eh bien, c'est moi qui devrais vous en demander[3] ! »

Paul Cuvelier voudrait être Raphaël ou rien. Hergé le poussera à être lui-même. Et dans un premier temps, à se tourner vers la bande dessinée. En l'intégrant dans l'équipe pionnière du journal *Tintin*, Hergé décèle vite le talon d'Achille de cet artiste dont l'évidente vocation et les incontestables qualités le laissent pantois. Il est trop perfectionniste, trop exigeant avec lui-même car il place la barre toujours trop haut. La profonde insatisfaction qui le mine en permanence l'empêche d'exprimer vraiment sa puissance créatrice. Rien n'est moins fécond. Un jour, à l'issue d'une réunion, Hergé qui l'admire ne peut s'empêcher de le prendre à part :

« Nous sommes tous des faiseurs. Tous, autant que nous sommes. Mais vous, c'est différent ! Vous avez quelque chose à dire, d'instinct. Seulement votre intelligence et votre sensibilité vous font du tort pour autant qu'elles vous portent à vous surveiller et à vous critiquer tout le temps, vous empêchant d'être vous-même en vous laissant guider par votre instinct seul[4]. »

Hergé parvient tout de même à le tirer vers la bande dessinée, même si le jeune homme rêve d'un autre destin. Malgré l'aide fraternelle de

Jacobs, il échoue en revanche avec d'autres dessinateurs plus âgés, moins souples et indifférents aux pressions. Il en est ainsi du grand illustrateur Beuville. Peu lui chaut de savoir qu'il s'agit du journal *Tintin* !

« Non, ça... je ne fais pas des choses pareilles ! Vous comprenez, vous, quand vous ne savez plus quoi faire ou que vous ne savez plus que dessiner, vous mettez du texte et alors vous cachez le dessin !

— Mais non, enfin !

— Si, si ! C'est pour masquer, c'est pour cacher, c'est pour remplir[5] ! »

Le dialogue se révèle vite impossible. Mais la démarche n'aura pas été totalement inutile puisque Beuville consent à illustrer *Le Morne au diable* d'Eugène Sue.

À la veille de la naissance du journal *Tintin*, le marché de la presse pour les jeunes est déjà bien encombré.

En Belgique, *Spirou* a refait surface depuis la Libération. Il donnera bientôt le jour à un cowboy solitaire (*Lucky Luke*) et à un héros de l'US Air Force (*Buck Danny*) qui marqueront le genre d'une empreinte indélébile. La relève morale est assurée. Il faut pourtant combiner des sensibilités politiques diverses : les Dupuis, propriétaires, sont fermement catholiques ; Jean Doisy, le rédacteur en chef, est un communiste marqué et affiché ; quant à la bande à Jijé, elle est fascinée par l'Amérique. Mais si Doisy ne se permet pas d'exprimer ses opinions d'extrême gauche dans le journal, la famille Dupuis, elle, ne se prive pas de faire respecter une « ligne » chrétienne à l'hebdomadaire. Le père Philippe Sonnet, un jésuite qui enseigne à Bruxelles, est le conseiller de la maison. Quand le rédacteur en chef a un doute sur une question morale, c'est lui qu'il interroge.

En France plus encore qu'en Belgique, le marché des illustrés est en pleine mutation. Dans les trois ans à venir, ils seront trente-trois périodiques à se disputer le même public[6]. Du côté des grands anciens, *Cœurs Vaillants* paie sa ferveur pétainiste. L'abbé Courtois, dont l'attitude pendant l'Occupation a fait l'objet d'une enquête, est condamné à ne plus diriger de journal. Il n'en poursuit pas moins ses activités comme avant, nommant le père Pihan comme responsable légal[7]. Après deux ans de pénitence, son journal est autorisé à reparaître à la fin du printemps 1946.

Pendant la mise entre parenthèses de *Cœurs Vaillants*, deux nouveaux concurrents en ont profité pour chasser sur ses terres. Le premier, porté sur les fonts baptismaux au lendemain de la Libération, présente la particularité d'être un hebdomadaire paraissant tous les dix jours ! Intitulé *Coq Hardi*, il a été mitonné à Clermont-Ferrand par un ami d'Hergé, le dessinateur Marijac, avec le concours du Mouvement de libération nationale. On y retrouve bien sûr sa signature, bien qu'il ne tarde pas à y lancer sous le pseudonyme de Jacques François les aventures du Colonel X, officier de renseignements de la France libre. Mais cette tendance résistante n'est pas exclusive. *Coq Hardi* favorise en effet la résurrection du pétainiste Alain Saint-Ogan, lequel publie également son *Zig et Puce* dans *France-Soir* tout en essayant de lancer sa propre méthode de dessin, en association avec un jeune éditeur nommé François Mitterrand[8]...

Le deuxième concurrent de *Cœurs Vaillants* a été créé il y a un an par les communistes. Il s'appelle *Vaillant* et ce n'est pas un hasard. Rue de Fleurus, on contre-attaque aussitôt par une campagne d'affiches : « Évitez les contrefaçons ! Mon journal, il a une âme ! » « Un Vaillant sans cœur n'est pas un cœur vaillant. » Le Parti a beau se justifier en invoquant l'hommage à son illustre député Paul Vaillant-Couturier, l'Église n'en croit pas un mot. La polémique bat son plein :

« Et les filles, vous les appelez des vaillantes couturières[9] ? »

Puisqu'il est acquis que les deux auront le droit de jouir de leur titre, *Vaillant* ne répond même plus. Sa campagne de publicité a d'autres visées puisqu'elle vante « un hebdomadaire 100 % français ». Le journal n'est pas à un paradoxe près ; l'influence des créateurs américains sur ses dessinateurs maison y est patente. Qu'importe. Avec ses 140 000 exemplaires, *Vaillant* est un journal avec lequel il faut compter désormais. Mais sur le plan moral, il n'est pas plus révolutionnaire que ne l'a été *Spirou* ou que ne le sera *Tintin*. Aussi scout qu'eux, il l'est en stalinien et non en catholique. Il entend combattre le gangstérisme, la pornographie, la mièvrerie, les trusts étrangers et les trafiquants d'âmes d'enfants... Tout un programme[10].

Ceux qui comparent l'épuration en France et en Belgique ont coutume de dire que la différence, c'est le roi. Il en est une autre, propre au monde de la presse : en France, contrairement à la Belgique, on passe aisément d'un camp à l'autre entre la veille et le lendemain de la Libération. À croire qu'une partie du génie national se manifeste dans le double jeu, les palinodies et le retournement de veste. À cet exercice, les dessinateurs ne sont pas en reste.

Auguste Liquois, qui se moquait des maquisards dans les illustrés collaborateurs *Le Téméraire* et *Le Mérinos*, se retrouve dès 1945 aux côtés des communistes de *Vaillant* à illustrer « Fifi gars du maquis » ou « La vie du colonel Fabien » ! Une telle célérité dans la reconversion laisse songeur. Un autre dessinateur-scénariste, André Galland, qui dessinait avant-guerre pour un *Charivari* très « Action française » avant d'illustrer des affiches pour le gouvernement de Vichy, travaille déjà pour *Carrefour* et *Le Parisien libéré*, des journaux issus de la Résistance. Même le professeur Nimbus refait surface dès juin 1946 dans *Résistance*. Mais il n'est pas réalisé ni signé par son créateur, André Delachenal dit Daix. Cet ultra de la collaboration a carrément disparu sans laisser de traces. Il est même donné pour mort par un jugement du Tribunal civil de la Seine. Raison de plus pour que l'agence Opera Mundi récupère le personnage et le confie à d'autres.

26 septembre 1946, un jeudi, jour de repos des écoliers. Le n° 1 du journal *Tintin* est dans les kiosques. Il est facilement identifiable à son logo reproduisant les silhouettes du reporter adressant un salut au lecteur et de son chien. En couverture, un dessin d'Hergé naturellement, celui

du *Temple du soleil*. Au sommaire : une sorte d'éditorial dans lequel le héros-titre annonce déjà la prochaine création d'un club à son nom ; *L'Extraordinaire Odyssée de Corentin Feldoë* de Paul Cuvelier ; des extraits de *La Guerre des mondes* de H. G. Wells et du *Zadig* de Voltaire illustrés par Jacobs ; la nouvelle aventure de Tintin et Milou *Le Temple du soleil* ; un récit relatant l'histoire des frères de la côte ; *La Légende des quatre fils Aymon* de Jacques Laudy ; *Le Secret de l'espadon*, premier épisode de Blake et Mortimer, les nouveaux héros d'E. P. Jacobs ; la marine racontée par le capitaine Haddock en alternance avec l'aéronautique narrée par le major Wings...

Le succès est immédiat, foudroyant, inespéré. Les 60 000 exemplaires imprimés s'arrachent. En trois jours, le tirage est épuisé. Pour le n° 3, il sera fixé d'emblée à 80 000. En attendant, le journal fait l'unanimité. Enfin, presque. *Zadig*, c'était une maladresse. Pourtant, la rédaction avait songé à atténuer le choc. Elle n'avait pas seulement choisi un chapitre aux allures policières intitulé « Le chien et le cheval » et rebaptisé pour l'occasion « La chienne de la reine et le cheval du roi », on se demande bien pourquoi. Surtout, elle avait subrepticement censuré un mot tout au long du texte : c'est ainsi que « eunuque » y est à chaque fois remplacé par « chambellan » afin de ne pas provoquer les foudres des associations familiales.

Las ! Les institutions catholiques ont souscrit dès le départ nombre d'abonnements au journal. Voltaire n'y est pas en odeur de sainteté. Vérification faite, il est même à l'index de l'enseignement religieux en Belgique ! Or, Raymond

Leblanc avait réussi à passer un accord avec eux : ils achètent entre 5 000 et 10 000 exemplaires du journal chaque semaine en échange d'une réduction de 10 à 15 %. C'est un soutien moral et commercial fort appréciable pour une publication qui démarre. D'autant qu'ils viennent les prendre au siège même du journal pour les distribuer ensuite. Les collèges Saint-Boniface, Saint-Pierre et Saint-Louis à Bruxelles en retiennent déjà 1 000 à 2 000 exemplaires chacun par semaine. Après un coup de téléphone un peu vif du père Meeus, directeur de ce dernier établissement, Raymond Leblanc et Hergé s'accordent à resserrer quelque peu les critères de moralité. *Zadig* passe à la trappe. Pour l'instant et pour des années encore, *Tintin* est à sa manière un journal de patronage[11].

Ce triomphe devrait combler ses artisans. Ils le sont, même s'ils comprennent vite qu'il va entraîner une « zone orageuse » au-dessus de la rue du Lombard. Passagère, mais probablement violente. Car les ennemis d'Hergé n'ont pas encore déposé les armes. À peine sort-il à nouveau la tête du trou après deux ans de discrétion qu'ils tapent dessus pour l'enfoncer.

Le Quotidien donne le signal des hostilités, en annonçant à sa façon la naissance du journal *Tintin* dans sa « Chronique de l'incivisme » :

« M. Hergé n'a pas été condamné par les tribunaux. D'avoir collaboré au *Soir* "volé" pendant toute la guerre, de lui avoir apporté au jour le jour le précieux appoint de son imagination, même si l'on peut considérer que ses histoires n'avaient rien de tendancieux, d'avoir fait profiter le journal de De Becker de sa collaboration artistique et... d'en avoir profité, qu'est-ce que ça lui vaut ? Rien. Absolument rien[12]. »

Et l'éditorialiste de se demander si ce coupable-là s'en est tiré parce qu'en collaborant il y avait mis l'art et la manière. Dans *Drapeau rouge*, Fernand Demany est plus direct. Regrettant que les journalistes compromis ne soient pas définitivement écartés de la profession par une nouvelle loi, il prend prétexte de l'annonce du n° 1 du journal *Tintin* pour dénoncer à nouveau son animateur :

« Sans doute, cette nouvelle n'a rien de sensationnel mais elle réveillera de pénibles souvenirs chez ceux qui se rappellent *Le Soir* "volé" auquel Hergé apportait le concours de son incontestable talent. Au point que Tintin et Milou s'étaient fort opportunément rangés sous la bannière de l'Ordre Nouveau et que leurs aventures tendaient à rapprocher de l'idéologie hitlérienne une adolescence déjà désaxée par la guerre, le commerce noir et les immondes pratiques que les nazis avaient introduites chez nous. (...) Aujourd'hui, un Hergé n'est pas le seul à réapparaître dans la presse[13]. »

Le Soir lui-même n'est pas en reste. Il dénonce, mais sur un mode plus allusif. Car la rédaction s'est donné pour règle de ne plus jamais imprimer le nom d'Hergé dans ses colonnes. Il est couvert du tabou absolu. Cela étant, la perfidie fait mouche car tout le monde comprend à la lecture de ce billet de quoi et de qui il s'agit. Regrettant que de pauvres gens soient harcelés par les enquêtes de police préalables à la délivrance du fameux certificat de civisme, le journaliste anonyme poursuit :

« Par contre, il y a des inciviques notoires qui obtiennent ces certificats — qui n'auraient jamais dû leur être délivrés — avec une déconcertante facilité. C'est ainsi qu'un dessinateur qui fit la fortune d'un journal emboché vient d'obtenir le sien sans opposition de l'auditeur militaire et vient de faire paraître un nouvel hebdomadaire[14]. »

La Cité Nouvelle ferme le ban de cette campagne de presse qui ne dit pas son nom en publiant un écho particulièrement fielleux. Cette fois, Hergé est directement mis en cause, sur un ton d'une violence dont il avait presque oublié le goût :

« Incivique et traître, cet individu qui a servi les desseins de l'ennemi pour des gages substantiels peut librement reprendre son crayon et remettre dans le commerce sa petite brigade de "Hitlerjungend". Faudra-t-il que les gosses des fusillés et des prisonniers politiques aillent enseigner la décence à cet individu qui n'a pas hésité à utiliser au bénéfice de l'ennemi l'innocent amusement des enfants ? M. Tintin et sa Hitlerjungend, votre patron a sa place à Saint-Gilles [15]... »

Une fois la bourrasque passée, ça va mieux. Hergé la savait inévitable. Mais il est profondément blessé, même s'il n'en laisse rien paraître. Cette haine, il ne l'oubliera pas. Elle a définitivement raison de son insouciance, laquelle donnait à son art ce je-ne-sais-quoi de spontané qui en faisait le charme. Provisoirement mais avec détermination, il cesse d'aimer son pays au motif que celui-ci a cessé d'être aimable.

Le journal *Tintin* part sur les chapeaux de roue. Sa dynamique est telle qu'on ne voit pas ce qui pourrait le freiner dans son ascension. Les sceptiques en sont pour leurs frais. D'autant que ce triomphe donne un vigoureux coup de fouet à la courbe de vente des albums. Mais Hergé paraît décidé à ne plus engager Tintin, politiquement s'entend, comme ce fut le cas dans *Au pays des Soviets* ou dans *Le Sceptre d'Ottokar*. Trop suspect pour prêter le flanc à la critique, le dessinateur fait subir à son personnage le contrecoup de sa propre situation.

Karel Van Milleghem, le rédacteur en chef de l'édition du journal en langue néerlandaise sous le titre de *Kuifje*, est, comme tout l'entourage de Raymond Leblanc, mis à contribution le jour où l'on s'avise de trouver un slogan au journal. Car il est hors de question de ne pas « soutenir » *Tintin* en kiosque. « Jeune patriote » jusqu'en mai 1945, *Vaillant* vient de se métamorphoser à grand fracas en « Le journal le plus captivant ». C'est dire l'importance accordée à cette petite phrase.

De toute façon, la tradition est bien ancrée depuis l'entre-deux-guerres. On a tout vu et tout lu : « Le journal des garçons » qui ne tardera pas à devenir « Le journal des jeunes » (*Pierrot*), « À cœurs vaillants rien d'impossible » (*Cœurs Vaillants*), « Le plus grand journal français pour la jeunesse et pour la famille » (*Benjamin*), « L'hebdomadaire des jeunes » (*Le Journal de Mickey*), « L'hebdomadaire des jeunes de tous les âges » (*Robinson*), « Grand hebdomadaire d'aventures pour la jeunesse » (*Hurrah !*), « Le magazine des petits et des grands » (*L'Intrépide*), « Pour la famille » (*L'Épatant*), « Le journal de la bonne humeur » (*Spirou*), sans oublier le plus inénarrable tant il fait penser à une publicité pour un médicament : « Les albums *Héroïc* relaxent les adultes, ravissent les jeunes, ravigotent les vieux » (*Héroïc-Albums*) !

Que reste-t-il pour le journal *Tintin* ? On a l'impression que toutes les bonnes formules sont prises. Karel Van Milleghem trouve la bonne : « Le journal des jeunes de 7 à 77 ans[16]. » On ignore comment l'idée lui est venue à l'esprit. Peut-être ne connaît-il pas lui-même l'origine de son inspiration. Mais on ne peut oublier qu'en 1936, Marcel Dehaye, un ami d'Hergé, publiait un article intitulé « Un livre pour les enfants de 6 à 60 ans »[17]. Juste avant la guerre encore, dans le « prière d'insérer » d'un de ses recueils, Marcel Aymé précisait qu'il avait écrit ses *Contes du chat perché* « pour les enfants de 4 à 75 ans »[18]...

Pour qu'Hergé reprenne du poil de la bête, il faut que Georges Remi se fasse un peu oublier. Le journal *Tintin* lui donne cet élan qui lui faisait défaut depuis deux ans que durait son purgatoire. Dès le n° 1, il dispose de la double page centrale. Il s'est fait un cadeau empoisonné car la livraison de deux planches chaque semaine est un exploit épuisant. Pour surmonter l'épreuve, il se résigne à effectuer deux versions : l'une de 75 doubles pages en format dit « à l'italienne » pour le journal, l'autre de 62 pages verticales pour le futur album. Il n'y a pas d'autre moyen d'y parvenir.

Hergé reprend donc le récit du *Temple du*

soleil, suite des *7 Boules de cristal*, là où il l'avait laissé, le 3 septembre 1944, dans *Le Soir*. Le problème n'est pas tant graphique que narratif. S'il reprend l'intrigue dans l'état dans lequel il l'avait abandonnée, les jeunes lecteurs n'y comprendront rien. S'il recommence tout à zéro, les plus âgés d'entre eux se plaindront. Il se résout à couper la poire en deux, afin de ne déplaire ni aux uns, ni aux autres. L'histoire repart sur une action des plus passives : la lecture du résumé des épisodes précédents tel qu'il est reproduit dans une longue coupure de presse. Pour soutenir au mieux les mémoires défaillantes, Hergé résume l'essentiel de l'intrigue des *7 Boules de cristal* paru dans *Le Soir* pendant la guerre.

Tintin, Milou et le capitaine Haddock s'envolent donc pour Callao (Pérou) dans l'espoir d'y retrouver la trace du professeur Tournesol, mystérieusement disparu. Il a commis un sacrilège en se parant du bracelet sacré de l'Inca. Le châtiment suprême l'attend. Pour l'y soustraire, ses amis se lancent dans un tumultueux et dangereux périple à travers les montagnes dans le sillage de leur jeune guide Zorrino...

Comme pour ses précédents récits « exotiques », Hergé s'est solidement documenté. Le spectre qui le hante n'est pas celui de l'effrayante momie mais d'une erreur de détail manifeste dans un costume local. Pour la description des villes et les inscriptions funéraires, il a puisé dans *Pérou et Bolivie* (1880) de Charles Wiener. Ce livre est une mine pour un auteur de bandes dessinées : 1 100 gravures, 27 cartes, 18 plans... À la fois récit de voyage et carnet de notes ethnographiques, il fait le bilan de la mission archéologique que l'auteur a conduite dans la région. Tout y est : céramique, fresques, routes, instruments, jusqu'aux loquets de porte des maisons ! L'ouvrage est d'autant plus précieux que l'auteur a eu l'intelligence de s'intéresser aussi bien au savoir-vivre qu'au savoir-mourir.

Pour les costumes, les maisons, les paysages, Hergé a également utilisé « The Incas : Empire Builders of the Andes » et « In the Realm of the Sons of the Sun », un ensemble de reportages paru en 1938 dans *National Geographic Magazine*[19]. Certains de ces articles, consacrés aux civilisations précolombiennes et aux Mayas, à leurs processions et à leurs danses, sont richement illustrés par un certain... H. M. Herget ! Ça ne s'invente pas. Pour ce qui est des objets, notamment les statuettes, Hergé s'inspire de *La Civilisation aztèque* (1934), un livre sur la vie quotidienne au Mexique avant la conquête espagnole. Il est d'autant plus précieux pour ce maniaque du détail que son auteur, J. Eric Thomson, est conservateur des antiquités de l'Amérique centrale et du Sud au Field Museum de Chicago. Enfin pour l'évocation des scènes d'envoûtement, de cérémonies de culte du soleil et de rituels religieux, il procède avec le roman de Gaston Leroux *L'Épouse du soleil* comme La Fontaine le fit avec Ésope. Certains diront qu'il l'a décalqué, d'autres qu'il l'a transcendé...

Une autre « source » joue un rôle important dans l'élaboration du *Temple du soleil*. Ce n'est pas un livre mais un homme. Le plus proche, le plus évident.

Edgar Jacobs ne se contente pas d'enfiler le poncho à rayures et de prendre la pose — et Hergé d'en punaiser les plis au mur quand il remue trop ! Les deux dessinateurs se livrent en permanence à une sorte de ping-pong de gags et d'idées. C'est ainsi que Jacobs trouve l'idée des boules de cristal, celle du wagon qui se détache du train avant d'achever sa course folle dans l'eau et, on s'en serait douté eu égard à ses obsessions d'enfance, celle du souterrain qui mène au temple. De plus, il entraîne Hergé à faire des repérages *in situ* et des croquis sur le motif, dans un théâtre ou devant la future villa du professeur Bergamotte. Car si l'un est précis et méticuleux, l'autre l'est plus encore[20].

Un vrai tandem professionnel auquel se superpose une authentique amitié. Pourtant, un jour il casse. Ce n'est pas que leur complicité ait déjà fait long feu. Elle est, au contraire, encore prometteuse et féconde. Le fait que tout les oppose, dans leur tempérament comme dans le ton de leur œuvre ? Mais c'est ce qui les rend justement complémentaires et indissociables ! Tant mieux si Edgar conduit son récit avec sérieux, méthode et souci de la réalité tandis que Georges est plus ironique, prêt à toutes les digressions et finalement assez détaché du contenu. Il faut se féliciter que les récits de l'un soient tout en convergences, et ceux de l'autre en divergences. Que Jacobs accorde la plus grande importance aux textes de commentaire alors qu'Hergé veut les réduire au minimum. Que le premier soit l'héritier de la grande tradition du roman populaire alors que le second a créé sa propre mythologie.

Tant mieux si l'imaginaire de Jacobs surgit des

ténèbres de la nuit, et si celui d'Hergé s'épanouit dans la lumière du jour. À l'un le noir, l'obscurité, le mystère, l'angoisse. À l'autre le blanc, la clarté, le secret, l'humour. C'est justement de ces contradictions et de ces antagonismes que s'enrichit leur association de bienfaiteurs. L'équilibre de leur complicité est peut-être à ce prix. Même si ce n'est pas toujours facile à vivre tant certaines oppositions paraissent irréductibles[21].

On aimerait pouvoir dire que ces deux inséparables se résignent au divorce à cause de l'opéra, passion de l'un, objet d'exécration de l'autre. Ce serait beau mais faux. En tout cas insuffisant. La réalité se révèle moins lyrique. Il s'agit en fait d'une pure question d'orgueil, poison de l'amitié.

En septembre 1944, huit mois après le début officiel de leur collaboration, Hergé avait proposé à Jacobs par lettre-contrat de toucher 10 % des droits sur les travaux auxquels il avait collaboré. À l'exception toutefois des aventures de Tintin et Milou en bandes dessinées... Quant aux illustrations didactiques parues dans le journal *Tintin* avant d'être éditées sous forme de chromos utilisant néanmoins le reporter et son chien, elles constituent une sorte d'encyclopédie par l'image. Hergé se réserve le dessin des personnages, 55 % des bénéfices et l'entière paternité de la production, Jacobs les décors et 45 % des bénéfices[22].

L'association ne démarrait pas vraiment sur un pied d'égalité. Mais à cette époque, Hergé était déjà Hergé ; Edgar P. Jacobs, lui, n'était pas encore devenu Jacobs. L'année suivante, quand Georges Remi se sentit vraiment au ban de la profession et de l'opinion publique, il chercha à briser le boycott en imaginant de nouvelles bandes dessinées de concert avec son ami et collaborateur. Ils conçurent ainsi trois prototypes à deux mains : un western, une aventure dans le grand Nord et un récit policier se déroulant à Shanghai. Ils le signèrent du pseudonyme commun d'Olav. L'agent Bernard Thiéry, à qui ils en confièrent la commercialisation, prétendit avoir essayé en vain de les placer dans les journaux.

Cette tentative, outre la refonte des albums *Tintin* à laquelle les deux hommes travaillent en permanence, prouve si besoin est qu'ils peuvent surmonter leurs oppositions. Pour autant, ils ne renoncent pas à leur identité. Cela ne se passe pas sans heurts ni colères. Quand il s'est agi de redessiner *Le Trésor de Rackham le Rouge*, Jacobs était partisan d'une véritable île alors qu'Hergé tenait à son îlot. Un véritable bras de fer qui épuisa leurs énergies. Le premier finit par l'emporter, ce que le second ne lui pardonna jamais[23].

Le classicisme et la rigidité de son collaborateur, Hergé ne s'y fait pas, quoi qu'il en dise. Il lui reproche de s'enfermer dans un schéma trop contraignant : « Un dessin au milieu, un petit au milieu de deux grands, un grand et deux petits, puis trois au milieu, et puis deux... », ironise-t-il. Selon lui, l'obsession décoratrice de son compère s'exerce au détriment du rythme de la narration, de la respiration du récit[24]. Jacobs, pour qui l'exotisme commence dès qu'il quitte l'agglomération bruxelloise, n'en continue pas moins à rêver d'images denses, à conférer une dimension mythologique et dramaturgique aux lieux les plus banals de notre environnement quotidien, à calculer le trajet de ses personnages à partir des véritables horaires des autobus et à se projeter dans l'univers de *M le Maudit*. Aux antipodes de la vision du monde d'Hergé, mais qu'importe.

Jusqu'au jour où une telle coexistence n'est plus viable. Hergé demande à son collaborateur de transformer son mi-temps en temps complet. Il lui est devenu indispensable. Jacobs sollicite quelques jours de réflexion. L'emploi du temps qu'il s'est aménagé lui permet de se consacrer à son œuvre naissante. Comment le concilier avec ce nouvel impératif ? Finalement, il accepte. À une condition : cosigner les albums de *Tintin* avec Hergé. Cette fois, c'est Hergé qui prend le temps de la réflexion. Huit jours après, il lui annonce un refus désolé, justifié par l'opposition de Casterman.

En fait, Hergé ne veut pas entendre parler de cette solution. Orgueil ou vanité ? Une fois de plus, la lecture de Montherlant lui est profitable : « La seule supériorité de l'orgueil sur la vanité, c'est que la vanité attend tout et que l'orgueil n'attend rien... À mi-chemin entre la vanité et l'orgueil, vous choisirez la fierté[25]. »

Le terme est *ad libitum*. La réalité est là : Hergé n'entend pas partager la paternité de son œuvre alors qu'il en partage l'exécution. Le conflit semble insoluble. D'un côté, un dessinateur à la célébrité embryonnaire qui ne veut plus être le bras droit ni évoluer dans l'ombre écrasante du patron[26]. De l'autre, un dessinateur à la notoriété établie qui ne veut pas qu'on lui fasse de l'ombre surtout si près de lui, sur la couverture de ses propres albums et dans son propre journal. Car ce différend s'inscrit dans un contexte particulier : la publication hebdomadaire du *Secret de l'espadon*, premier épisode de Blake et Mortimer, les nouveaux héros de Jacobs. Son succès est immédiat, incontestable et durable. Hergé le vit mal.

Dans leur entourage, nul n'est capable d'éviter la rupture. Ceux qui connaissent Hergé savent ce qu'il en est, connaissent les exigences nouvelles de l'« entreprise Tintin » et s'inquiètent de le voir s'épuiser à la tâche jour après jour. Mais ils ne peuvent pour autant donner tort à Jacobs. Il ne va tout de même pas passer le reste de son existence à reprendre, dans l'anonymat, des albums signés Hergé ! Les lecteurs de plus en plus nombreux et enthousiastes du *Secret de l'espadon* ne comprendraient pas qu'il continue en coulisses à dessiner les décors des chromos de marine, d'aviation, de chemin de fer et d'aérostation signées Hergé !

Quand deux solistes se retrouvent en présence, il y en a vite un de trop. Ils en sont là désormais. Un jour de mai 1947, Hergé et Jacobs décident donc de se séparer à l'amiable. Mais il y a trop de malentendus, de rancœurs et d'amertumes refoulés entre eux. Jacobs est vexé par la proposition d'Hergé, et Hergé par le refus de Jacobs. La rupture est douloureuse. Elle sera brève puisque sans jamais revenir au *statu quo ante*, ils renoueront de forts liens d'amitié moins d'un an plus tard. Mais ils n'oublieront pas cette année-là. Au soir de sa vie, en se souvenant du jour où il s'était rendu de nuit chez Hergé armé d'un gourdin pour le soustraire à la colère d'éventuels justiciers, Jacobs confiera :

« Lui, pour me défendre, il n'aurait même pas pris une badine. Il était sincèrement touché, il m'a souvent exprimé sa gratitude pour ce geste. Mais fondamentalement, ça lui paraissait normal. Comme si ça lui était dû, par moi ou par tout autre[27]... »

Un mois après leur séparation, le 19 juin 1947, le journal *Tintin* interrompt brusquement la publication du *Temple du soleil*, au moment où le capitaine Haddock fait une chute. Un coup de théâtre qui n'était pas prévu dans le scénario. On s'interroge car Hergé n'est pas coutumier du fait. Il a toujours dit que par honnêteté vis-à-vis du lecteur, pour justifier le titre du journal, il fallait au minimum deux pages de *Tintin* dans chaque numéro. Consciencieux et scrupuleux comme on le connaît, il se damnerait plutôt que de ne pas livrer les planches promises à l'heure dite. Dans le passé, un tel incident ne s'est produit que deux fois. La première, lors de l'entrée de l'armée allemande dans Bruxelles. La seconde, à cause de son départ. Cette fois, en lieu et place de la bande dessinée d'Hergé, on bat le rappel pour deux de ses personnages. La direction publie également un communiqué pour le moins embarrassé :

« Notre ami Hergé a besoin de repos. Oh, ne vous inquiétez pas, il se porte fort bien. Mais en refusant de ménager ses forces pour vous retrouver chaque semaine au rendez-vous du *Temple du soleil*, notre ami s'est un peu surmené. Il nous reviendra vite, Dieu merci. Il élabore d'ailleurs, dès à présent, la suite des aventures passionnantes de Tintin et de ses valeureux compagnons. Nous profitons de ce court entracte pour publier, comme nombre d'entre vous nous l'ont demandé, quelques nouvelles aventures de Quick et Flupke. Nous sommes certains, de cette manière, de vous faire plaisir. »

En vérité, Hergé a craqué. Il est parti sans laisser d'adresse. Une fuite en avant qui est aussi une vraie fugue. Celle d'un homme au bout du rouleau.

Rarement Hergé aura laissé échapper un dessin aussi autobiographique. En reprenant le récit du *Temple du soleil* au démarrage du journal *Tintin*, dès la deuxième planche, il nous présentait l'image d'un Haddock esseulé, soucieux, ruminant les pensées les plus sombres, enfoncé dans son fauteuil au château de Moulinsart. Le capitaine est aussi déprimé que son créateur. Mais pas pour les mêmes raisons. L'un est tourmenté par la disparition de son ami Tournesol, l'autre ne sait plus où il en est. Car la vie n'est pas une bande dessinée.

Cela fait des mois que la crise qui le ronge menace d'éclater. Au début de l'année, la journaliste Dominique de Wespin lui a rendu visite à son retour de Chine, comme promis. En 1939, elle avait quitté un homme enthousiaste et affable, plein de projets et d'idées. Sept ans après, elle le retrouve anxieux et torturé, bourrelé de remords et de regrets. Pour tout dire d'un mot, il lui paraît malheureux. Le travail est devenu son refuge, le dessin son salut. Les propos confus et inhabituels qu'il lui tient alors ne font que confirmer son impression :

« J'ai beaucoup trop de moi en moi. Celui qui désire, celui qui veut travailler... Je n'arrive pas à être moi-même avec tous ces moi qui cohabitent en moi[28]. »

La dépression après des années de pression. Depuis 1929, il n'a pas dételé. Aujourd'hui, il le paie. Il est tellement surmené qu'il n'arrive plus à satisfaire les commandes. Disons plutôt qu'il n'arrive plus à les honorer, car il en a toujours fait une question d'honneur. Il en est à répercuter le travail sur les confrères. Quand on lui demande d'illustrer une vie de Louis Marie de Montfort, il recommande Pierre Ickx et Joseph Gillain (Jijé).

Les trois médecins qu'il a consultés ont abouti au même diagnostic : surmenage. Car pour l'instant, les docteurs Ley, Daumerie et Lambert jugent prématuré d'évoquer le spectre de la dépression. Ce sera peut-être, probablement même, la prochaine étape s'il ne se résigne pas à se reposer. Le jour où ils lui font comprendre que par son obstination il met le journal *Tintin* en péril, et qu'il ne pourra dessiner qu'en retrouvant la sérénité intérieure, Hergé lâche tout.

Partir... Dans un premier temps, il retrouve le réflexe naturel de sa jeunesse, quand il ressentait l'impérieuse nécessité de se rassembler dans une retraite spirituelle. Ses pas le portent alors dans la région de l'abbaye Notre-Dame-de-Scourmont, près de la frontière française. Auprès des trappistes de Chimay, cisterciens de la stricte observance, il se sent plus dans un lieu de méditation que de prière. Parfois accompagné d'un rescapé de la vieille bande de Capelle-aux-Champs, son ami Marcel Dehaye (qui signait Jean de la Lune ses billets dans *Le Soir* « volé »), il passe des heures à marcher ou à parler avec les religieux, notamment le père Gall qui le fascine. Lorsqu'il ne donne pas de cours de théologie ou ne prépare pas ses sermons, ce personnage hors du commun s'étourdit dans des recherches d'une grande érudition sur la vie des Indiens. Il a lui-même été adopté par une tribu sioux, ce qui laisse rêveur l'auteur de *Tintin en Amérique*. À ses côtés, Hergé s'indianise, fût-ce provisoirement. Quand il ne fume pas le calumet de la paix en pleine forêt avec le père Gall, il s'étourdit dans de longs entretiens avec frère Baudouin, dont le rayonnement et l'illumination intérieurs le saisissent.

Dans un tel contexte, la conversation n'est plus un art d'agrément mais une impérieuse nécessité. Les paroles de moines répondent à ce besoin d'absolu qu'il a toujours eu en lui mais jamais aussi intensément qu'en ces temps de désarroi. La lecture de *La Prière* d'Alexis Carrel l'impressionne toujours autant mais ne lui suffit plus. Il y cherche un prolongement, non dans une religion spécifique mais à travers un acte d'humilité en communion avec l'univers. Au contact des moines, il se sent régénéré mais jamais au point de devenir l'un des leurs. Pourtant, il leur envie leur paix intérieure, lui qui n'est plus qu'inquiétude, angoisse et incertitude.

Au moins cette retraite lui aura apporté un début de sérénité, fût-elle éphémère et illusoire. Avant, quand il s'isolait en se fondant parmi les gens de prière, il attendait qu'une voix lui parle. Il guettait l'apparition d'un ange. Désormais, il sait que cette évidence était en lui et qu'il suffit d'avoir la foi pour la ressentir. Or il ne l'a pas. Il aimerait mais c'est impossible. Rien à faire. Malgré son attirance pour le mystique, il n'imagine pas un instant de se retirer du monde pour s'abîmer en prières. Il lui suffit d'un séjour prolongé dans un monastère pour reconnaître à quel point il se sent terriblement étranger à tout cela[29].

Quand il rentre à Bruxelles, Hergé est confronté aux mêmes problèmes qu'avant. L'éloignement et la retraite n'ont rien résolu. Au contraire. Ils les font rejaillir avec plus d'acuité encore car sa sensibilité s'est accrue.

Il repart alors pour une autre retraite moins directement spirituelle, en Suisse. C'est une maison sur le lac Léman, avec un petit bateau devant. Fend-la-bise, près de Gland, est la résidence secondaire du couple Fornara. Charlie est imprimeur, Lise est culottière chez Borel, tous deux à Genève. Quand il débarque chez eux, ils ne savent pas vraiment qui est Hergé, et encore moins Georges Remi. Ces gens simples, sincères et attachants ne tardent pas à devenir de vrais amis. En les quittant au bout de quelques semaines, il n'a qu'une hâte : revenir auprès d'eux et passer ses journées à faire la sieste, canoter, prendre des apéritifs, servir de photographe aux gens du cru, déguster des glaces chez Beck, visiter les caves à vin et les restaurants à poisson de la région. Malgré cette image de carte postale, la Suisse qu'il va régulièrement retrouver et apprécier à l'occasion de ses épisodes dépressifs n'est pas la Suisse ripolinée mais la Suisse pirate. Celle de bonshommes au tempérament bourguignon, consommateurs exclusifs de l'absinthe maison, qui faisaient passer le lac clandestinement aux réfugiés fuyant le nazisme pendant la guerre.

À Bruxelles, le journal *Tintin* publie un gag de Quick et Flupke dont le titre est tout un programme : « Patience ». Outre ce sympathique clin d'œil, l'hebdomadaire adresse un message moins elliptique à ses lecteurs : « Que nos amis se réjouissent ! Très bientôt, ils retrouveront à cette place *Le Temple du soleil*. Les nouvelles et passionnantes aventures de Tintin et de ses compagnons vont à nouveau les émerveiller. »

Moins d'un mois après, on peut lire en couverture : « Enfin, Tintin est revenu. » Le récit reprend là où il avait été brusquement abandonné quelques semaines auparavant. Comme si de rien n'était. Mais dès l'automne, Hergé recommence à peiner. Aussi, pour alléger son fardeau et lui permettre de reprendre ses marques, il accepte l'initiative de son collaborateur Guy Dessicy consistant à remplacer la troisième bande sur plusieurs planches par de longs textes historiques en continu sous le titre générique : « Qui étaient les Incas ? »

Au fur et à mesure qu'Hergé s'enfonce dans la dépression, ses proches et ses médecins commencent à comprendre. Son état n'est pas dû uniquement à la tension accumulée par un surcroît de travail depuis près de vingt ans. Elle se conjugue avec un autre élément tout aussi décisif : l'angoisse née de sa situation incertaine durant l'après-guerre.

Parmi d'autres, son ami Marijac peut en témoigner. Alors qu'il est venu à Bruxelles célébrer avec lui les succès parrallèles de leurs journaux, *Coq Hardi* et *Tintin*, il s'est retrouvé face à un homme étonnamment « désabusé et mélancolique[30] ». La cause ? L'injustice de l'épuration.

Hergé ne se remet pas d'être toujours considéré comme un incivique. Car l'opinion publique, comme beaucoup de ceux qui la font, ne se prive pas de juger la chose jugée. Surtout lorsqu'un dossier controversé est classé sans suite avec une hâte suspecte. Rien ni personne ne peut dissiper le doute qui subsiste sur son cas. Or certains vaincus de la Libération font une maladie de passer pour des individus « douteux ». Tant et si bien que le Dr De Craene, un éminent psychiatre professeur à l'Université libre de Bruxelles, s'est penché sur la question :

« Peut-on reclasser les inciviques et leur amendement est-il possible ? Il ne faut pas en désespérer. Cependant, l'évolution de leurs esprits sera lente et faudra-t-il des efforts soutenus, voire une patience très longue pour obtenir des résultats », estime-t-il en conclusion de son étude[31].

Pour combattre la calomnie, Hergé choisit de l'affronter. Car trois ans après la Libération, il est encore convaincu d'être l'objet d'une campagne de diffamation. Il en a même identifié l'instigateur, en l'occurrence Jeanne Cappe, écrivain spécialiste de la littérature pour la jeunesse, une vieille connaissance d'Hergé puisqu'ils collaboraient tous deux au *Vingtième Siècle* à la même époque. Afin de couper court à une méchante rumeur de dénonciation qui serpente depuis des mois dans les milieux journalistiques de Bruxelles, il prend les devants et la somme de s'expliquer. Lettre recommandée, demande d'excuses publiques, menace de procès, tout y passe. Hergé est décidé à employer les grands moyens pour en finir[32]. Car cette atmosphère de suspicion anonyme le rend fou de rage.

Dans le même esprit, il accepte l'offre de William Ugeux de provoquer ses ennemis sur leur terrain afin de les faire taire une fois pour toutes. C'est ainsi que les deux hommes sont reçus, au vu et au su de tous, par le ministre de l'Intérieur Charles du Bus de Warnaffe, protecteur de longue date d'Hergé. De même, ils s'affichent ostensiblement ensemble au « Cercle Gaulois », rue de la Loi, et au « Cercle Sainte-Anne », lieux fréquentés par des notables de la politique et des officiers de l'OTAN. Du point de vue de William Ugeux, ce genre de virée est de nature à soutenir moralement Hergé, en lui évitant de sombrer dans l'autodénigrement et la torpeur. Ugeux le fait non pour des raisons politiques mais par confraternité. En souvenir du *Vingtième Siècle*. Quand des camarades de clandestinité le lui reprochent, il leur répond invariablement :

« On n'a pas beaucoup d'Hergé[33] ! »

La campagne d'opinion paraît calmée mais il suffit d'un rien pour qu'elle reparte de plus belle. Afin de reprendre pied dans la presse pour adultes, Hergé passe un accord avec *Le Phare*, un journal vieux d'un an à peine. Ce quotidien léopoldiste s'élève régulièrement contre les abus de l'épuration. Son directeur Pierre Fontaine, ancien patron de l'hebdomadaire *Le Rouge et le Noir*, un de ces polémistes qui ont brisé leur plume dès le début de l'Occupation, est un esprit non conformiste et indépendant, nonobstant son allégeance royaliste. Il y a peu encore, il consacrait toute sa « une » à un « J'accuse » d'inspiration très zolienne : « J'accuse Monsieur Pierlot de défaitisme, de désertion, de crime contre le roi et l'État[34]... » C'est sous ses auspices qu'Hergé y publie en septembre et octobre ses bandes de *Quick et Flupke*.

La réaction ne tarde pas à se manifester. À la Chambre, le député communiste Fernand Demany ne le lâche pas. Cette fois, il le dénonce au cours d'une longue diatribe destinée à empêcher le reclassement des inciviques. Du haut de la tribune, il harangue ses collègues :

« ... Savez-vous qu'au journal *Le Phare* collabore Hergé, le dessinateur qui a fait la propagande pour l'ordre nouveau, propagande par dessins, qui s'adressait surtout à l'enfance ? Oui, messieurs, le collaborateur Hergé fait partie de la rédaction du *Phare*[35] ! »

Le ministre de la Justice ainsi interpellé avec véhémence s'appelle Paul Struye. Quand il était l'avocat de Julien de Proft au procès du *Soir* « volé », il n'avait pas hésité à charger le père de Tintin pour mieux décharger son client. Aujourd'hui, il fait partie de ceux qui défendent Hergé. Le dessinateur lui en saura gré encore longtemps après en lui envoyant son dernier album dédicacé. À la Chambre, les opposants à la politique de Paul Struye ne se privent pas de lui rappeler qu'à défaut d'amnistie, il fait un usage dangereux et inconsidéré des libérations anticipées et des grâces en série.

La philippique de Fernand Demany atteint Hergé de plein fouet. De plus en plus déprimé, il est plus vulnérable que jamais. Il se sent même obligé de faire porter un exemplaire de *L'Étoile mystérieuse* au directeur du *Phare*. Pour lui démontrer l'inanité de l'accusation de « propagande suspecte » proférée contre lui. Et pour qu'il ne renonce pas non plus, à cause de cet incident, à publier comme prévu *Le Lotus bleu* sous forme de bandes journalières[36].

Hergé ressent le soupçon permanent comme la plus injuste des situations. Et encore, il ne sait pas tout. Raymond Leblanc ne l'a pas tenu au courant du détail de ses démarches parisiennes pour trouver l'éditeur qui lancera l'édition française du journal *Tintin*. Le projet revêt pourtant une importance stratégique dans sa reconquête du public. Car Hergé se sent à nouveau trop à l'étroit dans son pays. Sa perspective, c'est l'immense marché francophone. Aussi est-il impératif de (re)commencer par la France même. Leblanc ne lui a pas dit qu'il a vu les responsables d'une dizaine de maisons parmi les plus importantes (Fleurus, Gautier-Languereau...) et qu'ils se sont tous défilés de la même manière :

« Un journal avec Hergé ? Pas question. Vous n'y pensez pas ! Trop compromis... »

Jusqu'à ce que l'animateur d'une maison d'édition aussi petite, dynamique et pionnière que l'est le Lombard, et qui de surcroît dispose d'un stock de papier suffisant et d'une autorisation de paraître, réponde :

« Hergé ? Pourquoi pas[37]... »

Il s'appelle Georges Dargaud. Associé pour l'occasion à 50/50 avec les éditions du Lombard, il lance en octobre 1948 la version « française » du journal *Tintin* : la matière est la même qu'à Bruxelles mais Paris a toute latitude pour adapter à son propre public la mise en pages, les éditoriaux, le courrier des lecteurs et la publicité. La couverture du n° 1 reproduit d'ailleurs un fait d'armes particulièrement glorieux du colonel Leclerc pendant la bataille du Fezzan. Le démarrage s'avère plus lent car cette initiative heurtera de front la prééminence de *Cœurs Vaillants* sur le marché. Mais le succès ne tardera pas et s'installera durablement.

Ainsi, parce qu'il s'est trouvé un Georges Dargaud pour ne pas craindre les mauvaises réputations et oser braver les rumeurs, Hergé a pu retrouver une audience internationale. L'ampleur de sa dette à l'égard de Raymond Leblanc est décidément insoupçonnable.

En attendant, il a encore le moral très bas. Au plus profond de la solitude alors que l'année s'achève, il ressent un tel dégoût pour ce qu'est devenue la Belgique qu'il songe sérieusement à s'exiler. Dans son entourage, même parmi ses amis les plus proches, bien peu le savent : Germaine, sa femme, Louis Casterman, son éditeur..... Son projet est frappé du secret absolu. Tant et si bien que longtemps après, au-delà de sa mort, la plupart en ignoreront tout.

Hergé a 40 ans. Il se croit à mi-vie. Dans sa situation morale et psychique, franchir le Rubicon revient à franchir l'Atlantique. Son amertume est telle qu'il est bien décidé à mettre l'océan entre son pays natal et lui. Pour longtemps. Il aurait pu choisir la France comme Félicien Marceau et Jean Libert, ou l'Espagne comme Paul Werrie et Léon Degrelle. Son choix se fixe plutôt sur l'Argentine, un pays qui se fait une spécialité de l'accueil des collaborateurs en déroute et des nazis en cavale, ainsi que sur le Brésil. Comme s'il tenait à accompagner certains de ses amis jusqu'au bout de leur calvaire. À croire qu'Hergé veut absolument nous tendre des verges pour le battre. À moins que son état dépressif ne l'entraîne à se radicaliser plus encore. On ne comprendrait pas autrement qu'il tienne tant à se marquer en s'expatriant sur cette terre promise des réprouvés de la Libération. Ce morceau d'Amérique du Sud est, ou s'apprête à devenir, le refuge privilégié du Croate Ante Pavelic, chef des Oustachis ; du Belge Wilhem Sassen, homme de confiance de Goebbels , du Hollandais Jan Olij Hottentot, champion de boxe poids lourds condamné à vingt ans de réclusion pour son action dans les Waffen SS et dans la sinistre Groene Police d'Amsterdam ; et surtout des Allemands qui participèrent au plus haut niveau à la solution finale, Mengele, Eichmann, Bormann... Ils sont des milliers, venus du même horizon, à s'établir à la fin des années quarante entre le Chaco et la Terre de Feu, avec une préférence pour Buenos Aires, Cordoba, Rosario ou Mendoza. Tous recherchés ou condamnés. Les criminels de guerre y sont plus nombreux que les inciviques. C'est pourtant là qu'Hergé envisage désormais son avenir.

Faut-il vraiment qu'il soit écœuré par la décadence et la déliquescence supposées de son pays... Faut-il qu'il ne croie plus à la pérennité de cette nation pour dire à qui veut l'entendre : « La Belgique est à l'image des trottoirs du vieux Bruxelles[38]. »

Sa décision est prise. Elle semble irrémédiable

tant il paraît déterminé. Fin janvier, il demande une audience au consul d'Argentine à Anvers[39]. Ce sera plus discret que dans sa ville. Il a plus de chance d'y passer inaperçu. La rumeur, colportée jusqu'à la tribune de la Chambre des représentants, prétend que dans le centre-ville, au Meir, les inciviques peuvent se procurer des faux papiers leur permettant de fuir à l'étranger. Mais Hergé, lui, n'en est pas là.

En attendant les résultats de sa démarche officielle, Hergé se renseigne sur la situation de la presse et de l'édition en Argentine. Il s'entretient avec Nestor Orsi, l'attaché de presse de la légation argentine à Bruxelles[40]. En avril enfin, son projet prend forme. Louis Casterman est une des très rares personnes dans la confidence. Tout en lui demandant d'observer la discrétion la plus absolue, Hergé lui promet de ne pas quitter l'Europe sans avoir mis au point *Les 7 Boules de cristal* et *Le Temple du soleil*. Une fois installé « là-bas », il a bien l'intention de continuer à lui envoyer ses dessins...

C'est naturellement auprès de lui qu'Hergé sollicite les deux papiers exigés par les Argentins pour le laisser débarquer à Buenos Aires. D'une part un certificat professionnel, d'autre part une lettre de caution morale. Dans le premier cas, il demande à être présenté comme « Dessinateur humoriste, auteur de nombreux récits en images destinés à la jeunesse ». Dans le second, il laisse son éditeur libre du choix de ses mots[41]. Il n'est pas déçu :

« ... En ma qualité de Directeur-gérant de la Maison d'éditions Casterman, j'entretiens des relations d'affaires depuis près de vingt ans avec

Monsieur Remi, qui est un auteur et dessinateur de grand talent et dont les œuvres, tant au point de vue du fond que de la forme, sont d'une moralité irréprochable qui justifie l'intérêt très marqué que le public leur porte. À tous les points de vue, j'ai donc été en mesure de constater sa parfaite honorabilité. Le désir de notre Maison est d'ailleurs de poursuivre avec Monsieur Georges Remi une collaboration à laquelle nous tenons vivement[42]. »

Au même moment, Hergé prend des contacts directement à Buenos Aires. Dans une longue lettre à un ami belge qui y vit, il fait le point de l'état d'avancement de son projet. Sous sa plume, l'épuration se dit alors « la grande tourmente », et la Belgique « ce triste pays », litotes rien moins qu'innocentes. Sa détermination à s'installer en Argentine « définitivement et sans esprit de retour » est bien ancrée. Il a d'ores et déjà sollicité John Raynolds Heilbuth, un homme d'affaires résidant dans la capitale, pour le représenter dans les négociations. Casterman reste son éditeur pour ses albums en toutes éditions, française et étrangère. Mais s'agissant de la grande presse et des périodiques pour la jeunesse, il est prêt à étudier toutes les propositions. Hergé va même plus loin puisqu'il incite son ami à prendre les devants. Un souvenir lui revient à l'esprit : en 1940, le gouvernement de Tchang Kaï-chek l'avait invité à Nankin pour remplir en quelque sorte une mission d'éducation auprès de la jeunesse chinoise. À la réflexion, pourquoi le gouvernement argentin n'en ferait-il pas autant ? Juan Perón a pris le pouvoir depuis un an. Tout est à faire, rien n'est encore figé. Il suffirait qu'un ami bien introduit dans les milieux officiels souffle dans l'oreille du ministre de l'Éducation l'idée de confier la création d'un hebdomadaire pour les jeunes au père du fameux Tintin... Utopique ou pas, voici certainement le moyen le plus rapide d'obtenir des visas d'émigration pour Hergé, sa femme et sa belle-mère. On l'aura compris : il n'a jamais été aussi impatient d'abandonner pour toujours « cette pauvre vieille Europe chancelante[43] »...

Désormais, la lecture du moindre récit de voyage en mer lui donne envie de se jeter dans un cargo pour l'Amérique du Sud[44]. Comme s'il avait le mal du pays. Non son pays d'origine mais sa patrie d'adoption. Il ne la connaît pas. Elle n'en est pas moins devenue une obsession. À croire que l'exil résoudra ses problèmes personnels.

En attendant, il saisit la moindre occasion pour aller de l'avant. Ainsi, après avoir assisté à la projection d'une sorte de dessin animé avec des marionnettes, réalisé par un amateur d'après *Le Crabe aux pinces d'or*, il contacte le grand Walt Disney lui-même. Cette séance de projection pour le moins rudimentaire lui a en effet donné l'idée d'un vrai grand dessin animé, concocté dans les règles de l'art aux studios Disney de Burbank (Californie). Une telle hypothèse lui paraît d'autant moins farfelue que ses personnages sont désormais connus dans cinq pays d'Europe (Belgique, France, Suisse, Portugal et Suède), ensemble qui sans être homogène constitue déjà un marché. Toujours est-il qu'il fait aussitôt envoyer à Walt Disney sept de ses treize albums, dûment choisis en fonction de critères qui lui sont propres : *Le Lotus bleu, L'Oreille cassée, L'Île noire, Le Sceptre d'Ottokar, Le Crabe aux pinces d'or, Le Secret de la Licorne* et *Le Trésor de Rackham le Rouge.* Et Hergé de préciser, afin de désamorcer une réaction prévisible :

« Je sais — et vous le remarquerez vous-même à la lecture des albums — que les aventures de Tintin et de ses compagnons se déroulent sur un plan réaliste, tandis que vos personnages évoluent en général — délicieusement d'ailleurs — dans un monde féerique ou poétique. Je me demande si ce n'est pas précisément à cause de cela qu'il y aurait moyen de tirer parti de ces différences. Mais votre expérience est telle en ce domaine que je ne veux pas insister davantage et que je m'en remets entièrement à vous. »

En vain. Deux mois après, le chargé de publicité de la maison de production, et non le mythique grand patron auquel Hergé s'était directement adressé, décline sa proposition : leur programme est bouclé pour les quatre années à venir et, de toute façon, la compagnie dispose d'un réservoir d'histoires quasiment inépuisable. Afin de dissiper tout malentendu et de balayer le moindre espoir, il lui retourne même ses albums... Ce jour-là, Tintin et Mickey sont passés à côté d'une rencontre historique[45].

Plus l'échéance d'un départ probable pour l'Argentine se rapproche, plus le travail s'accumule sur sa table. Il n'arrive pas à venir à bout du *Temple du soleil*. S'il ne l'achève pas, il sera achevé par lui. Cela devient si laborieux qu'il doit impérativement se faire aider par des « petites mains ». Jacques Van Melkebeke, l'homme de l'ombre, le jeune Guy Dessicy et son camarade Frans Jageneau se retrouvent avenue Delleur, au domicile d'Hergé, pour boucher les trous. Ils ne touchent pas aux personnages, qui restent le domaine réservé du maître. Leur travail consiste à le décharger des besognes : les fonds, la perspective, l'intérieur de la prison[46]...

C'est bien mais ça ne suffit pas. Outre ce travail purement technique qu'il n'a plus la force ni la volonté d'assumer, Hergé est également en panne d'inspiration. Il sue sang et eau pour... ne rien trouver, ou presque. Il fait donc appel à Bernard Heuvelmans, un de ses amis du *Soir* « volé », qui lui avait déjà fourni de la documentation sur la désintégration de la matière pour *L'Étoile mystérieuse*. Cet universitaire pour le moins original est également un homme débordant d'idées.

« Je n'en sors plus, j'ai un trou... Tintin et Milou ont échappé au massacre dans la forêt. Et là, ils viennent de tomber à l'eau en essayant de traverser le fleuve... Tu peux m'aider à continuer l'histoire ? » lui demande le dessinateur[47].

Heuvelmans ne se fait pas prier pour rédiger un projet de scénario final, dont Hergé ne conserve qu'une partie. Il lui fournit surtout des gags « clef en main » pour le calendrier scout, pratique courante aux États-Unis tant dans le milieu de la bande dessinée qu'à Hollywood. Au cours d'un repas chez leur ami Julien de Proft, ils se mettent d'accord sur le prix de 250 francs le gag. Même s'il est difficile d'établir ce qu'il en reste à l'arrivée, leur collaboration paraît fructueuse. En 1947, Hergé a versé 23 000 FB à Bernard Heuvelmans, et 20 000 FB l'année suivante, à titre de « collaboration à un scénario[48] ».

Hergé n'est pas sorti d'affaire pour autant. *Le Temple du soleil* achevé dans la douleur, il lui reste à redessiner de fond en comble *Les Cigares du pharaon*, mettre au format d'autres albums, exécuter des abécédaires, dépliants, vignettes, albums à colorier, sans oublier, tout de même... la prochaine aventure de Tintin ! Impossible à moins de réserver un lit pour un prochain séjour dans un sanatorium. Se sentant diminué par son état psychique depuis un an, il aime autant renoncer. À moins que... Pour faire face, il n'envisage plus qu'une solution de la dernière chance : ne pas renouveler immédiatement le contrat qui le lie au journal *Tintin*. Quand celui-ci sera venu à expiration, il pourra enfin liquider tous ses arriérés de travail[49].

Un beau jour, Hergé disparaît à nouveau. On cherche en vain sa trace. Au journal *Tintin*, l'inquiétude gagne ses plus fervents défenseurs. Ils craignent moins pour son avenir que pour celui de leur hebdomadaire. Raymond Leblanc lui-même ignore où il est. Il réagit en homme de presse et pas seulement en éditeur. Il est désormais convaincu que la bonne marche d'une si lourde entreprise ne peut plus reposer sur les épaules de quelqu'un d'aussi vulnérable, instable et inconstant. L'admiration pour le créateur reste intacte. Mais on ne doit plus compter sur lui comme avant. Il faut inventer des solutions pour pallier ses absences, en attendant mieux. Sinon, le journal court à la catastrophe[50].

Où est-il passé, au juste ? Pour une raison inconnue, Hergé a dû faire une croix sur l'Argentine. Il aurait voulu, semble-t-il, lier son sort à celui de son ami Robert Poulet. Ils auraient formé le projet de s'installer ensemble en Amérique du Sud. Celui-ci, dans l'antichambre de la mort depuis près de trois ans, attend toujours la grâce. Elle interviendra finalement en octobre. Mais la libération et la condamnation à l'exil n'adviendront pas avant qu'il ait purgé trois années de détention supplémentaires.

En apprenant que des dessinateurs tels que Jijé, Morris et Franquin ont eu le courage d'aller vivre en Amérique du Nord pour voir ce qui s'y passait, Hergé ne peut s'empêcher de les féliciter « d'avoir su prendre la décision de quitter notre pauvre Europe vermoulue[51]... ». Quant à lui, en lieu et place de la pampa, il retrouve la surface désespérément calme du Léman. À nouveau, il s'accorde impromptu de grandes vacances au mépris de ses nombreux engagements.

Cette fois, il y a aussi une femme. On la dit très belle et d'une vingtaine d'années plus jeune que lui. Elle est mariée à un notable et parente d'un dessinateur du journal *Tintin*. Mais sa présence et la passion qu'il lui voue n'expliquent pas tout, il s'en faut. En tout cas, elle ne suffit pas à justifier sa disparition et son éloignement soudains. Il y a eu cette femme et quelques autres. Des intermèdes, sans plus. Les rares à être dans la confidence les tiennent pour des escales rituelles sur la route des 40e rugissants, métaphore de cette quarantaine à laquelle on prête tant de révolutions. Hergé ne prend pas tout cela très au sérieux, même si pour une fois il a avoué à Germaine qu'il aimait cette femme-là « follement, complètement, entièrement ». Il s'estime trop vieux pour faire la roue et déployer les atours de la séduction. Il y a un âge pour faire le paon.

Disons qu'il a fait quelques rencontres et qu'il en a tiré la leçon. Désormais, il ne s'imagine plus perdant son temps à convaincre une dame. Car il sait d'expérience que ça le mène invariablement dans une impasse.

Les riverains du lac assurent que son observation assidue renforce la neurasthénie. Hergé n'en a vraiment pas besoin. Toujours est-il qu'il ne se sent nulle part mieux réconcilié avec lui-même que dans ce cadre, à Fend-la-bise, la maison des Fornara. Il ne dessine pas mais écrit de très longues lettres à Edgar Jacobs. Pour sceller la renaissance de leur amitié après leur méchante brouille. Et parce que ce « vieux frère », qu'il appelle aussi « Mon cher Espadon », se trouve lui-même très déprimé. Il lui paraît le seul à pouvoir entendre sa plainte[52].

Ce n'est pas une lamentation mais un appel au secours. Celui d'un homme qui ne se considère pas comme malade mais comme provisoirement hors service. Assez lucide pour se rendre compte qu'il a perdu les pédales, il se refuse néanmoins à médicaliser sa souffrance. Quand il dresse à son propre usage l'inventaire de ses symptômes, il énumère successivement les nerfs à plat, les insomnies, l'extrême fatigue et au bout le déraillement fatal. Dans un second temps, il passe des nerfs à la tête, évoquant son crâne qui pèse une tonne, la sensation que son visage se ride, l'impression que sa nuque se raidit et qu'une bête est tapie là derrière, à la naissance de la colonne vertébrale. « Déprime » et « neurasthénie » sont les deux rares termes du vocabulaire médical qu'il s'autorise à employer, non sans précaution. D'ordinaire, il préfère se dire

« claqué ». D'un mot, tout est dit. Tous les « moi » qui coexistent en lui souffrent en même temps : l'homme dans sa fierté, car il se sent rabaissé aux yeux des autres ; l'animateur d'une équipe, qui se juge coupable de l'avoir laissée tomber ; le créateur réduit à l'impuissance, blessé dans sa vanité. Dans ces moments-là, au plus profond de sa solitude, au plus noir de ses ténèbres intérieures, il ne peut pas rencontrer quelqu'un sans fondre en larmes.

Après avoir consulté la Faculté, il n'a pas tardé à se tourner vers des guérisseurs. Il y eut d'abord le curé-homéopathe d'un village de la région d'Annecy. La réputation nationale de ce soigneur thaumaturge est bien établie depuis que des ministres qui déraillaient l'ont visité. Déçu, il s'adresse à des homéopathes patentés. Sans plus de succès. Ceux-ci n'ont pas de remèdes contre l'ennemi personnel qu'il a enfin réussi à identifier : l'inquiétude.

Hergé est dans un tel état qu'il ne peut même plus lire, à l'exception de romans d'action n'exigeant pas une attention soutenue. Il redoute autant la solitude que la vie en société. Être ou ne pas être ? Ni l'un ni l'autre, pourrait-il répondre à l'instar de Cioran. En fait, Hergé ne supporte que la compagnie de quelques rares amis dont Marcel Dehaye ou Edgar Jacobs.

La pêche, le canotage, la natation et la marche à pied l'épuisent si vite qu'il passe le plus clair de son temps à ne rien faire. Il dort les yeux ouverts et ressasse ses problèmes. À chaque fois qu'il remonte à leur genèse, il retrouve ses spectres familiers.

Le travail tout d'abord, ininterrompu et harassant. La mise en route du journal *Tintin* n'a fait qu'ajouter au stress accumulé au-dessus de la planche à dessin depuis vingt ans. Il a dû se battre, négocier, plaider et participer à de nombreuses réunions. Cette soudaine activité, frénétique et collective, souvent marquée par les rapports de forces, n'était pas dans ses habitudes. Il s'est fait violence pour l'assumer. Aujourd'hui, il le paie.

En marge du travail proprement dit, il y a eu aussi une profonde déception personnelle. Pendant la guerre, il avait, on l'a dit, confié ses intérêts à un agent d'affaires, Bernard Thiéry. Leur association a pris fin en novembre 1947. Devant des avocats. Inutile de préciser qu'ils se sont mutuellement rejeté les torts. Plusieurs incidents, des détails rapportés par les uns et les autres, une attitude et des comportements professionnels de plus en plus critiquables avaient progressivement poussé Hergé à prendre ses distances avec cet intermédiaire. Une goutte d'or fit déborder le vase le jour où son ami Gérard Liger-Belair lui apprit que l'agent venait de lui faire signer un contrat en vertu duquel il toucherait 20 % des droits de chaque plan vendu de sa maquette de la *Licorne*. Scandalisé, Hergé déchira le traité[53]. En y repensant, il se remet difficilement d'avoir été trahi par un homme en qui il avait placé toute sa confiance.

Parallèlement au travail, il y eut les lendemains de la Libération. À ses yeux, ces deux facteurs sont également déterminants dans sa dégradation psychique. Il a vécu les quelques années d'épuration d'une manière aussi exténuante que les deux décennies de dessin acharné. Ce qu'il avoue en confidence à Jacobs révèle de lui une part d'ombre qui le rend plus attachant car plus vulnérable. Il en ressort l'image d'un homme qui a pris sur lui dès les premières semaines de la Libération. Pour remonter le moral à sa femme et à ses amis, notamment le plus abattu d'entre eux Marcel Dehaye, il a donné l'apparence du calme, de la sérénité et de la confiance en l'avenir. En toutes circonstances, il a joué la carte de l'humour et de l'ironie pour combattre le pessimisme, la morosité et la mélancolie ambiants. Pourtant, il n'en pensait pas moins et n'en menait pas large. Il avait intériorisé tout ressentiment. Maintenant, il peut bien le lui confier :

« Peut-être même ai-je forcé la note et donné l'impression de l'insouciance ou de l'optimisme béat. Dans le fond, mon vieux, j'avais peur. À ce moment-là, tu t'en souviens, tout était possible et nul ne pouvait prévoir comment cela finirait[54]. »

En fait, quel que soit le domaine, privé ou professionnel, Hergé a le sentiment d'avoir porté tout le monde à bout de bras depuis quelques années. Désormais, ce poids l'écrase moralement et physiquement. Si les gens de Casterman ou du journal *Tintin* à Bruxelles comme à Paris pouvaient comprendre son état d'impuissance, ils ne feraient pas appel à son sens des responsabilités par Jacobs ou Germaine interposés.

« Si tu ne rentres pas pour moi, rentre au moins pour Tintin », lui écrit-elle[55].

En vain. Il est sourd à ce genre d'arguments car il est vidé. Plus de force, plus d'énergie, plus de volonté, plus rien. Dans cette situation de collapsus généralisé, une telle notion de faute morale ou de culpabilité n'est que pure vue de l'esprit. De toute façon, à chaque fois qu'il songe à une éventuelle reprise, il est tenaillé par la peur de devoir tout interrompre à nouveau.

Là où il est, injoignable et hors du monde, le travail et Germaine lui manquent terriblement. Ce sont les deux axes de sa vie. Rien n'est plus indispensable à son équilibre. À chaque fois qu'il a voulu s'en éloigner ou s'en déprendre, parce qu'il le fallait, pour ne pas perdre la face ou pour se prouver ce dont il était capable, il en a souffert. Pourtant, il doit bien affronter aussi cette réalité-là. Vingt ans d'amour, de bonheur, de complicité et puis...

C'est comme si, en inaugurant une nouvelle époque pour la société européenne, la Libération avait brisé quelque chose dans leur couple. Lui ne pense qu'à foncer, à multiplier ses activités tous azimuts afin de profiter de sa notoriété croissante, de la courbe de vente de ses albums, du succès du journal *Tintin*. Pendant ce temps, elle donne l'impression de freiner des quatre fers, dépassée par le nouveau rythme de vie et les ambitions de son mari. Il va trop vite pour elle. À les contempler dans ces années-là, on a l'impression qu'ils ont de plus en plus de mal à se regarder en face : Georges est tourné vers l'avenir et Germaine vers le passé. Plus l'écart se creuse, plus il se montre sous un jour cynique, parfois cruel, réprimant avec peine des colères soudaines, refoulant des reproches qui feraient trop de mal à sa compagne des bons et des mauvais jours. Dans ces moments-là, il croit encore que de brèves escapades peuvent arranger les choses. Ils vont à Paris acheter une bague chez Georges

Carpentier, joaillier rue de Richelieu, mais aussi à Venise et Lugano, en Bretagne à Perros-Guirec... Ce n'est que cautère sur jambe de bois.

Parfois, il se confie à Charlie, son hôte suisse :

« Si j'osais vouloir, je devrais tout changer...

— Quoi tout ?

— Eh bien, tout ! Tout... Mon boulot, mes amis, ma façon d'aborder les choses en général[56]... »

Un jour de l'été 1948, un ami de jeunesse le rejoint involontairement dans son refuge. Jean Libert, un ancien de leur petite bande de Capelle-aux-Champs, passe quelques semaines à Glion au-dessus de Montreux avec sa femme et leur fille de 5 ans. Pour se refaire une santé, lui aussi. Mais pas dans le même contexte. Ancien collaborateur du *Nouveau Journal* pendant l'Occupation, il avait été acquitté en 1945, puis condamné en appel à dix ans de réclusion et finalement libéré au bout de deux ans et demi !

Heureux de le retrouver intact après la tourmente, Hergé passe deux jours en compagnie de son ami. Ils parlent durant des heures et des heures, à « La Primavera », la pension de famille où il est descendu. Jean Libert découvre avec stupéfaction un homme que la dépression a rendu moralement méconnaissable. Un individu qui éprouve l'impérieuse nécessité de prendre du recul pour faire le point. Surtout, un artiste angoissé à l'idée d'être incapable de renouveler son inspiration, impuissant à donner vie à des personnages, dépourvu de ses forces vitales. Il lui demande même de l'aider à trouver des scénaristes et des *gagmen* afin de continuer à produire ses albums. Faut-il qu'il soit désespéré et désemparé. Face à un Jean Libert qui s'en remet avec une confiance inébranlable à la Providence, Hergé offre l'image d'un homme convaincu d'avoir raté sa vie. En repoussant les récriminations de son ami, il apparaît clairement comme un auteur complexé de devoir sa célébrité à un genre tel que la bande dessinée :

« J'aurais voulu être un grand peintre... », répète-t-il, le regard perdu dans le vague.

Ce n'est pas une boutade. Intimement persuadé que les grandes aventures sont intérieures, il veut arrêter le dessin pour la peinture, seul moyen par lequel il croit pouvoir encore s'exprimer. Le goût du risque lui est devenu étranger, du moins dans le registre qui a toujours été le sien.

Avare de confidences en temps de paix, Hergé est encore plus secret et fermé en temps de guerre intérieure. Les personnes auprès desquelles il s'épanche se comptent sur les doigts d'une seule main. Encore ne leur parle-t-il que de lui, de sa maladie, de son mal de vivre. Jamais de son œuvre. Sauf exception, dans une lettre à sa femme. Dans ce cas des plus rarissimes, au plus profond de la solitude, on ne sait plus s'il s'agit d'Hergé ou de son héros :

« Tintin a été pour moi une occasion de m'exprimer, de projeter hors de moi-même le désir d'aventures et de violence, de vaillance et de débrouillardise qu'il y a en moi. Qu'il y avait en moi. Désir aussi d'exprimer ma vision du monde moderne : tant de laideurs, de compromission : les marchands de canons, les grands trusts sacrifiant sans remords la vie des hommes. Aux prises avec eux, un héros sans peur et sans reproche (...) Ce n'est pas Tintin lui-même qui ne m'intéresse plus, ce sont ses démarches, ce sont ses aventures elles-mêmes. Tintin est las de ses aventures. (...) Tintin voudrait devenir un homme. Il voudrait devenir humain. On m'a dit souvent, ironiquement : "Mais il ne grandit pas, votre Tintin !" Hélas, si ! Il a grandi sans qu'on s'en aperçoive. Il est resté petit de taille, mais il a mûri. Mûri au point de vouloir rentrer en lui-même et de pouvoir ainsi enfin contempler le monde[57] ! »

Hergé a entraîné Tintin dans sa dépression. Une fois n'est pas coutume, le personnage sauvera son créateur. Après tout, notre héros n'a-t-il pas jusqu'à présent triomphé de tous les périls et des pires menaces qui pesaient sur lui ?

La rentrée est celle des bonnes résolutions. Hergé achète chez Krieg, à Lausanne, une table à dessin, un siège et des dossiers pour classement à suspension. Toute la précieuse documentation originale de ses albums (dessins, textes, etc.) n'est pas au coffre à la banque, mais chez lui. À pied d'œuvre. Ce n'est pas très prudent mais c'est plus sûr. Non pour conserver mais pour consulter.

À l'automne, Hergé reprend dans son journal le récit de *L'Or noir* après huit ans d'interruption. Contrairement à ce que ses fidèles lecteurs craignaient, il ne l'avait pas abandonné mais suspendu. Tirant les leçons de l'expérience technique tentée avec *Le Temple du soleil*, il change son fusil d'épaule. La version de l'hebdomadaire et celle de l'album ne feront qu'une. Tant pis pour le sacro-saint principe de la double page justifiant le titre du journal. Afin que le lecteur ne se sente pas floué, on lui donnera tout de même deux pages d'Hergé chaque semaine : l'une consacrée aux aventures de Tintin, l'autre aux exploits de Jo, Zette et Jocko.

La reprise est délicate. Depuis 1940, la famille de Tintin s'est agrandie. Pas question de l'ignorer. Hergé doit donc se livrer à d'habiles pirouettes pour intégrer Haddock à un récit qui en est déjà à sa 56e planche. Le caractère artificiel est patent mais ça passe car c'est fait avec un humour, un panache et un mouvement dont lui seul est capable. C'est justement parce qu'elle défie toute logique de situation que l'intrusion du capitaine est enthousiasmante. Hergé procède également à d'autres retouches et remaniements : il bouscule l'ordre de quelques séquences, introduit Tournesol dans l'histoire et le château de Moulinsart dans le décor, remplace la poussive voiture décapotable des Dupondt par une Jeep de l'armée américaine débarbouillée de sa peinture de camouflage...

Quelques mois après ce redémarrage en fanfare, signe d'un Hergé retrouvé, la série s'arrête à nouveau brusquement. À croire que décidément une malédiction pèse sur *L'Or noir*.

« Une nouvelle sensationnelle : Hergé a disparu ! »

Cette fois, la direction du journal prend les devants. Il est hors de question de n'invoquer que des raisons de santé. Ce serait très mal pris. Aussi décide-t-elle d'assurer avec une apparente bonne humeur la mise en scène de cette catastrophe tant redoutée. Les membres de la famille de Tintin s'expriment un à un sur cette affaire. Les lecteurs sont invités à en faire autant. Sans le savoir, ils transforment la dépression de leur dessinateur favori en jeu de société. En octobre 1949 enfin, après un retour chaotique, l'histoire reprend son cours. À cette occasion, Hergé fait son autoportrait en couverture du journal. Celui d'un créateur prisonnier de ses personnages.

L'année s'achève. Hergé semble être revenu pour de bon. Ça ne va pas sans mal. Il ne lui suffit pas d'être plus ou moins réconcilié avec lui-même, encore faut-il qu'il en soit de même avec sa moitié. L'abbé Wallez a beaucoup œuvré pour que Georges et Germaine ne se séparent pas. Il n'a cessé de jouer au *go-between* pour les rapprocher et les ramener à leur serment. De très longues lettres en témoignent. À Germaine, il a vivement conseillé : « Dites-lui votre peine et votre attente mais bornez-vous à cela. Le bon Dieu fera le reste. » Mais comme manifestement cela ne suffisait pas, il a suggéré à l'un et à l'autre de s'immerger dans la lecture de *L'Imitation de Jésus-Christ*, et de s'apaiser de cette sagesse.

Paradoxalement, Georges n'a jamais autant aimé Germaine que dans ces années noires, ce tunnel dont il commence à entrevoir l'issue. Il l'a rejetée quand il a pensé qu'elle n'avait pas sa place dans la solitude aux confins de laquelle il s'était muré. Il est vrai que le couple n'a pas évolué moralement et socialement à l'unisson et qu'Hergé souffre de plus en plus de ce décalage. Malgré cela, l'amour qu'il porte à sa femme est d'une rare intensité. Les longues lettres qu'il lui envoie de Suisse en 1948-1949 ont des accents bouleversants. Elles sont d'autant plus déchirantes qu'elles viennent d'un homme que l'on sent déchiré. Quand la dépression ne lui paralyse pas la plume, il parvient à hurler son amour sur des pages et des pages d'une écriture serrée, dans une langue parfaitement maîtrisée, lui qui est d'ordinaire trop pudique pour dire « je t'aime » en deux mots. Au fil de cette correspondance, on saisit sans mal que Germaine est alors tout pour Georges : épouse, maîtresse, maman, meilleur ami... À court d'adjectifs pour la couvrir d'éloges, il reconnaît qu'elle lui a tout donné. Il ne peut rien lui reprocher. Mais il a le sentiment d'avoir été au bout de tout, y compris de leur magnifique amour. Contre cela, nul ne peut rien[58].

Le jour où tout rentre à peu près dans l'ordre, leur vie reprend à peu près comme avant. L'équilibre est précaire mais ils veulent y croire. À nouveau, Hergé se réfugie dans le travail.

Oubliée la nonchalance de la civilisation lémanique. Plus forçat que nature, il est rivé à sa table à dessin. Ne souhaitant pas avoir son propre bureau rue du Lombard, il reçoit volontiers les collaborateurs chez lui. Le débat sur les questions de fond est reporté aux réunions hebdomadaires de la rédaction. Rien ne remplace cette fameuse conférence car on peut tout y entendre. Tout et le contraire de tout. Hergé se souviendra notamment d'un responsable de la rédaction faisant remarquer très sérieusement : « Il faudra demander à Eugène Sue de modifier son scénario, ça traîne un peu[59]... »

En quelques années, le journal *Tintin* a connu un essor remarquable. Son tirage dépasse les 60 000 exemplaires en Belgique et frise les

50 000 en France. Le succès en incombe au premier chef au dynamisme et à l'esprit d'entreprise de Raymond Leblanc, à l'imagination et à la richesse des talents réunis dans l'équipe de dessinateurs et de scénaristes, et à Hergé bien sûr.

En dépit de ses déboires privés, il demeure le directeur artistique du journal. En titre, en droit et en fait. Il prend d'ailleurs sa fonction très au sérieux. Aussi exigeant avec ses collaborateurs qu'il l'est avec lui-même, intraitable sur la qualité du dessin, adversaire irréductible du médiocre et du vulgaire, il lui importe peu de passer pour quelqu'un de dur, intransigeant, sinon cassant. Il a une certaine idée de son métier et il s'y tient. Étant le patron, il l'impose. C'est à prendre ou à laisser.

Il ne dévie pas de cette ligne tout en étant conscient qu'il lui faut parfois ménager les susceptibilités. Nous sommes chez Hergé et non chez Disney, en Belgique et non en Amérique. Là-bas, la vedette, c'est *Le Journal de Mickey* et non ceux qui le font. Le plus souvent, ils n'apparaissent pas sous leur nom. Affiliés à un « syndicate », ils bénéficient d'un statut anonyme. Ici, les dessinateurs veulent tous exister par eux-mêmes tout en faisant exister leur journal. Ils tiennent à leur signature comme à la prunelle de leurs yeux. À chaque fois qu'on touche à leur travail, ils en font une maladie.

Hergé le sait d'expérience. Ça ne l'empêche pas de dire ce qu'il pense à ses confrères, y compris aux plus établis d'entre eux. Dans ces moments-là, comme s'il se sentait provoqué sur son terrain, il arrache le masque de l'hypocrite politesse dont nous sommes tous affublés et leur lance

« la » vérité à la figure. Sans agressivité, mais sans détour. Dans ses rapports avec ses confrères, le directeur artistique du journal *Tintin* se révèle aussi implacable que l'auteur des albums peut être courtois, urbain et attentionné. C'est le risque à courir dès lors qu'on prétend publier dans ce qui demeure *in fine*, à leurs yeux, « son » journal.

Les candidats en font l'expérience aussi bien que les proches collaborateurs. Ils en prennent tous pour leur grade sans considération d'âge, de statut ou de notoriété. Ainsi Pierre Ickx, de huit ans son aîné. Hergé n'a pas oublié qu'à leurs débuts, bien avant qu'ils travaillent tous deux aux pages « jeunesse » du *Vingtième Siècle*, Ickx s'était permis de corriger d'autorité son croquis d'un fusil anglais découvert dans un de ses carnets. Il lui montra comment il convenait d'être exact dans le moindre détail. Cela ne dura que quelques secondes mais l'incident resta gravé dans sa mémoire. Aujourd'hui, le même Pierre Ickx soumet trois dessins à l'approbation d'Hergé afin de les faire publier dans l'hebdomadaire.

Le jugement d'Hergé a la sécheresse d'un verdict. Le premier ? Terriblement mou et inconsistant. Le deuxième ? Un vrai désastre. Le troisième ? Tout juste acceptable. Bref, tout cela a l'air bâclé. Fâcheuse impression corroborée par la désinvolture avec laquelle le dessinateur a signé son travail ; la moitié de sa signature, comme s'il en désavouait plus ou moins la paternité... Dans ces moments-là, quand il sent une telle absence de fierté de l'œuvre accomplie, Hergé le patron présente une image de lui inconnue à l'extérieur :

« Le bateau par rapport à la ligne d'horizon accuse une erreur manifeste de perspective. Les cactus : un simple coup d'œil au dictionnaire Larousse vous eût révélé comment c'est fait. Quant à la vague qui s'abat sur la plage, elle me fait songer à un mur de moellons qu'on aurait recouvert de crème fraîche... Une illustration pour *Tintin* mérite autant de soin que n'importe quel dessin d' "art pur". C'est une question de probité, ne le pensez-vous pas ? Il ne faudrait pas que des travaux imparfaits me fissent regretter de vous avoir introduit au journal[60]... »

Voilà qui est dit. Et même écrit. C'est plus fort que lui. Hergé ne supporte pas tout ce qui peut paraître, de près ou de loin, bâclé. Dans sa bouche, sous sa plume, le mot claque comme la pire insulte qui puisse être adressée à un dessinateur digne de ce nom et à tout artiste bien né. Même ses proches en font les frais, le jeune Paul Cuvelier par exemple. Quand quelque chose cloche dans ses dernières planches des aventures de Corentin Feldoë, il ne se prive pas de lui dire qu'elles ont « un je-ne-sais-quoi de bâclé ». Quitte à être sermonneur. Mais dans ce cas précis, il s'autorise cette attitude au nom de leur amitié et de l'admiration qu'il lui voue. La raison de cette baisse de qualité, Hergé l'attribue au récent et long séjour que Cuvelier a effectué à Paris. L'argent, les femmes, les sorties, le mirage de la bohème montmartroise, la mythologie de la vie facile à Montparnasse... Or, d'après lui, il n'y a que le travail qui puisse donner des œuvres en toutes choses. Le travail seul[61]....

Quand il s'agit d'un proche, Hergé ne se contente pas de critiquer, de renvoyer les dessins pour qu'ils soient refaits ou de les rejeter sans appel. Il essaie de l'aider à surmonter ses difficultés. Ou ses déchirantes contradictions intérieures s'agissant de Cuvelier, créateur perpétuellement insatisfait. Pour que cette exigence quasiment maladive soit féconde, il le met en contact avec le père Gall, de l'abbaye de Scourmont, afin qu'ils conçoivent ensemble une histoire dessinée des Peaux-Rouges[62]. Car il sent comme nul autre que les immenses ambitions de Paul Cuvelier risquent de le mener bientôt dans une impasse. Et il fait tout pour éviter cette issue fatale. Hergé, c'est aussi cet homme-là.

Ceux qui le savent et en abusent le paient cher. Surtout s'ils s'autorisent cet abus au nom de l'ancienneté de leurs relations avec Hergé. Eugène Van Nijverseel dit Evany, son copain du *Petit Vingtième,* en fait l'amère expérience. Devenu chef de l'atelier Tintin, il est responsable de cette « boutique » produisant des images de toutes sortes dérivées du journal. En premier lieu, le fameux « Timbre Tintin » appelé « Chèque Tintin » en France, destiné à être reproduit à des millions d'exemplaires dans le cadre d'une importante campagne de promotion. Ayant soumis un dessin à Hergé, il reçoit une terrible volée de bois vert pour « ce torchon » sale et chiffonné, certes correctement conçu mais exécuté à la diable[63].

En fait, derrière l'infamante épithète « bâclé » qu'Hergé ressort immanquablement, on décèle sa conception morale du métier. Cette attitude traduit même un des aspects les plus constants de sa philosophie de la vie. Car rien ne le met en rage comme la désinvolture. Plus qu'un crime contre l'esprit, c'est une faute de goût. Elle ne révèle pas seulement l'absence d'éducation, mais surtout le mépris des autres. Un tel défaut conjugue le manque de sérieux, l'insolence, l'arrogance et le sans-gêne pour aboutir à une manifeste carence de savoir-vivre. Quand il parvient à dominer sa colère, il juge que ce n'est pas correct. Dans le cas contraire, il tient ces gens-là pour des jean-foutre qui ne méritent aucun respect.

Hergé en fait une question de principe. Il n'y a guère que les responsables de *Cœurs Vaillants* pour s'imaginer qu'il en fait une question d'argent. Depuis le temps qu'ils le pratiquent, ils n'ont toujours pas compris. Pourtant, l'abbé Courtois devrait se souvenir que leurs premières prises de bec avaient pour origine la légèreté avec laquelle il avait modifié les textes de certains de ses dessins sans le lui dire. Hergé, quoique jeune et débutant, avait alors tapé du poing sur la table. Vingt ans après, rien n'a changé d'un côté comme de l'autre. À deux reprises, ils ont l'occasion de se brouiller. La première fois, l'abbé Courtois prend la liberté d'éditer des films fixes (diapositives) d'après les aventures de Tintin sans en souffler mot à Hergé. Lequel, de son côté, en avait cédé les droits à une firme parisienne, « Les Beaux Films »... Furieux d'une telle attitude, il décide ne plus s'adresser qu'à son adjoint, l'abbé Pihan. Lui au moins ne se croit pas tout permis au motif qu'il travaille pour le bon Dieu. La seconde fois, ils vont encore plus loin puisque leur maison, Fleurus, publie une brochure intitulée *Tintin et Milou chez les toréadors* signée par Jean Roquette « d'après

Hergé ». En réalité, il s'agit d'un démarquage pur et simple de ses personnages, à son insu et sans son autorisation. Cette fois, la coupe est pleine. Scandalisé, il entend bien les effrayer. Il s'en remet à la justice et réclame un million de francs de dommages et intérêts. Pour l'exemple et pour leur apprendre à vivre, même s'il commence déjà à négocier afin d'éviter l'affrontement.

Mais ce ne sont que peccadilles en regard de la crise qui couve avec Raymond Leblanc. Elle semble inéluctable. Comme s'il fallait obligatoirement en passer par là, crever l'abcès une fois pour toutes et repartir enfin sur de nouvelles bases. L'expérience est tentante mais risquée.

Les relations triangulaires Hergé-Leblanc-Casterman sont assez complexes. Au début, le prestigieux éditeur de Tournai était parfaitement d'accord pour que le journal *Tintin* se fasse à Bruxelles avec les jeunes éditions du Lombard. Il ne trouvait rien à redire, d'autant que leur dessinateur vedette avait toujours l'extrême courtoisie de les tenir au courant de l'évolution de ses affaires. Casterman avait toujours la priorité, celle de refuser ses projets commerciaux, la plupart du temps. C'est ainsi qu'en bonne intelligence avec eux, il s'associa avec Raymond Leblanc à titre personnel pour la production de papiers à lettres, décalcomanies et jouets dérivés du monde de Tintin.

Les relations extrêmement cordiales, pour ne pas dire amicales, entre Hergé et Raymond Leblanc commencèrent donc à se tendre jusqu'à devenir particulièrement nerveuses dès lors que son statut de directeur artistique devenait flottant par la force des choses. Le succès du journal lui avait également donné envie d'être plus étroitement associé aux profits d'exploitation. De plus, Hergé s'inquiétait de l'émergence d'un phénomène qu'il n'avait pas prévu : la production par les éditions du Lombard d'albums, réalisés et signés par des dessinateurs de l'hebdomadaire, dont le style lui paraissait être un peu trop dans sa manière. On ne saurait mieux établir les effets pervers de l'« hergémonie » ! La ressemblance l'ayant frappé plus d'une fois, il craignit même que parfois la confusion ne s'installe dans l'esprit du public.

La crise, les malentendus et l'incompréhension mutuels atteignirent un tel niveau que Raymond Leblanc menaça de se retirer du journal *Tintin* pour lancer un concurrent. Hergé le menaça en retour de faire passer l'hebdomadaire dans le giron de Casterman. Les avocats s'en mêlèrent afin d'éviter une rupture qu'ils redoutaient irrémédiable, eu égard au caractère entier de l'un comme de l'autre.

Heureusement, l'estime réciproque est demeurée intacte malgré les orages. Chacun a fait du chemin vers l'autre. De compromis en accommodements, ils ont fini par se retrouver. Le jour où les deux partenaires ont compris qu'à la réflexion, ils pouvaient aussi bien se passer l'un de l'autre, ils ont également compris qu'ils avaient tout intérêt à rester ensemble. À continuer, fût-ce sur des bases sensiblement différentes[64].

Avant d'être un éditeur d'albums parmi les plus avisés, Raymond Leblanc, le directeur du journal *Tintin*, est un homme de presse. Il sait écouter et se faire entendre. En sondant les individus, il distingue vite les simples dessinateurs des véritables auteurs à part entière. Organisé et efficace, combatif et dynamique, il a le goût de la décision, et le sens du gouvernement des hommes. Mais sa façon de concevoir le travail ne coïncide pas nécessairement avec la nouvelle donne créée par Hergé : ses absences répétées et impromptues dues à son instabilité psychologique. Ce serait déjà gênant s'il n'était que le signataire de la double page centrale. Mais il exerce un contrôle permanent sur l'ensemble de l'hebdomadaire en qualité de directeur artistique. Un vrai travail de responsabilité et non une occupation à géométrie variable.

Six mois après la parution du premier numéro, ils avaient dressé le bilan et tiré les premières conclusions. La forme, qu'il s'agisse du style des textes, de l'esprit des dessins ou de la mise en pages, doit être plus rigoureuse. Elle laisse encore trop la place à l'improvisation caractéristique de la panique des bouclages tardifs. Les coquilles, erreurs, maladresses, inversions et autres cafouillages ne doivent plus être tolérés. Il faut faire l'effort de dessiner la plupart des titres de rubriques. D'une manière générale, la maquette gagnerait à être plus attrayante et plus distinguée. Et le fond ?

« La ligne générale s'inspirera d'une orthodoxie chrétienne dans un sens large. L'esprit du journal doit être : instruction, éducation et délassement de la jeunesse. Pour atteindre ce but, la matière rédactionnelle doit présenter les caractéristiques de base suivantes : clarté, originalité, intérêt, dynamisme, enthousiasme[65]... »

Pour que ces décisions ne restent pas des vœux

pieux, les deux hommes décident qu'un samedi sur deux, Hergé examinera les maquettes des deux prochains numéros de concert avec la direction du journal.

En 1949, deux ans après ce premier bilan de santé de *Tintin*, le torchon brûle. Hergé l'a senti lors du déjeuner-anniversaire du journal, appelé à devenir un rituel. C'était à Beersel, à l'Auberge du Chevalier. Au milieu du repas, Hergé se tourna vers Raymond Leblanc, espérant qu'il prononcerait un petit discours de circonstance. Il avait même prévu une réponse amicale. Mais non, rien ne vint. Le directeur expliqua qu'il n'était pas disposé, sans plus de commentaire. Mais chacun, et Hergé le tout premier, comprit qu'un malaise s'était installé.

Aujourd'hui, Hergé en est à s'expliquer par lettre avec Raymond Leblanc. En prenant soin de les expédier à son domicile et non à son bureau afin que nulle rumeur de désaccord entre eux ne porte préjudice à la bonne marche de l'entreprise. Dans ces moments-là, par écrit, à la main et non à la machine, c'est toujours mieux. Pour qu'il en reste une trace, bien sûr. Mais aussi pour être sûr de pouvoir se lancer dans une longue tirade sans être interrompu. Car Hergé a des choses graves et pas toujours agréables à dire à son associé. C'est la « dégringolade » du journal qui l'a incité à prendre les devants, quitte à passer pour alarmiste. Après tout, il porte le nom de son enfant. Ce nom-là, il ne le laissera jamais être galvaudé. Par une fierté bien comprise, par calcul aussi. À l'égal d'un brevet d'invention ou d'une marque déposée, Tintin est le seul capital d'Hergé.

Le numéro de la semaine est sous ses yeux au moment où il écrit. Il l'a vu, lu, retourné puis examiné en tous sens. Il ne reconnaît plus « son » journal. Progressivement, *Tintin* est devenu trop sérieux, trop ennuyeux à son goût. Cette néfaste évolution saute aux yeux dès la couverture. Une photo en couleurs y a chassé le traditionnel dessin au trait. Pourtant, nombre de magazines américains parmi les plus prestigieux y restent fidèles et ils n'ont pas, eux, l'excuse de s'adresser à des enfants. Hergé supporte d'autant moins cette nouvelle tendance qu'il y a toujours été hostile. Il ne s'est jamais privé de dénoncer l'invasion du journal par la photographie car elle s'exerce au détriment du dessin. Faut-il en déduire qu'il est régulièrement mis devant le fait accompli ? Sans aucun doute. Mais comment consulter un directeur artistique qu'on ne veut pas distraire de son œuvre, ou sur lequel on n'est jamais sûr de pouvoir compter ?

Il ne se fait pas prier pour louer les nombreuses qualités tant morales que professionnelles de Raymond Leblanc. Mais chacun sa partie. Hergé convient que son propre domaine se limite au dessin et aux jeunes. Cela inclut une parfaite connaissance de la psychologie enfantine, laquelle est, selon lui, étrangère aux autres responsables du journal. Il est vrai qu'il est le seul d'entre eux à jouir de vingt ans d'expérience dans cet univers si particulier.

En fait, à travers ses multiples piques, pointant ici une erreur, là un oubli, il adresse un reproche majeur à son associé : avoir engagé au poste de rédacteur en chef son ami André Fernez, un ancien avocat qui fut conseiller juridique à la corporation nationale de l'Agriculture pendant l'Occupation. Il y avait succédé à Jacques Van Melkebeke, l'ami d'Hergé, trop compromis sous l'Occupation. Il charge l'intrus de tous les péchés d'Israël, ne voyant dans cet homme d'une trentaine d'années qu'un « vieillard-né » ou « un froid fonctionnaire » et même « l'ennemi public n° 1 du journal » !

Pour sauver ce qui peut l'être de l'esprit Tintin, Hergé ne voit plus qu'une solution : se faire attribuer les pleins pouvoirs sur la rédaction en sus de sa responsabilité artistique. En fait, il veut être l'exact alter ego de Raymond Leblanc pour tout ce qui ne relève pas de l'administration, des finances ou de la diffusion. Cela revient à transformer la tête de l'hebdomadaire en direction bicéphale. C'est à ses yeux le seul moyen d'assouvir la folle ambition qu'il nourrit pour *Tintin* : en faire le meilleur illustré du monde, tout simplement[66].

Raymond Leblanc lui répond aussitôt, par le même procédé et avec une semblable franchise. Leurs points d'accord sont nombreux sur le plan technique ou artistique. Quant au reste, le directeur du journal a beau jeu de lui rappeler qu'on ne peut décemment pas consulter un absent, un responsable qui disparaît sans crier gare ni laisser d'adresse, réapparaît quand ça lui chante, s'évanouit à nouveau dans la nature quelques mois plus tard. On ne saurait être plus... irresponsable ! Il est incontestable que si la rédaction avait dû à chaque fois attendre son retour, le journal aurait périclité. Si elle n'avait pas pris d'initiatives, il n'aurait pas tardé à fermer ses portes. Dans le choix de ses termes et de ses arguments, comme dans le ton dont il use, Raymond Leblanc est aussi sensible et touché à vif, ferme et déterminé, que le dessinateur l'a été avec lui. Il ne s'en laisse pas conter, remet les pendules à l'heure et Hergé à sa place[67].

Il est des conflits salutaires. Désormais, l'abcès est crevé. Les deux hommes se vouvoient et se donnent encore du « monsieur ». Cela ne les empêchera pas d'être liés par des sentiments d'amitié mêlés de respect pendant quelques décennies.

En réponse à cette longue lettre, Hergé en écrit une autre de cinq pages tout aussi détaillée. Mais elle porte en elle les germes de la réconciliation. Il y est même question de calumet de la paix. Les différends subsistent. Mais envisagés sous un jour moins sombre et moins dramatique, ils paraissent plus faciles à régler. Hergé fait amende honorable sur certains points, plaide sa cause et s'attribue des circonstances atténuantes. *In fine*, il a l'intelligence ou l'habileté de ne plus considérer que ce qui les réunit et les mobilise : la volonté tenace de faire un grand et bon journal pour la jeunesse[68].

Sa situation de fugueur récidiviste ne le met pas en position de donner des leçons. Il ne s'en est pourtant pas privé tout au long de cette crise. Il exige une totale franchise de son interlocuteur. Mais il y a un an, quand il formait le projet de tout plaquer pour s'installer en Argentine et y fonder une sorte d'autre journal *Tintin*, il avait pris grand soin de le lui dissimuler.

Hergé est ainsi. C'est beaucoup plus que du culot, plus intéressant en tout cas. Son état dépressif latent n'explique pas tout, même s'il alterne les moments où il se foule aux pieds avec ceux où il se prend pour le maître du monde. Car la contradiction apparente entre ses grands principes et certains de ses actes révèle une facette de son caractère. À croire qu'il peut se permettre certaines attitudes car tout lui est dû. C'est aussi que, depuis peu de temps, sa notoriété a fait un bond. La courbe de vente de ses albums connaît une ascension impressionnante ; le journal *Tintin* constitue chaque semaine en Belgique comme en France une formidable caisse de résonance pour son prestige personnel.

Il semble que, désormais, Georges Remi se prenne vraiment pour Hergé.

III

PLÉNITUDE

9

Vers la consécration

1950-1958

L'homme sait se montrer généreux, c'est incontestable. L'ingratitude n'est pas son fort, il l'a prouvé. Il n'abandonne pas les siens dans l'adversité, nul ne le nie. Il n'empêche que ces vertus sont plus souvent celles de Georges Remi que d'Hergé.

Non qu'il soit schizophrène. Mais en amorçant un nouveau départ à mi-vie, le dessinateur adopte un curieux mouvement de balancier dans son attitude publique : plus il délègue, plus il tire la couverture à lui ; plus il s'entoure, plus il veut offrir l'image du créateur solitaire. Combien de fois répète-t-il que les aventures de Tintin sont le produit d'un créateur et non d'une usine ou même d'une équipe ! Il faut vraiment que les questionneurs soient insistants et directifs pour qu'il reconnaisse la présence d'assistants derrière lui et en loue l'utilité.

La vanité des hommes de l'art étant ce qu'elle est, on dira que le phénomène n'a rien de paradoxal. Dans le cas d'Hergé, il prend un tour particulier à partir du moment où l'intervertion de l'entourage dans son œuvre s'institutionnalise.

L'époque Jacobs est révolue quand, dans l'ombre, un seul homme y apportait sa patte et son talent, épisodiquement rejoint par quelques autres. Désormais, les collaborateurs sont à demeure et à temps plein. Selon les moments, Hergé estime qu'ils n'ont pas de droits mais des devoirs, ou au contraire flatte en eux le côté bénédictin voué à ses enluminures. Mais qu'il les diminue ou qu'il les exalte, ils ont désormais pignon sur rue et jouissent d'une existence officielle. Ils sont les Studios Hergé.

La société est créée le 6 avril 1950, peu après que le pays, tourmenté par la délicate « question royale », s'est prononcé par référendum sur l'éventuel retour de Léopold III. Un vrai déchirement, le roi ayant eu une légère majorité du côté des Flamands (les plus nombreux dans le pays) mais se trouvant en minorité chez les Wallons.

Le capital social s'élève à 250 000 francs. Hergé, qui en est naturellement l'actionnaire principal, s'est gratifié du titre de directeur aux pouvoirs étendus. Autour de lui, parmi les administrateurs, on retrouve son père Alexis Remi, sa femme Germaine, sa belle-mère Albertine et des amis tels que son secrétaire Marcel Dehaye, le conseiller artistique Maurice Lemmens et le dessinateur Guy Dessicy.

La création des Studios Hergé obéit à plusieurs motifs. Le premier est d'ordre personnel. Pour surmonter les handicaps suscités par son état dépressif et son manque de confiance en lui, il veut s'intégrer dans une organisation structurée. La présence de dessinateurs autour de lui, prêts à pallier ses défaillances, est de nature à le rassurer. Le deuxième est plus technique et rationnel. Car étant donné l'ampleur que prend sa production, il est contraint d'en confier en partie l'exécution, voire la conception, à des collaborateurs. Enfin le dernier, mais pas le moindre, est purement fiscal. En donnant la façade d'une entreprise à son activité, cette nouvelle structure juridique lui permet d'y faire passer ses frais de tous ordres, de plus en plus nombreux, il est vrai.

Dès le début, l'apparition des Studios Hergé suscite un malentendu. La comparaison avec l'organisation mise en place par Walt Disney vient immédiatement à l'esprit, même si l'échelle est sans commune mesure. Or leurs buts respectifs n'ont aucun rapport.

L'Américain est un visionnaire autant qu'un homme d'affaires. Trois siècles après La Fontaine, il est le seul qui réussisse sans se ridiculiser à faire parler les animaux comme des hommes, dans les journaux, dans les albums et sur l'écran. L'illusion est telle qu'on oublie qu'en réalité il représente des humains comme des animaux. Dans son édification d'un monde imaginaire, il n'y a pas de place pour les traînards. Ceux de ses collaborateurs qu'il juge insuffisamment novateurs sont impitoyablement renvoyés. À l'inverse, ceux qui en font trop ou expriment un talent trop personnel sont également menacés. Pas de place ni pour les médiocres, ni pour les *prime donne*. Qu'il s'agisse des scénaristes ou des dessinateurs, ils savent que leur relatif anonymat les condamnera toujours à s'effacer derrière Disney, marque de fabrique[1].

Le Belge adopte une tout autre démarche. Dans son esprit, en 1950 comme au début de sa carrière ou à la fin de sa vie, son œuvre est celle d'un seul homme. Même si désormais son travail n'est plus celui d'un homme seul. Il n'a pas créé les Studios pour conférer une dimension quasi industrielle à une activité qui relevait encore d'un artisanat assez développé. En s'entourant, il espère instaurer la pause de la réflexion entre le créateur et son public et peaufiner plutôt que produire. C'est bien ainsi qu'on l'entend au journal *Tintin* et chez Casterman, ses interlocuteurs les plus inquiets car les plus concernés par son évolution.

Pour Hergé, le temps ne compte pas et son expérience de la dépression a conforté cette conviction. Peu importe le nombre d'heures, de jours ou de semaines exigé par un travail. Tant pis pour l'augmentation des coûts que cela entraîne. Aucune considération matérielle ne doit l'emporter sur le souci de la qualité. Longtemps, il a reconnu avoir eu du mal à dessiner, par exemple, ces deux objets familiers : les vieux téléphones (à cause du nombre de lignes) et les chapeaux boule (en raison de l'absence de repères)[2]. Pourtant, quand il n'était pas aidé, il y consacrait un laps de temps hors de proportion avec leur importance dans la planche qu'il devait livrer sans tarder.

Ce qui distingue l'esprit des Studios Hergé de celui du Studio Disney n'est pas dû seulement à la différence de personnalités de leurs patrons. Chez les créateurs plus encore que chez les simples citoyens, la mentalité européenne est nettement plus individualiste que le tempérament américain. Dans certains milieux, on n'existe plus dès lors qu'on ne signe plus. L'auteur accepte difficilement que son œuvre lui vole la vedette. Ce qui n'est pas le cas outre-Atlantique. Tout le monde a entendu parler de *Mandrake, Superman, Spiderman* ou *Batman*. Mais hormis le cercle des fans et spécialistes, qui connaît le nom de leurs inventeurs ?

Durant les trois premières années, les Studios semblent encore en rodage. Il n'y a guère que trois personnes autour d'Hergé : un dessinateur, un coloriste et un secrétaire. L'atmosphère y est très amicale. Le patron ne se prend pas pour le directeur mais pour le responsable. C'est plus qu'une nuance. Hergé n'a pas tout à fait abandonné l'idée d'amener progressivement à ses côtés des collaborateurs du journal *Tintin* afin d'en exercer plus sûrement la direction artistique sans avoir à y mettre les pieds... À partir de 1953, les Studios s'étoffent jusqu'à compter une quinzaine d'employés à temps plein. Au service non de l'hebdomadaire, mais de l'œuvre.

Les Studios tiennent de l'abbaye bénédictine pour l'exigence, la rigueur et la qualité requises des moines-copistes dans la réalisation de leurs travaux. C'est aussi un lieu de rencontres pour nombre de confrères et de personnalités étrangères de passage à Bruxelles. Il se transforme en salle de classe quand l'humeur est aux farces, blagues et calembours. Il fait penser à un club anglais chaque jour à 16 heures quand l'équipe sacrifie au rituel de la tasse de thé, cérémonial qui permet à Hergé de tester ses idées. Il ressemble à un atelier d'artistes par bien des côtés. Enfin, c'est un phalanstère par l'esprit de communauté qui paraît souder ces talents si divers.

Il faut dire qu'aux Studios plus encore qu'au

journal qu'il contrôle difficilement, Hergé a toute latitude pour aider des réprouvés de la Libération. Au fil des ans, on y relèvera la présence discrète mais permanente de gens en délicatesse avec la justice. Mais tant Jean Libert que Paul Jamin n'iront pas taper à cette porte-là à leur sortie de prison. Trop marqués, ils ne veulent pas éveiller les soupçons des comités de vigilance et mettre leur ami Hergé dans l'embarras[3]. Le premier écrira des romans policiers à grand succès autour du personnage de Coplan sous le nom de plume de Paul Kenny ; le second dessinera dans l'hebdomadaire satirique *Pan* sous le pseudonyme d'Alidor. Cela étant, s'ils avaient surmonté leurs scrupules, il est probable qu'Hergé les aurait accueillis, d'une manière ou d'une autre. Comme tous les autres, les Jacques Van Melkebeke, Marcel Dehaye, Evany...

Parfois, son aide se manifeste de manière moins visible encore. En engageant comme coloriste la jeune veuve d'un membre de la Légion Wallonie mystérieusement assassiné pendant sa cavale. Ou en prêtant de grosses sommes d'argent à Robert Poulet pour lui permettre d'acheter à crédit son appartement à Marly-le-Roi (Yvelines), prêt que l'écrivain-journaliste lui remboursera intégralement.

Si ça ne tenait qu'à lui, Hergé ferait également travailler Raymond De Becker, son ancien rédacteur en chef. Mais il craint qu'on se serve de ce prétexte pour lui appliquer l'article 123 du Code pénal. Sa liberté d'expression en est sévèrement limitée puisqu'il lui est interdit de participer à la rédaction d'un journal ou de toute publication, d'une pièce, d'un film ou d'une émission. Hergé ne se contente pas de régler les frais de Me Guy Delfosse, l'avocat qui assiste Raymond De Becker dans sa procédure contre l'État belge et la Cour européenne des droits de l'homme. Il lui prête de l'argent pour qu'il puisse se loger décemment à Paris où De Becker survit avec difficulté depuis son élargissement en 1951. Puis il le recommande à qui de droit afin que De Becker obtienne le titre, la fonction et le salaire d'inspecteur des ventes dans les librairies suisses, pour y étudier notamment les problèmes de diffusion rencontrés par les albums *Tintin*[4]...

Malgré ce coup de pouce providentiel, De Becker n'a plus le moral. Il est hanté par la misère. Il ne se fait ni à l'exil ni à la promiscuité. À chaque fois qu'il va baisser les bras, l'ami Hergé se manifeste qui l'encourage d'une manière ou d'une autre. Jusqu'à sa mort, il l'aide à échafauder nombre de projets qui resteront à l'état de projets, comme en témoigne leur correspondance, régulière et fournie. De Becker aura toujours du mal à être en phase avec son époque. L'écriture est son ultime refuge. De plus en plus spiritualiste, mystique et européen, un temps proche de la revue *Planète*, il publie beaucoup. C'est tout naturellement à Hergé qu'il soumet le plan de *La Politique de « collaboration » en Belgique*, l'essai de 400 pages qu'il lui propose de rédiger à deux mains. Avec lui ! Une offre empoisonnée qu'Hergé s'empresse de décliner poliment[5].

Un autre personnage issu de cette après-guerre difficile fait, lui, son entrée officielle aux Studios Hergé en 1953. Il y restera vingt et un ans au poste clef de secrétaire d'Hergé, succédant à

Marcel Dehaye qui se consacre désormais à la rédaction en chef du journal. Entre eux, les gens des Studios l'appellent « le baron ». Baudouin Van den Branden de Reeth va jouer un rôle incontestable auprès du patron, au moment où le phénomène Tintin prend une ampleur internationale. De dix ans son cadet, ce journaliste avait fait ses débuts à *L'Indépendance belge* avant de collaborer au *Nouveau Journal* jusqu'à la fin 1942. À la Libération, cela lui valut d'être condamné à trois ans de prison et une importante amende, malgré les hautes responsabilités de son frère Adrien dans la Résistance. Léopoldiste acharné dans sa défense et illustration du monarque, il est issu d'une lignée aristocratique très liée à la famille royale. Pendant quatre générations, ses aïeux ont tous eu un poste au palais de Laeken[6]. C'est le genre de détail qui ne manque pas d'impressionner Hergé, toujours prompt à s'enthousiasmer dès qu'on fait jouer la fibre monarchique en lui.

Aux Studios, Van den Branden s'occupe de tout ce qui ne relève pas du dessin proprement dit : organisation intérieure, contact avec l'extérieur, relations publiques... Il est le filtre et l'éminence grise. Quand la compagnie des admirateurs et solliciteurs est trop envahissante, il fait écran, protégeant le Maître des fâcheux de tout poil : journalistes, collectionneurs et autres. Sur un plan plus technique, il aide Hergé dans la rédaction des textes des phylactères, se battant pour retirer un adverbe qui en alourdit la lecture ou y maintenir un point-virgule qui modifie la respiration de la phrase. Mais une activité l'emporte sur les autres. Elle est consubstantielle de la fonction de secrétaire telle que les grands écrivains du début du siècle l'entendaient : le courrier.

Au fur et à mesure que la notoriété d'Hergé s'accroît, son volume prend des proportions effarantes. Or il est de ces hommes courtois qui non seulement accusent réception quand ils reçoivent une lettre mais, de surcroît, répondent par retour de courrier. Déroger à cette règle de vie lui semblerait être un insupportable manquement à son éthique :

« Ne pas donner des suites à des lettres d'enfants serait trahir des rêves », dira-t-il joliment[7].

Une nouvelle discipline s'instaure : le courrier du matin. Hergé lit tout et répond à tout avec un humour, un sens de la litote et une simplicité qui n'appartiennent qu'à lui. À chaque fois qu'il le juge nécessaire, il assure aux plus jeunes que Tintin, comme le Petit Poucet, Gulliver ou Ali Baba, existe mais qu'on ne peut le rencontrer dans la rue. Uniquement dans les albums.

Hergé se décharge parfois sur son secrétaire pour des rédactions trop techniques exigeant des recherches. Quand il est en déplacement, malade ou simplement surchargé de travail, il s'en remet également à lui. Mais il ne faut pas que cela se sache. Plus d'une fois, Hergé corrige le style trop littéraire de son secrétaire. Il lui préfère un ton plus neutre, plus vivant, moins puriste. Celui-ci en conservera l'habitude de ne puiser que dans un stock de mots courants, compréhensibles par les adolescents de toutes origines sociales. Il faut dire que la correspondance de ministre dont Hergé peut s'enorgueillir est de plus en plus délirante, à l'image de l'atmosphère de certains albums. Fréquemment, des enfants s'adressent à « M. Casterman » comme s'il était le dessinateur et à Hergé comme s'il était le fabricant. D'autres ont tellement entendu vanter les mérites de « l'École de Bruxelles » qu'ils en demandent l'adresse à Hergé afin de s'y s'inscrire. Pour ne rien dire de ceux qui nourrissent des projets matrimoniaux pour Haddock. Ou considèrent comme un sport national belge de relever les plus infimes erreurs dans les albums. Cela étant, la plupart demandent des conseils pour devenir dessinateur, à l'égal de leur maître. À quoi il réplique invariablement : apprenez à regarder, faites des croquis d'après nature, étudiez la perspective et l'anatomie, apprenez l'orthographe et travaillez, travaillez, travaillez...

Même l'orthographe ? Surtout l'orthographe. Un album de *Tintin* compte en moyenne 83 700 signes typographiques. Hergé a horreur des phylactères fautifs. Ils sont le reflet d'un tempérament désinvolte. Il a toujours soigné ses textes. Les questions de syntaxe lui sont familières. Quand on vient le chercher sur ce terrain-là, il attend le contradicteur de pied ferme. Ceux qui se sont permis de lui reprocher « Eh bien, que reste-t-il faire, celui-là ? » relevé dans *Tintin au pays de l'or noir* en ont été pour leurs frais. Il les a renvoyés à leurs chères études, en s'appuyant sur l'usage qu'ont fait nombre d'écrivains du verbe « rester » à l'infinitif et de la construction transitive. Et en appelant à la rescousse le *Dictionnaire des difficultés grammaticales et lexicologiques* de Joseph Hanse ! Cette préoccupation ne l'obsède pas jusqu'à vérifier chacune de ses nombreuses traductions à l'étranger — et comment l'aurait-il pu ? Il fait toutefois une exception compréhensible pour le néerlandais. Après avoir constaté des incorrections grammaticales dans les versions flamandes de *L'Oreille cassée*, de *L'Étoile mystérieuse* et du *Crabe aux pinces d'or*, il sollicite les lumières de M. de Bruyne, docteur en philologie et professeur à l'Athénée de Schaerbeek.

Regardez et travaillez... Autrement dit, c'est en dessinant qu'on devient dessinateur. Il ne faut pas y voir une réponse dilatoire mais l'expression la plus sincère de sa foi dans son art. Elle peut paraître simpliste, voire primaire. Elle n'en reflète pas moins l'intime vérité d'un autodidacte qui n'en revient pas d'être devenu ce qu'il est.

Quand on entre aux Studios Hergé, c'est pour y rester. Hergé ne supporte pas d'être quitté. Au fil des ans, il y aura certes du mouvement. Certains ne font que passer. Hergé les y encourage quand il sent que leur avenir est ailleurs. C'est le cas avec Guy Dessicy qu'il a connu en 1936, quand celui-ci était à 12 ans le plus jeune membre de la petite bande de Capelle-aux-Champs. Au lendemain du lancement du journal *Tintin*, il a délaissé l'Académie des beaux-arts pour rejoindre Hergé qui lui a tout appris : le lettrage, le coloriage et même le dessin. Malgré les cours prodigués par Van Melkebeke, le jeune homme ne tarde pas à comprendre qu'il est moins fait pour la bande dessinée que pour la promotion et la publicité. Aussi, d'accord avec Hergé, il est transféré aux éditions du Lombard où il passe trente-trois ans[8]. Quant à son camarade Frans Jageneau, il ne tarde pas lui non plus à trouver sa vocation ailleurs que dans l'ombre d'Hergé : il devient l'âme et le pilier du célèbre théâtre du Péruchet fondé à Uccle par le marionnettiste Carlo Speder.

Dès les débuts des Studios Hergé, deux noms se détachent : Bob De Moor et Jacques Martin. Deux hommes qui en marqueront l'histoire chacun à leur manière, comme Jacobs en avait symbolisé la préhistoire.

En 1948, le premier des deux, un Anversois de 23 ans, a été présenté à Hergé alors qu'il apportait timidement ses planches au journal *Tintin*. La presse néerlandophone peut déjà témoigner de son intense capacité de production. Il est partout ! Il faut dire que Bob De Moor a la faculté de réussir en une demi-heure ce que d'autres dessinateurs mettent une journée à rater. Après avoir illustré *Le Lion des Flandres* dans *Kuifje*, il passe à l'édition française du journal pour y dessiner notamment *Conrad le Hardi* et *Cori le Moussaillon*. Jusqu'au jour où, à l'issue d'une conférence de rédaction, Evany lui présente le Maître. Autant dire l'inaccessible étoile, un mythe vivant pour les dessinateurs de sa génération. Il est pourtant là, en face de lui. Pour lui faire plaisir, il s'exprime en un flamand hésitant :

« Je connais votre travail, ce n'est pas mal du tout[9]... »

Hergé ne tarde pas à connaître l'homme derrière le dessinateur, remarquer sa conscience professionnelle, apprécier sa puissance de travail et goûter sa bonne humeur communicative. Entré un des tout premiers aux Studios, il en est vite l'âme et le pilier. Tant et si bien qu'en l'évoquant Hergé commet souvent un de ces lapsus que l'on dit hautement significatifs :

« Jacobs, euh... De Moor[10] ! »

Ses qualités professionnelles sont telles qu'il a le don de se rendre indispensable sans forcer sa nature. Les qualités humaines qu'on lui reconnaît ne sont pas en reste, qu'il s'agisse de sa générosité, de sa gentillesse ou de sa discrétion. Sa partie, c'est le dessin. Et dans le dessin, le décor. Sur ce plan-là, Hergé le considère comme son prolongement naturel. Car pour être au départ assez technique, son intervention n'en relève pas moins de la création et non de la pure reproduction. Quand il s'empare d'un document pour l'intégrer dans le moindre détail au décor d'une vignette, Bob De Moor lui fait un tel sort qu'il ne lui laisse plus rien. Il l'a entièrement déshabillé. En un sens, il est encore plus maniaque qu'Hergé puisqu'il gomme les traces de crayon au dos des planches. Ils ont tous deux l'habitude d'encrer eux-mêmes leurs crayonnés. L'un noircit les taches à la plume, l'autre au pinceau. Cela modifie l'unité ou la profondeur du noir mais ne change rien à ce qui les distingue fondamentalement : leur appréhension de la durée. Sans jamais bâcler, Bob De Moor dessine plus vite que son ombre. La rapidité faite homme, il peut réaliser jusqu'à huit planches par semaine. Hergé, lui, ne prendra jamais assez de temps pour améliorer ce qui sera toujours perfectible. Il ne se prive pas de le lui faire remarquer :

« Quand vous dessinez des arbustes, vous pouvez le faire en cinq minutes. Mais en les retravaillant plusieurs fois, il est possible de leur donner plus de volume et d'authenticité[11]. »

Bob De Moor avait su qu'il pouvait devenir son plus proche collaborateur le jour où, comparant deux dessins identiques de locomotives avec Tintin comme unique personnage, Hergé s'était avoué incapable de distinguer le sien de celui de Bob De Moor.

L'apport de Jacques Martin aux Studios Hergé est autre car l'homme est autre. Ce Strasbourgeois, ingénieur de formation, issu d'une famille aéronautique, est un passionné d'histoire et de peinture classique. Son éclectisme est tel que la découverte de la bande dessinée n'a en rien freiné sa fréquentation assidue des grands musées. Sa révélation de l'antiquité grécoromaine découle de la lecture du *Salammbô* de Flaubert. Dans son imaginaire, Bibi Fricotin côtoiera longtemps Piranèse, et Tintin Le Titien. D'ailleurs, sa vocation de dessinateur est née non à une date mais à un moment précis : très exactement entre *L'Oreille cassée* et *L'Île noire* ! Après-guerre, il a collaboré à un certain nombre de publications avant d'oser présenter ses dessins au journal *Tintin*. Raymond Leblanc est embarrassé pour les lui refuser avant de lui avouer qu'ils ne sont guère du goût du directeur artistique. Trop détaillés, trop chargés, ils perdent en grâce ce qu'ils gagnent en exactitude. Quelques années passeront avant que celui-ci, en toute bonne foi, ne révise son jugement. Hergé, qui admire sa manière dans la conduite de l'action du *Sphinx d'or*, commence par faire appel à lui à partir de 1949. Il a repéré en ce jeune confrère non seulement un univers, un œil et un tour de main mais aussi une infaillible mémoire documentaire. Aussi n'hésite-t-il pas à la solliciter régulièrement quand il doit dessiner par exemple une Buick 49 dans tous ses états. En échange, Jacques Martin emprunte à Hergé des numéros du *National Geographic Magazine* dans l'espoir d'y trouver des images de Carthage et de l'archipel des Açores dont il a besoin pour *Alix*. Leur collaboration devient plus régulière quand Jacques Martin est chargé de réaliser les chromos de la collection « Voir et savoir » (aviation, locomotives, aérostation) très prisée des jeunes lecteurs de l'hebdomadaire. Jusqu'à ce qu'Hergé l'invite à déjeuner et lui propose de travailler à ses côtés. Deux fois, car six mois après la première, l'heureux élu ne s'est toujours pas décidé. Il n'est pas prêt à sacrifier son indépendance, fût-ce pour dessiner auprès de celui dont l'œuvre avait ébloui sa jeunesse, celui dont la rigueur, la probité et le perfectionnisme l'impressionnent si fort. Il saute finalement le pas mais réussit à imposer à Hergé, contre son gré, ses deux collaborateurs. Le 1er janvier 1954, Jacques Martin est officiellement intégré au personnel des Studios[12].

Si Hergé considère Bob De Moor comme son collaborateur le plus proche, il tient Jacques Martin pour son critique le plus indispensable. C'est que le Français, contrairement au Flamand, n'a pas un tempérament de diplomate. Quand on dit de lui qu'il a un caractère difficile, cela signifie aussi qu'il est un des rares à dire ce qu'il pense au patron. Sans ambages. Très exigeant dans l'architecture de l'histoire, il ne lui épargne aucune critique frontale. La construction, il ne voit que ça de prime abord. Il faut que ça tienne. Le reste vient ensuite. Après tout, si le souci de la perspective l'obsède tant, c'est grâce aux fortes réserves qu'Hergé avait manifestées il y a des années après avoir vu ses premières planches :

« Vous avez des idées mais il va falloir apprendre à dessiner... »

Sévère mais juste. Jacques Martin n'oubliera jamais. Aussi, avec Hergé plus qu'avec tout autre, il dit ce qui ne va pas quand ça ne va pas. Celui-ci lui en est toujours reconnaissant, même s'il reconnaît être irrité par son attitude critique. Comme il peut l'être par l'exigence langagière de Van den Branden[13].

Un autre que Jacques Martin serait désolé de susciter une telle réaction d'agacement. Pas lui, qui s'en félicite au contraire. D'autant qu'il a assez de souplesse pour supporter les taquineries du patron. Le motif ? Toujours le même : le gag considéré comme un des beaux-arts. Car on devait rire en 50 avant J.-C. comme aujourd'hui et demain probablement.

« Votre César, il ne se prend jamais les pieds dans le tapis ?

— Si. Mais pas dans mes histoires... »

Hergé voudrait mettre des gags partout, dans toutes les bandes dessinées. Martin, lui, estime au contraire qu'ils prennent déjà trop de place. Il veut en moduler l'usage. Il a beau expliquer que ses propres récits ne reposent pas sur le comique mais sur le suspens, rien n'y fait. De toute façon, leur conception même du gag sépare les deux hommes. Au fil du temps, Hergé intellectualise de plus en plus des effets de moins en moins mécaniques alors que Martin en est resté à l'esprit de Mack Sennett. D'un côté, des situations de plus en plus absurdes, de l'autre des voitures folles dévalant la route.

Quand l'équipe pionnière des Studios Hergé est au complet, le partage des responsabilités s'effectue naturellement. À Bob De Moor le travail sur les décors, à Jacques Martin celui sur les scénarios et les personnages. Mais dès qu'on lui confie sa toute première mission, ce dernier comprend que s'il accède un jour à la notoriété, ce ne sera pas grâce à Hergé. On lui demande de poursuivre et terminer *La Vallée des cobras*, ultime aventure de Jo, Zette et Jocko dont il n'existait que les vingt-cinq premières planches. S'ils achèvent bien le scénario à deux, Martin se charge seul des dessins. Pour autant, il ne cosigne pas l'album avec Hergé. L'éditeur s'y oppose. L'auteur plus encore puisque l'exécutant a été payé pour ça[14].

Bob De Moor et Jacques Martin sont vite affranchis. Ils ont toute latitude pour mener parallèlement leur propre œuvre à bien. Mais quand ils travaillent à l'intention des Studios, ils sont d'honnêtes et habiles créateurs au service d'un créateur suprême. Pour les traiter en confrères et en amis plutôt qu'en patron, Hergé n'en reprend pas moins ses distances avec eux dès que l'un ou l'autre de ses proches collaborateurs prétend se mettre sur un pied d'égalité avec lui. Le cas Jacobs fait désormais jurisprudence.

Les Studios s'appellent Hergé, pas Tintin. Quand on a la chance ou l'honneur d'en faire partie, dès lors qu'on a compris cet axiome, il ne reste plus qu'à se pénétrer de son art et sa manière de réaliser une bande dessinée.

Il s'agit de raconter une histoire. Ni plus, ni moins. Si on veut faire du dessin pour faire du dessin, autant renoncer à la bande dessinée pour exposer ses œuvres dans une galerie. Ça fait vingt-cinq ans qu'Hergé le dit. Dans un quart de siècle, il ne dira pas autre chose. Toute sa vie, il s'est fait une idée de la bande dessinée et il s'y est tenu. Ce n'est pas qu'il ait l'esprit de suite : il ne conçoit pas autrement son métier. L'expérience accumulée n'a fait que le renforcer dans ses convictions.

À l'origine d'une histoire, il y a une idée. Il ne la cherche pas car ce serait le meilleur moyen de ne pas la trouver. Elle vient à lui naturellement, charriée par l'air du temps, l'imprégnation de l'actualité, le hasard des rencontres, les circonstances de la vie. Ou elle ne vient pas. Mais il n'est pas question de partir à la recherche du sujet. Avec Pirandello, il pourrait dire qu'il se sent « comme une fleur qui reste ouverte, attendant d'être fécondée par le vent ».

Hergé est une éponge. Il absorbe ce qu'il observe. Parfois, d'intenses périodes de porosité alternent avec de longs moments de sécheresse. Pourquoi ? Il ne veut pas le savoir et il a bien raison. Il est de ces authentiques créateurs qui sont effrayés à la pensée de découvrir le mécanisme intérieur qui les fait avancer. Ou stagner.

Formé tant à l'école du roman d'aventures, du feuilleton policier que du cinéma muet, il ne peut s'élancer s'il n'a pas trouvé un fil d'Ariane. Le procédé a fait ses preuves depuis que l'Homme a entrepris de se raconter des histoires. Quand il le tient bien en main dès le début, Hergé peut s'engager sans crainte dans le dédale de ses cases vierges tel Thésée dans le labyrinthe.

L'idée ne vient pas toujours de l'invention d'un personnage. Celui-ci étant à géométrie variable, elle procède souvent de l'action proprement dite. Cette note, rédigée à la hâte par Hergé dans son cahier, en témoigne :

« Kidnapping : on a volé un joueur de football, ou constructeur d'auto de course, ou pilote d'un avion de raid. »

Quand on le presse de s'expliquer sur les coulisses de la création, Hergé donne toujours l'impression que tout est dû à l'inspiration du moment. Que rien n'est prémédité. Il voudrait accréditer l'idée que tout cela ne relève pas d'un secret de fabrication qu'il ne s'y prendrait pas autrement. Il est vrai que si tel était le cas, le public serait en droit d'être déçu. Or cette magie-là ne relève pas de la mise au point d'un truc. La technique et le savoir-faire acquis à l'issue d'une longue pratique y ont certes leur importance. Mais l'essentiel relève de l'insaisissable.

Cet artiste-là n'est pas de la race des intellectuels mais des intuitifs. Tout chez lui procède d'un instinct puissant. Dans son esprit, la ligne claire l'est vraiment parce qu'elle s'insinue dans son inconscient. Elle y féconde grâce et légèreté, sans oublier le rythme, déterminant dans des aventures où l'on ne compte plus les courses-poursuites. Chez ses suivistes, elle se traduit souvent par une certaine épaisseur parce qu'elle est trop préméditée. Quelques dessinateurs particulièrement doués ont pu imiter le trait d'Hergé et plagier ses récits. Nul autre que lui n'a jamais pu en restituer l'esprit ni la vérité.

Quand il se fait une haute idée de son art, ce qui n'est pas toujours le cas, Hergé tient le créateur de bandes dessinées pour un auteur à part entière. Une sorte de romancier en images, par conséquent un écrivain d'un genre un peu à part. Le but de cet humble artisan d'une infralittérature qui ne dit pas son nom serait de distraire la jeunesse en la cultivant et en lui offrant une manière de morale. Pédagogue à ses heures, il se sentirait une responsabilité coupable dès lors qu'il verserait dans la violence, la haine ou la vulgarité, toutes choses qu'il abhorre. Pour autant, il refuse d'être considéré comme un moralisateur ou un éducateur.

D'un dessinateur digne de ce nom, il attend une certaine fermeté dans le trait, reflet d'un minimum d'assurance au moment d'affronter la grande page blanche. Ombres et clairs-obscurs sont à bannir, à l'égal de conventions inutiles. Son aversion pour les dégradés date de l'époque où une telle technique n'était pas favorisée par la mauvaise qualité du papier journal. Elle coïncida vite avec sa tendance au dépouillement. Dans un but, un seul : la compréhension maximale. Hergé joue la carte de la clarté absolue, fût-ce jusqu'à la transparence. La simplicité, le minimum de traits, autant dire l'essentiel sur papier. La clarté est d'ailleurs la seule grande qualité qu'il veut accorder à la bande dessinée américaine des années trente.

Il se permet de rêver en dessinant, mais dans un cadre rigide. Des règles, non des carcans. L'imagination se retrouve en liberté surveillée.

C'est cela qu'il aime. Classique dans le choix de ses moyens narratifs, il est également moderne dans son refus de verser dans la nostalgie. Qu'il s'agisse de la lisibilité de la composition ou de la solidité du graphisme, ces qualités, à ses yeux indispensables à tout créateur bien né, procèdent de l'éducation du regard. Car apprendre à dessiner, c'est d'abord apprendre à voir.

Comment s'effectue concrètement l'élaboration d'une bande dessinée selon son goût ?

1) Il ne suffit pas de trouver un fil d'Ariane. Il faut qu'il soit assez solide pour se métamorphoser en idée directrice et tenir la route tout au long d'une aventure. Une poursuite et un enchaînement de gags ne suffisent pas.

2) Quand l'idée de départ se précise et lui paraît assez forte pour supporter le choc, Hergé se raconte l'histoire à lui-même. Pour qu'il y croie, il faut que tout en elle lui paraisse vrai. Puis il la jette sur le papier, la résumant en une vingtaine de lignes au maximum.

3) À partir de ce synopsis, il se livre au découpage du récit. Ce travail de haute précision s'effectue page par page, planche par planche. Il s'apparente au découpage cinématographique. À ceci près qu'Hergé se fixe une contrainte supplémentaire : conclure chaque page par un élément de suspens. Il pose un squelette de son récit, définit ses articulations puis réfléchit à la meilleure manière de combler les blancs entre elles.

4) Vient ensuite le stade du crayonné. Croquis d'attitude et arrière-plans sommaires sont esquissés dans des cases de 9 cm sur des feuilles papier Steinbach d'un format total de 51 × 36 cm et d'un format utile de 40 × 29,5 cm,

soit deux fois plus grandes qu'une page d'album. La feuille est divisée en quatre bandes de 9,5 × 29,5 cm chacune, séparées par un blanc de 6,5 mm. Ces planches constituent une sorte de brouillon. Des dizaines de versions se succèdent avant que la meilleure ne s'impose. D'ailleurs, on y trouve souvent des intrus : portraits, objets, paysages, listes de noms, adresses ou numéros qu'Hergé trace machinalement dans les marges lorsqu'un coup de fil l'interrompt dans son travail.

Les personnages sont souvent croqués en faisant prendre la pose à tel ou tel collaborateur du studio, à commencer par Hergé lui-même. À ce stade du travail, tout est encore possible. La planche est maltraitée, bousculée, houspillée, à grands coups de gommes et de ratures. Elle ne paraîtra satisfaisante que lorsque le mouvement y sera.

5) Quand le brouillon semble assez avancé, tous ces crayonnés sont décalqués case par case afin de mieux les choisir et les recadrer. Puis ils sont reportés sur une autre page blanche qui sera la planche définitive. C'est l'heure des ultimes remords, retouches et finitions. En faisant glisser le calque, il est encore temps de déplacer tel élément d'un bout à l'autre de la case. Car sa volonté d'épuration est une quête sans fin. Avec une idée fixe en tête : masquer les articulations afin que nul ne voie l'échafaudage.

6) Le dessinateur se fait alors décoriste (plutôt que décorateur). Il se consacre aux décors et costumes en s'appuyant sur une solide documentation. La minutie et l'exactitude exigées dans ce travail sont d'autant plus frappantes que les lieux

(désert, mer, lune, jungle...) baignent la plupart du temps dans un flou très artistique qui renforce l'universalité de l'histoire.

7) Puis vient l'étape délicate de la mise à l'encre ou mise au net sur un papier Schoeller-Parole, à la plume Gillott's Inqueduct G-2 (made in England) en acier inoxydable, donc nettoyable à l'eau, munie d'une sorte de petit réservoir. Hergé avait acheté un stock de ces fameuses plumes anglaises avant la guerre. Plus de trente ans après, il lui en restait encore quelques-unes. Et pour cause : elles sont pratiquement inusables, d'autant qu'il les affûtait avec une lime pour les conserver le plus longtemps possible.

8) Photographiée par le photograveur, la planche en noir et blanc revient à l'état de film transparent accompagné de plusieurs exemplaires d'épreuves sur papier en gris-bleu.

9) Après l'encre de Chine, le coloriage. En principe, les couleurs appliquées en aplats ne tiennent pas compte des ombres et dégradés. L'aquarelle est utilisée pour les tons délicats, l'Écoline pour les couleurs vives et si nécessaire la gouache pour une couleur couvrante. Hergé est peu directif avec ses collaborateurs dans la mesure où il a établi une fois pour toutes des standards. Quitte à ce que ce travail technique leur paraisse à la longue lassant car répétitif : deux couches superposées pour le pull de Tintin afin de lui rendre toute son intensité.

10) Il est temps de taper les dialogues à la machine, d'évaluer précisément la quantité de signes pour chaque vignette, de calculer à l'aide d'une petite grille leur encombrement dans les bulles et de dessiner les lettres. Le lettrage est

une opération plus délicate qu'il n'y paraît car elle pose d'innombrables problèmes. Dans ces moments-là, il faut même songer au traducteur anglais : il devra transformer Milou en « Snowy », seul sobriquet acceptable qui tienne en cinq lettres, de manière à ne pas dépasser du phylactère quand Tintin s'adresse à son chien...

11) Il reste à procéder à « la sonorisation graphique » qui consiste pour l'essentiel à dessiner les onomatopées : « crac », « bang ! » « Bzzzz »...

Au début, *Tintin* est un feuilleton. Comme tel, il obéit à une loi fondamentale du genre : le suspense. Agencé opportunément en fin de page pour raccrocher à la suivante, il marque un temps d'arrêt qui accroît l'attente du lecteur. Si Hergé avait été mélomane, on parlerait de point d'orgue. Dans son cas, on évoquera plutôt un procédé romanesque. Il en a une telle maîtrise qu'il réussit même à conjuguer le suspense avec des éléments aux effets nettement plus improbables, la morale scoute, par exemple. C'est souvent le cas lorsqu'une scène est encore à l'état brut, celui de l'essai et de l'ébauche, tel qu'on en voit dans son cahier de notes des années trente :

« Tintin fait irruption dans une cave où sont réunis des bandits. Trappe. Haut les mains !... Mais dans le coin opposé était couché un des bandits. À son tour : haut les mains ! Tintin est désarmé. On va le tuer. Grand discours à un des bandits rappelant certains incidents passés. À ce moment, un des bandits demande la parole : il déclare que c'est à lui seul que revient l'honneur de tuer Tintin. On lui passe le browning. Il se dirige vers Tintin, braque son arme sur lui puis, se retournant brusquement, crie aux autres bandits : haut les mains !... Tintin a un jour sauvé la vie de son frère. Et maintenant, il le sauve !... »

Tous les éléments (case, page, image, etc.) sont au service du récit. Il s'agit avant tout de faciliter la narration, aux antipodes de toute préoccupation esthétique. Dans cette entreprise, clarté et lisibilité sont ses deux paramètres fondamentaux. Le lecteur doit être capable d'identifier les personnages et de comprendre l'action en ouvrant l'album à n'importe quelle page. Pas de cases baladeuses ou superflues une fois l'album achevé. Hergé exerce une telle surveillance sur l'inscription de chacune d'entre elles dans la narration qu'il n'en est pas une qui fasse bande à part. Dans l'idéal, chaque case a une double fonction : elle reprend une infime partie de celle qui l'a précédée et annonce une infime partie de celle qui va lui succéder. Pour y parvenir, Hergé doit parfois tenter le grand écart. Quand il réussit l'exercice, c'est de la dentelle. Ses collaborateurs des Studios s'en rendent compte au moment de concevoir un remake d'un de ses anciens albums. Parfois, il vaut mieux tout défaire et reprendre à zéro plutôt que de risquer d'endommager son travail de miniaturiste.

Le gag apparaît comme le seul élément narratif qui puisse revendiquer son autonomie. Il pourrait être déplacé sans dommage pour l'intelligence du récit. À une condition, impérative. Il doit obéir à une logique interne correspondant à un rythme en trois temps : mise en place, crescendo et chute. Dans ses notes personnelles, Hergé le consigne toujours brièvement, en style télégraphique. Quelques mots suffisent à le résumer. Sans le faire exprès, il réalise là un inventaire des plus loufoques, d'un délire poétique à mi-chemin entre Prévert et Queneau :

« Méprises dues à l'obscurité : seller une vache au lieu d'un cheval, tourner le bouton de la TSF au lieu de celui de l'électricité, démolir son associé au lieu de l'ennemi.

Policiers : arrivent pour prendre le bateau. On largue les passerelles. Plouf.

Savant ou policier distrait : se coiffe d'un bocal à poisson au lieu de son chapeau melon.

Détective qui prend les empreintes digitales de Milou... »

On voit par là qu'il ne s'est jamais vraiment défait de l'influence de Chaplin. C'est ainsi qu'un jour Tournesol finit par se mettre une pipe dans l'oreille pour écouter Tintin, juste avant qu'Haddock ne fasse tout exploser en allumant un cornet acoustique... On connaît des albums d'Hergé sans suspense, et même sans histoire au sens romanesque du terme, mais jamais sans gag. Il est vrai que, dans son esprit, son lecteur idéal est un enfant très attentif qui éclate de rire de temps en temps. Mais ce n'est pas pour autant qu'il cherchera à se mettre à la portée des plus jeunes. Surtout pas d'infantilisation. À eux de s'élever, et non à lui de s'abaisser.

Ainsi se conçoit, s'élabore et se réalise une bande dessinée selon son goût. Aux Studios, où l'on travaille naturellement pour la plus grande gloire de Tintin, chacun le sait. Tous en tiennent compte. Sans oublier que lorsque Hergé exécutait en créateur solitaire l'un de ses premiers albums, le miracle opérait à l'issue d'une étrange alchimie dont il était le seul expérimentateur. Le monde que son crayon révélait était issu d'un double processus : la recherche consciente de la lisibilité absolue et la quête inconsciente d'une sorte d'équilibre. Nul doute que dans ses rêves les plus fous, le paradis était alors tout de clarté et d'harmonie, modèle d'une inaccessible pureté[15].

Si Hergé s'est adjoint un, puis deux, puis une dizaine de collaborateurs, c'est avant tout pour assurer l'important travail qu'impose la refonte de ses œuvres. À partir de 1942, il s'y était résigné pour des raisons purement techniques : mise au format, passage du noir et blanc à la couleur, réduction du nombre de pages, etc. Mais depuis la fin de la guerre, un autre facteur s'est greffé, plus en rapport avec l'esprit de ses œuvres. Il ne s'agit pas seulement de corriger des erreurs manifestes, ou de modifier l'esthétique, mais de rectifier le tir. Moralement, et donc politiquement. Dans cette perspective, en reprenant ses anciens albums, Hergé ne se contente pas de les adapter. Parfois, il les réinvente. Pour le meilleur et pour le pire.

Le travail de modernisation qu'il avait entrepris à la fin de la guerre sur *Le Lotus bleu* n'avait pas bouleversé l'album. Les changements étaient mineurs. La précision maniaque de Jacobs avait fait merveille. Il cherchait de manière obsessionnelle un rouge parfaitement chinois pour les colonnes de laque. Avec une petite pointe de vermillon et un soupçon d'ocre. Il finit par le trouver... en vain car la photogravure et l'impression rendirent une autre teinte ! Hergé de son côté, aidé par un traducteur-dessinateur-lettreur prêté par l'abbé Gosset, avait pu préciser le texte des caractères chinois parsemant le récit, sur les affiches, les murs, les devantures. Mais il s'était consacré surtout à réduire quasiment de moitié son album original en noir et blanc, puisqu'il lui fallait le ramener de 124 à 62 pages. Quitte à ce que certains lecteurs remarquent une différence de style ou relèvent l'épaisseur anormale du trait au début, il se résigna à condenser et redessiner les quatre premières pages[16].

La modernisation du *Lotus bleu* est un cas. L'album est à peu près intact depuis ses origines. C'est assez rare pour être remarqué. Avec la plupart des autres, Hergé va beaucoup plus loin.

Quand il œuvrait en tandem, donc avant la création des Studios, Hergé avait profondément retravaillé *Le Sceptre d'Ottokar*. C'est peu dire qu'on y décèle la patte d'Edgar Jacobs. Elle éclate dans la balkanisation des décors et costumes. Un véritable travail de bénédictin. Les deux amis semblent pourtant avoir œuvré dans une certaine bonne humeur. On en veut pour preuve le fait qu'en compagnie de leur compagnon Jacques Van Melkebeke, à la fin du récit, ils se soient tous trois introduits comme par effraction dans la salle de bal du palais, se représentant en fringants officiers aux côtés de Germaine, la femme d'Hergé, somptueusement parée, et même de Paul Remi, de Ginette Van Melkebeke et du peintre Marcel Stobbaerts ! Une vraie réunion de copains, d'autant plus savoureuse qu'elle est clandestine, appréciable des seuls initiés.

Dans son élan, Hergé n'avait pas seulement demandé à l'ancien baryton qu'est Jacobs de redessiner les notes de musique surgissant de la bouche de Bianca Castafiore. Il avait également modifié les paroles. Dans la version originale, quand le rossignol milanais chantait « C'est la fille d'un roi qu'on salue au passage... », Tintin avisait le label Securit sur la vitre de la voiture en disant à Milou : « Heureusement. » Dorénavant, elle chante « Est-ce toi Marguerite ? » tandis que Tintin, dans la même situation, dit : « Heureusement, les vitres sont solides !... »

Un lecteur averti en vaut deux. Corriger, c'est aussi préciser quitte à paraître appuyer.

Pendant et après la guerre, en modernisant *Tintin au Congo* et *Tintin en Amérique*, Hergé n'avait pas seulement profondément remanié le rythme et la mise en pages. Il s'était aussi attaché à dénationaliser son héros. De moins en moins belge, le reporter devenait de plus en plus européen. Il n'enseignait plus l'histoire des Wallons et des Flamands aux petits Noirs de la brousse mais les mathématiques, saisissant raccourci de l'évolution de la société entre la première et la dernière version de l'album. Quand il se sentait menacé, il ne s'écriait plus : « Mourons en vrai Belge ! » Dans le même temps, Hergé en profitait pour le laïciser. Tintin cessait de recommander son âme à Dieu[17].

Quand l'équipe de ses Studios est en place au début des années cinquante, Hergé envisage avec plus de sérénité de reprendre ses albums dans les moindres détails. La correction des erreurs manifestes est la plus compréhensible des modifications. Il y est d'autant plus sensible qu'un nombre croissant de lecteurs, surtout chez les plus jeunes et les plus ingénus, ne se privent pas de les pointer. C'est le Pachacamac qui de nuit, dans *Le Temple du soleil*, devrait, comme tout remorqueur long d'une centaine de mètres, montrer un feu blanc non seulement à l'extrême-avant mais aussi à l'arrière... C'est l'échiquier dans *L'Oreille cassée* qui est mal placé si l'on en juge par la couleur de sa première case à gauche... C'est Milou qui, dans *Les Cigares du pharaon*, apparaît étrangement à la page 52 entre Tintin et le maharadjah alors qu'il était séparé de son maître depuis la page 47 et qu'on l'avait vu pour la dernière fois page 50 tenu en laisse par les Dupondt à la recherche de... Tintin ! Dans de telles circonstances, plutôt que de se couvrir la tête de cendres, Hergé essaie de retourner la situation à son profit. Exploitant un mal pour en tirer du bien, il soumet une idée particulièrement astucieuse à son éditeur :

« Un concours (comment et où ? cela resterait à voir) ayant pour objet de découvrir et de signaler le dessin de l'album où un personnage n'est pas à sa place. Sans pour cela laisser entendre que je l'aurais fait exprès, mais sans dire non plus le contraire[18]. »

Parfois, la correction ne concerne pas une erreur à proprement parler, mais une maladresse. C'est le cas lorsque Casterman reçoit des plaintes et des critiques dès la parution des *7 Boules de cristal*. Il est vrai que l'histoire ne s'ouvre pas sur une image engageante puisque l'Indien à tête de mort qui effraie tant les enfants figure sur le cul-de-lampe dès la page de titre. Hergé convient sans mal qu'un tel choix n'était pas très heureux. Elle est aussitôt remplacée par celle, nettement plus plaisante, de Haddock se débattant avec une tête de vache.

De même, la scène des serpents est-elle supprimée dans *Les Cigares du pharaon*. Ce n'est pas la seule modification. Tandis que Jacques Martin redessine tous les avions, Hergé gomme les ambiguïtés de deux de ses personnages. Ainsi, en accédant au rang de victime, l'égyptologue Philémon Siclone rejoint-il définitivement le rang des bons, tandis que Rastapopoulos est nettement confirmé dans son statut de méchant. De toute façon, pour qui connaît un tant soit peu la biographie d'Hergé, la modernisation des *Cigares du pharaon* est flagrante dès la couverture. L'une des momies, qui ressemble à s'y méprendre à un certain Edgar P. Jacobs, porte la pancarte « E. P. Jacobini ». Un peu plus loin, celle de l'énigmatique « Grossgrab » est un clin d'œil amical à l'égyptologue allemand Grossgrabenstein, personnage du *Mystère de la grande pyramide* d'un certain Edgar Jacobs[19]...

Parfois, les albums exigent des changements moins innocents. En 1946 déjà, en modernisant *Tintin en Amérique*, Hergé avait accédé à la demande de Casterman et « blanchi » une mère et son bébé, le portier d'un hôtel ainsi qu'un gangster. Avec *Le Crabe aux pinces d'or*, il procède à de semblables liftings à la demande de Simon and Schuster, son éditeur new-yorkais, qui publie son deuxième album de *Tintin*. Le premier problème est d'ordre racial. Hergé s'en explique auprès d'un lecteur :

« Ce ne sont pas exactement des Blancs qui ont remplacé les Noirs du *Crabe aux pinces d'or*. Ils sont, dirais-je, de race indéterminée. On voit qu'ils ne sont pas de "chez nous", mais quant à savoir exactement d'où ils sont, mystère (...) Le souhait de l'éditeur américain était : pas de Noirs. Et pas plus de bons Noirs que de mauvais Noirs. Car les Noirs ne sont ni bons ni mauvais : ils n'existent pas (comme chacun le sait aux USA...)[20] ».

C'est ainsi que dans la nouvelle version, Jumbo, matelot noir à bord du *Karaboudjan*, devient blanc. Et ce n'est pas de frayeur. Tant pis si l'histoire perd en exotisme ce que l'album gagne en prudence. Dans le même esprit, les insultes proférées par Haddock ne sont pas insensibles à l'évolution du langage, à l'air du temps et aux nouveaux interdits. Il ne crie plus « Moricaud ! Anthracite ! » mais « Emplâtre ! Doryphore ! ». Dans la case suivante, le curieux « Commerce noir ! » se banalise en « Iconoclaste ! ». Il est vrai qu'entre-temps l'objet de son courroux a blanchi. Ça ne l'empêche pas de maintenir dans la page d'après son cher « Jus de réglisse ! ».

Mais un autre problème se pose, plus compliqué à régler : on y boit beaucoup trop, toutes sortes d'alcool. Il est vrai que *Le Crabe aux pinces d'or*, premier album où Haddock apparaît durablement, détient une sorte de record dans le nombre de vignettes présentant une relation directe à l'alcool : 27 %[21] ! Pour ne pas provoquer les lobbies de l'Éducation nationale et des ligues de vertu très influents sur certaines critiques, l'éditeur américain d'Hergé propose d'adoucir le texte ici ou là. Craignant que cela ne suffise pas, il impose également la suppression de toutes les images où Haddock boit en tenant ostensiblement une bouteille, quitte à remplir les cases vides par des textes de liaison. Il est catégorique : « La présentation de l'alcoolisme, surtout sous une forme humoristique, est absolument taboue[22]. »

Si ce n'est pas une censure, ça en a le goût. Hergé trouve normal, certains diront naturel, de ne pas y résister. Il s'y plie, même s'il n'en pense pas moins. Ne se sentant pas tenu de conserver le secret, il n'en atténue pas moins la portée de ce qu'il tient pour des aménagements somme toute assez anodins : « ... les nègres ont pâli et le capitaine Haddock s'abstient de boire au goulot[23]... »

Autrement dit : pas de quoi fouetter un chat. Si l'on comprend parfaitement qu'Hergé se soit résigné pour des raisons commerciales aux contraintes raciales et puritaines de la morale américaine, on conçoit mal qu'il ait choisi de les faire subir au public européen. Que n'a-t-il réservé cette version expurgée à son lectorat d'outre-Atlantique puisque, selon lui et son éditeur belge, la demande émanait de New York ? À moins que cette double exigence ait correspondu à leur propre volonté.

On peut l'imaginer pour la couleur de peau de ses personnages ; en revanche, c'est plus douteux pour ce qui est de l'alcool. Hergé apprécie lui-même de longue date toutes sortes de nectars plus enivrants les uns que les autres. Mais ce n'est pas la seule raison. Bien que la Belgique se soit dotée d'une loi sociale sur l'ivresse depuis 1919, Hergé n'a pas accédé à la demande de certains lecteurs, visant à faire subir une cure de désintoxication au valeureux capitaine. Car l'expérience l'amputerait à coup sûr d'une partie de sa personnalité. Il s'en remettrait peut-être, mais dans quel état ? Du point de vue d'Hergé, si Haddock a effectivement paru être un alcoolique au moment de sa rencontre avec Tintin, il n'est plus qu'un grand amateur de whisky[24]. Nuance ! Cette spécificité en fait un personnage beaucoup plus présentable. Comme quoi, on peut être porté sur la bouteille sans être un ivrogne. Hergé y tient, comme il tient au whisky. Ses infidélités seront rares et plutôt exotiques : spadj, pisco, aguardiente... Lorsqu'une grande maison de Jarnac (Charente) lui propose de remplacer de temps en temps « whisky » par « cognac », une eau-de-vie de grains par une eau-de-vie de raisin, ne fût-ce que pour renforcer le prestige de la plus européenne des deux, il accepte à titre exceptionnel. Dans sa prochaine aventure, c'est promis, Haddock se verra offrir un verre de cognac. Il le dégustera afin de témoigner de son éclectisme en la matière. Et il l'appréciera en vieux connaisseur, comme Hergé lui-même. Mais aussitôt après, il retourne à son cher malt. Parce que Haddock est marin et d'origine anglo-saxonne[25].

D'une manière générale, Casterman se montre favorable à la modernisation des albums de *Tintin*. Dans ses plans, il prévoit à moyen et à long terme leur refonte totale, et à court terme leur correction. Mais au fur et à mesure, l'éditeur semble effrayé par l'ampleur de la réfection entreprise par Hergé. Fin 1956, il s'emploie à freiner ses ambitions quand *L'Oreille cassée* est en jeu. Peu importe que le dessinateur fasse refaire une vignette juste pour remplacer « Vive

Alcazar, c'est un castar ! » par « Vive Alcazar, c'est un lascar ! ». En revanche, il est plus risqué d'envisager la refonte de 10 pages sur 62 pour rajouter du feuillage et améliorer des décors brossés un peu rapidement, il est vrai, lorsque Tintin remonte le fleuve Badurayal pour rejoindre les Arumbayas. L'éditeur craint par-dessus tout que l'on s'aperçoive d'un hiatus entre le style d'Hergé dans les années trente et ce qu'il est devenu vingt ans après. Pour ne rien dire des problèmes techniques soulevés par l'harmonie des tonalités ou la régularité des trames[26].

Quand Hergé procède à de profonds remaniements dans un album, le lecteur exprime des réactions plus radicales encore que l'éditeur. Comme s'il se sentait des droits sur une œuvre dont l'univers est désormais du domaine public tant elle a envahi l'imaginaire de plusieurs générations. La rançon de la gloire, dira-t-on. Il n'empêche. Hergé doit dans ce cas-là affronter des critiques de fond. C'est le cas lorsqu'il procède à deux sortes de retouches significatives dans *L'Étoile mystérieuse*, album marqué par l'air du temps. Celui de 1941.

La première concerne les Américains et leur expédition lancée contre la rivale européenne, dans une course sans pitié pour récupérer le précieux aérolithe. Dans la nouvelle version, elle perd son identité. New York, quartier général des « mauvais », est remplacé par Sao Rico, capitale d'un État imaginaire. Le drapeau de cette équipe arbore désormais une croix noire sur un fond rouge en lieu et place de la bannière étoilée. Il est vrai que douze ans après la version originale, continuer à présenter les méchants de l'histoire sous l'emblème américain serait une faute de goût impardonnable pour un dessinateur qui se veut en phase avec son temps.

La deuxième retouche de taille concerne les Juifs. Contrairement à une idée reçue, Hergé n'efface pas dans deux vignettes la présence d'Isaac et Salomon se réjouissant de la fin du monde pour mieux échapper à leurs créanciers. Pour une bonne raison : il l'avait écartée dès 1942. Elle ne figurait même pas dans la première édition de l'album. À ses yeux, elle avait été conçue dans l'esprit d'un gag quotidien mais devenait superflue dans l'œuvre définitive.

Cela dit, Hergé change le patronyme du personnage le plus odieux de l'album. Ce Blumenstein est devenu gênant depuis la fin de la guerre. Pas pour lui mais pour son éditeur. Car ce n'est pas Hergé mais Casterman qui prend cette initiative. Il ne veut pas froisser les susceptibilités et préfère désamorcer les critiques[27]. Prudent ou pessimiste ? Toujours est-il que la récente rediffusion de l'album dans sa version originale n'a pas suscité la levée de boucliers qu'il redoutait. Un Parisien s'est plaint, auquel l'auteur a répondu. Une dame a également envoyé une longue lettre, très digne, dans laquelle elle expliquait que si sa famille considérait avant-guerre l'antisémitisme comme une ânerie, elle avait quelque raison désormais de le tenir pour une attitude criminelle qui lui rendait intolérables certaines caricatures. Hergé lui a adressé une réponse tout aussi longue l'assurant de son aversion pour le racisme, et lui rappelant que ses caricatures de colons anglais, d'affreux sorciers africains ou de Japonais fourbes n'étaient pas plus racistes que son portrait de Blumenstein n'était antisémite. Confiant dans l'esprit critique et dans le sens de l'humour des enfants de cette dame, il souligne toutefois, afin que les choses soient bien claires :

« Les souffrances d'un peuple, d'une race ne confèrent pas un brevet de vertu à certains méchants, isolés de la communauté (et qui, du reste, échappent généralement au sort commun)[28]. »

Il n'y a guère que ces deux réactions. C'est à peu près tout. Pas de quoi s'inquiéter, en somme.

« On ne peut pas appeler cela un assaut général[29] ! »

Hergé, qui n'est pas enchanté par ces modifications, a beau jeu de railler ainsi la frilosité de son éditeur. Il n'empêche. Celui-ci obtient gain de cause. À quoi bon prendre le risque de se retrouver cités en justice par un authentique banquier américain portant le même nom, ce qui ne doit pas être très rare ? Le dessinateur en convient. Il débaptise, si l'on peut dire, son Blumenstein. Plus tard, interrogé à ce sujet, il répondra :

« *L'Étoile mystérieuse* était fait bien sûr avant que l'on ne sache les atrocités nazies, et les camps de la mort, et tout ça ; sinon, c'est certain, je n'aurais jamais écrit ça[30] ! »

Afin de se débarrasser du problème une fois pour toutes, il remplace ce patronyme à consonance juive par un autre, drôle et pittorresque, dont l'ironie n'est accessible qu'aux familiers du dialecte bruxellois : « Bohlwinkel », inspiré du mot bollewinkel qui signifie petite boutique de confiserie. Las ! Un jour, il recevra une plainte d'un M. Bohlwinkel, lecteur d'origine juive, choqué qu'Hergé ait choisi un nom si marqué pour dépeindre un personnage aussi dénué de scrupules que ce banquier décidément maudit !

Ce Blumenstein le poursuivra jusqu'à la fin de sa vie. Il sera même à l'origine d'un curieux incident avec le peintre Pierre Alechinsky. Celui-ci, un natif de Bruxelles qui se dit belge par distraction et français d'adoption, juif par son père et wallon par sa mère, avait été un grand lecteur de *Tintin* dans sa jeunesse. Il l'avait savouré dans les albums noir et blanc et non dans le *Vingtième Siècle*, journal qui n'entrait pas à la maison. Fasciné par le mouvement qu'ils exprimaient et par leur découpage cinématographique, l'artiste aura du mal par la suite à se dégager de cette influence. Le Blumenstein de *L'Étoile mystérieuse*, découvert dans *Le Soir* de guerre alors qu'il était un adolescent réfugié, lui est resté en travers de la gorge, même si cela n'a pas entamé son admiration pour le dessinateur. Alechinsky jugeait cette caricature déplacée et indécente en un temps où l'on passait si facilement du lieu commun à la fosse commune.

C'est ainsi que, lors de leur première rencontre, au moment d'échanger leurs œuvres respectives, le peintre inscrivit en dédicace, dans la marge d'un de ses grands dessins à l'encre de Chine intitulé *Source d'information* :

« À Herger, source d'images, avec l'admiration de Pierre Alechinsky, 4 janvier 1969. »

Constatant sa maladresse et le désappointement du dédicataire à la vue de cette coquille significative, Alechinsky s'enfonça un peu plus en s'excusant d'avoir enjuivé son nom :

« J'espère qu'un coup de gomme suffira, mais tant de noms de famille finissent par un r : Bamberger, Blumberger, Braunberger... »

Il est vrai qu'il avait depuis longtemps, à portée de la main sur sa table de chevet, l'étude de Freud *Le Mot d'esprit dans sa relation avec l'inconscient*... Toujours est-il qu'Alechinsky racontera cet épisode dans l'un de ses livres. L'ayant lu, Hergé lui répondra aussitôt par une lettre fort courtoise démentant son désappointement lors de l'incident (« plutôt l'embarras ») et précisant :

« Ceci étant, vous êtes (un peu, beaucoup, trop) sévère à mon égard pour ce Blumenstein de l'an quarante. J'ai eu tort, je l'avoue, mais (et j'espère que vous voudrez bien me croire) j'étais loin de m'imaginer que ces histoires juives que l'on racontait (et que l'on raconte toujours, d'ailleurs, comme les histoires marseillaises, écossaises et — tout récemment — les histoires "belches") allaient déboucher dans l'horreur[31]... »

Si le génocide était une histoire juive, si l'un avait partie liée avec l'autre, la vie serait une bande dessinée. La réalité est différente pour presque tout le monde. Décidément, on ne se refait pas. Mais au moins ce genre d'expérience a-t-il la vertu d'incliner à la prudence.

À la fin des années 1950, mettant au point un « Relevé des corrections à faire dans les albums *Tintin* », Hergé dresse l'inventaire de détails anodins (la courbe des moustaches de Dupont, la couleur d'un képi, le nombre des marches sur le perron de Moulinsart, etc.) avant de souligner deux modifications plus éloquentes. La première dans *Le Crabe aux pinces d'or* : « les Noirs à blanchir ». La seconde dans *L'Étoile mystérieuse* : « le nez de M. Bohlwinkel »[32].

Désormais, à chaque fois qu'on essaie de le prendre en défaut ou de pointer ses contradictions en confrontant les différentes versions de ses albums, Hergé rectifie. Si les traditionnelles accusations de colonialisme et de racisme, d'anticommunisme et de rexisme persistent, il précise à nouveau sa pensée :

« Je ne m'excuse pas : je m'explique[33]. »

Tout est dit. Pour des raisons commerciales et stratégiques, il veut bien complaire à son éditeur. Mais pas au point de se renier. Une telle attitude est à son honneur. Quels que soient ses opinions et son passé, l'homme qui les assume est plus respectable que celui qui les foule aux pieds par opportunisme ou faiblesse de caractère. Hergé est cet homme-là. Quand il ne veut pas entendre parler de réédition pour *Tintin au pays des Soviets*, ce n'est pas par crainte de subir les foudres du Kremlin. Il n'a honte que de l'indigence du récit et de la gaucherie du dessin[34]. Mais par tempérament et par intérêt, il va devoir toutefois composer avec l'air du temps. Lui comme les autres. Et même deux fois plus que les autres. Ou plutôt à double titre : comme auteur d'albums et comme coresponsable d'un hebdomadaire pour les jeunes.

Pour la bande dessinée, les années 1950 sont celles du retour à l'ordre moral, en France, en Belgique comme aux États-Unis. Du moins est-ce l'ardent souhait des autorités.

Outre-Atlantique, les signes annonciateurs ont commencé à se manifester sérieusement vers 1949. La reporter Debbie Dean, une héroïne de bande dessinée qui enchantait le public depuis cinq ans, a dû lui faire des adieux contraints et forcés, son créateur ayant laissé passer le mot « drogue » dans une de ses bulles. Au même moment, une campagne d'opinion publique aboutit à la censure et à l'interdiction des *comics* faisant l'apologie du crime, dans trois États de l'Union (Michigan, New York et Massachusetts). L'affaire a été lancée par un psychiatre du nom de Frederic Wertham. Il reproche aux illustrés incriminés de rendre la violence attrayante. Le mouvement atteint son apogée en 1954 avec la publication de son livre *Seduction of the Innocent* et la promulgation d'un *Comics Code Authority*. Cette charte d'autocensure, d'inspiration maccarthyste, est aux éditeurs de bande dessinée ce que le Code Hays est aux gens de cinéma. Si l'on en suit les recommandations, les personnages féminins doivent être strictement vêtus, leur corps ne doit pas être trop mis en valeur ; la religion et l'État ne doivent inspirer que du respect ; le mot « horreur » ne doit pas apparaître dans un titre... C'est l'Amérique dans tous ses excès, dira-t-on. Sur ce chapitre-là, l'Europe n'a pourtant rien à lui envier.

La scène se déroule au début de cette décennie à Paris, dans le cadre solennel de la Grand-Chambre à la Cour des comptes. Pour la première fois, on a réuni la toute nouvelle Commission de surveillance et de contrôle des publications destinées à l'enfance et à l'adolescence. C'est le terme officiel pour désigner ce que l'on tient plus communément pour « la censure ». Parmi ses membres, on relève la présence des représentants des différents ministères et administrations concernés, des mouvements de jeunesse, des associations familiales, des éditeurs de journaux et, tout de même, des dessinateurs : Alain *Zig et Puce* Saint-Ogan, président de leur syndicat, Auguste *Satanax* Liquois, Jean *Chevalier Printemps* Trubert et André *Achille Costaud* Galland. Ils sont tous réunis pour entendre le discours inaugural prononcé par le garde des Sceaux, René Mayer. C'est dire l'importance accordée à ce nouveau combat.

« ... l'âme enfantine ne se nourrit pas seulement de faits divers. Elle est curieuse de toutes les actions dangereuses et même violentes, surtout quand elles sont secondées par les multiples engins qui amplifient les facultés humaines dans l'ordre du mal autant parfois que dans celui du bien. Ainsi se comprend-il que la presse qui s'adresse spécialement à l'enfance ait pu se laisser aller à offrir en pâture à ses jeunes lecteurs cet élément passionnel qu'une pente naturelle les porte à rechercher. Et l'on a vu des journaux dits "pour enfants" prodiguer à ceux-ci des récits d'aventures exagérément dramatiques dont l'affabulation, généralement invraisemblable, absurde ou arbitraire, ne servait que de trame et de prétexte à des épisodes bouleversants de violences humaines et de prouesses démesurées, accomplies par la force brutale. Ce que le législateur a voulu, c'est que l'âme enfantine ne pût être livrée au goût malsain de certaines personnes, plus soucieuses de servir leurs intérêts matériels et d'assurer leur fortune, que d'exercer une action salutaire et morale sur l'esprit des jeunes[35]... »

Le ton est donné. Il reflète bien l'agitation qui a précédé l'installation de cet aréopage. Cette curieuse assemblée, curieuse car hétéroclite, doit son existence à une sainte-alliance entre députés communistes et députés catholiques. Dès 1947, quand les premiers ont déposé un projet de loi pour donner un statut à la presse des jeunes, les seconds les soutiennent aussitôt. *Vaillant* et *Cœurs Vaillants* bras dessus, bras dessous. Eu égard au climat politique de guerre froide, cette collusion contre nature n'étonne que les plus étrangers au monde de la bande dessinée. Ceux des parlementaires qui ignorent encore que ces deux groupes de pression contrôlent une grande partie de cette industrie.

À ce stade, il n'est que de s'assurer de la moralité et du patriotisme des responsables des publications enfantines. C'est déjà beaucoup, mais le pire est à venir. Une campagne de presse se forme. Il est question de paresse dans la lecture, le texte ayant reculé devant l'impérialisme de l'image. Les arguments purement nationalistes commencent à sourdre ici ou là, mâtinés d'un esprit vichyste qui a encore de beaux restes. La polémique transcende les frontières traditionnelles entre la gauche et la droite. L'écrivain Jacques Perret est l'un des rares à réagir, tant ce projet de mise sous tutelle lui semble peu catholique. D'emblée, il dénonce une entreprise de « muselage » de la presse enfantine qui ne vise en fait qu'à éliminer la concurrence américaine alors que la violence est universelle. On la trouve partout, y compris sous la plume des dessinateurs bien français :

« S'il faut censurer tout ce qui est imbécile et vil, que les censeurs commencent donc par vos journaux de grandes personnes dont certains nous battent de très loin[36] ! » écrit Perret qui s'insurge contre l'hypocrisie sous-jacente au projet de loi. Il ne faut pas être grand clerc pour deviner que derrière les comptes d'apothicaires auxquels certains députés se livrent à la tribune de l'Assemblée, il y a autre chose que la volonté de protéger la jeunesse :

« *Vaillant* est à 100 % francais... *Coq Hardi* à 12 % américain... *Tarzan* à 50 % américain... *Donald* et *Zorro* à 100 % américains ! »

Tel est le niveau des débats. Et le fond du problème. Sentant venir le vent du boulet, Cino del Duca, patron des Éditions Mondiales, prend les devants. Il francise progressivement *L'Astucieux* en modifiant son titre (il devient *L'Intrépide*) et la proportion de bandes dessinées d'origine étrangère.

Les dessinateurs sont naturellement favorables au projet de loi. C'est leur intérêt bien compris, même si tous ne sont pas très fiers du procédé. À l'exception d'Alain Saint-Ogan qui ne se perd pas en circonlocutions pour clamer son corporatisme :

« Les journaux sont envahis par les *cartoons* américains et la profession ne nourrit plus son homme. »

Il va plaider la cause jusqu'à l'Élysée. Le président Auriol, qui a pourtant douze ans de plus que lui, accueille par ces mots le créateur de *Zig et Puce* :

« Vous avez charmé mon enfance[37]... »

Ce qui est pour le moins curieux. À moins que, comme on le craint, le chef de l'État n'ait eu une enfance très prolongée. Toujours est-il que la lutte contre l'invasion de la violence, de la vulgarité et de la pornographie dans les bandes dessinées n'est qu'un paravent. Ses promoteurs sont avant tout des responsables de groupes de presse et d'édition pris de frénésie protectionniste face à la concurrence étrangère. Ils n'en continuent pas moins à présenter leur rivalité économique sous un alibi culturel. Que n'a-t-on entendu alors à l'Assemblée ! À les en croire, le génie de Descartes était menacé par les muscles de Tarzan, et le talent de Daumier par l'agressivité des *comics*[38] !

La loi dite « sur les publications destinées à la jeunesse » fut finalement votée en juillet 1949. À l'issue d'une rituelle bataille d'amendements, les communistes se retirèrent car on refusait celui auquel ils tenaient le plus : un quota qui aurait réservé au moins 75 % de chaque journal pour jeunes à des dessinateurs français ! Certains des articles de la loi étaient devenus suffisamment précis pour être contraignants :

« Art. 2. Les publications visées ne doivent comporter aucune illustration, aucun récit, aucune chronique, aucune rubrique, aucune insertion présentant sous un jour favorable le banditisme, le mensonge, le vol, la paresse, la lâcheté, la haine, la débauche ou tous actes qualifiés crimes ou délits ou de nature à démoraliser l'enfance ou la jeunesse[39]. »

Cinq ans après, la loi est amendée de manière

restrictive, le paragraphe précédent étant complété par :

« ... ou à inspirer ou à entretenir des préjugés ethniques. »

Hergé, entre autres, est touché par cet aspect des choses, si sensible au vent de la décolonisation. Après tout, dès son premier rapport d'activité, la commission n'a-t-elle pas recommandé de ne plus caractériser les indigènes par la cruauté, la perfidie ou la fourberie : « Dans les récits dits "coloniaux", avoir le double souci de ne pas froisser les lecteurs d'outre-mer et d'inspirer à leur égard, aux lecteurs métropolitains, un sentiment de solidarité et de sympathie[40] » ?

La commission est pleine de notables horrifiés à l'idée de « souiller (leur) âme en lisant ces saletés[41] », autrement dit les illustrés diffusant des bandes dessinées étrangères. Il y a là l'abbé Pihan (*Cœurs Vaillants*), Madeleine Bellet (*Vaillant*), des magistrats de la direction de l'éducation surveillée, des juges d'enfants, des psychiatres, des psychologues, des enseignants, le directeur de l'École alsacienne... Tous là à titre d'experts ! Les nouveaux censeurs disposent de trois types de sanctions pour rappeler qu'ils existent : l'avertissement, la mise en demeure et l'inculpation. Ils peuvent proposer des poursuites pénales afin d'appuyer le ministère public dans ses réquisitions. D'ailleurs, ils siègent au ministère de la Justice.

L'air de rien, ils font des dégâts. À leur tableau de chasse, on remarque d'abord l'hebdomadaire *Tarzan*. Son héros n'est pas fait pour les familles. Trop déshabillé, trop lascif, trop sauvage. Il est la cible de toutes les attaques. Une campagne de presse, en bonne et due forme. L'écrivain Armand Lanoux, qui n'est pas encore le secrétaire de l'Académie Goncourt, va jusqu'à écrire :

« Il est nécessaire que l'homme contrôle au moins les mythes qu'il représente aux enfants. Nous avons de bonnes raisons de tenir pour suspect Tarzan, l'homme-singe[42]. »

En 1952, le jour où la commission paritaire des papiers de presse retire le certificat d'inscription à ce périodique « malfaisant », Cino del Duca en suspend la parution. Un an après, il le fait reparaître dans un esprit plus conforme, expurgé de ses aspects jugés les plus malsains. Au bout de quelques mois, ça ne suffit toujours pas à calmer les milieux de l'Enseignement. Cette fois, le patron des Éditions Mondiales met la clef sous la porte. La rédaction est d'autant plus triste que le journal flirtait avec les 300 000 exemplaires par semaine. Un détail qui n'avait échappé ni à *Vaillant*, ni à *Cœurs Vaillants*, dont les tirages respectifs sont nettement plus modestes.

Tarzan n'était pas seul dans le collimateur de la censure. La chronique permanente des convocations, recommandations ou sanctions est édifiante. Eric dit l'Épervier bleu, le personnage créé par le Belge Sirius, est interdit de parution dans *Spirou*. Faute de héros, « La Planète silencieuse », série de science-fiction dans laquelle il évoluait, doit s'arrêter car les censeurs la jugent trop sinistre... Jean-Michel Charlier comparaît au ministère de l'Intérieur pour des décolletés trop osés en couverture de *Spirou* ou des allusions à la guerre de Corée... *Boule et Bill* de Roba est tancé par la commission parce que le petit garçon ne va jamais à l'école, torture les chiens, manque de respect à l'autorité et se moque de la police[43] !... Les censeurs tiquent quand ils trouvent un « Face de citron ! » dans *Tif et Tondu*....

À Bruxelles comme à Marcinelle, on ne tarde pas à comprendre que si cette maudite loi du 16 juillet 1949 a été conçue comme un cheval de bataille contre les Américains, c'est désormais au tour des Belges d'en faire les frais. Car les représentants des groupes de presse et d'édition siégeant à la commission de censure ont baissé le masque. Désormais, ils soutiennent ouvertement les Français contre les autres. Mort aux confrères ! La question du conflit d'intérêts n'est même pas posée. *Spirou* et *Tintin* sont naturellement visés en priorité. Commercialement, l'enjeu et les risques sont considérables. Poursuivi par la commission, un éditeur belge peut se voir retirer l'autorisation d'exporter des œuvres délictueuses en France.

Morris et Goscinny sont obligés de tempérer les ardeurs de Lucky Luke, jugé trop violent. Leur cow-boy solitaire s'acharnera donc à ne pas occire ses adversaires. L'atmosphère devient telle que chez Dupuis par exemple, la précensure de l'éditeur se superpose à l'autocensure du dessinateur, laquelle précède la censure redoutée de la commission. C'est ainsi que dans *La Corne de rhinocéros*, une des aventures de *Spirou*, quand des bandits poursuivent le héros la nuit dans un grand magasin, ils tendent l'index, Franquin s'étant résigné à effacer des revolvers jugés trop menaçants[44] ! La direction des éditions Dupuis a été tellement échaudée que, de son propre chef, elle soumet nombre de planches avant publication à M. Barbariche, l'un des censeurs. Pour avis avant publication. Prévenir plutôt que guérir. Un excès de prudence qui mènera à supprimer le mot « fesse » dans un gag de Gaston destiné à la couverture de *Spirou* ou à examiner de plus près un dessin de *Boule et Bill* dans lequel le chien a le malheur de s'envoler grâce à ses oreilles[45]...

Le journal *Tintin* n'est pas en reste. Mais il s'avère plus difficile de lui chercher des poux dans la tête. Ses responsables, tant à Paris qu'à Bruxelles, sont habiles dans leur prudence. Le héros d'Hergé, lui-même, n'a rien à craindre. Trop vertueux pour prêter le flanc à la critique. C'est un héros bien sous tous rapports. Il arrive que sa haute tenue morale serve de caution et d'alibi à des personnages moins en cour. Haddock l'alcoolique, par exemple. Mais d'autres aussi, qui n'appartiennent pas à son univers. Ainsi, à l'issue d'une discussion serrée sur *Les Extraordinaires Aventures de Corentin* et *Les Nouvelles Aventures de Corentin*, la commission tolère l'importation des albums de Cuvelier à condition toutefois que ces récits aient déjà paru dans l'hebdomadaire. Comme pour mieux s'en dédouaner[46].

À plusieurs reprises, Hergé a l'occasion de devancer les foudres de la censure s'agissant d'un autre collaborateur vedette du journal, et non des moindres puisqu'il s'agit d'Edgar Jacobs. Au début de la publication de *La Marque jaune*, il fait effacer le monstre surplombant Big Ben. Sur un autre projet de couverture de cette même série, il fait disparaître le browning dans la main de Mortimer. La scène n'en est que plus mystérieuse, le professeur l'ayant par conséquent plongée dans sa poche... Enfin, dans *L'Énigme de l'Atlantide*, Hergé ne se contente pas de faire effacer une autre arme à feu. Il demande à Jacobs d'atténuer le caractère d'épouvante des scènes où les deux héros sont attaqués par des ptérodactyles et celles où ils affrontent des plantes carnivores. Des vignettes barrées de rouge, de sa main, en témoignent[47].

Le meilleur censeur d'Hergé, ce n'est pas cette commission de notables frileux aux intérêts bien compris. C'est Hergé lui-même. Question de tempérament. Il a appris la prudence. Question d'expérience aussi. Il connaît parfaitement son public. Depuis le temps qu'il le pratique, il sait jusqu'où aller trop loin. De toute façon, il n'a jamais eu l'intention de le provoquer. Cela ne lui ressemblerait guère, pas plus qu'à ses personnages.

Au début des années cinquante, après avoir prorogé le contrat qui le lie au journal *Tintin*, Hergé le renouvelle pour une période de trente ans. La crise en est à son épilogue. Sa dépression et ses fugues répétées ont ébranlé l'équipe. Marcel Dehaye est l'un des rares qui puissent se permettre de le secouer. Un jour, il lui demande soit de se retirer définitivement, soit de se battre avec eux pour faire aboutir leurs idées. Il le supplie d'agir, d'une manière ou d'une autre :

« Y a-t-il quelque chose de plus décevant que de voir un maître faillir[48] ? »

Hergé se ressaisit. L'hebdomadaire se porte bien. D'autant que depuis 1950, le « timbre Tintin » en a vraiment dopé les ventes. On le trouve en deux ou trois exemplaires dans le magazine mais aussi sur un certain nombre de produits tels que le chocolat Victoria ou la confiture Materne. Le va-et-vient entre l'un et l'autre, stimulé par l'esprit de collection, a des conséquences commerciales insoupçonnées. Un coup de génie que ce timbre. Dès la première année, il en a été émis 200 millions d'exemplaires ! Inutile de préciser que cela accentue la notoriété du nom et du visage de Tintin, phénomène qui dope la vente des albums.

Tout rentre dans l'ordre entre Hergé et Raymond Leblanc. On en veut pour preuve le dessin qu'il réalise en 1953 à l'occasion du 7e anniversaire de l'hebdomadaire. Un dessin unique sur lequel Haddock, ramant dans une barque baptisée « Tintin » et chahutée par les vagues, crie aux Dupondt paniqués : « Ne vous en faites pas, moussaillons ! Aucun danger. C'est Leblanc qui est à la barre[49] ! »

Hergé semble s'être rapproché de ce qui est un peu, tout de même, « son » journal. Après tout, il en est le directeur artistique. Il a rédigé à la main un mémorandum long d'une vingtaine de pages pour dresser un bilan et réformer ce qui doit l'être. De son point de vue, la situation l'impose. Là où d'autres verraient un regain d'intérêt pour les illustrés destinés à la jeunesse, il relève, lui, une désaffection. Car il se fonde sur la situation florissante qui était celle de 1940. Pourtant, au même moment, de nouveaux magazines pour les jeunes paraissent avec tambours et trompettes. En premier lieu *Mickey-Magazine*, lancé par Armand Bigle, l'homme de Disney en Europe, en association avec les Belges des éditions du Pont-Levis. Plus de 100 000 exemplaires par semaine ! Le vrai danger, c'est qu'on n'y trouve pas seulement les bandes de l'usine Disney, mais également les scénarios et dessins de Duchâteau et de Tibet. Peu après, Paul Winckler relance à Paris *Le Journal de Mickey* avec un égal succès.

En Belgique, la concurrence de *Spirou* inquiète le plus Hergé. Ce n'est pas seulement une question de tirage : ils sont comparables et *Tintin* dépasse bientôt *Spirou* de 15 000 exemplaires. Depuis la création du journal et plus encore depuis celle des Studios, on parle couramment d'une « École de Bruxelles » désignant les partisans de ce qu'on nommera la « ligne claire » dans le sillage d'Hergé. Son empire est tel sur quelques jeunes talents que la rumeur publique a même forgé le doux néologisme d'« hergémonie » ! Or on parle déjà d'une « École de Marcinelle », pour désigner ceux qui travaillent au journal *Spirou*, dans cette banlieue de Charleroi chère aux éditions Dupuis, les Jijé, Paape, Morris, Franquin, Peyo, Hubinon...

Dans un cas comme dans l'autre, le principe même d'une école est assez farfelu. Mais c'est ainsi : dès que des créateurs se regroupent par affinité, telle une famille d'esprit, l'Histoire s'empresse de les saisir en un cliché et de les fixer pour l'éternité. L'Histoire ou plutôt ceux qui sont chargés de l'écrire, journalistes, universitaires, exégètes et autres. Ça les rassure même si ces catégories sont le plus souvent artificielles. Les exemples ne manquent pas au XXe siècle en littérature (« Nouveau roman ») comme dans la bande dessinée (« Groupe de Venise » avec Hugo Pratt, autour d'un éditeur).

Tintin fait preuve d'imagination, sans aucun doute. Il réunit un aréopage de talents que les autres lui envient. Jacobs, Cuvelier et Le Rallic bien sûr, pour les débuts. D'autres arrivent vite, auteurs de séries à succès qui marqueront durablement les lecteurs : *Bob et Bobette, Alix, Lefranc, Chlorophylle, Dan Cooper, Le Chevalier blanc, Ric Hochet, Modeste et Pompon*... En face, chez *Spirou*, on trouve *Buck Danny, Surcouf, Tif et Tondu, Timour, Jerry Spring, Gil Jourdan* et, à partir de 1951, *Les Belles Histoires de l'oncle Paul* juste avant que le Marsupilami ne rejoigne *Spirou* et *Fantasio*. À croire que le plus souvent les séries se répondent, comme si les deux hebdomadaires se marquaient.

Ici comme ailleurs, la matière est riche, imaginative et prometteuse. À quoi alors attribuer la relative désaffection du public ? Car elle est réelle puisque le tirage global des illustrés était supérieur avant la guerre. Dans son inventaire des symptômes et des causes, Hergé distingue en premier lieu le décalage entre les journaux et leur public. Celui-ci a mûri alors qu'on s'adresse à lui dans les mêmes termes, selon les mêmes schémas qu'une génération plus tôt. Il n'est pas pour autant favorable à ceux, tels les promoteurs de *Superman* et *Gordon l'intrépide*, qui sont tombés dans l'excès contraire. Pour être modernes, ils n'ont reculé devant aucune démagogie. S'il faut faire des concessions au goût du jour, elles doivent, selon lui, concerner les grands progrès techniques et les découvertes scientifiques.

En fait, Hergé est persuadé que ce décalage est

devenu problématique le jour où le niveau culturel des journaux pour adultes a baissé. À un point tel que les enfants les plus mûrs peuvent désormais y retrouver leurs préoccupations. Ainsi, le fossé entre la presse des jeunes et celle de leurs parents ayant été à peu près comblé, le marché en a été bouleversé. Telle est du moins son analyse. Il faut dire que les quotidiens, qui proposent de plus en plus de bandes, passent de main en main au sein d'une même famille. Même les périodiques, ceux qui jouent plus sur le texte que sur l'image (*Constellation, Sélection*), se font si bien l'écho des grandes découvertes qu'ils peuvent détourner de jeunes lecteurs de leur presse attitrée.

Que faire, alors ? Hergé veut s'inspirer du succès de *Paris-Match. Tintin* devrait donc coller à l'actualité. C'est loin d'être le cas : « On dirait qu'il est fait par et pour des gens qui vivent en dehors de notre temps. Notre journal est dans la fiction jusqu'au cou, dans l'irréel, dans le conte de fées moderne et dans le passé », écrit Hergé. Il a beau jeu de pointer les histoires illustrées à caractère historique : *Cori le Moussaillon, Hassan et Kaddour, Till l'Espiègle,* etc. Les personnages qui ont les deux pieds dans le siècle ne sont pas légion : le Barelli de Bob De Moor, Blake et Mortimer de Jacobs et, bien sûr, Tintin. Et les romans et les contes ? Pareil. Ceux de *Cœurs Vaillants* sont nettement supérieurs. Hergé est convaincu que si le grand public a besoin d'évasion et de détente, les jeunes veulent autre chose que de la fiction : « Du réel, du vrai, du solide, du sérieux ! »

Il tire argument d'une enquête effectuée

auprès des éditeurs de littérature générale selon laquelle les meilleurs documents de société se vendraient à l'égal de *L'Atlantide* de Pierre Benoit entre les deux guerres. Ainsi, l'évolution des idées serait générale. Raison de plus pour en tenir compte. Il est donc urgent pour le journal de reprendre contact avec les réalités de la vie. Il ne croit pas aux référendums auprès des lecteurs. À ses yeux, le meilleur test reste le succès exceptionnel (« et mérité », insiste-t-il) remporté par la publication du *Secret de l'Espadon* dans les premiers numéros du journal. Un coup d'essai qui aurait pu servir d'exemple :

« Jacobs “collait” à la fois à l'actualité (toute récente) et préfigurait (peut-être) l'avenir. Son roman tenait à la fois du récit historique et du roman d'anticipation. Aussi avait-il trouvé de profondes résonances chez tous les lecteurs (enfants, adultes et... militaires). Le sujet, comme on dit, était dans l'air... »

À l'entendre, à le lire, on a l'impression que le journal coule. Or il n'en est rien. Il n'empêche. Il le voit péricliter car il voit tout en noir. Il est vrai aussi qu'il n'avait jamais porté le rédacteur en chef André Fernez dans son cœur. Comme s'il voyait toujours en lui un usurpateur par défaut de Jacques Van Melkebeke. De guerre lasse, il quittera le journal *Tintin* pour les éditions Marabout où il créera Nick Jordan, un personnage de roman destiné à concurrencer Bob Morane.

Si cela ne tenait qu'à Hergé, tout serait à revoir. Il critique même la page automobile : elle lui paraît désincarnée, très « salon de l'auto », puisqu'on y évoque les prototypes au détriment des problèmes de la circulation ! Les éditoriaux ?

Excellents sur le fond, mais démodés par la forme. Mais ce n'est rien par rapport aux reproches qu'il réserve aux dessinateurs-scénaristes chargés d'écrire et d'illustrer les récits en images. À quelques rares exceptions près, Hergé regrette que leurs qualités de graphistes soient infiniment supérieures à leurs dons de romanciers. Car il s'agit bien de raconter une histoire en images. Et pourtant... :

« Partout triomphe l'aventure “mécanique”. Toujours du comique ou du tragique de situation. Jamais du comique ou du tragique de sentiment. »

Hergé, qui a su se montrer arbitraire dans les coups de théâtre de ses propres récits, reproche à Vandersteen et Laudy d'abuser de ces procédés artificiels qui tournent à la sorcellerie : le déplacement des personnages dans le temps. Non seulement ce n'est pas vrai mais ça n'est même plus vraisemblable ! De toute façon, leurs « marionnettes » sont de plus en plus des personnages et de moins en moins des héros. À ses yeux, il n'y a plus guère qu'Alix et Till l'Espiègle qui correspondent encore à l'idée qu'on s'en est toujours faite. Pourtant, l'actualité regorge d'aventuriers de l'impossible et de conquérants de l'inutile.

Hergé n'en est plus à demander aux collaborateurs du journal d'être modernes. Ou dans l'air du temps. Mais de tout faire pour éviter que *Tintin* se fossilise. Pour que le décalage ne soit pas fatal, il leur faut la carte de la réalité. Mais avec assez d'habileté et de mesure pour qu'elle n'agisse pas au détriment de la poésie, du mystère et de la magie[50]. Hergé est d'autant plus convaincu et sincère qu'il ne s'exprime pas seulement au titre de directeur artistique d'un journal qu'il a cofondé et qu'il aime. Il parle aussi en auteur d'albums. On avait fini par l'oublier. Pas lui.

Dans sa quête pathétique des mille et une manières de sauver le journal *Tintin*, Hergé n'a pas hésité à se citer, non sans s'en excuser auparavant. Quelle œuvre plus que la sienne n'est autant en prise avec cette réalité qu'il appelle de ses vœux ? Il lui suffit de dresser l'inventaire de ses sources pour prouver l'actualité des aventures de Tintin. *Les Soviets ?* Le livre *Moscou sans voiles. L'Amérique ?* Voyez Al Capone, Dillinger... *Les Cigares ?* Le trafic d'armes et de stupéfiants, Henry de Monfreid... *Le Lotus bleu ?* La guerre sino-japonaise... *L'Oreille cassée ?* Le conflit du Gran Chaco, les marchands de canon... *Le Sceptre d'Ottokar ?* L'Anschluss, la crise des Sudètes... *L'Or noir ?* Le pétrole, la lutte entre Arabes, Juifs et Anglais... Nul ne peut lui faire un procès de passéisme. Il l'a assez dit : il veut être de son temps. Sans complexe. Mais sans démagogie ni complaisance. On ne fera pas parler ses personnages dans l'argot des lycées et des boîtes de nuit. D'autant que pour lui, être moderne, c'est aussi anticiper sur l'événement. Il l'a déjà prouvé. Et ce n'est pas fini : « Actuellement, la Lune, qui est à l'ordre du jour[51]. »

En 1952, le sujet relève encore de la science-fiction. Ce genre n'est pas le sien. De l'expression, Hergé ne veut retenir que le premier terme. Car il est fasciné par la rapidité du progrès scientifique. Rien ne l'excite comme l'annonce d'une nouvelle découverte ou d'une invention vraiment inédite. Mais cela n'altère en rien sa conception très traditionnelle du scénario idéal. Elle est issue en droite ligne de ses lectures les mieux enfouies, *L'Île au trésor* et *Michel Strogoff* pour ne citer qu'eux. Leur structure ? Fort simple quand c'est lui qui l'expose : un match-poursuite, une trame linéaire et un fil d'Ariane mince mais solide.

Il y recourt à nouveau pour anticiper sur l'Histoire à venir. Pour autant, il ne se situe pas dans la littérature d'anticipation. Pas plus que dans la science-fiction, forme à laquelle il reproche ce qu'elle a de « gratuit »[52]. En l'espèce, s'il fallait absolument le rattacher à une catégorie, ce serait le fantastique à condition qu'il soit crédible, dans l'esprit d'un Ray Bradbury dont il apprécie certains récits.

Cette fois, pour Tintin, Hergé décrochera donc la Lune. On retrouve le mot dans les titres des deux albums formant son diptyque : *Objectif Lune* et sa suite logique *On a marché sur la Lune*. Comme Jules Verne le fit au siècle dernier avec *De la Terre à la Lune* et *Autour de la Lune*. Il ne fait pourtant pas partie des lectures dont il s'est inspiré[53].

Au départ, il a en tête une structure sinon une histoire. Avec des moyens éprouvés mais distillés cette fois tout au long du récit (de l'humeur et des trouvailles), il entend conter l'épopée spatiale de Tintin, Milou et Haddock entraînés par Tournesol, personnage dans la lune qui rêve d'aller sur la Lune, avec la fusée à propulsion atomique dont il vient de dessiner les plans. Mais des espions étrangers vont tenter de l'intercepter en vol. La menace qu'ils font peser sur le bon déroulement de l'expédition fait mieux passer l'exposé, assez rébarbatif il faut bien le dire, de sa préparation technique : fabrication du plutonium, mise au point de la pile atomique, etc. Cette étape introductive est aussi indispensable qu'indigeste. Hergé le sent bien qui, à mi-chemin, permet au lecteur de s'exprimer à travers Haddock. À l'issue d'une longue explication, après que l'ingénieur s'est demandé : « Mais les autres neutrons, que vont-ils devenir ? », le capitaine répond, l'air faussement préoccupé : « Oui... je suis inquiet à leur sujet[54]... » En fait, on ne retrouve vraiment la poésie et la magie, l'art du suspense et le sens du gag qui font la marque d'Hergé à son zénith qu'à partir du moment où la fusée a décollé.

Avant de s'engouffrer dans cet univers dont il ignore tout, Hergé se documente abondamment, réunit nombre d'articles scientifiques et lit attentivement quelques ouvrages de base : *L'Astronautique* d'Alexandre Ananoff, première encyclopédie ayant le mérite de populariser en français les dernières découvertes en technologie spatiale ; *Notre amie la Lune* de Pierre Rousseau ; *Entre ciel et terre* d'Auguste Piccard et *L'Homme parmi les étoiles* de Bernard Heuvelmans[55]. Des ouvrages qui valent tant par l'ouverture scientifique qu'ils procurent au profane (physique de l'atmosphère, ascension dans la stratosphère, voyages interplanétaires et interstellaires) que par leurs illustrations (des gravures sur les cratères, montagnes et mers lors d'excursions lunaires). Hergé aurait également puisé dans deux ouvrages considérés alors, chacun dans son domaine, comme étant à l'avant-garde de la littérature scientifique pour le grand public : *L'Humanité devant la navigation interplanétaire* d'Albert Ducrocq, riche en détails notamment sur le problème de la combustion et de l'énergie atomiques ; et *La Conquête de l'espace*, non pour le texte de Willy Ley mais pour les fascinants dessins de Chesley Bonestell.

Hergé sait ce que son histoire ne sera pas : monstrueuse. C'est sa manière de garder les pieds sur terre, même quand ses personnages seront là-haut. Il sait également qu'il n'est pas question de laisser passer des détails approximatifs ou invraisemblables.

Dès le départ, plusieurs collaborateurs et amis l'aident à se préparer pour cette nouvelle aventure. Rarement un de ses albums a réuni des concours si divers. Il y eut bien la « chinese connection » de l'université de Louvain pour *Le Lotus bleu*, par exemple. Mais cette fois, après les épisodes dépressifs qu'il vient de vivre, Hergé a besoin d'être entouré, rassuré, stimulé avant de s'élancer. Car un spectre le paralyse : l'arrêt brutal en cours de route. À nouveau, le collapsus, la fugue, la fuite en avant et tout ce que cela suppose.

Il y a d'abord les experts, qu'il consulte ès qualités, afin de n'être pas bloqué dans le feu de l'action par un problème technique. C'est le cas de Louis Brouwet, chef du service incendie à la Régie des voies aériennes de Bruxelles. Puisqu'il est prévu que le récit chutera avec l'atterrissage de la fusée, autant faire en sorte que cela se passe le mieux possible[56]. Dans le même esprit, Hergé interroge Max Hoyaux, chef du centre de recherches atomiques à Charleroi. En fait, il attend de lui une visite guidée et un mode d'emploi le plus complet possible d'un établissement aussi particulier que le sien : disposition des lieux, fonctionnement des appareils... Le savant ne se contente pas de ce rôle passif. Il se prend au jeu et fait des suggestions : puisqu'il y a de l'eau gelée sur la Lune, pourquoi ne pas la faire fondre à la chaleur solaire afin de recharger la fusée ? Le cas échéant, il émet des réserves sur ce qui, dans le récit, ne manquera pas de faire tiquer les spécialistes : en principe, le temps et l'énergie consacrés à soustraire Haddock à l'attraction d'Adonis, conjugués à la surconsommation d'oxygène due à la présence de deux passagers imprévus, devraient tous les condamner à ne plus jamais remettre les pieds sur Terre... De plus, Milou reprend ses esprits avant les autres alors que, c'est bien connu, les chiens résistent moins bien que les humains aux accélérations[57]...

Il y a ensuite les dessinateurs. Ils forment un appoint non négligeable. C'est même un euphémisme de le dire ainsi. Bob De Moor, le tout premier d'entre eux, joue un rôle pivot dans la réalisation de certaines planches de ce diptyque. Il débarque à la page 16 d'*Objectif Lune* et commence par dessiner les décors. La fameuse fusée à damier rouge et blanc sortira entièrement de son crayon.

Par souci maniaque de l'exactitude plutôt que par méfiance, Hergé fait même confectionner une maquette du poste de pilotage de la fusée par M. Van Noeyen sur les indications du savant Alexandre Ananoff, d'après l'une des 135 illustrations de son livre. Hergé rencontre à deux reprises le savant franco-russe, lequel est surtout frappé par l'aspect « en forme de pâtes Lustucru » présenté par la fusée ! Il rectifie quelques erreurs et conseille à son visiteur de projeter sur un écran circulaire l'image qui devait se présenter devant la fusée conduite par Tournesol[58].

Tout cela n'empêche pas Hergé de prendre des libertés avec les casques des cosmonautes, les rendant transparents afin que les personnages puissent être identifiés de dos. Ni de prendre d'autres libertés qui feront sourire ou bondir tout scientifique bien né. Quand une météorite tombe sur la Lune, sa vitesse est telle qu'elle envoie alentour des projections semblables à des balles de fusil auxquelles nul cosmonaute, fût-il protégé, ne peut survivre. Or, c'est à peine si le phénomène fait chanceler nos héros ! Plus étonnant encore, l'image d'Adonis telle que Tournesol la voit dans son télescope est vraiment un scoop car nul n'a jamais été capable de reconnaître cet astéroïde au premier coup d'œil ; or, il ressemble plutôt à un autre nommé Gaspa dont Hergé ne peut avoir vu de photos, du moins au début des années cinquante[59]...

Il est ainsi et c'est peut-être un des plus attachants de ses paradoxes. Il s'acharne à rendre son récit inattaquable. Mais quand il y est parvenu après force consultations, il s'autorise à prendre des distances avec une réalité objective qu'il n'a cessé de poursuivre. Il sait désormais quels sont les pouvoirs et les limites d'Adonis. Mais c'est plus fort que lui : il ne peut résister à l'idée de transformer Haddock en satellite d'un astéroïde[60] ! Heureusement pour le lecteur, *in fine*, Hergé préfère toujours la vérité à l'exactitude. Ainsi réussit-il, dans presque toutes les situations, à préserver la part du rêve. Cela dit, faire décoller une fusée expérimentale de nuit, c'est beau mais insensé, ainsi qu'il en conviendra lui-même par la suite[61].

Outre Bob De Moor, un autre membre de son entourage joue un rôle majeur : Bernard Heuvelmans, dit Bib. Ils avaient noué des liens d'amitié pendant l'Occupation quand il assurait la « Chronique de l'humanisme scientifique » au *Soir*. Ce docteur ès sciences zoologiques n'a pas seulement l'avantage d'être du bâtiment par sa formation et son ouverture d'esprit. Cet homme d'idées ne recule devant rien, quitte à paraître un peu farfelu. Il sait qu'à l'arrivée il en restera toujours quelque chose. Hergé le tient pour sérieux comme un savant, plaisant comme un humoriste et captivant comme un romancier. Récemment encore, quand la dépression le privait de toute énergie créatrice, il avait fait appel à lui pour relancer *Le Temple du soleil*. Dans la foulée, Hergé était revenu vers lui :

« Tu serais capable de travailler sur tout un album ? Je voudrais m'attaquer à la conquête de l'espace.

— Pourquoi pas ? Mars...

— Non, non. Restons modestes. La Lune...

— Mais il n'y a rien à voir sur la Lune !

— Oui, mais c'est un objectif plus modeste qui me convient mieux[62]. »

Pas de contrat entre eux. Entre amis, estiment-ils, une poignée de main ou une parole suffit. Bib était d'autant plus partant qu'Hergé avait la bonne idée de lui adjoindre Jacques Van Melkebeke pour charpenter l'intrigue. Puisqu'il était chargé de l'imagination scientifique, Bib s'était abreuvé à la meilleure source : la NASA. Il n'a donc rien inventé. À l'instar de Jules Verne, il s'est contenté d'extrapoler tout ce qui était en gestation.

Le tandem livre un scénario de ce projet d'expédition lunaire. Fatalement, le texte et les dessins souffrent d'un grave défaut de conception : ils ont été pensés « à la manière » d'Hergé. Celui-ci a l'impression de lire un pastiche de son travail[63]. Entre eux et lui, ça ne peut donc pas marcher, du moins pas dans cet esprit. Bernard Heuvelmans continue à collaborer au projet mais en tant que conseiller.

Que reste-t-il de cette version originelle qui n'est pas d'Hergé dans la version définitive signée Hergé ? Comme de juste, pas grand-chose selon lui, plus que cela selon eux. Hergé reconnaît sa dette mais la juge moins importante qu'ils veulent bien le dire.

C'est vrai, il l'admet, il doit à « Bib » la lecture de son livre *L'Homme parmi les étoiles*. Il lui doit également la base iconographique à partir de laquelle il a pu visualiser son histoire dès l'origine du projet, après la fin du *Temple du soleil*. À l'époque, Hergé était soucieux que ses personnages bénéficient de tout le confort moderne et ne commettent pas d'imprudence. Aussi, dans une perspective avant tout graphique, avait-il demandé à son ami de lui procurer toutes sortes de renseignements sur les usines atomiques (surveillance et contrôle, cyclotrons), sur une hypothétique fusée lunaire capable d'emporter sept personnes et un chien, et sur son intérieur (conception de la cabine, nature des instruments de navigation, couchettes, scaphandres, sas, réserve de combustible, plan de l'appareil de propulsion). Par la suite, il ne manquera jamais d'ailleurs de créditer Bib de toute sa « documentation interplanétaire ».

Il lui doit aussi des réponses scientifiques à des questions de néophyte. S'il ne peut les obtenir au moment où il se les pose, Hergé se sent bloqué. Et dans sa situation psychologiquement fragile, il n'a vraiment pas besoin de cet obstacle supplémentaire. Question : est-il théoriquement possible d'intercepter une fusée radioguidée grâce à des appareils plus puissants utilisant la même fréquence ? Réponse : rien n'est plus photogénique qu'une antenne de radar ; détails suivent sur le pilotage automatique, les contacts électroniques, les signaux hertziens, l'œil magique, les interférences et la direction des faisceaux capteurs...

Hergé lui doit enfin certains gags et non des moindres : le jeu avec l'apesanteur, le whisky mis en boule, Haddock en orbite autour de la comète... Non seulement Hergé n'en disconvient pas, mais il ne manque pas une occasion de lui rendre un hommage limité. S'il ne s'était pas agi de l'ami Bib mais d'un employé des Studios, il n'irait pas jusque-là et s'attribuerait toutes les originalités de l'album. Ses collaborateurs sont là pour collaborer, pas pour briller à ses dépens :

« ... Dans ce cas, je dois bien l'avouer, je suis d'une ingratitude noire : j'oublie immédiatement et complètement celui qui me l'a donnée pour ne retenir que l'idée elle-même. Et je me l'approprie instantanément. Ce n'est peut-être pas bien, mais c'est comme ça[64]... »

Sans en faire une affaire d'État, contrairement à son partenaire Jacques Van Melkebeke qui l'a mal pris, Heuvelmans est convaincu que la dette d'Hergé est plus importante qu'il a bien voulu le reconnaître :

« En découvrant les deux albums, nous avons vraiment eu l'impression que c'est ce que nous avions fait au départ. Dans les grandes lignes, c'était ça[65]... »

Il faut dire, que pendant des mois, ils avaient pratiqué tous trois une sorte de ping-pong, réagissant mutuellement sur telle version, enrichissant une nouvelle mouture d'un gag inédit. Comment à ce stade démêler l'écheveau et faire précisément la part de chacun ? Hergé n'en démord pas : il ne s'est pas servi de leur scénario. En dépit d'un léger froid, cela ne ternit pas leur vieille amitié. Tant et si bien qu'ils collaboreront à nouveau. Mais cela n'empêche pas Heuvelmans de ne jamais céder sur un point auquel il est plus attaché que d'autres : sa paternité du titre *On a marché sur la Lune*. Il en avait même fait le départ d'une intrigue : en arrivant sur la Lune, Tintin prononce cette phrase après avoir découvert des traces de pas et deviné la présence de passagers clandestins dans la fusée... Sur la couverture du journal *Tintin* dans lequel débute la publication d'*On a marché sur la Lune*, un visage lunaire à la triste mine, marqué de traces de pas, a troublé plus d'un lecteur tant il rappelle une fameuse affiche de Méliès[66]. On n'invente jamais rien.

À la veille du jour de l'an 1955, le journal *Tintin*

publie la 117e et dernière planche de cette expédition sur la Lune. Plus de trois ans après la parution de la première. Une manière de record ! Jamais la publication d'une série d'Hergé n'aura été aussi chaotique de son propre fait. Avortée en 1948, reprise en 1950, interrompue au bout de six mois sans justification convaincante, oubliée à défaut d'être abandonnée pendant près de deux ans, reprise enfin pour être menée à son terme, elle suscite des explications embarrassées de la direction de l'hebdomadaire qui met de longs mois avant de reconnaître qu'Hergé est malade.

Ce serait tellement plus pratique de dire, comme les Dupondt dans *Objectif Lune*, qu'il travaille du chapeau melon ou qu'il grésille du trolley. Pas faux mais insuffisant. Car la dépression est autrement plus grave. Elle ne l'a pas quitté. Fugues, exils, retraites, plantes et médicaments l'ont temporairement aidé à la surmonter, pas à la vaincre. Il est plus qu'éreinté. Effondré.

Les lecteurs, qui n'en savent rien, ne comprennent pas. Certains se demandent si, las d'avoir porté son héros depuis si longtemps, il n'a pas l'intention de l'occire comme Conan Doyle le fit avec un Sherlock Holmes qui commençait à lui peser. À ceux qui s'en inquiètent, Hergé répond par des mots qui se veulent rassurants :

« Si vous interrogez des médecins, ils vous diront que rien n'est plus lent à guérir que la dépression nerveuse. Ou, plus exactement, l'anémie cérébrale. Mais je n'aime pas beaucoup ces deux mots-là : ils vous donnent prématurément un petit air gâteux... On a mis vingt ans à se démolir consciencieusement. Comment voulez-vous qu'on se rétablisse en six mois[67] ? »

À nouveau, la fuite en avant, le lac Léman, le grand vide au bord vertigineux des choses. Quand il revient, rien n'est résolu. Les problèmes sont en l'état. Car l'essentiel est en lui, au plus profond de son angoisse existentielle. Mais désormais, un entourage professionnel se constitue autour de lui qui lui sert de béquille. Trop de gens dépendent de lui, au journal et bientôt aux Studios, pour qu'on le laisse s'abandonner à ses pulsions d'échec.

Sur le moment, la publication de son diptyque lunaire n'obtient pas le même impact que celle de ses deux précédents doublés, sur les traces du chevalier de Hadoque puis à la recherche du professeur Tournesol. Il avait alors joué sur un registre mythique familier à l'imaginaire du plus grand nombre : le secret, le trésor, le mystère, les phénomènes paranormaux... En quittant la planète Terre, il prend de gros risques. À trop vouloir coller à l'actualité, il la précède de beaucoup. Tant et si bien qu'il se retrouve en décalage non vers le passé mais vers le futur. N'eussent été ses qualités pédagogiques très fines et éprouvées, Hergé aurait pu perdre des lecteurs en route. Bien avant l'alunissage, en tout cas.

Signe des temps : au moment où sa série paraît dans le journal *Tintin*, à Paris la commission de censure concocte son premier rapport d'activité. Or, elle s'est même préoccupée des limites à respecter pour la transposition du réel et de la vraisemblance dans l'anticipation scientifique ! Qu'on en juge :

« Cette anticipation n'est de bon aloi que dans la mesure où, précisément, elle reste digne de s'appeler "scientifique". Alors que Jules Verne n'anticipait sur le développement de la science qu'en en prolongeant les acquisitions actuelles, l'imagination des auteurs de littérature enfantine s'exonère trop souvent de tout respect envers les données scientifiques et improvise délibérément les moyens adaptés aux besoins de ses récits fantasmagoriques, sans se préoccuper aucunement de relier ces moyens à une rubrique scientifique quelconque (...). Il semble donc qu'il faille s'astreindre à une grande prudence dans la matière des anticipations et s'efforcer de tirer des sciences, dans leur état présent, tout le merveilleux authentique qu'elles permettent de prodiguer, plutôt que d'élargir démesurément et dangereusement le champ de la fiction[68]. »

Prudence ? Si cette fois Hergé en avait fait preuve, il n'aurait pas eu le courage, l'audace et l'inconscience de propulser ses personnages et ses lecteurs dans un univers insolite au sein duquel ils ne disposent d'aucun repère. Le résultat est là et il ne le renie pas. Il a bien quelques regrets.

Le premier concerne le plus important des personnages secondaires, l'ingénieur Frank Wolff, adjoint de Tournesol. Associé depuis le début à cette épopée, il se révèle coupable d'une double trahison. Non seulement il a accepté de livrer les plans de la fusée aux espions, mais il dissimule à ses compagnons de voyage la présence d'un passager clandestin. *In fine,* pour se racheter, il passe aux aveux. Tintin le réintègre dans leur petit groupe. Mais quand l'oxygène se fait de plus en plus rare et que les réserves s'avèrent insuffisantes pour tous, il choisit la rédemption par le suicide. Alors que l'équipage dort, il se jette dans le vide afin de préserver la vie des autres.

Au physique comme au moral, l'ingénieur Wolff est l'archétype de l'ambiguïté. Il n'est ni tout à fait dans le camp des méchants, ni pour autant dans celui des bons. C'est un individu déchiré par des tourments intérieurs et des cas de conscience qui le dépassent. Le saut dans l'espace est une ultime fuite en avant poussée jusqu'à sa logique extrême. Toute ressemblance avec un dessinateur connu...

Quand la série paraît dans le journal *Tintin*, les milieux catholiques n'apprécient pas du tout le message d'adieu de l'ingénieur à ses compagnons :

« Lorsque vous trouverez ces lignes, je me serai jeté dans le vide. Inutile de me rechercher, vous savez bien que j'aurai disparu à jamais dans l'espace. Moi parti, peut-être aurez-vous assez d'oxygène pour arriver sains et saufs jusqu'à la Terre. Adieu, et pardonnez-moi le mal que je vous ai fait[69]. »

Qu'un personnage somme toute inconstant et négatif se sacrifie pour la communauté en se suicidant, voilà qui pose problème. Et provoque même une discussion chez les prêtres ! Car si le mot « suicide » n'est pas écrit en toutes lettres, l'idée est bien là. Casterman se montre aussi réticent. Hergé doit donc composer. Bien que cet arrangement avec le ciel ne l'enchante guère, il consent à glisser une échappatoire. Dans l'album, l'ingénieur effectuera donc un grand saut plein d'espoir puisqu'il écrit à ses amis :

« ... Quant à moi, peut-être un miracle me permettra-t-il d'en réchapper aussi. Pardonnez-moi le mal que je vous ai fait[70]. »

Rarement un de ses personnages se sera dirigé vers la mort avec autant d'optimisme. Attitude d'autant plus contradictoire qu'à ce moment-là, Hergé est le pessimisme fait homme. Mais il n'a pas la force ni l'envie de se battre pour ça aussi. Son sursaut d'énergie, il le garde pour se plaindre auprès de son éditeur du « piteux résultat » constaté en recevant les premiers exemplaires de *On a marché sur la Lune*. Il juge le papier trop jaune et poreux, mais là n'est pas la question. Il incrimine avant tout la qualité des films et celle de l'impression. Se plaint d'avoir toujours obtenu un superbe violet rougeâtre en lieu et place du bleu nuit maintes fois réclamé. Il avait pourtant fait des efforts, passant de l'aquarelle à la gouache, puis de la gouache à l'aquarelle épaissie de gouache avant de retourner, pour finir, à l'aquarelle. En vain. S'estimant injustement massacré, malgré les justifications et les explications techniques fournies par Casterman, il songe même à faire un test auprès d'une autre maison, en Belgique ou à l'étranger. Une menace que l'éditeur de Tournai ne peut que prendre au sérieux. Car dans le flot de ses reproches, Hergé ne perd pas une occasion de flatter le travail accompli par les éditions du Lombard, notamment dans la finesse et la netteté des coloris, avec les albums de Jacques Martin et surtout *Le Mystère de la grande pyramide* de Jacobs qu'il tient pour un modèle au plan de la réalisation[71].

Hergé avait pourtant soigné son travail — et ses collaborateurs des Studios n'y sont pas étrangers. En adaptant son récit, pour le passage du journal à l'album, il s'était fait plaisir, y introduisant de grands dessins riches et généreux ; dans l'hebdomadaire, leur présence se serait exercée au détriment de l'action. Il estime n'avoir pas été payé de retour.

Est-ce dû à la parution aléatoire du récit dans le journal *Tintin* et à la mauvaise impression qu'elle a pu susciter ? Ou à l'esprit d'anticipation qui plane sur toute l'histoire ? Toujours est-il que cette fois, Hergé semble avoir légèrement désorienté ses lecteurs. *Objectif Lune* et *On a marché sur la Lune* n'en constituent pas moins une étape dans son œuvre. Simplement, cette fois, la consécration n'est pas immédiate. Elle ne lui en paraîtra que plus savoureuse.

En 1969, une quinzaine d'années après Tintin et les siens, l'astronaute américain Neil Armstrong est le premier homme à marcher sur la Lune. D'après les images diffusées par la télévision, il ne semble pas qu'il y ait croisé un jeune reporter à la houppe et un capitaine de la marine marchande enveloppés dans des scaphandres adaptés à la plongée sous-marine...

Plus tard, au début des années quatre-vingt, lors d'un congrès de psychiatrie et de neurologie, d'éminents spécialistes s'appuieront sur plusieurs vignettes d'*Objectif Lune* pour isoler un ensemble de symptômes : « C'est une des plus belles observations d'amnésie transitoire traumatique par choc indirect... L'état commotionnel est évident au nombre d'étoiles et, sans troubles de vigilance, se déroule l'amnésie antérograde avec questions itératives et perplexité. Nous noterons encore l'importance du débord rétrograde (le capitaine Haddock n'est pas reconnu, sa tenue spatiale a perdu sa signification) et la survenue dans un contexte de surmenage physique et intellectuel, après l'ébranlement émotivo-affectif d'une dispute avec le capitaine. » Depuis, tout cela s'appelle « le syndrome de Tournesol[72] ». Tout simplement. Il est vrai que cela rend ce genre de dysfonctionnement nettement plus sympathique.

Dans le même temps, sur proposition de Jean Meeus, un astronome fasciné par le monde de Tintin, la petite planète n° 1652 est baptisée Hergé. Elle a été découverte à l'observatoire d'Uccle en 1953, l'année même de la publication de *On a marché sur la Lune*. Quant à l'astéroïde n° 1683 révélé en 1950, il s'appellera Castafiore[73] ! Y a-t-il une plus belle consécration pour un auteur de bandes dessinées, que de voir des psychiatres et des astronomes s'emparer de ses personnages pour les rendre immortels ?

Cette fois, il n'enchaîne pas une histoire sur l'autre. Cette frénésie est déjà d'un autre temps. Du temps où il n'avait pas le loisir de se pencher sur ses ténèbres intérieures. Fin 1954 seulement, le journal *Tintin* publie sa nouvelle histoire, *L'Affaire Tournesol*. Un album à part qui, pour d'éminents tintinologues, figurera longtemps au sommet de l'œuvre. Peut-être moins ludique que d'autres, mais plus parfait par « la richesse du thème, la rapidité des enchaînements, la science des cadrages et l'art du dialogue[74] ».

La planche d'ouverture débute par un « Dring ! » et s'achève par un « Brrrom ! ». Nous voilà prévenus pour la suite des événements. Ce ne sera pas de tout repos. Dès la planche suivante, la présence de mystérieux espions étrangers dans le jardin de Moulinsart met le lecteur au parfum. Une série d'incidents étranges, qui ne relèvent pas tous de l'orage, ne font que renforcer le climat d'angoisse. Ils sont de toute évidence liés à la disparition de Tournesol. Et l'histoire ne fait que commencer ! Rarement Hergé a ainsi condensé et concentré autant d'action et de gags en si peu de vignettes. Une première piste mène le reporter et le capitaine en Suisse puis, après maintes péripéties, en Bordurie. Ce pays imaginaire poursuit des objectifs pour le moins inquiétants : la mise au point d'une arme infiniment plus destructrice que la bombe A et la bombe H, et qui assurera la maîtrise du monde à son chef, le maréchal Plekszy-Gladz. Inutile de préciser que l'ingénieux Tournesol n'y est pas étranger. Contre sa volonté. Invité de force en Bordurie, il refuse de livrer les plans définitifs de son invention car il ne veut pas en faire un engin de mort. Ses amis ayant réussi à le soustraire à ses geôliers, le trio quitte clandestinement le pays en volant un tank et en forçant la frontière.

Cette fois, Hergé a bien les pieds sur terre. Après son infidélité spatiale, il renoue avec l'univers qui a toujours été le sien. Et plus encore puisqu'il les renvoie directement au *Sceptre d'Ottokar*. Ses lecteurs s'y retrouvent. D'autant que cette fois, le dessinateur et le scénariste sont également éblouissants. D'un bout à l'autre, le récit est d'une égale qualité. Comme s'il avait été conçu dans une totale bonne humeur.

Il est vrai que le gag du sparadrap, qui part du nez de Haddock pour se retrouver dix-sept cases plus loin sur sa casquette, est de Jacques Martin, omniprésent dans la conception de cet album[75].

Il est vrai également que le personnage de Séraphin Lampion, archétype du casse-pieds belgicain, a été emprunté à l'ami Alidor, l'hebdomadaire *Pan* ayant abandonné son Delfeld à la suite d'un procès avec un commerçant[76]. Il est vrai aussi qu'Hergé s'est fait plaisir, se dessinant en reporter en conversation avec un paysan dans la foule amassée devant les grilles du château. Ou représentant l'ami Jacobs en Jacobini, chanteur aux côtés de la Castafiore dans *Faust*. Ou encore adressant un clin d'œil à Walt Disney puisqu'un personnage de savant italien est baptisé du nom de Topolino, que ses compatriotes appellent Mickey.

Ce goût du jeu se retrouve dans le projet de couverture qu'il soumet en vain à son éditeur. En vain eu égard aux coûts de fabrication disproportionnés que cela entraînerait. Hergé ne se contente pas de dessiner Haddock et Tintin cachant un Tournesol groggy derrière un rocher. Il ne se satisfait pas plus de donner un tour dramatique à l'action en la situant au centre d'un écorché imitant des brisures de verre, ni de rendre les traits au moyen d'un noir tramé. Il songe, pour chaque exemplaire, à une véritable découpe du verre brisé, dans une matière plastique du genre mica. Superposée au dessin comme un relief transparent, elle ferait parfaitement illusion[77]...

Pour la première fois, Hergé effectue de véritables repérages sur les lieux de l'action, à la manière d'un cinéaste. Il faut dire que Genève, Rolle, Nyon et les rives du lac Léman lui sont devenus familiers depuis quelque temps pour des raisons sans rapport avec la guerre froide. C'est ainsi que l'hôtel Cornavin, construit en 1933 près de la gare du même nom à Genève, va connaître grâce à lui une renommée internationale. Comme le Baker Street de Sherlock Holmes, ce privilège lui vaudra de recevoir des centaines de lettres adressées pendant des années au « Professeur Tournesol, chambre 122 » ! C'est une des rares erreurs d'Hergé, qui a rarement été aussi exact que dans cet album. En effet, il n'y a pas de chambre 122 au premier étage de l'hôtel. Ironie de l'histoire : pour une fois, afin que la vie ressemble à une bande dessinée et non le contraire, les propriétaires de cet établissement quatre étoiles décident de mettre une porte contre un mur, avec la plaque 122 « pour faire comme si »[78] !

Mais si l'hôtel ne lui a pas posé de problème, s'il a repéré les propriétés situées sur les rives du Léman ou une fontaine sur une place de Nyon, il lui fut beaucoup plus difficile de dénicher l'endroit précis à la sortie de Genève où une voiture pouvait quitter la route et finir sa course dans le lac. Quand il trouva enfin la bonne déclivité, il la passa au tamis des croquis et photos.

D'une manière générale, Hergé n'a pas eu à s'encombrer d'une importante recherche documentaire. La langue bordure ne diffère de sa cousine syldave que par ses caractères latins (et non cyrilliques). Son orthographe et sa syntaxe sont également d'origine slave. Quant à son vocabulaire, c'est encore du dialecte bruxellois mâtiné de différents argots européens[79]. Pour la conception du laboratoire dans lequel Tournesol se livre à des expériences d'ultrason, une visite suffit. Il consulte en effet Armand Delsemme, un professeur d'astrophysique qui s'apprête à construire un observatoire au Congo. Ce savant lui procure également un exemplaire du livre de Leslie E. Simon *German Research in World War II*. Non pour le lire mais pour en reproduire la couverture dans une vignette. À un détail près : Hergé supprime la croix gammée figurant sur la couverture originale.

Pas question de trop marquer son histoire. Il l'a conçue dans le contexte de la guerre froide et non dans celui de la Seconde Guerre mondiale. Le maréchal qui dirige la Bordurie est pourtant bien l'enfant des deux. Sa personne, son autorité et son régime sont symbolisés par des éléments empruntés tant à Hitler (uniformes, insignes et jusqu'au salut « Amaïh, Plekszy-Gladz ! ») qu'à Staline (les moustaches, promues au statut d'emblème national)[80].

Toujours cette vieille habitude qui consiste à renvoyer dos à dos les extrêmes. Hergé est coutumier du fait depuis les années trente. Mais à la veille de 1956, année de tous les dangers (XXe congrès du Parti communiste soviétique, événements de Pologne, révolution sanglante en Hongrie), il n'y a guère que la droite la plus vigoureuse pour oser faire ce qui semblera une évidence trente ans plus tard : assimiler les crimes de Staline à ceux de Hitler.

De toute façon, là n'est pas l'enjeu de *L'Affaire Tournesol*. Sa dimension politique est moins intéressante que sa perspective morale. Tout réside dans l'attitude de Tournesol, sa responsabilité de savant et la récupération de ses inventions à des fins rien moins que pacifiques dans un contexte extrêmement tendu. Là encore, Hergé fait figure de précurseur. Car pour ses contemporains, la guerre froide n'est pas encore objet d'histoire. Les grands créateurs ne se pressent pas pour la transcender en fiction. Ce n'est qu'en 1966, soit dix ans après la parution de *L'Affaire Tournesol* en album, qu'Alfred Hitchcock tournera *Le Rideau déchiré*. On ne peut s'empêcher de constater que cette course-poursuite oppose un savant atomiste américain (Paul Newman) tentant de s'échapper clandestinement d'Allemagne de l'Est, et des espions qui veulent l'empêcher de ramener de l'autre côté du rideau de fer une formule scientifique. Toute ressemblance[81]...

Huit mois après la parution de la dernière planche de *L'Affaire Tournesol* dans *Tintin*, l'hebdomadaire publie déjà la première de *Coke en stock*. À croire qu'Hergé a presque renoué avec le rythme de croisière de sa meilleure époque. Nul n'est dupe : l'encadrement des Studios Hergé, l'imagination de Jacques Martin et l'énergie de Bob De Moor n'y sont pas étrangers. Même si Hergé est toujours seul maître à bord, à la fois initiateur et inspirateur, coordinateur et catalyseur.

Cette fois, un article découvert par hasard dans un journal suffit pour le stimuler. Le reporter y relate la mystérieuse disparition de pèlerins sur la route de La Mecque, et qui réapparaissent pour être revendus comme esclaves. Aussitôt, Hergé se met à l'écriture d'un synopsis d'une quinzaine de pages. Puis il procède à un premier découpage tandis que ses collaborateurs en font autant de leur côté. De la confrontation des deux naît une sorte d'histoire...

Dès la première vignette, il ose. Car il ne faut vraiment pas chercher la facilité pour commencer une histoire par le mot « Fin », projeté, il est vrai, sur un écran. En quittant le cinéma, Tintin et Haddock tombent nez à nez, par le plus grand des hasards, sur une vieille connaissance du temps de *L'Oreille cassée* puis des *7 Boules de cristal*, le général Alcazar. Mais il a l'air anormalement pressé. Tant et si bien qu'il en perd son portefeuille. Ils y trouvent suffisamment de pistes intrigantes pour partir à sa recherche. Très vite, la famille se reconstitue autour d'eux à Moulinsart : les Dupondt, Tournesol ainsi que Nestor et même Abdallah, l'insupportable gamin du pays de l'or noir, dont l'émir Ben Kalish Ezab lui a provisoirement confié la garde, craignant un coup d'État imminent. Tintin ne tarde pas à comprendre qu'Alcazar est en Europe pour acheter du matériel de guerre afin de renverser son rival. Quand il retrouve sa trace, le général est en grande conversation avec une autre vieille connaissance du reporter du *Petit Vingtième*, Dawson, chef de la police dans le Shanghai international du *Lotus bleu*.

Oubliée, l'Amérique du Sud ! C'était une fausse piste. En fait, il s'envole avec Haddock pour le Khemed. Car la révolution redoutée par l'émir a finalement pris le pouvoir. Dawson, marchand d'armes sans scrupules et sans frontières, ne veut surtout pas les avoir à nouveau dans les pieds, que ce soit sur un continent ou sur un autre. Il commandite un attentat qui contraint leur avion à s'écraser au sol. Après moult péripéties, ils réussissent à rejoindre l'émir dans sa cachette. Les vraies raisons du putsch leur apparaissent alors sous un jour nettement moins révolutionnaire. Elles ont pour origine un conflit entre lui et l'Arabair, qu'il avait autorisé à faire escale en sa bonne ville de Wadesdah (du flamand « Wat is dat » qui devient euphoniquement « Wad ès dà » en bruxellois) sur la route de La Mecque. À la suite d'un différend, l'émir les menaça de révéler au monde que cette compagnie aérienne se livrait en fait au trafic de Noirs sénégalais ou soudanais revendus comme esclaves. Tintin et Haddock s'embarquent à bord d'un sambouk en direction de La Mecque. Ils sont mitraillés en mer Rouge par des avions du Khemed sous les ordres de Mull Pacha (clin d'œil à l'officier britannique Glubb Pacha qui s'illustra en Jordanie) alias Müller, un revenant de *L'Île noire* et d'*Au pays de l'or noir*. Échoués sur un radeau, ils recueillent le pilote d'un des Mosquitos qui les a attaqués, un Estonien nommé Piotr Szut dont le personnage a été inspiré à Hergé par ces anciens nazis en cavale recyclés dans les besognes mercenaires pour le compte des pays arabes[82]. Puis ils sont tous trois recueillis à leur tour à bord du yacht d'un certain marquis di Gorgonzola, capitaliste multicartes, œuvrant aussi bien dans le cinéma que dans le trafic d'armes, et néanmoins propriétaire de l'Arabair. C'est lui, le négrier, l'organisateur de ce trafic d'esclaves ou plutôt de « coke » comme ils disent entre eux. Or ce marquis, moins divin que luciférien par son déguisement, n'est autre que Rastapopoulos. Encore une relation, de même que l'une des invitées de son bal masqué, la Castafiore. L'homme-cigare se débarrasse de nos héros en les transbordant subrepticement sur le *Ramona*, un de ses cargos commandé par Allan, autre vieille connaissance rescapée, elle, du *Crabe aux pinces d'or* et des *Cigares du pharaon*. Abandonnés sur le bâtiment en feu, ils réussissent à s'en rendre maîtres, à délivrer les Noirs de leur prison en fond de cale afin de leur permettre d'accomplir leur devoir de bons musulmans ou, s'ils tiennent à leur vie, d'être débarqués dans le prochain port. Encore faut-il que le cargo échappe aux torpilles d'un sous-marin aux ordres de Rastapopoulos. Un retournement de situation le met finalement dans l'obligation de se sauver dans un sous-marin de poche. De retour dans leur pays, Tintin et Milou dévoilent toute l'affaire à la presse puis regagnent Moulinsart envahi à l'improviste par Séraphin Lampion et son rallye automobile...

Hergé dit souvent, avec une modestie non feinte, qu'en faisant revenir des personnages récurrents, il ne fait jamais qu'imiter Balzac et Proust, illustres prédécesseurs[83]. Mais avec *Coke en stock*, il s'en donne à cœur joie. Une vraie réunion de semblables, avec les amis et les ennemis, des personnages de premier plan et d'autres plus secondaires. Il a rarement convoqué autant de monde en terrain de connaissance. En les retrouvant, on s'y retrouve comme jamais. Quant aux autres, les nouveaux lecteurs vierges de toute culture tintinologique, il aurait voulu les renvoyer à l'ensemble de son œuvre qu'il ne s'y serait pas pris autrement. Ainsi, le public est à l'unisson avec le monde d'Hergé qu'il a vu naître, s'épanouir et grandir d'aventure en aventure. Cette histoire est une vraie affaire de famille. Au 19e album, la biographie de Tintin se déchiffre dans la mosaïque que composent celles des personnages qu'il a côtoyés, silhouettes furtivement entrevues comme « caractères » indispensables.

Son récent périple helvète lui a-t-il donné le goût des repérages *in situ* et du travail sur le motif ? L'expérience de *L'Affaire Tournesol* lui a-t-elle paru concluante ? Toujours est-il qu'en se lançant dans la préparation de *Coke en stock*, il ne s'est pas contenté de relire une édition illustrée de *Trafic d'armes en mer Rouge* d'Henry de Monfreid, de consulter la collection de la *Revue maritime* ou d'examiner à la loupe le livre *Un sous-marinier de la Royal Navy* afin de torpiller dans les règles de l'art. Étant donné qu'une bonne partie de l'histoire se passe en mer, il a voulu s'embarquer en compagnie de Bob De Moor. Pour se mettre dans l'ambiance, prendre un maximum de croquis et de photos, ramener des détails et du vécu.

Lui qui n'a jamais voyagé au long cours que par procuration en se prenant pour Tintin, il se décide enfin à franchir le Rubicon. À 49 ans ! M. Deppe, l'administrateur de l'Armement à Bruxelles, a dû sourire quand Hergé lui a demandé l'autorisation de voguer huit jours dans un cargo : à moins de vingt, il n'avait rien... Finalement, les deux dessinateurs embarquent à la mi-août 1956 à Anvers à bord du vapeur *Reine-Astrid* de la compagnie Thornton. Non sans avoir demandé à partir pas trop loin mais pas trop près non plus, pas trop longtemps mais suffisamment tout de même...

Là encore, lorsque l'album paraît, on a l'impression, à le lire en continu et non plus en feuilleton, qu'Hergé s'est fait plaisir tout en assurant le bonheur de ses lecteurs. Tintin est dans la ligne.

De longue date, à chaque nouvelle parution, il a l'habitude d'envoyer un certain nombre d'exemplaires à des personnalités. Il y a les habitués, amis et relations, et les occasionnels. Ainsi, apprenant par la presse que la romancière Françoise Sagan, victime d'un accident de la route, lisait *Tintin* pendant sa convalescence, il lui avait expédié son *Affaire Tournesol* fraîchement imprimée[84]. À partir de *Coke en stock*, il semble mieux organiser ses relations publiques puisque cette opération, tout amicale qu'elle puisse être, participe autant de l'hommage que de la promotion.

Une véritable liste est dressée[85]. Certains bénéficient d'un exemplaire de luxe avec dédicace imprimée, d'autres reçoivent un exemplaire dédicacé à la main mais non numéroté et des privilégiés ont droit à un exemplaire de luxe. Tout est noté. Le nom et la qualité de l'envoi, mais aussi la nature de la dédicace. Cela va du « respectueux hommage » au « meilleur souvenir » en passant par un sobre « amicalement » et un neutre « en toute sympathie ». Au fur et à mesure que *Tintin* prend de l'importance dans la vie culturelle, la liste s'allonge, des noms passent à la trappe, d'autres font un séjour au purgatoire avant de resurgir, d'autres encore apparaissent sur le tard. Cette étonnante nomenclature fournit une photographie fidèle de l'évolution sociale d'Hergé.

Qui reçoit ces précieux exemplaires qui excitent tant les collectionneurs ? La famille royale de Belgique (le prince Alexandre, la princesse Marie-Christine), les éditeurs (Raymond Leblanc, Georges Dargaud), les amis (Edgar Jacobs, Bernard Heuvelmans, Robert Poulet, Adelin Van Ypersele de Strihou, le père Gall), des personnalités concernées par le thème de l'album (le navigateur Alain Bombard), de hautes figures de la politique belge (Paul-Henri Spaak) ou de la Résistance française (Jacques Chaban-Delmas, tout récemment élu président de l'Assemblée nationale, Maurice Chevance-Bertin), des journalistes tintinophiles (Olivier Todd)... Sans oublier ceux qu'il a mis à contribution pour ses recherches documentaires, même s'ils lui répondent avec un sens de la durée digne du professeur Tournesol. C'est le cas de Paul-Émile Victor à qui il a demandé de lui procurer la photo d'un navire prise à travers le périscope d'un sous-marin. Une mission délicate dont l'explorateur polaire s'acquittera... cinq ans après[86] !

Coke en stock marque-t-il la fin d'un cycle ? Beaucoup le pensent. Ils estiment même qu'il clôt la période de l'âge d'or inaugurée vingt-deux ans auparavant avec *Le Lotus bleu*. Comme si désormais Hergé n'allait plus mettre dans son œuvre que son talent et non plus son génie. Le savoir-faire et l'expérience à défaut de l'étincelle. C'est peut-être un signe. Toujours est-il que Germaine, sa compagne des bons et des mauvais jours depuis presque trois décennies, imprime à nouveau sa marque sur son travail. Une fois encore, dans *Coke en stock*, son influence se fait sentir. Elle n'est pas précise mais diffuse. Moins technique que morale. Par son intransigeance, son esprit d'absolu, sa droiture, sa rigueur et son exigence, toutes choses en grande partie héritées de son long commerce avec l'abbé Wallez, elle a encouragé le perfectionnisme de son mari, stimulé sa tendance à l'héroïsme et flatté le vieil instinct scout qui est toujours resté enfoui en lui. Le plus significatif, ce n'est pas que l'impact de Germaine sur le comportement de Georges soit si profond mais qu'Hergé soit le premier à en convenir[87].

Une telle reconnaissance de dettes a autant les accents les plus nets de la sincérité que les couleurs contrastées de la culpabilité. En 1952, outre les fugues consécutives à l'état dépressif d'Hergé, le couple a vécu une année terrible. En roulant à trop grande vitesse au volant de sa Lancia, Georges a eu un grave accident dont il est sorti indemne mais qui a rendu Germaine boiteuse à vie. D'autre part, « l'abbé » est mort d'un cancer. Pour qu'il puisse se remettre des séquelles de son emprisonnement, les Remi venaient de l'héberger pendant trois mois. Georges, qui s'était rendu à maintes reprises à son chevet pendant son agonie, assiste à ses funérailles dans son village natal. Ce sens de la fidélité l'honore, d'autant qu'ils ne sont pas nombreux. Georges, lui, ne se pose même pas la question tant cette attitude lui est naturelle. Avec le départ de l'abbé, c'est comme s'il perdait son père.

Hergé vient de passer le cap de la cinquantaine. Pour ses lecteurs, et particulièrement ceux de *Coke en stock*, il est toujours lui-même. Pourtant, il a changé. Il subit même les contrecoups d'un profond bouleversement intérieur. Il traverse une nouvelle et grave crise de conscience, qui porte au paroxysme son état dépressif. Bien peu le savent hormis certains de ses proches, à commencer par ses amis et collaborateurs des Studios. Et pour cause : c'est là, au moment où il s'y attendait le moins, que le ciel lui est tombé sur la tête.

En juin 1956, Fanny Vlamynck, une ravissante jeune fille de 21 ans, y est engagée comme coloriste. Après un test préalable, elle commence aussitôt à travailler. Elle qui s'attendait à rencontrer un monsieur âgé et sérieux découvre un homme dans sa maturité, réservé mais chaleureux. À l'observer, elle l'admire instinctivement, l'homme plus que l'artiste. Car pour avoir lu *Tintin* comme presque tout le monde, elle n'est pas pour autant une passionnée de bandes dessinées. Une complicité s'insinue entre eux. Au rituel thé de la fin d'après-midi, quand le petit monde des Studios s'égaye, leurs regards se croisent et se fixent de plus en plus souvent au milieu des rires.

Cinq mois après son engagement, à la veille du week-end de la Toussaint, ils se retrouvent nez à nez dans l'ascenseur des Studios Hergé.

« Ça va être long ces trois jours sans vous, lui dit-il.

— Pour moi aussi[88]... »

Puis ils s'enlacent et s'embrassent entre le 5e étage et le rez-de-chaussée. En la quittant devant la porte du 194, avenue Louise, Hergé n'est plus le même homme. Ce jour-là, sa vie bascule à nouveau. Désormais, il y aura un avant et un après. Dans sa vie et, par conséquent, dans son œuvre.

Généralement, quand il reprend du poil de la bête, ses Studios puis, dans un second temps, son journal sont les premiers à le savoir. Qu'ils en bénéficient ou qu'ils en fassent les frais. Dans ces moments-là, lorsqu'il a le dessus sur sa pulsion d'échec, Hergé se fait visionnaire et déborde de projets. Une frénésie d'idées à la fécondité incertaine.

Une fois n'est pas coutume, en cet automne 1956, il médite longuement ce qu'il appelle le « problème Tintin » avant de jeter ses réflexions sur le papier. Comme de juste, son éditeur Louis-Robert Casterman en est le destinataire. Si le passé récent et le présent portent Hergé à l'optimisme, il le tempère en songeant à l'avenir proche. Il est persuadé de l'urgence de procurer de nouveaux débouchés à sa production. Car de son point de vue, le temps travaille contre lui. Il craint que ses personnages ne tardent à être démodés. L'époque est révolue où il faisait quasiment cavalier seul sur le marché des albums de bandes dessinées. De jeunes rivaux se manifestent un peu partout. Ils sont plus modernes, dynamiques et agressifs. Leur point commun ? Un éditeur : le Lombard. S'il réussit, c'est parce qu'il s'y prend « à coups de mâchoires ». Et parce que son directeur Raymond Leblanc, l'éditeur du journal *Tintin*, avance sur ce terrain non en esthète ou en artiste mais en homme d'affaires. Une attitude qui, en la circonstance, suscite l'admiration d'Hergé. Il est le premier à constater que partout où les albums de *Tintin* avaient acquis une avance de dix ou même quinze ans, en Italie et au Portugal, en Allemagne et en

Amérique du Sud, la politique de présence de cette maison entreprenante fait merveille. Des auteurs tels que Craenhals, Cuvelier, Macherot et Willy Vandersteen en récoltent les fruits.

Fort de cette analyse, Hergé se dit convaincu qu'il est temps de réagir en explorant de nouveaux débouchés dans ces pays ainsi qu'en Espagne ou en Scandinavie. Il envisage une campagne de promotion avec d'importants moyens de publicité dans les librairies, des séances de dédicaces, une campagne de presse, l'envoi des albums aux hôtels et lieux de villégiature accueillant des jeunes[89]...

Ce n'est pas une idée en l'air. Il serait vraiment heureux, pour ne pas dire satisfait, que les vues de son éditeur rencontrassent les siennes. Car ses albums sont le seul et vrai capital dont il puisse s'enorgueillir. Sa situation l'a rendu sensible au moindre détail. Désormais, pour le plus grand nombre, il est Hergé. Georges Remi n'existe presque plus. Il a une image à défendre, une réputation à entretenir. Tout ce qui peut freiner l'expansion de son œuvre lui pose problème. Il s'inquiète même d'un phénomène apparu depuis peu : des lecteurs ayant mis en vente leur collection complète reliée du journal *Tintin*, cela pourrait porter préjudice à la vente des albums...

Écartelé entre deux femmes, Germaine et Fanny, celle qu'il n'arrive pas à quitter et celle qu'il ne se résout pas à rejoindre, il paie chèrement l'indécision et l'ambivalence qu'il a toujours attribuées à son caractère de Gémeaux. La souffrance quotidienne que lui impose ce nouveau cas de conscience accroît son acuité à tout ce qui pourrait le concerner. Comment ne serait-il pas sensible à la consécration annoncée ? Les signes prometteurs ne manquent pas.

C'est la romancière Marguerite Duras écrivant dans *France-Observateur* : « Les albums de *Tintin* des éditions Casterman tournent autour du monde. On peut dire qu'il y a une Internationale Tintin. Que tous les enfants du monde civilisé ont une culture Tintin avant d'avoir la leur propre, qu'ils boivent le lait Tintin, tous, uniformément, comme eau de fontaine[90]. » C'est *Paris-Match* consacrant plusieurs pages abondamment illustrées à celui qu'il présente comme « le Belge qui fait peur à Walt Disney[91] ».

C'est surtout le livre que Pol Vandromme veut écrire sur son œuvre. Le tout premier. L'auteur est un brillant écrivain, éditorialiste et critique littéraire de 31 ans, originaire de Charleroi. Doté d'un esprit porté à la satire, à la polémique et au pamphlet, il a déjà publié des essais indulgents sur Pierre Drieu la Rochelle et Robert Brasillach, les deux écrivains les plus symboliques de la collaboration.

Hergé ne sait rien de lui. Quand son secrétariat lui transmet sa proposition, il demande à ce qu'on se renseigne plus avant. Le prétendant ayant excipé de son amitié avec Félicien Marceau, celui-ci est aussitôt consulté :

« Si tu étais Hergé, accepterais-tu Vandromme comme biographe[92] ? »

Le dramaturge comblé de *L'Œuf* et de *La Bonne Soupe*, qui sera d'ailleurs le dédicataire du livre, appuie le jeune auteur auprès d'Hergé. Ils se rencontrent et se mettent au travail. De concert. Il n'est pas question d'écriture à deux mains mais Hergé entend bien tout contrôler.

Toutes les quarante pages, Vandromme lui soumet son texte quand il ne lui en fait pas la lecture, aux Studios ou dans sa maison de campagne. Hergé formule des remarques, exprime des réserves mais censure rarement. Il faut dire que son talentueux biographe est aussi admiratif que perspicace. Le premier de tous les exégètes, et d'autant mieux qu'il ne se présente pas comme tel, il pointe son anticonformisme, son scepticisme et sa tendresse pour ses personnages.

À l'arrivée, *Le Monde de Tintin* relève finalement moins de la biographie que de la monographie. L'auteur l'avait toujours envisagé, pour l'essentiel, comme un essai sur un univers. Pas l'éditeur Claude Gallimard qui lui demande de rajouter *in extremis* en première partie trois chapitres sur la vie d'Hergé. Le fait est qu'en l'espèce Pol Vandromme est plus convaincant par ses qualités d'essayiste en liberté que par son application de biographe contraint.

Dans le premier cas, c'est lui qui parle. Avec une culture, une ironie et une impertinence roboratives. Ses analyses sont pénétrantes, ses intuitions très modernes pour l'époque. Il fait entrer les héros d'Hergé dans la ronde mythologique des grands personnages littéraires, présentant les Dupondt comme les Bouvard et Pécuchet de la flicaille assermentée, décelant en Tintin un côté plus Vidocq que boy-scout, tirant Milou vers Sancho Pança et inscrivant Haddock dans la lignée des grands shakespeariens, Macbeth en tête.

Dans le second cas, c'est Hergé qui ne parle pas. On sent son regard par-dessus l'épaule de l'auteur quand les années noires sont survolées en cinq pages. On devine son ombre portée sur le manuscrit quand il écrit :

« La vie d'Hergé ne se mit à imiter celle de Tintin que dans ces années qui suivirent la Libération. Depuis, elle est sans intérêt. On ferait avec elle un superbe anti-roman[93]. »

L'écrivain Roger Nimier, conseiller littéraire chez Gallimard, saisit au vol cet air du temps tintinophile. Chargé de commander aux grands auteurs du catalogue des préfaces pour les classiques du Livre de poche, il est bien placé pour en rédiger une destinée à présenter l'œuvre d'un futur grand-classique-moderne : Hergé. En 1959, une telle idée est pour le moins révolutionnaire. Il a concocté un texte éblouissant intitulé « Tintin fait son entrée dans la littérature ». Convoquant un monde fou à l'appui de sa démonstration d'enthousiasme (Mlle de Scudéry et Homère, *Don Quichotte* et Jules Verne, Stendhal et les Pieds Nickelés...), il établit de fulgurants rapprochements dans un style qui n'appartient qu'à lui. Sous sa plume, *Le Lotus bleu* rejoint *Les Conquérants* de Malraux, *Tintin au Congo* a partie liée avec *Les Vertes Collines d'Afrique* d'Hemingway, *Tintin en Amérique* va de pair avec *Maigret chez le coroner* de Simenon, *Le Secret de la Licorne* annonce *Le Vent dans les voiles* de Jacques Perret, l'univers de Pierre Benoit se retrouve dans *Le Sceptre d'Ottokar*, celui de D. H. Lawrence dans *Le Temple du soleil* et l'influence d'Hitchcock un peu partout dans son art du cadrage et du travelling. Et ce n'est pas tout ! Grâce à Milou, il se sent entrer dans l'âme d'un chien comme dans *Les Hommes de bonne volonté*. N'en jetez plus ! Si, une précision encore, car elle est essentielle : « *Le Monde de Tintin* peut prétendre au rang d'univers[94]. » On ne saurait mieux dire qu'Hergé fait désormais partie des grands auteurs de son temps, la bande dessinée dût-elle, pour l'occasion, être annexée par la littérature.

Gallimard, Félicien Marceau, Roger Nimier : que de prestigieux parrains pour célébrer la gloire et le génie d'un dessinateur de petits bonshommes ! On imagine l'étonnement de ses compatriotes Henri Michaux et Michel de Ghelderode, Georges Lambrichs et Béatrix Beck, Georges Simenon et Fernand Crommelynck, en s'apercevant que mine de rien, avec l'air de ne pas y toucher, Tintin vient de faire son entrée officielle à leurs côtés dans le catalogue de la NRF, panthéon des lettres.

C'est beaucoup. Trop, même. Hergé n'est pas prêt. Quand on lui soumet la préface de Roger Nimier, il grimace. Elle lui paraît pédante. Écrite par un homme de culture, fou de *Tintin*, à l'intention des critiques littéraires et des gens graves, elle risque de rebuter les jeunes lecteurs. De toute façon, là n'est pas le fond du problème. Hergé ne se prend pas suffisamment au sérieux pour l'accepter. Ce qu'il craint ? Qu'elle le rende ridicule, tout simplement. On ne présente pas une famille de papier sans prétention avec le même lyrisme et les mêmes références culturelles que s'il s'agissait des Rougon-Macquart. Ce texte l'embarrasse. Non qu'il soit mauvais : il vient trop tôt.

Devant son refus, Pol Vandromme insiste et fait pression. Mais Hergé se braque. Si on maintient la préface de Nimier, il retirera les dessins promis. Dont acte. Pourtant fin 1959, quand le livre paraît sans préface dans « L'Air du temps », une des collections de Gallimard, il est encore insatisfait. Il pinaille, poussant la conscience professionnelle légèrement au-delà du raisonnable.

La mention « Illustrations de Hergé » en couverture l'a mis en colère. Il avait certes autorisé Vandromme à puiser dans ses réserves de dessins. Avec son accord, l'écrivain y avait prélevé trois fac-similés et deux douzaines de petites vignettes. Hergé avait même demandé à une petite main de son studio d'exécuter un montage de têtes de ses personnages destiné à la couverture. Mais de là à présenter cet ensemble hétéroclite sous le label « Illustrations de Hergé », il y a de l'abus. Il emploie même les grands mots : « préjudice moral » et « tromperie sur la marchandise » ! Et d'exiger, courtoisement mais fermement, que la mention soit biffée dans les prochaines éditions du livre. Rien ne l'indispose comme de paraître collaborer à ce qui est tout de même son panégyrique. « Question de pudeur », dit-il. On le retrouve bien là dans ses paradoxes. Car s'il ne l'a en rien commandité, il l'a bien contrôlé de bout en bout[95].

Dans le fond, tout ce qui relève de ce livre le gêne. Mais passé les premiers mouvements de mauvaise humeur, il est ravi. D'une manière ou d'une autre, la présence du *Monde de Tintin* à la vitrine des librairies est une consécration. Il la savoure d'autant mieux qu'il ne l'a ni cherchée ni provoquée. Il n'osait même pas y songer, en tout cas pas sous cette forme, alors que son œuvre reste encore inachevée. Dès lors, aux yeux du monde, Hergé a définitivement éclipsé Georges Remi. L'habit n'est plus trop grand pour lui.

Grâce à ce premier livre, le mythe est en place.

10

La couleur de la liberté

1958-1960

Comment dire : une cassure ? une rupture ? ou... Qu'importe le terme, la réalité est la même. La vie, toute la vie d'Hergé bascule à la fin des années cinquante. Pas d'hiatus entre le privé et le professionnel, l'intime et le public. À croire qu'une grande bourrasque emporte tout sur son passage sans faire de détail. Georges est toujours écartelé entre deux femmes. Pendant trois ans, il réussit à vivre avec Fanny sans pour autant avoir quitté Germaine. Autant dire que ni l'une ni l'autre ne sont satisfaites. Sans parler de lui. La situation lui est devenue intolérable.

« Une grande actrice ou une grande artiste dans sa maturité, je ne dis pas. Ça n'aurait pas manqué de panache. Mais une quelconque jeunette, la petite coloriste des Studios, ça non ! » clame Germaine Remi à qui veut l'entendre[1].

À croire qu'elle est plus déçue par le choix que par l'attitude de son mari. Déçue et vexée. Elle avait déjà eu à souffrir de quelques incartades. Ces coups de canif à leur contrat moral, elle les avait ressentis dans sa chair. Mais cette fois, ce sont des coups de couteau. Il l'a très vite mise au courant, non seulement de sa liaison mais de la naissance d'un sentiment amoureux d'autant plus fort qu'il est réciproque. Tout lui paraît préférable à la duplicité, dût-il faire souffrir plus encore par cette dernière révélation.

De toute façon, elle sait. Elle le connaît mieux que quiconque. Le plus souvent, il n'a rien à dire. Elle devine à l'expression de son visage, à la voûture de ses épaules, à sa manière de ne pas lever le regard. Nul n'est mieux placé qu'elle pour connaître la fragilité de son talon d'Achille : la culpabilité. On ne sait ce que ce complexe, si puissant en lui, doit à l'inné et à l'acquis. Mais si Georges a conservé un trait de caractère de son éducation catholique, c'est bien celui-ci. Pour lui nuire, il suffit d'appuyer là où ça fait mal.

Germaine ne reconnaît plus celui qu'elle a si longtemps materné. À croire que « le petit menneke » (petit garçon, en bruxellois), comme elle l'appelle, s'est émancipé pour la seconde fois de sa vie. Trente ans plus tôt, une femme avait déjà été à l'origine d'une révélation de ce type. Aujourd'hui, une autre femme... Mais de Germaine Kieckens à Fanny Vlamynck, il n'y a pas seulement une génération de différence. Il y a un monde.

L'entourage des Studios n'a pas besoin qu'on lui fasse un dessin. Ce serait un comble. M. Le Trouhadec saisi par la débauche ? Ce serait trop simple. Les plus perspicaces saisissent vite que le démon de midi a bon dos. Cette cause bien pratique arrange tout le monde. Certes, la beauté de la nouvelle élue, sa fraîcheur et sa jeunesse sont incontestables. Georges ne tarit pas d'éloges sur son humour et sa légèreté, son esprit pondéré et sa manière bien à elle de tout dédramatiser. Âgée d'un quart de siècle de moins que lui, elle a même été à l'école avec la fille de son vieil ami Paul « Alidor » Jamin. Autant dire qu'elle pourrait être sa fille plutôt que sa maîtresse. Mais il n'y a pas que cela.

À un moment de sa vie où Hergé a du mal à retrouver ses repères, Germaine représente irrémédiablement le passé et Fanny l'avenir. Germaine n'a pas su, ou pas voulu, suivre son mari dans sa réussite. Peu lui chaut que certains de leurs amis les décrivent comme un couple vieux jeu, excessivement préoccupé par les convenances.

Peu lui importe qu'on trace d'elle le portrait d'une femme de qualité, néanmoins orgueilleuse, méfiante, entêtée et obsédée par le sens du devoir. Si elle n'a pas changé, si elle ne s'est pas adaptée à l'évolution de Georges depuis la fin de la guerre, c'est par goût. Parce que son esprit est encore au *Vingtième Siècle*. Et parce que leur histoire dure depuis si longtemps qu'elle lui paraît indestructible. À croire qu'ils ont en toutes choses franchi une limite au-delà de laquelle on ne peut plus rien remettre en question. Depuis quelques années, elle se berce avec cette idée. Une assurance qui, désormais, ressemble fort à une illusion.

Au début de leur mariage, c'est elle qui sortait, qui lisait, qui l'entraînait et qui le stimulait. Et c'est lui qui l'admirait. Puis les années ont passé. Progressivement, les rôles se sont inversés. Jusqu'à ce qu'il la laisse à quai. Depuis l'après-guerre, ils ont cessé d'aller dans la même direction. Le climat s'est détérioré petit à petit. Ils sont toujours animés d'ambition mais elles ne sont plus les mêmes. Elles sont devenues non plus parallèles mais antagonistes. Les trompettes de la renommée n'expliquent pas tout.

Les séquelles de la dépression d'Hergé ne sont pas cicatrisées. Elles ont provoqué un retour sur lui-même qu'il juge salutaire. Ses retraites en solitaire, à la frontière française ou sur les rives du Léman, ont favorisé un accès de méditation intérieure et d'intense réflexion qui l'a transformé. La découverte des philosophies orientales, la lecture de textes sacrés l'ayant fait évoluer (moralement et philosophiquement plutôt que religieusement) vers le taoïsme, la révélation d'une sagesse étrangère à la morale judéo-chrétienne et la rencontre de Fanny ont catalysé tout ce qui en lui aspirait au changement.

Le jour où il a pris conscience que Germaine et l'abbé l'avaient façonné pour le pire et le meilleur, il a entrepris de se débarrasser du pire : une influence qui menaçait de l'asphyxier. Hergé a eu alors l'étrange sensation que ses tendances les plus naturelles et authentiques, jusqu'alors bridées par eux, allaient enfin s'épanouir. Trois décennies durant, il avait été excessivement rigide et moraliste, boutonné et vertueux. Tout d'un coup, il découvrait ses vrais instincts, tout d'ouverture, de tolérance et de liberté. Soudain, l'esprit de discipline l'asphyxiait alors qu'il l'avait maintenu sur des rails pendant des années. Comme si le conservateur qu'il avait toujours été n'attendait que son émancipation pour devenir le progressiste qu'il aspirait à être profondément.

En attendant de franchir la ligne sans espoir de retour, avant que tous ses moi contradictoires ne se réconcilient en lui pour n'en faire qu'un, il subit encore son ancien régime intérieur. Celui de la parole donnée à vie. De ce point de vue, auquel le scoutisme catholique a partie liée, quitter sa femme revient à l'abandonner. Renoncer à leur union, deux fois sacrée car bénie par l'Église et par l'abbé Wallez, c'est la renier. Georges vit cette épreuve comme un supplice. De moins en moins catholique, il est encore très chrétien par la compassion qui le mine.

Le pire, c'est qu'il n'a rien à reprocher à sa femme. Bien sûr, il l'a maintes fois, et souvent avec dureté, critiquée pour l'indifférence qu'elle affichait devant sa réussite ; pour son manque d'enthousiasme à la lecture de certaines de ses histoires ; pour son intransigeance ; pour sa manière de se figer intellectuellement et de stagner dans des principes désuets. Il a même rêvé qu'elle s'enlisait... Mais fondamentalement, il n'a rien à lui reprocher. Son honnêteté foncière l'oblige à l'admettre, même si on ne lui en demande pas tant. Si elle était intrinsèquement méchante, il la quitterait d'un cœur plus léger. Mais ce n'est pas le cas. Il vit donc un drame ponctué d'un *mea culpa* permanent. Il aura vaincu son démon intérieur quand il se sera accepté tel qu'il se perçoit désormais confusément. Ce jour-là, il aura évacué la morale de son éducation et les préjugés de son milieu. Il n'a pas encore assez de force pour résoudre son problème : se réaliser sans tenir compte du spectre du péché. Évoluer sans passer pour un homme aux fidélités successives. Rompre un pacte sans avoir l'air de trahir. Car quoi qu'il arrive, il restera jusqu'à sa mort un de ces hommes d'honneur, chez lesquels la fierté et l'amour-propre le disputent à l'orgueil, et qui veulent pouvoir se regarder tous les jours dans la glace sans rougir[2].

La crise dure des mois. Au début, les amis du couple sont très fâchés qu'il lâche ainsi Germaine. Même aux Studios, certains sont choqués par son attitude. Déçus de constater que le grand frère si droit qu'ils admiraient tous ne l'était finalement pas tant que ça. À quoi bon expliquer ? Il n'y a rien à comprendre, juste à ressentir. Eux qui sont les mieux placés pour connaître Tintin de l'intérieur, ils atténueraient leurs critiques s'il savait ce qu'Hergé écrit alors à Olivier Todd, un des premiers et des rares journalistes qui aient, selon lui, si bien saisi l'esprit de son œuvre :

« Le principal défaut de Tintin est sans doute d'être trop vertueux ; moi-même plus que quiconque, je m'irrite parfois de cette obstination à ne jamais quitter le chemin du devoir[3]. »

Germaine souffre de l'incompréhension qui ne cesse de se développer dans leur vie quotidienne. Georges connaît son chagrin et en souffre en retour. Il sait qu'elle ne supporte plus la manière froide dont il la regarde, ni le masque dur et malheureux qui est le sien dans ces grands moments de silence. Il est là mais ne la voit plus, en tout cas pas assez pour lui témoigner de l'affection. Pour compenser, il lui fait de somptueux cadeaux à défaut de lui offrir cette tendresse réservée à une autre. En vain.

Jamais Georges n'aura autant souffert de son irrésolution. Plus secret que jamais, il intériorise tout. Maurice Mességué, auprès de qui le recommande un ami journaliste, lui soigne par les plantes son ulcère duodénal, de plus en plus douloureux. En 1960, au bout de trois ans d'atermoiements, la situation devient intenable. À l'issue d'une série de crises épouvantables et de scènes épuisantes, il claque la porte du domicile conjugal et s'installe à l'hôtel Brussel's. Pour faire le point. Ni chez l'une, ni avec l'autre, il se trouve dans un *no man's land*. Le lieu idéal pour se rassembler. Quand il s'observe, il ne se reconnaît plus. Lui qui a toujours eu la violence en horreur, il s'est récemment surpris à se déchirer une manche de chemise. De rage. Ou à briser un cendrier en laissant une marque sur la table.

Dans un premier temps, il songe à partir définitivement. Puis il se ravise et envisage d'avoir deux foyers distincts et parallèles, officialisant et institutionnalisant ainsi sa double vie. Cette fois, c'est Fanny qui refuse. Il est au pied du mur. Il lui faut choisir. À l'un de ses anciens collaborateurs, il confie :

« Si je continue comme ça, il y aura trois malheureux. Il vaut mieux qu'il n'y en ait qu'un[4]. »

Il n'y en aura qu'une, sa femme. Cette année est celle de la séparation. Mais Georges mettra dix-sept ans à obtenir le divorce. Car Germaine espérera longtemps le faire revenir et le garder. Il faut dire que s'il la quitte définitivement, il ne l'abandonne pas pour autant. Ni matériellement, ni moralement. Jusqu'à ses derniers jours, il continuera à passer chaque lundi avec elle dans ce qui fut « leur » propriété à Ceroux-Mousty[5].

Pour les biographes et portraitistes, ces années constituent une sorte de cas d'école, modèle de nature à ébranler les certitudes des détracteurs du genre, partisans systématiques de Proust contre Sainte-Beuve, obsédés de la séparation entre le « moi intérieur » à l'origine de toute création et le « moi social ». À ce stade de son existence, Hergé est parvenu à un point de non-retour où il se sent enfin capable de tuer la marionnette en lui, tel le Monsieur Teste de Paul Valéry.

Depuis la parution de *Coke en stock* en album, il tourne en rond. Ce ne sont pas les idées qui manquent, ni même le désir de les mener à bien. C'est la résolution d'en choisir une à l'exclusion des autres.

Contrairement à ses principes d'antan, il n'hésite plus à travailler sur le scénario d'un autre. Ses expériences tentées dans cet esprit n'avaient pas été des plus heureuses. Pourtant, il s'y résout à nouveau. Cette fois, ses compères ne sont autres que le fidèle, indispensable et efficace Jacques Martin, ainsi que, dans une moindre mesure, Michel Régnier dit Greg qui collabore aussi bien à *Spirou* qu'au journal *Tintin* auquel il fournit notamment des gags de *Modeste et Pompon.* Ils travaillent sur un projet intitulé *Tintin et le Thermozéro*. Le synopsis et une ébauche de scénario sont rédigés. Plusieurs planches sont même crayonnées. Ce ne sont que des documents de travail.

« Un flacon (ou tout autre objet) contenant un produit mortel (pilules atomiques ? Voir *Marie-France*) a été emporté (par erreur) par quelqu'un. Tintin poursuivra le bonhomme et le rejoindra au moment où le produit en question allait commencer des ravages. »

« J. W. Howard, physicien à Harwell, a décidé de passer le Rideau de fer. Il s'est abouché avec le CIE (Centre international d'espionnage), établi à Berlin, qui lui facilitera le voyage. Le savant quitte l'Angleterre en emportant avec lui, outre des secrets atomiques, une boîte de pilules radioactives qui constituent un danger mortel. À sa descente d'avion sur le Continent, Howard — pour diviser les risques — remet la boîte à un homme du CIE, un Allemand nommé Schülte qui se fait passer pour le représentant d'une fabrique de machines à calculer de Hambourg. Schülte prend le chemin de l'Allemagne. En cours de route, il confiera la dangereuse boîte à deux complices, lesquels se chargeront de la livrer à Berlin[6]. »

Suivent dans le premier projet une quinzaine de pages manuscrites et abondamment illustrées dans lesquelles il est question d'un mystérieux accident de la route devant les grilles de Moulinsart, de services secrets d'une grande puissance, des espions britanniques au service de l'URSS Burgess et MacLean, d'un riche collectionneur américain qui aurait un complexe de culpabilité vis-à-vis de Tintin, de pierres précieuses qui contiendraient un produit radioactif, du capitaine que sa maladie de foie contraint à prendre souvent des pilules, d'un marchand de faux tableaux, de cagoulards dans un laboratoire, d'une course-poursuite prétexte à des gags à Florence, Naples et Palerme... Suivent également dans le second projet 31 pages dactylographiées de récit dialogué sur un canevas semblable.

Le tout à la manière d'Hergé. C'est peut-être là que le bât blesse. À chaque fois que des créateurs sont associés à lui pour l'aider, ils donnent l'impression de ne pas pouvoir s'émanciper de son influence, écrasante car prestigieuse ombre tutélaire. Il n'y peut rien, mais c'est ainsi.

De toute façon, ces projets dans sa manière sont abandonnés. Trop construits, élaborés et préparés, ils étouffent sa capacité d'improvisation. Or il a toujours éprouvé la nécessité de s'étonner en cours de route, par des inventions qui le surprendraient avant même de surprendre le lecteur. En fait, il ne sent bien que ce qui sort de lui. Avec la meilleure volonté du monde, nul collaborateur, fût-il des plus doués, ne pourra jamais lui procurer cette joie intérieure qui est la sienne lorsque sa propre fantaisie, échappant à tout contrôle, lui inspire en quelques traits de génie une situation parfaitement équilibrée jusque dans sa folie.

Parallèlement, dans les derniers mois de 1957, Hergé suit d'autres pistes. La lecture d'un article sur les Peaux-Rouges dans le magazine *Noir et Blanc* semble avoir ravivé sa passion de jeunesse pour les tribus. Une idée traverse son esprit, quelque chose comme un fil d'Ariane : Tintin se trouverait dans une réserve et mettrait tout en œuvre pour empêcher des hommes d'affaires sans scrupules d'en expulser ses habitants afin d'y exploiter un gisement de pétrole... Aussitôt, il écrit au père Gall pour lui faire part de son projet et lui demander un mot de commentaire. Ce cistercien de l'étroite observance, dont l'abbaye Notre-Dame-de-Scourmont a si souvent accueilli les retraites d'Hergé, est en effet très versé dans les questions amérindiennes. Il a même été adopté par une tribu sioux, des Indiens des prairies qui ont baptisé « Lakota Isnala » le moine de Forges-lez-Chimay. Le père est tellement habité par son sujet qu'en fait de note il envoie à Hergé une lettre de six pages à la dactylographie serrée. Une passionnante leçon d'histoire, riche en détails et anecdotes sur les droits de location du terrain à Little Rock, le rôle de John Collier, premier chef du Bureau des Affaires indiennes qui ait vraiment connu les tribus, nommé par Roosevelt, la persistance d'un sentiment d'hostilité aux Blancs, le scandale des spoliations, l'absence de scrupules des grandes compagnies... Jusqu'à la place des Indiens en première ligne lors du débarquement allié en Normandie[7] !

Outre trois pages de scénario, Hergé crayonne deux planches à la hâte intitulées *Peaux-Rouges*. Comme dans le précédent projet, le récit débute par un mystérieux accident de la route devant le château de Moulinsart. Accident ou attentat ? Toujours est-il que la victime est un Américain d'origine sioux si l'on en croit son passeport. Avant de tomber dans le coma, dans son délire, il a parlé de calumet de la paix, de tomahawk et d'un monastère. Tintin s'y rend aussitôt et y rencontre un moine très au fait de toutes ces questions. Pour mieux se faire comprendre, celui-ci leur fait visiter sa collection d'objets sacrés indiens. Stupéfaction ! Un calumet a disparu ! Il contenait un très précieux parchemin, document officiel attestant des droits de propriété d'une tribu sur ses territoires de chasse. Ce papier était unique, l'autre exemplaire ayant disparu comme par hasard des archives de Washington. Si à une date déterminée la tribu n'a pas réussi à produire ce document, elle sera déportée vers un territoire hostile afin de ne pas gêner les projets d'une compagnie pétrolière.

Tintin ne tarde pas à comprendre qu'un homme de main au service de cette société a volé le calumet pour le détruire. Avec le capitaine Haddock, il part à sa poursuite à travers le monde[8]...

Ce projet, tout comme les précédents, est abandonné. Hergé a tourné autour et l'a laissé décanter avant d'y renoncer. Question d'instinct. Une idée chassant l'autre, il reprend un schéma qu'il avait crayonné en bas de la dernière planche de *Coke en stock*. Une ébauche d'histoire assez étrange, dont Nestor, le majordome de Moulinsart, semblait être le héros. Hergé avait commencé à esquisser un mystérieux assassinat, puis une enquête, des pistes... Puis il s'était brusquement interrompu pour changer de sujet et écrire.

« ... Thème général très simple. Mais quoi ? Sagesse tibétaine — Lama. Abominable homme des neiges. Pourquoi partent-ils au Tibet : le yeti[9] ?... »

Le Tibet est ancré dans son imaginaire depuis plusieurs années déjà. Une des pièces de théâtre qu'il avait écrites pendant la guerre faisait allusion à une escale de Tintin dans ce pays du bout du monde. Lui qui ne cesse d'exhorter les dirigeants du journal *Tintin* à s'emparer des grands exploits individuels, il est servi par ceux que suscite l'Everest, ou plutôt le Chomolungma, cette montagne qui élève ses 8 846 m dans l'Himalaya à la frontière du Népal et du Tibet. Depuis 1921, les hommes n'arrêtent pas de s'y lancer des défis, faisant à chaque fois reculer les limites de leur résistance.

Hergé, lui, n'y a jamais mis les pieds. C'est vrai. Mais il n'a jamais été non plus sur la Lune...

Qu'importe. Le sujet est là, parmi d'autres, tapi dans un recoin de son inconscient. Pour sortir, il n'a besoin que d'un coup de pouce. Ce sera un récent livre de Bernard Heuvelmans, son ami et « fournisseur ». *Sur la piste des bêtes ignorées* devient un best-seller mondial et un classique, posant même les bases d'une nouvelle discipline scientifique, la cryptozoologie ou « science des animaux cachés ». À défaut de présenter le yeti comme un animal à visage humain, Heuvelmans s'inscrit en faux contre le lieu commun le présentant comme un « abominable » homme des neiges. Son yeti à lui n'est ni gourmand d'humaine chair fraîche, ni kidnappeur mais paisible et farouche comme le sont parfois les géants débonnaires. Autant dire que ce « monstre »-là est taillé sur mesure pour Tintin.

Passionné par cette lecture, Hergé la prolonge et la complète aussitôt par d'autres : *Tibet secret* de Fosco Maraini ; *Sept Ans d'aventures au Tibet* de Heinrich Harrer ; *Tibet, ma patrie* de Tsewang Pemba, premier médecin tibétain diplômé d'une université occidentale ; *Annapurna premier 8 000* de Maurice Herzog, récit on ne peut plus vécu par un homme qui y laissa ses doigts ; *Nanda Devi, troisième expédition française à l'Himalaya* de J. J. Languepin et L. Payan, sans oublier les récits d'Alexandra David-Neel. Certains de ces ouvrages valent par leurs choses vues, d'autres par leurs cartes et photos, d'autres encore, tel celui de Maurice Herzog, par l'établissement des croquis des empreintes de pas dans la neige attribuées au yeti.

Sa curiosité excitée à vif pousse Hergé à franchir une seconde étape en sollicitant directement des conseils et témoignages, au lieu de les chercher en bibliothèque. Pour parer au plus pressé, autant demander ses photos à Marcel Ichac et leurs conseils techniques aux responsables du Club Alpin belge. Il ne sera pas dit que son exactitude documentaire est une légende. Ainsi, savourant la lecture d'un livre de Richard Lannoy sur l'Inde, il bute sur un détail gênant : page 18, on ne distingue que la moitié de l'uniforme d'un policier de New Delhi. Au lieu d'imaginer la seconde moitié dans le prolongement de la première, il écrit à l'auteur pour lui demander de lui en expédier la photo[10] ! Ainsi encore, ayant dans l'idée de permettre à Tintin d'épater Haddock, il obtient du lieutenant Dartevelle, du Centre national de recherches polaires à Bruxelles, des renseignements sur le phénomène atmosphérique connu sous le nom de « feu Saint-Elme », et qui fait jaillir des éclairs à la pointe des mâts.

À l'issue de ses premières recherches, Hergé revient au point de départ : Bernard Heuvelmans. Il le met à contribution en permanence afin d'aller avec lui au-delà de son livre. Or, le cryptozoologue a l'esprit un peu ailleurs. Il s'apprête à publier *Dans le sillage des monstres marins*, une étude sur le kraken, le poulpe colossal et autres serpents de mer. Qu'importe : pour Hergé, il est toujours prêt, il l'a prouvé dans un passé encore récent en dépit de quelques malentendus sur la paternité de tel ou tel aspect de la saga sur la Lune.

Ce qu'Hergé apprécie le plus en « Bib » Heuvelmans, outre son érudition en la matière, son humour à tous crins et son originalité dans le milieu scientifique, c'est qu'il ne fasse pas du yeti une créature effrayante. Car tel est bien son point de départ et probablement son point d'arrivée : un personnage mi-homme mi-bête dont la légende a fait un monstre, mais qui s'avère somme toute moins repoussant que pathétique. Dès le début, Hergé a dans l'idée de faire tomber Tintin « nez à nez avec quelques bêtes particulièrement ignorées[11] ». Dans cette perspective, Heuvelmans paraît l'homme de la situation, le spécialiste le plus au fait de la question : en 1959 encore, il reçoit une lettre du Népal envoyée par Peter Byrne, le chef de l'expédition américaine Slick-Johnson qui essaie de capturer un homme des neiges vivant[12].

Hergé semble fasciné par le yeti, mais que sait-il de lui ? Maurice Herzog lui a appris que ce n'était pas un ours. D'autre part, grâce à la liste de toutes les personnes dignes de foi l'ayant vu, il dispose d'une relation assez précise de son mode de vie. Enfin, le portrait-robot de l'homme des neiges tracé par Heuvelmans lui paraît éloquent, d'autant qu'il est décidé à en faire une créature plus proche de l'homme que de la bête. Ne fût-ce que pour faire pardonner au jeune Hergé d'avoir occis tant d'animaux dans *Tintin au Congo*[13] !

Après maints tâtonnements, valses-hésitations et faux départs, il procède à un premier puis à un deuxième découpage de son histoire. Quand il en sent vraiment la structure, il s'abandonne à ses crayonnés, étape miraculeuse à l'issue de laquelle un monde surgit de sa mine. Quand il le veut bien...

La première planche de *Tintin au Tibet* paraît le 17 septembre 1958 dans le journal *Tintin*. L'histoire s'ouvre sur des vacances en montagne. Le grand air semble mieux réussir au reporter qu'au capitaine. L'alpinisme n'est pas de son goût, ce qui n'est pas du meilleur augure pour la suite des événements. Ayant appris par le journal qu'une catastrophe aérienne venait de provoquer la mort de dix-huit personnes au Népal, Tintin fait un cauchemar : Tchang, son ami chinois du temps du *Lotus bleu*, est en danger... il est enseveli sous la neige... il l'appelle au secours... Au réveil, simultanément, il reçoit une lettre du garçon annonçant son arrivée imminente et découvre dans un article qu'il figure au nombre des victimes de l'accident d'avion. Tintin en pleure de chagrin, phénomène assez rare pour être remarqué. La dernière fois, c'était justement dans les dernières images du *Lotus bleu*, à bord du paquebot qui le ramenait en Europe. Mais il se ressaisit vite. Il refuse cette fatalité et préfère croire dans le caractère prémonitoire de son cauchemar métamorphosé en rêve puisqu'il s'est achevé par une note d'espoir. Convaincu que Tchang est vivant, Tintin s'embarque pour l'Inde avec Haddock pour compagnon de voyage.

À Katmandou, les sherpas qui ont participé aux recherches dans les décombres de l'appareil tentent de le dissuader de poursuivre sa folle entreprise. Elle leur paraît non seulement vouée à l'échec mais périlleuse. Tintin étant décidé à partir seul, la petite troupe, Haddock en tête, se met en route à ses côtés afin de ne pas l'abandonner. Durant l'ascension, Haddock et Milou manquent plusieurs fois de périr mais leur ivresse n'est pas toujours due à l'altitude. À proximité de l'épave de l'avion enfouie dans la neige, Tintin découvre la signature de Tchang sur la paroi d'une grotte. C'est bien la preuve qu'il a survécu au drame. Mais l'expédition a beau chercher, il lui est impossible de retrouver ne fût-ce que son cadavre. Il faut renoncer et rentrer au camp de base. À nouveau, Tintin verse une larme. Avant de s'en aller, il aperçoit une écharpe jaune au loin, fichée dans un rocher. Cette fois, il poursuit l'aventure avec la seule compagnie du capitaine, guides et porteurs ayant abandonné la partie. Ils récupèrent l'écharpe tachée de sang. C'est un encouragement à continuer, d'autant que le sherpa Tharckey, pris de remords, les a rejoints. Une halte dans une lamasserie nichée en pleine montagne n'est pas seulement prétexte à des gags inédits. Elle les met sur la piste du yeti dont Tchang serait le prisonnier. Aussi, alors que le capitaine était prêt à renoncer pour la énième fois, lui qui n'y a jamais cru, le voici qui se met à nouveau en route à la suite de Tintin qui n'a jamais cessé d'y croire. Ils retrouvent finalement Tchang dans une grotte, effectivement sous bonne garde, celle du prétendu « abominable » homme des neiges, une sorte de gorille géant. Au moment où il va agresser Tintin, l'éclair du flash de son appareil photographique le met en déroute. Nos deux héros ramènent le petit Chinois avec eux. Le yeti les regarde s'éloigner, réprimant un chagrin sur lequel Hergé a la délicatesse de ne pas insister. *In fine*, il inspire la même sympathie que son cousin Ranko dans l'avant-dernière page de *L'Île noire*. Tchang confie à son ami :

« Eh bien, moi, je souhaite qu'on ne le trouve jamais, car on le traiterait comme une bête sauvage. Et pourtant, je t'assure, Tintin, il a agi avec moi d'une telle façon que je me suis parfois demandé si ce n'était pas un être humain...

— Qui sait ?... »

Il n'y a pas de sauvages. Tintin, la bonté même, portée à incandescence dans la plus pure des lumières, a accompli tout ce voyage pour comprendre que le problème est dans l'homme où qu'il soit. Tchang lui aura fait prendre conscience de cette région obscure de l'âme où, disait Malraux, le mal absolu s'oppose à la fraternité. Celui qui décrète abominable l'homme des neiges rendu à la solitude de ses montagnes.

La 63e et dernière planche de l'histoire paraît le 25 novembre 1959. En mars de cette année du Cochon de terre, une profonde révolte populaire antichinoise est réprimée dans le sang à Lhassa. Le dalaï-lama est contraint à l'exil, suivi par quelque 100 000 Tibétains. L'armée va dès lors s'employer à briser la résistance des monastères et à intégrer le Tibet à la Chine. Du moins son territoire à défaut de ses habitants.

Fidèle à lui-même, Hergé réussit à nouveau à être en phase, sinon en prise directe, avec une actualité si forte qu'elle entre déjà de plain-pied dans l'histoire immédiate. Mais ce n'est pas ce qui rend remarquable ce vingtième album. À mi-parcours de sa réalisation, il a failli tout abandonner. Comme Tintin dans son périple népalais. C'est peu dire que cette histoire est une vaste métaphore aux relents autobiographiques. Rarement Hergé s'est autant projeté dans une de ses bandes dessinées. Comme s'il avait éprouvé l'impérieuse nécessité d'expulser ses démons sur le papier afin de se réconcilier avec lui-même.

Il s'écoute et s'observe comme jamais. Jusqu'à l'obsession. Elle l'inhibe et annihile en lui toute énergie créatrice. Dans ces moments-là, il n'a plus qu'à reposer le crayon. Désormais, ses rêves ont une couleur : le blanc. Ils sont devenus si présents dans sa vie quotidienne qu'il ressent le besoin de les consigner par écrit au réveil, angoissé par des squelettes tout blancs auxquels il tente d'échapper. Il éprouve une peur panique à l'idée de ce qui se cache derrière cette couleur. Comme dans le conte de Maupassant, il est terrorisé à la pensée du Horla, spectre menaçant d'une épidémie de blanc[14]. La relation de ses rêves en témoigne :

« Je gravissais une espèce de rampe, dans une tour (la tour Hassan, à Rabat ?) où tout, le sol, les murs, les mains courantes, était tapissé de feuilles mortes (mais je m'étonnais de ce que marchant sur ce tapis rouge, cela ne fît aucun bruit). À chaque tournant, je m'attendais à voir surgir quelqu'un ou quelque chose d'angoissant. Le silence était total. Finalement, plein de crainte, je me suis décidé à redescendre et je me suis penché sur la cage d'escalier (qui n'existait pas auparavant d'ailleurs) : j'ai constaté que j'étais déjà arrivé au 7e ou au 8e étage : c'était une sorte de puits très profond. J'ai continué à descendre. À un palier, il y avait, étendu sur une sorte de grand socle, un cadavre (blanc) ; j'en ai pris une jambe qui m'est restée entre les mains. C'était une espèce de tube en carton-pâte, très léger, que j'ai jeté dans la cage d'escalier. À ce moment, un palier plus bas, et à gauche, s'est ouvert le mur (?) et en a surgi une tête de mort, toute blanche, puis une sorte de démon, un homme très grand, tout blanc et terrible, qui a jeté la tête de mort et des ossements et des tas de trucs, dans la cage d'escalier. J'étais terrifié, car je savais qu'il allait me jeter moi aussi dans le vide. J'ai essayé de passer mais, sautant par-dessus le vide, il m'a barré la route. Et je savais que je ne pouvais plus passer et qu'il me faudrait remonter[15]... »

Et cet autre rêve encore :

« Une tête de cheval sortant d'un mur, comme l'enseigne d'une boucherie chevaline. Ce mur est d'un blanc éclatant de soleil. Il y avait à ma gauche une femme et je m'approchais du cheval (peut-être pour lui donner à manger). Et je me faisais rabrouer par l'entraîneur (?) qui se trouvait à droite du cheval et qui me disait : "Non, non, n'approchez pas ! Vous portez une chemise blanche. Il ne faut pas. Il va avoir peur". Et je me disais que, s'il avait peur du blanc, tout ce blanc du mur devait l'effrayer considérablement. Puis je réfléchissais et je me disais que ce blanc-là, il ne le voyait pas, puisque sa tête sortait du mur. Et je pensais à aller changer de chemise et je songeais à ma chemisette de laine verte[16] »

Le blanc, toujours, partout. Ce n'est pas entièrement nouveau. Entre les deux guerres déjà, ainsi qu'en témoigne son cahier de notes, il avait songé à lancer Tintin et Milou dans des aventures en Alaska. Il les imaginait bloqués dans une débâcle des glaces, partant à la dérive sur un morceau de plus en plus petit. Peu après, il avait repris le projet abandonné sous une autre forme. Ça se passait soit au Canada, soit au Groenland.

Il avait dressé la nomenclature des personnages (Esquimaux, police montée, phoques, ours) et accessoires (traîneaux, brise-glace, raquettes) à faire intervenir dans un récit qui aurait été inspiré par l'univers romanesque de Jack London. Mais comme on le sait, il n'y eut pas de suite. À l'époque, le blanc était déjà là mais ne s'imposait pas. Il ne l'empêchait pas de dormir.

Aujourd'hui, paralysé par cette vision envahissante, il se résigne à franchir le seuil d'un psychanalyste. Cela ne signifie pas qu'il sollicite une consultation. Il n'entre pas en analyse mais rend visite, une seule fois, au professeur Ricklin, disciple zurichois de Carl Jung. Car sous l'influence de son ami Raymond de Becker, Hergé ne jure plus que par la psychologie des profondeurs, l'inconscient collectif, l'interprétation des rêves et l'unité de l'individu, de l'espèce et du cosmos. Il a lu et relu les œuvres de Jung auquel il voue une admiration sans borne, ainsi que les ouvrages publiés aux éditions Corrêa sous la direction du Dr Roland Cahen, son traducteur en français[17]. D'ailleurs, l'ombre de Jung plane indirectement sur le Tibet de Tintin. Pendant des années, seul ou avec ses patients, le célèbre psychanalyste avait dessiné des tangkas (peintures sur étoffe) mais aussi des « figures centrées » qu'il appelait des « mandalas européens », inspirés des cercles de sables colorés représentant l'univers d'une divinité dans le bouddhisme tantrique.

L'entrevue avec le professeur Ricklin est brève et sans lendemain. Hergé, qui lui a raconté ses rêves de blanc, est abasourdi par sa réponse :

« Je ne veux pas vous décourager, mais vous

n'arriverez jamais au bout de votre travail. C'est une crise que vous devez assumer. Moi, à votre place, je stopperais tout de suite... Vous devez exorciser vos démons, vos démons blancs. Il faut tuer en vous le démon de la pureté[18] ! »

Dans l'instant, il en perd le nord car son échelle de valeurs est bouleversée par cette injonction. D'autant que le psychanalyste lui demande de choisir entre son harmonie intérieure et son travail, du moins dans le court terme. À mi-chemin de la publication de *Tintin au Tibet*, il essaie de lui faire comprendre que la poursuite de son travail est incompatible avec son rééquilibrage mental. Mis en demeure de trancher pour résoudre ce dilemme, Hergé décide de... ne plus revoir le psychanalyste et d'achever l'histoire en cours. Pour aller au bout de son défi, au bout de son album en gestation, au bout de lui-même. Car il a mis le meilleur de ce qu'il pouvait donner dans *Tintin au Tibet*, instantané autobiographique du créateur au tournant de son existence. Heureusement que, sous la pression de son éditeur, il a finalement renoncé à intituler cet opus magnum *Le Museau de la vache*, du nom d'une montagne tibétaine imaginaire... Il n'en demeure pas moins fidèle à son goût du jeu, inventant des noms de lieux tibétains à partir de la transposition de noms de bourgs, de villages ou de villes aussi bien wallons que flamands : Poperinge (Pôh-Prying), Wépion (Weï-Pyong), Corbion (Khor-Byong)...

Il se remet à sa table à dessin, non pas résigné mais conquérant :

« Un scout sourit et siffle dans les difficultés ! » se dit-il[19].

S'il mène son histoire à son terme, il sait qu'il réussira à s'accepter enfin. Tel quel. Non pas pur comme le blanc mais maculé de ses péchés. Ce jour-là, il pourra tourner la page. Elle ne pèsera plus des tonnes.

Mythique à bien des égards, ce vingtième album mérite-t-il de l'être ? Sa singularité dans l'œuvre d'Hergé est incontestable. Pas de match-poursuite, pas de mauvais ni de méchants, pas de famille à l'exception de Haddock. Pas d'enquête policière mais une quête spirituelle. Pas d'armes. Le seul conflit oppose l'Homme à la nature quand elle se montre hostile. Il ne se passe rien, ou presque. Le seul drame est intérieur. Hergé semble avoir laissé au vestiaire l'attirail traditionnel de l'expert en bandes dessinées, même s'il n'a pas renoncé aux gags. Car si la nostalgie et la mélancolie dominent le récit dans l'ombre de Tintin, elles n'excluent pas le comique, exclusivement véhiculé par Haddock.

Redevenu le principal personnage de ses aventures, Tintin n'est plus redresseur de torts ni justicier. Ni Don Quichotte ni Zorro, il n'en est que plus humain. En s'éloignant de son univers d'élection, il n'a peut-être plus l'étoffe des héros mais se rapproche des lecteurs. Ceux qui doutaient encore de sa sagesse en sont pour leurs frais. Pour retrouver son ami perdu, il ne cesse de monter, de s'élever en altitude, mettant ainsi à l'épreuve sa faculté à se dépasser. Le créateur et son héros sont parfaitement au diapason. En conduisant Tintin dans les montagnes du Tibet, Hergé refait le chemin effectué en 1923 à travers les Pyrénées quand il était chef de patrouille. Le cirque de Gavarnie fut son Himalaya. Comme

Hergé, Tintin est plus individualiste qu'avant. Paradoxalement, cela rend son message plus universel. Car en s'abandonnant à sa quête d'identité, tout à sa recherche d'un idéal de pureté, il illustre le plus universel des sentiments : l'amitié.

Cette œuvre hantée par la mort est saisissante en ce qu'elle est l'exact reflet de sa crise morale. Une vraie tache blanche sur sa production. C'est sa couleur dominante. Celle de la propreté et du vide. Elle est partout, et plus encore là où on ne la voit pas, dans les interstices de l'âme de Tintin, plus candide qu'à l'accoutumée, du latin *candidus* qui signifie « blanc »... Par moments, là-haut dans les montagnes, quand Tintin entraîne Haddock dans sa mélancolie, on s'attend qu'ils observent ce paysage lunaire en se demandant avec Shakespeare : « Quand fond la neige, où va le blanc ? » Hergé, qui s'est toujours fait l'inlassable propagandiste des vertus cardinales du dessinateur selon son goût (clarté, simplification, dépouillement, sobriété), les porte là au paroxysme.

Le plus intime et le plus émouvant de ses albums est-il pour autant le plus réussi ? En tout cas, il demeurera son préféré pour toujours. Hergé le tient pour « une sorte de chant dédié à l'Amitié[20] ». Avec un A majuscule. Il n'est peut-être pas le plus beau mais le plus pur. Certainement le plus intime. Avec le temps, il le place d'abord « sous le double signe de la ténacité et de l'amitié[21] », rappelant ainsi à quel point le créateur fut aussi opiniâtre que son héros. Puis il l'évoque en des termes plus chaleureux encore : « C'est une histoire d'amitié, comme on dit : une histoire d'amour[22]. »

L'album revêtant à ses yeux un caractère exceptionnel car personnel, le service d'hommage l'est également. Par l'importance du tirage de luxe numéroté, par la qualité des destinataires et par le soin apporté aux dédicaces. L'ordre de préséance est éloquent. À tout seigneur, tout honneur. Baudouin, cinquième roi des Belges depuis près de dix ans, à la veille d'épouser Fabiola de Mora y Aragon, reçoit l'exemplaire n° 1 dont la page de garde est ainsi libellée :

« À Sa Majesté le Roi, je dédie respectueusement cette 20e histoire de Tintin, sortie de presse à quelques semaines de Son heureux mariage. L'auteur ose espérer qu'avec l'approbation de la Reine et du Roi, Leurs enfants accorderont un jour à Tintin et Milou leur précieuse amitié. Avec le profond respect et toute la fidélité de Hergé. »

Après le roi, le palais de Laeken. Viennent ensuite les éditeurs du journal *Tintin* en Belgique et en France, Raymond Leblanc et Georges Dargaud, puis son propre éditeur Casterman et les enfants de ses collaborateurs. Le critique Pol Vandromme est gratifié d'un joli « homme du monde de Tintin ». Marcel Dehaye reçoit l'hommage le plus laconique et le plus vrai qui soit sous une plume aussi pudique : « À Marcel, parce que c'est mon ami. » Raymond De Becker également : « À Raymond, son ami... » Mais on ignore ce qu'il a écrit à Robert Poulet en lui faisant tenir l'exemplaire n° 56. Des personnalités de l'Aventure ont également droit à un album (Haroun Tazieff, Alain Bombard, Maurice Herzog, commandant Cousteau) ainsi que des hommes politiques (le baron Pierre Nothomb, Paul Struye, président du Sénat) et des écrivains

(Félicien Marceau, Roger Nimier, Henry de Montherlant, Maurice Bardèche). Sans oublier un monsieur de 78 ans qui a droit à la plus émouvante des épigraphes et à la plus intéressante des signatures : « À mon jeune père, de la part de son vieux fils. Très affectueusement. Hergeorges »[23]...

1960. L'année de la parution de l'album est également celle de la séparation. Hergé quitte Germaine pour vivre avec Fanny. Grâce à *Tintin au Tibet*, il s'est réconcilié avec lui-même. Il s'accepte enfin après avoir vaincu le mauvais en lui. Dans une dédicace, n'évoque-t-il pas déjà « l'adorable homme des neiges »[24] ?...

11

Ultimes retouches

1960-1973

Que peut-on faire de mieux quand on s'appelle Hergé, qu'on a 54 ans, qu'on vient de mettre le meilleur de soi-même dans son vingtième album et qu'il s'agit de *Tintin au Tibet* ? Prendre encore plus de risques.

Il avait certes simplifié à l'extrême sans chercher la facilité. Cette fois, il accentue la tendance, renonçant même à l'exotisme, ultime filet de sécurité du dessinateur avant le grand saut dans la page blanche. Sur le papier, le nouveau défi qu'il se lance tient de la mission impossible : pas de mauvais ni de méchants, pas de violence, pas d'intrigue au sens policier du terme, pas de suspens, pas d'aventure sinon intérieure. Une sorte de « voyage autour de ma chambre » en lieu et place de la traditionnelle épopée aux antipodes. On songe au Hitchcock de *Fenêtre sur cour* (1954) se donnant pour défi de voir et de montrer le monde à travers le regard d'un invalide cloué sur sa chaise roulante. Hergé bâtit une histoire de fous qui tient le lecteur en haleine sans événements notables, par le miracle de moyens sans rapports avec les techniques graphiques coutumières.

Seuls seront surpris ceux qui n'ont pas suivi sa récente évolution. Depuis qu'il a conscience de s'être débridé, il se laisse aller plus volontiers à ce qu'il croit être ses instincts profonds. En l'occurrence, un tempérament frondeur, anticonformiste et critique. Il donne l'impression de vouloir persifler tout son saoul après s'être trop longtemps contenu, n'ayant manifesté cet aspect méconnu de sa personnalité qu'ici ou là, lorsqu'il envoyait valdinguer la raison raisonneuse dans des bandes de *Quick et Flupke* où les héros marchent au plafond quand ils ne perdent pas la tête au sens propre. Ou dans des remarques bien senties du capitaine Haddock lequel, dans ses moments de sobriété, réussit à élever la litote au rang d'un des beaux-arts.

Désormais, Hergé se sent assez fort pour se livrer sans entrave à un exercice d'autodérision. Il a acquis assez d'assurance, non sur le plan technique mais moral, pour pratiquer l'ironie de soi sur la distance d'un album. En se moquant de lui, il se moquera des autres, de leurs codes et de leurs rituels. Mais qu'on ne s'y trompe pas : ce n'est ni un accès d'insolence ni même une volonté d'impertinence. Juste l'envie de s'abandonner pour la première fois à l'ivresse d'une bouffée délirante en alignant vignettes et bulles. Loin des carcans et contraintes qu'il s'est toujours imposés. Mais cette folie douce reste suffisamment contrôlée pour donner naissance à une sorte d'album. Dans le meilleur des cas, son incohérence lui tient lieu de génie. Sinon[1]...

Au départ, quelques idées se bousculent dans sa tête.

Il y a d'abord les romanichels. Pour une fois, ce n'est pas la famille de Tintin qui court le monde mais le monde qui accourt chez elle. Grâce aux gens du voyage, Hergé introduit l'exotisme à domicile dès le départ en les faisant camper à proximité de Moulinsart. Quitte à ce que l'histoire se développe sans eux. Mais ils sont indispensables à l'économie du récit. L'élément exotique lui paraît intrinsèquement lié à l'univers de Tintin. Dans cette perspective, il se documente sur la vie quotidienne de ce qu'il appelle « les tribus » en sollicitant des conseils et des photos en couleurs (costumes, roulottes, etc.) auprès de spécialistes tels que le professeur Frans de Ville, le père Lambert et le père Rupert[2].

Puis il y a le château. On change de cadre. Moulinsart sera l'unité de lieu d'un monde fermé. Mais afin que le récit ne soit pas statique pour autant et que le rythme n'en pâtisse point, les personnages ne cesseront de courir. Hergé s'oblige pour la première fois à envisager le bâtiment d'un point de vue d'architecte. Jusqu'alors, il n'en avait pas tracé de plan intérieur, fût-il schématique. La logique des lieux en souffrait. Le volume des pièces, leur agencement et leur disposition obéissaient à des caprices de scénariste. Ils étaient soumis à des impératifs plus narratifs qu'esthétiques. Cela explique que d'un album à l'autre, Tournesol ne sorte pas toujours de sa chambre par le même escalier. De jeunes lecteurs, auxquels cela n'avait naturellement pas échappé, ne s'étaient pas privés de le faire remarquer. Mais ce fut un écolier un peu plus mûr, ancien élève de l'École polytechnique, qui releva une erreur plus manifeste dans *Coke en stock* : le perron du château n'y comportait que huit marches au lieu de neuf habituellement. Hergé corrigea. À vrai dire, il s'était également aperçu de son erreur mais espérait bien être le seul[3]... Les lecteurs sont les plus attentifs des censeurs. Pour éviter tout hiatus entre l'ancien Moulinsart de fantaisie et le nouveau Moulinsart rigoureusement construit, il opte pour une solution de compromis. Hergé conçoit donc le plan d'un bâtiment à mi-chemin entre un château surréaliste et un château réel. Inspiré du domaine de Cheverny, Moulinsart est cette fois nettement débelgifié. Il s'agit bien, dans son esprit, d'un royaume à part, une sorte de « Syldavie de l'Occident[4] ».

Enfin, il y a Blanche Chastefleur dite la Castafiore. Il paraît bien décidé à la consacrer en lui donnant un rôle à sa démesure. À l'opéra, spectacle qui le fait rire quand il ne l'ennuie pas, il a toujours vu la grosse dame derrière la chanteuse[5]. L'influence du baryton Jacobs n'y a rien fait, bien que celui-ci ait reçu son premier choc musical à l'âge de 13 ans en assistant à une représentation du *Faust* de Gounod, au troisième balcon du Théâtre des Galeries Saint-Hubert... En fait, l'art lyrique n'est pas seul en cause. Quand on le presse de citer au moins un compositeur classique qui aurait ses faveurs, il lâche le nom d'Erik Satie en expliquant : « Je trouve sa musique bien dessinée... » Plusieurs bandes de *Quick et Flupke* en témoignent avant-guerre déjà.

Il y perçoit la musique comme un embrouillamini de sons s'inscrivant en faux contre son obsession de la clarté. Restitué sous son crayon, tout ensemble de notes à prétention harmonieuse ne peut être émis que sur le mode hystérique ou dramatique. Même lorsque ses deux garnements interprètent une berceuse ! Croient-ils entendre le chat miauler, ils se précipitent chez le voisin pour découvrir qu'il joue du violon. Un épisode justement intitulé « La musique adoucit les mœurs » met en scène un Quick désespérément poursuivi par ce qu'il tient pour du « vacarme », autrement dit la joie de vivre telle qu'elle s'exprime dans les chansons populaires reprises par tout un chacun. Pour vaincre un voisin violoniste, Quick va jusqu'à détruire ses cordes en remplaçant son archet par une scie[6] !

En dépit du goût qu'il affichera sur le tard pour Debussy, le jazz et la pop, Hergé ne perçoit que du bruit à travers la musique. Plus encore à travers l'art lyrique. Une certaine tradition du cinéma comique n'est pas étrangère à cette influence. L'irruption de la Castafiore dans le monde de Tintin, lors du vol du sceptre d'Ottokar, est contemporaine *d'Une nuit à l'Opéra* des Marx Brothers. De plus, en observant l'ébahissement du petit reporter quand le rossignol milanais se met à chanter, on ne peut pas ne pas penser à Charlot, vagabond errant devant les marches d'un Opéra, effrayé par les bruits qui en émanent, et demandant au portier : « Et on les paie pour crier comme ça ? »

Cela dit, Hergé ne peut rester insensible aux lettres de certains de ses lecteurs qui lui suggèrent de la marier au capitaine. Il a son idée derrière la tête. Quelque chose comme une idylle à défaut d'épousailles. Ce ne sera pas facile. Outre qu'Haddock fuit les créatures d'opéras, il se montre de plus en plus pantouflard alors qu'elle se sent l'âme de plus en plus voyageuse. Il s'agit aussi de concilier cet impératif avec un autre, plus intime. En effet, à travers ce personnage, Hergé a dans l'idée de régler ses comptes avec l'épouse dont il est séparé. Tout le monde l'aime tant elle impressionne le monde. Tous sauf Tintin et les siens...

Pour la première et la dernière fois, une femme occupe donc une place centrale dans l'une de ses bandes dessinées. C'est peu dire que la Femme n'en sort pas grandie tant la misogynie d'Hergé est manifeste. Dans un premier temps, il s'en défend, naturellement, rappelant que les femmes ne sauraient se soustraire à son entreprise générale de caricature de la société, qu'il les aime trop pour leur faire un sort, qu'elles sont aussi peu nombreuses dans ses albums que dans les grands films muets et que de toute manière, elles ne peuvent apporter qu'une touche sentimentale et non comique à une histoire. Puis, s'appuyant sur Montherlant, il reconnaîtra s'être toujours refusé à introduire une dimension amoureuse dans le monde de Tintin. C'est aussi que le dessinateur en lui se sent mal à l'aise avec les femmes. Or, ne dit-on pas souvent : « Ne forcez point votre talent, vous ne feriez rien avec grâce[7] » ?

L'univers de Tintin est si clairement organisé autour des amitiés viriles qu'une femme y semblerait déplacée. Ou, ce qui est pleinement le cas avec Bianca Castafiore, grotesque. Par son exubérance, par son bavardage intempestif, par sa mégalomanie, par son manque de sang-froid et par son ignorance qui lui fait confondre du mobilier Louis XIII avec « du Henri XV ». Son omniprésence stimule les grains de folie que chacun des personnages porte à l'état latent. La Castafiore, âgée de 45 ans selon Hergé, les catalyse tant et si bien que du début à la fin, les habitants du château semblent s'être tous fait sauter les plombs.

Fin 1960, Hergé rédige à la hâte un premier projet de huit pages, mêlant notes et dessins dans un joyeux capharnaüm de signes, laissant son écriture être envahie par des croquis, des noms et des numéros tracés par impatience. Les grandes lignes de son anti-histoire s'y trouvent. Sa principale crainte y est également consignée :

« Difficultés : créer du suspense, un semblant de danger[8]. »

Hergé a quelques mois pour y réfléchir. Parallèlement, plusieurs titres se succèdent dans sa tête et sur sa table : *L'Affaire Castafiore, Le Saphir de la Castafiore, Les Bijoux de la Castafiore...* Ce dernier a pour lui de mettre en valeur un personnage des plus cocasses nettement identifié comme appartenant à la famille de Tintin. Mais il pèche par son manque d'originalité. Provisoirement, un autre, jugé plus piquant, lui est préféré : *Le Capitaine et le Rossignol*. Il est vrai qu'outre l'étrange rapprochement ainsi effectué, il a l'avantage de mettre en place deux personnages-titres. Las ! Ce ne peut être que *Les Bijoux de la Castafiore*. Le titre va s'imposer tout seul, dans son évidence absolue. Parce qu'il contient l'héroïne, son nom comique, son trésor et la folie sous-jacente à la réunion de ces éléments déchaînés.

Ce n'est qu'un signe mais Hergé y croit. Au cœur de l'été 1961, alors qu'il est à la recherche d'une documentation pour illustrer son nouveau récit, il colle son nez à la vitrine de Van Cleef et Arpels, le célèbre joaillier de la place Vendôme à Paris. Trop intimidé par l'aspect feutré des lieux, il n'ose en franchir le seuil. Quinze jours après, il reçoit une lettre de Jacques Arpels, un fervent tintinophile, lui proposant de le recevoir personnellement dans ses salons pour lui montrer ses plus belles pièces :

« ... Et qui sait, la visite de notre Maison vous inspirera-t-elle, peut-être, le thème de nouvelles aventures ? »

Trop tard... Car Hergé a finalement trouvé à Bruxelles ce qu'il était venu chercher à Paris. Mais le joaillier ne peut se targuer d'avoir eu du flair : sa lettre est datée du lendemain de la parution dans le journal *Tintin* de la toute première planche des nouvelles aventures de Tintin et Milou, *Les Bijoux de la Castafiore*[9]...

Cette bande dessinée atypique, qui se veut une non-aventure axée sur un anti-héros sans véritable intrigue, repose tout de même sur une manière d'histoire puisqu'il y a un début, un milieu, une fin et même un fil d'Ariane menant le lecteur du prologue à l'épilogue.

En se promenant avec Tintin dans les bois jouxtant son château, Haddock tombe sur une famille de Tziganes provisoirement établis sur un terrain de détritus. Révolté par cette situation, il les invite à s'installer plutôt dans les jardins de Moulinsart. Un peu plus tard, quand le capitaine de la gendarmerie locale le met en garde contre leur réputation de voleurs, il ne change pas d'avis pour autant. Même la méfiance de Matéo à son endroit ne modifie pas son attitude. Car le chef des romanichels ne voit que mépris dans un geste qui part d'un bon sentiment.

En lisant d'autorité dans les lignes de la main du capitaine, une voyante lui prédit une rencontre imminente avec une dame et un vol de bijoux. Aussitôt rentré chez lui, il doit subir la présence inopinée de Bianca Castafiore. Fuyant les journalistes, le rossignol milanais s'est en effet invitée chez son ami loup de mer, rebaptisé en permanence, selon les circonstances, Kodack, Kasack, Karpock, Hammock ou Balzack. Une enquiquineuse, nommée en retour « Castapipe », d'autant moins supportable que le marin a perdu pied et s'est fait une entorse en glissant dans l'escalier sur une marche cassée, ce qui le contraint à évoluer sur une chaise roulante. Au fur et à mesure de son séjour, elle ne cesse de s'imaginer qu'on va lui voler ses bijoux tandis que Tintin enregistre de plus en plus d'indices bizarres dont il ne parvient pas à cerner l'origine.

La famille se met en place, avec les proches affectionnés et les fâcheux cousins lointains. Outre le majordome Nestor présent depuis le début, différents personnages font leur entrée dans le cadre. Ce n'est ni ce qu'ils sont, ni ce qu'ils font qui les rend si déjantés, mais le contexte qui flotte déjà dans une réalité décalée.

Tournesol plus allumé que jamais et tout à l'invention de sa nouvelle rose, les Dupondt tels les carabiniers d'Offenbach, ainsi que Séraphin Lampion, belgicain comme ce n'est pas permis, sont vite cernés par des personnages secondaires qui apportent chacun à leur manière leur molécule de surréalisme à cette histoire, Irma l'habilleuse, Igor Wagner le pianiste suspect des tournées de la diva, Isidore Boullu le marbrier aussi flegmatique que débordé, Coco le perroquet de bel canto, les reporters de *Paris-Flash* Jean-Loup de la Batellerie et Walter Rizotto scoopeux en diable... Ce sont eux qui, enquêtant sur le mariage du siècle, déclenchent la colère de Haddock lorsqu'il découvre dans leur journal des détails sur les coulisses de cette union, dus aux révélations d'un jardinier malentendant. Il se calme par la force des choses, sa voix étant couverte par l'harmonie municipale de Moulinsart. Le champagne aidant, elle repartira également en fanfare mais de travers. Une équipe de télévision lui succède. Micros, projecteurs et caméras sont installés dans le grand salon. Interviewée sur sa tournée internationale, la Castafiore ne se fait pas prier pour interpréter l'air du *Faust* de Gounod, qui l'a rendue si célèbre. Dans la scène VI de l'acte III, éblouie en découvrant un coffret de bijoux, Marguerite se pare de pendants d'oreilles et se regarde :

> « Ah ! je ris de me voir
> Si belle en ce miroir !...
> Est-ce toi, Marguerite ?
> Réponds-moi, réponds vite !

— Non ! Non ! — Ce n'est plus toi !
Ce n'est plus ton visage !
C'est la fille d'un roi,
Qu'on salue au passage !
Ah ! s'il était ici !...
S'il me voyait ainsi !
Comme une demoiselle
Il me trouverait belle !...
Ah ! S'il était ici !... »

Soudain, la pièce est plongée dans le noir. Les fusibles ont sauté. Dans la confusion, on a volé les bijoux de la Castafiore. Pour de bon, cette fois. Profitant d'un quiproquo, un pseudo-photographe s'était introduit puis échappé. Les Dupondt arrivent à temps pour tout rater. Ils s'entretiennent de l'arrivée de la police en interrogeant la Castafiore, eux songeant aux détectives et elle aux assurances. La Diva retrouve par hasard sa mallette de bijoux oubliée par inadvertance sous un coussin du canapé. Mais aussitôt après, l'émeraude que lui avait offerte le maharadjah de Gopal disparaît de son écrin. L'enquête repart de plus belle. Naturellement soupçonnés, les Tziganes sont mis sous surveillance judiciaire. Tandis que le professeur Tournesol invente un procédé révolutionnaire visant à coloriser les images en noir et blanc de la télévision, Tintin retrouve la pierre précieuse dans le nid d'une pie voleuse.

Voilà, c'est fini. Soixante-deux planches, il ne s'est rien passé mais quelque chose est passé. Une histoire de fous rythmée par la nonchalance d'un réparateur qui n'est pas pressé de réparer, par des bijoux deux fois disparus mais jamais volés, par des bohémiens toujours suspects mais pas coupables...

Les Bijoux de la Castafiore passe sans difficulté pour l'album le plus délirant d'Hergé. Un sommet dans son genre, mêlant le comique et l'absurde avec un sens aigu du dosage le plus subtil.

Une fois n'est pas coutume, les sources de l'œuvre importent peu. Il y aura toujours quelques maniaques pour se soucier de l'exactitude. Tel ce lecteur à côté de la plaque, réalisateur de cinéma dans le civil, qui relève page 32 une erreur dans les rayures du clap : pour qu'elles se justifient et permettent une parfaite synchronisation au millimètre près du son et de l'image, elles doivent coïncider, ce qui n'est visiblement pas le cas... Il n'est pas primordial de savoir que quand il était petit, Hergé accompagnait ses parents chez des amis dont la fille, Mariette Amerlinck, chantait jusqu'à le terroriser[10]. Ou que Jean-Loup de la Batellerie et Walter Rizotto de *Paris-Flash* font étrangement penser à Philippe de Baleine et Willy Rizzo de *Paris-Match*.

En revanche, il n'est pas indifférent d'apprendre qu'Hergé fut une fois envahi à l'improviste, dans sa propriété de Céroux-Mousty, par la fanfare municipale et qu'à l'issue d'une tournée générale de bière Vieux-Temps et d'un interminable discours, quelqu'un leva son verre en criant « Vive Spirou ! » sans que nul ne réagisse. Un vrai gag bien dans l'esprit divagateur des *Bijoux de la Castafiore* tant le dialogue y porte à son paroxysme le comique de situation. Du grand art.

Dans cette histoire qui n'en est pas une, tout le monde se parle mais les gens ne communiquent pas entre eux. Car s'ils paraissent tous s'exprimer dans la même langue, ils n'usent pas du même langage. Ce quiproquo n'est plus l'exception mais la règle. C'est à y perdre non son latin mais la raison. Sans le faire exprès, Hergé entérinera un jour l'esprit délirant des bulles de cet album en en découvrant l'édition britannique. À la lecture de répliques dont l'*understatement* est la qualité première, il confiera à sa traductrice :

« On dirait réellement que cela a été écrit directement en anglais[11]... »

On ne saurait mieux dire à quel point le dérèglement et les lapsus, les fausses pistes et les actes manqués dominent cet album détraqué avec une précision d'horloger. À croire qu'Hergé a mis son talent à inventer la confusion et son génie à l'organiser.

L'impact de cet album sur ses nombreux lecteurs est tel qu'il semble les contaminer. Il suscite des réactions d'une si étrange nature qu'elles autoriseraient l'auteur à les embarquer en complément dans cette histoire de fous. Le polytechnicien qui avait relevé dans sa lettre le nombre inégal de marches sur le perron du château se demande si, à la réflexion, Moulinsart ne s'enfoncerait pas plus vite que Notre-Dame de Paris... Dans le même esprit, Jacques Rouët, gérant de la prestigieuse maison parisienne Christian Dior, touché qu'elle ait été citée dans l'album, fût-ce sous une appellation de fantaisie, a l'élégance et l'humour de faire porter un somptueux collier à

Mme Georges Remi accompagné d'une carte de visite exprimant « l'hommage respectueux de la Maison Tristan Bior[12] »... Quant à Jacques Arpels, le joaillier de la place Vendôme qui avait si bien senti le développement de cette affaire, il remercie Hergé de sa dédicace, non sans préciser : « Si l'éminente chanteuse avait acheté des bijoux signés Van Cleef et Arpels, elle en aurait eu encore de beaucoup plus beaux. En même temps, nous lui aurions remis une estimation en vue de l'assurance qui lui aurait enlevé bien des soucis[13]... » L'aventure continue et les personnages qu'elle vient d'attirer dans son champ magnétique ne sont pas les plus tristes.

Parallèlement à son succès public, *Les Bijoux de la Castafiore* ne tarde pas à devenir une œuvre-culte, accédant même à l'étrange statut d'album pour intellectuels. Il est vrai qu'il jouera un rôle certain dans la diffusion de l'ensemble de la production d'Hergé auprès d'un public d'adultes de plus en plus important. Il suscitera une abondante littérature dont l'apothéose sera en 1984 la publication des *Bijoux ravis* de Benoit Peeters, essai lumineux consacré à une histoire jugée exceptionnelle par sa densité, par le resserrement des trames du texte et de l'image, par le regard critique et ironique qu'Hergé y porte sur son art, par son constant souci de la lisibilité et de la réception par le grand public, par sa sophistication et sa modernité[14]...

Mais avant ce triomphe posthume, Hergé connaîtra de son vivant la consécration universitaire grâce à cet album hors norme. Dès 1970, soit sept ans après la sortie de l'album, une étude de treize pages paraît sous le titre « Les Bijoux distraits ou la cantatrice sauve » dans l'austère revue *Critique*, d'ordinaire dévolue au traitement de sciences moins humaines. L'occasion pour Hergé de nouer des liens d'estime et d'amitié avec son auteur, le philosophe Michel Serres, 40 ans, premier intellectuel à s'intéresser ès qualités à son œuvre. Cet ancien officier de l'École navale devenu professeur en épistémologie est d'un éclectisme déconcertant. Outre sa thèse sur Leibniz, il vient juste de publier un essai philosophique sur la communication, premier d'une série d'ouvrages placés sous le signe d'Hermès. Grâce à lui, Tintin entre en Sorbonne. Par la grande porte. Hergé également, dans la foulée.

Dès la première page, son texte a des accents de manifeste, celui d'une race de tintinophiles jusqu'alors inconnue :

« La Chaste-Fleur chantait le grand air des bijoux. Intervient une pie, qui vole l'émeraude. Reste, de la musique, un vil jacassement. C'est le hold-up du siècle : on a détourné la voix, subtilisé la parole, déprécié la communication, précieuses comme le corindon et le béryl de toutes les golcondes. La fable est profonde, sans ostentation. Et si la philosophie ne résidait plus là où on l'attend d'ordinaire ? Quand elle se tord d'agonie dans la nuit de l'ésotérisme, la bande dessinée montre au grand jour et sans détours les plaies de nos discours (...) Le "comics" a produit son Traité de la solitude monadique ; sachez enfin où vous instruire et sur quoi méditer. Honte aux doctes, aux profonds, aux théoriques, aux illisibles, aux ténébreux, aux inaccessibles, à tous ceux qui multiplient nos drames vitaux par surenchère à la surdité intersubjective. Oui, la monadologie contemporaine, c'est *Les Bijoux de la Castafiore*. Le trésor est au fond du nid de la pie bavarde ou dans la cassette de la péronelle. Qui ne savent quoi en faire. Qui ne cessent de faire du bruit. Voici des dessins pour aveugles et, pour les sourds, du bruit[15]... »

La suite est de la même encre. Souvent brillante, étourdissante, riche en intuitions, volontiers paradoxale, parfois jargonneuse et obscure sinon incompréhensible. Comme si le syndrome des Bijoux avait encore frappé en suscitant le Philosophe, un personnage inédit aux côtés du Polytechnicien et du Joaillier. Il est clair désormais que chaque exégète de l'œuvre d'Hergé la tirera vers sa discipline au lieu de se mettre à son service. Qu'il s'agisse des philosophes, des sémiologues, des psychanalystes, des historiens, des sociologues et des autres, bien peu y dérogeront. Ainsi, un homosexuel pourra tout naturellement présenter la Castafiore comme un travesti. Après tout, pourquoi pas ? Cette interprétation ne serait jamais que l'apothéose du système, lequel n'a été rendu possible que grâce à la richesse et à l'universalité de cette œuvre dans laquelle chacun se retrouve. Hergé laisse faire, naturellement. Sans complexe vis-à-vis de ce que d'aussi éminents penseurs font dire à l'œuvre d'un autodidacte. Mais quand le professeur Henri Plard consacre une conférence à son œuvre, il y assiste, assis discrètement au fond de la salle, en compagnie de son secrétaire Baudouin Van den Branden. Puis il déjeune avec l'universitaire. Parce que M. Plard a simplement expliqué à ses auditeurs que ses albums reflétaient le monde vu par un adolescent.

Si certains passages de l'étude de Michel Serres laissent le lecteur ébloui, d'autres l'abandonnent coi. Quand on lit : « Pour la deuxième fois, depuis *Pot-Bouille*, l'essentiel est un escalier », on a du mal à imaginer qu'une suite de degrés aussi métaphorique se soit vraiment absentée de la littérature mondiale entre Zola et Hergé, alors qu'elle est au centre de romans d'Edmond Jaloux, Heimito von Doderer et Georges Simenon pour ne citer qu'eux. De même, quand le philosophe nous invite à méditer sur le fait que les reporters entre eux s'appellent « coco ! » comme le perroquet, il ignore probablement que Pierre Lazareff ayant usé et abusé de ce sobriquet pour interpeller ses collaborateurs à *France-Soir*, il est devenu rituel pour les journalistes français de s'adresser d'ironiques clins d'œil en se donnant mutuellement du « coco ! ». Or, Georges Remi connaît parfaitement les us et coutumes de cette tribu-là. Tout bêtement...

Flatté qu'un homme de la qualité de Michel Serres se penche sur son travail, Hergé n'en conserve pas moins son solide bon sens. C'est le propre des grands créateurs que de découvrir dans l'analyse la plus savante de leur œuvre des clefs, des souterrains et des labyrinthes dont ils ne soupçonnaient pas l'existence. Pour autant, Hergé ne s'en laisse pas conter. Impressionné, mais pas béat. Tout en l'assurant de son admiration, il ne se prive pas de lui signifier que certains de ses rapprochements et interprétations lui paraissent tirés par les cheveux. D'autant qu'ils minimisent fâcheusement l'intervention du créateur :

« Pour vous, dans ces *Bijoux*, bruit, malentendus, non-communication sont à l'état pur. Si c'était tout à fait vrai, s'il était tout à fait vrai que "jamais un dialogue ne s'instaure", y aurait-il, finalement, un récit ? Entre les émetteurs non récepteurs, les récepteurs non émetteurs et les vecteurs, n'ai-je tout de même pas, un peu, le rôle d'intercepteur, et ne l'ai-je pas autrement que par hasard[16] ? »

Hergé est conscient d'avoir réalisé là le prototype achevé d'une anti-bande dessinée. Mais il ne se considère pas pour autant comme un non-auteur. Non seulement il assume pleinement cet album iconoclaste, mais il le revendique. Tout l'y encourage, de l'accueil du grand public à l'enthousiasme inattendu du milieu intellectuel. Il pourrait s'en tenir là. *Les Bijoux de la Castafiore* constituerait un final en apothéose. Comment se renouveler après ça ? La question se pose de manière d'autant plus aiguë que le monde de la bande dessinée est lui-même en pleine évolution.

Au milieu des années soixante, la mort du mythique Walt Disney s'inscrit entre l'apparition de Barbarella, première héroïne de bande dessinée adulte, et la naissance de Corto Maltese. Alors que Georges Pichard commence à dispenser un cours de BD à l'école des arts appliqués, l'écrivain et critique Etiemble, dénonçant « la colonisation mentale » du franglais devant les Amis de la langue française réunis à Bruxelles, les invite à « brûler les bandes dessinées où les enfants ne trouvent qu'un sabir corrompu[17] ». La réaction d'un écrivain de la dimension de

Georges Simenon participe du même esprit. Hermétique à l'univers d'Hergé, il ne comprend même pas que la bande dessinée puisse susciter un tel enthousiasme. C'est peu dire qu'une telle représentation du monde lui est étrangère. Il se demande même si cette « culture de masse » ne prépare pas « une génération d'illettrés », reprenant ainsi l'argument employé dans les années trente par Georges Duhamel lorsqu'il dénonçait les effets pervers du cinéma sur l'honnête homme[18].

Si d'incontestables progrès ont été accomplis dans la voie de la reconnaissance, rien n'est encore gagné, ni pour la bande dessinée largement ghettoïsée, ni même pour Tintin. Le satirique *Canard enchaîné*, pour ne citer que lui, ne voit encore dans le personnage d'Hergé qu'un boy-scout mâtiné de Superman, dépositaire conformiste des idées reçues et mainteneur de l'ordre établi :

« Parents, méfiez-vous de ce “héros” pour qui les Blancs sont tout blancs et les Noirs tout noirs. Si vos enfants doivent être sages comme des images, évitez que ces images soient du dessinateur Hergé[19]. »

On le voit, rien n'est joué, malgré les différents signes témoignant d'un début de consécration. La censure a de multiples visages dont le pire est encore le plus officiel. Après avoir usé de son influence pour faire modifier la couverture d'un album de *Lucky Luke*, elle tient à nouveau Mandrake dans le collimateur. Les aventures du célèbre magicien hypnotiseur paraissent dans l'illustré qui porte son nom, lequel est imprimé en Italie. Il n'en est que plus vulnérable. Car il suffit à la commission de l'Éducation surveillée de faire pression pour que l'autorisation d'importation lui soit retirée et qu'il ne puisse être diffusé en France. Une interdiction en bonne et due forme est finalement délivrée par le garde des Sceaux. Aussitôt, Francis Lacassin, cofondateur du tout jeune Club des bandes dessinées avec le cinéaste Alain Resnais, alerte et mobilise des dessinateurs tels qu'Hergé, Greg, Morris, Trubert et Jean Ache. Leur riposte ? Ce ne peut être qu'un dessin collectif dans lequel leurs personnages entonneraient le chant des adieux autour de Mandrake. Il faut faire vite car Fantôme et Flash Gordon sont désormais menacés. Si nul ne réagit, ils seront les premiers d'une longue série. Toute une campagne d'opinion est déclenchée : manifestes, pétitions, articles, télégrammes au garde des Sceaux...

La réaction d'Hergé est caractéristique du personnage qu'il est devenu. Plus individualiste et moins engagé que jamais. S'il veut bien s'associer à une protestation confraternelle dénonçant cette intolérable atteinte à la liberté de création, il refuse d'y faire participer son héros. Le plus intrépide des reporters ne volera donc pas au secours du plus célèbre des magiciens, son existence fût-elle gravement menacée :

« Je n'ai guère envie de mêler Tintin à cette campagne, comme vous m'y invitez. Car on peut imaginer, par exemple, la comtesse de Ségur livrant bataille pour la libre circulation des *Liaisons dangereuses* ; on peut imaginer, s'il avait encore vécu, Saint-Exupéry intervenant en faveur de Mme Christiane Rochefort*. Mais voit-on Camille et Madeleine, les fameuses “petites filles modèles”, se porter au secours du cynique séducteur Valmont ?... Voit-on le Petit Prince prendre fait et cause pour le héros du *Repos du guerrier* ? Le spectacle serait insolite, voire un peu choquant, voire assez ridicule... Le personnage de Tintin, adolescent au cœur pur, n’a rien de commun avec le personnage de Mandrake, et les mondes où ils évoluent sont comme deux planètes différentes. Introduire l’un dans l’univers de l’autre, fût-ce avec les meilleures intentions, est à mon avis le type même de mélange à ne pas faire, de confusion à ne pas créer[20]. »

La solidarité entre créateurs a ses limites. Hergé les discerne en opérant en permanence un tri entre ce qui peut profiter à son héros et ce qui peut lui porter préjudice. Il protège Tintin comme un père son enfant.

Tous ses confrères ne réagissent pas comme lui, il s’en faut. Lorsque Morris dénonce la censure dans les locaux de l’Université libre de Bruxelles, au cours d’une conférence mémorable, il ne plaide pas que pour Lucky Luke. Avec beaucoup d’humour, dans un esprit de dérision éprouvé, il s’exprime au nom de tous et met son héros à leur service. Celui d’une même cause :

« La première page de l’album *Billy the kid* a dû être supprimée parce qu’on y voyait un nourrisson qui préférait sucer un six-coups plutôt qu’une tétine ! Il s’agissait là d’un mauvais

* En 1958, l’écrivain avait fait scandale en publiant *Le Repos du guerrier*, roman dans lequel les relations sexuelles étaient décrites avec franchise.

exemple donné à la jeunesse et on risquait de voir tous les bébés de France réclamer un Colt pour leur petit déjeuner (...) Il faut donc éviter d'encourager l'instinct d'imitation dont témoignent les enfants et interdire à la vente aux mineurs l'histoire du Petit Poucet, où on fait des pas de sept lieues et où l'on mange de la chair fraîche (...) En outre, la Commission s'occupe parfois de former le goût de la jeunesse. À ses débuts, le Marsupilami était considéré comme très nocif parce qu'il s'agissait d'une créature absurde et imaginaire qui poussait des cris inarticulés. (...) L'auteur débutant devra donc tout mettre en œuvre pour satisfaire la Commission. Les tortures seront remplacées par des menaces anodines, les armes à feu par des lance-pierres (ou des canons : si la Commission bannit en général les revolvers des images, elle admet par contre les obusiers ou les bombes atomiques), les femmes dans les scènes de viol seront remplacées par des hommes et les déshabillés suggestifs seront remplacés par des combinaisons de scaphandriers[21]. »

Quoi qu'il en dise, Hergé est devenu aussi détaché que Tintin. Un appui confraternel qui ne se traduit pas par des actes n'engage à rien. Cette attitude, qui s'accentuera avec l'âge, se manifeste également vis-à-vis de *Tintin*, « son » journal, avec lequel il prendra de plus en plus ses distances. Faute d'avoir pu le reprendre sous sa coupe.

Au milieu des années soixante, une nouvelle crise point à l'horizon. Pourtant, les chiffres de vente sont encourageants, surtout si on les compare à ceux de la concurrence : *Journal de Mickey* 375 000 ; *Tintin-France* 204 000 ; *Tintin-Belgique* 70 000 ; *Spirou-France* 113 000 ; *Spirou-Belgique* 85 000 ; *Pilote* 126 000 exemplaires[22]... Il n'empêche : dans les relations chaotiques, heurtées et passionnelles qu'Hergé entretient avec l'hebdomadaire dont il est le cofondateur, 1964 est l'année de tous les dangers. Il en a certes abandonné la direction artistique. Non le titre mais la fonction. Le périodique n'en continue pas moins de porter en couverture le nom et le visage de Tintin.

Désormais, son meilleur ami Marcel Dehaye en est le rédacteur en chef. Ça ne suffit pas à atténuer ses critiques et son ressentiment. Ils s'expriment dès janvier, quand l'équipe prépare le numéro spécial de Pâques. Hergé se refuse purement et simplement à exécuter le dessin demandé de Tintin et Milou. Pourquoi ? Parce que son héros n'est pas celui du numéro. Il a beau reprocher au thème général choisi pour la circonstance de s'éloigner de l'esprit du journal, le mal est en vérité plus profond. Il supporte de moins en moins que Tintin ne domine pas *Tintin*. Or, le succès de l'hebdomadaire vient aussi de ce qu'il a su révéler de jeunes talents et de nouveaux personnages tels que Blake et Mortimer, Guy Lefranc, Dan Cooper, Michel Vaillant...

En mars, constatant que la qualité du journal laisse à désirer, Raymond Leblanc et Hergé conviennent, au restaurant, qu'il gagnerait au retour de son prestigieux directeur artistique. Sans s'étendre sur les conditions de ce retour. Que se disent-ils exactement au cours de ce fameux déjeuner chez Peppino ? Toujours est-il qu'il en sort des malentendus. C'est à nouveau l'incompréhension. Ils se reprochent duplicité et versatilité, double langage et faiblesse de caractère. D'une mise en demeure l'autre, l'arbitrage du tribunal est même évoqué. Les avocats s'en mêlent. Car Hergé, qui s'est mis en tête de redevenir l'âme du journal, est bien décidé à faire jouer le droit (son contrat de directeur artistique tient toujours) contre les faits (il a déserté ses responsabilités depuis des années)[23]. Après plusieurs mois de négociations et de palabres, Hergé fait savoir à l'un des intermédiaires qu'il est las des concessions mutuelles et de la politique des petits pas. Reprenant de la hauteur, il se met à parler de lui-même à la troisième personne :

« Je n'ai pas à justifier en détail ma résolution de reprendre la direction artistique d'un hebdomadaire qui porte le nom de mon héros. Je ne me prends pas pour de Gaulle, mais je dirais : Hergé n'a pas à subir une sorte d'examen pour rentrer à *Tintin*[24] ! »

Le bras de fer continue pendant quelques mois encore, les deux parties discutant pied à pied de l'interprétation de telle ou telle clause de leur contrat. En 1965, soit un an après le début de la crise, Raymond Leblanc propose le poste de rédacteur en chef à Greg. Celui-ci connaît bien l'hebdomadaire pour y avoir notamment écrit des gags de *Modeste et Pompon*, des épisodes de *Mouminet* et de *Corentin et le poignard magique*. Scénariste prolifique tant pour *Spirou* que pour *Tintin*, collaborateur de nombreuses séries, il est surtout, dans les colonnes de *Pilote*, depuis deux ans, l'auteur-créateur d'Achille Talon, bavard d'exception. Il accepte la proposition à une condition :

« Laissez-moi mettre un peu de violence et de sexe dans ce journal. Les jeunes sont comme ils sont. Et nous ne sommes plus en 1946[25]... »

Dès son arrivée, Greg remet les pendules à l'heure. Un système de valeurs chasse l'autre. Cette fois, Hergé a toutes les raisons de prendre ses distances. D'autant que son inquiétude est désormais moins ravivée par la concurrence intérieure sécrétée par son propre journal, que par une rivalité venue d'ailleurs. Un certain Astérix...

Le personnage est né en même temps que le support qui l'a fait connaître. *Astérix* et *Pilote* ont été portés ensemble sur les fonts baptismaux en octobre 1959. Leur promoteur François Clauteaux, un publicitaire au chômage, désargenté et étranger au sérail, fait appel à un ami, Jean Hébrard, qui dirige une agence de presse spécialisée dans la bande dessinée. Un seul mot d'ordre : tous les héros des histoires publiées dans l'hebdomadaire doivent être français[26]. Avec le temps, une telle contrainte devient d'autant plus paradoxale que *Pilote* apparaît vite comme un lieu d'expériences international, hétéroclite et avant-gardiste. Cette ouverture d'esprit n'est pas seulement le produit d'une époque ou d'un contexte à l'aube d'un bouleversement des idées et des mœurs. Elle est également due à la nature cosmopolite du trio de scénaristes et dessinateurs qui en est le pilier : un Français d'origine polonaise élevé en Argentine (René Goscinny), un Français d'origine italienne

(Albert Uderzo) et un Wallon (Jean-Michel Charlier).

Pilote, « le grand magazine illustré des jeunes » qui vise la cible des 8-15 ans, est plus cher que ses concurrents. Cela ne l'empêche pas de rencontrer très tôt son public. Original, il l'est par la proportion relativement faible des bandes dessinées. Par sa manière de considérer l'adolescent comme un adulte et de lui offrir à lire une sorte de newsmagazine. Et par son étroite association avec un média national (Radio-Luxembourg), la station assurant la promotion permanente du journal, et le journal mettant en images les personnalités du micro. Cinq mois après son lancement, *Pilote* est racheté par Georges Dargaud, l'éditeur de la version française du journal *Tintin*. Excellent gestionnaire dont la culture bédéphilique se limite à l'univers d'Hergé, il a le goût du pouvoir, l'intelligence de déléguer les choix artistiques à ceux qui en ont la compétence, le don d'être discrètement généreux avec les auteurs, le génie de savoir s'entourer et l'audace de prendre des risques[27].

Au début, Hergé ne se méfie pas. Ni d'Astérix, ni de Goscinny. Celui-ci n'est pour lui qu'un habile scénariste qui, avant d'être à *Pilote*, a écrit des histoires pour le journal *Tintin* quand il n'y fournissait pas des gags à Bob De Moor, Tibet, Franquin ou Macherot. Ni plus, ni moins. Jusqu'à ce jour de décembre 1961 où, assistant à l'intronisation de ses personnages au musée Grévin, Hergé le repère dans la foule du cocktail d'inauguration. Il glisse alors à l'oreille de Jacques Martin :

« Regardez-le ! Il hume l'odeur du succès pour mieux en démonter la mécanique[28]... »

Il est permis de se demander lequel des deux a eu, ce jour-là, le plus de flair. *Astérix le Gaulois* (1961), le premier album de la série, ne se vend qu'à 6 000 exemplaires. Le tirage fait un bond à 20 000 avec *La Serpe d'or* (1963) et à près de 50 000 avec *Astérix et les Goths*.

En 1964, quand Goscinny, Charlier et Ache lui écrivent pour l'enrôler dans une Association professionnelle de la bande dessinée, regroupant exclusivement les auteurs et les éditeurs les plus connus, Hergé accepte d'en être[29]. Il n'a pas de raison de ne pas suivre ses jeunes confrères dans un cénacle aussi élitiste. La récente apparition du cow-boy Blueberry dans les pages de *Pilote* ne l'inquiète pas plus que ne l'avait troublé celle d'Astérix.

En fait, c'est sa maison d'édition qui, la première, tente d'instiller le doute en lui dès l'année suivante. Car ses responsables entretiennent des rapports permanents avec leurs représentants et inspecteurs des ventes. Ceux-ci sont les mieux placés pour prendre le pouls de la librairie. Ils sont le baromètre des ventes. Or, ils leur font savoir de toute part qu'*Astérix* est en train d'envahir le marché à raison de deux parutions par an, à Pâques et à Noël. Pour y résister, Hergé serait bien inspiré d'envisager autre chose qu'une simple réédition revue et corrigée de *L'Île noire*. Cela ne suffira pas pour affronter ce qui s'annonce comme un raz-de-marée.

Les libraires acquis de longue date à Hergé et à son œuvre sont formels. Ils n'ont de cesse d'alerter Casterman en leur demandant de secouer leur auteur vedette. Pour son bien. Confidentiellement, ils lui font savoir que le prochain *Astérix* sera tiré à plus de 200 000 exemplaires et que chaque album de la série sera réimprimé à 50 000. Bref, il n'y a pas seulement urgence mais péril en la demeure. Voilà bientôt trois ans qu'est paru *Les Bijoux de la Castafiore*. La patience des amateurs les plus fidèles risque de montrer ses limites. Surtout si leur curiosité est sollicitée par ailleurs[30].

Face à cette agitation, Hergé reste serein. Il en faudrait plus pour qu'il se départisse de son flegme. Magnanime, il juge le succès d'*Astérix* largement mérité. Philosophe, il se doute bien que Tintin n'a pas l'éternité pour lui. Caustique, il fait remarquer que l'invention d'un album de bande dessinée relevant plus de la création artistique que de la production industrielle, elle obéit à des lois plus délicates que la fabrication de mayonnaise en tube. Il consent toutefois à se remettre sans tarder à un prochain album[31]... Visiblement, il n'a pas conscience du danger. Comme si l'orgueil l'empêchait de prendre la mesure de quelque chose de latent, prêt à exploser et à détrôner son héros d'un monde qu'il domine sans partage depuis des années. Ce ne sera pas faute d'avoir été prévenu.

À la rentrée de 1966, *Astérix chez les Bretons* est en librairie. Tirage initial : 600 000 exemplaires. C'est le huitième album de la série. Huit albums en six ans ! Une production aux cadences infernales digne de... Hergé à sa grande époque. Le *New York Times* consacre un article substantiel à « ce héros de bande dessinée qui prend le cœur des Français ».

Quelques jours après, le 19 septembre, la bombe explose sur la couverture de l'hebdomadaire *L'Express*. Le titre dit tout en deux mots : « Le phénomène Astérix ». Sous le dessin du petit Gaulois plus conquérant que jamais, une légende indique : « Astérix, la nouvelle coqueluche des Français. »

Cette poussée de fièvre si hexagonale est disséquée en trois pages très denses. C'est bien connu : quand nous sommes dépassés par les événements, feignons d'en être les organisateurs. En l'espèce, il s'agit de trouver de profondes raisons à ce succès inattendu. Toujours plus facile après qu'avant : *Astérix* est lu par les parents plus que par les enfants, ses anachronismes font le régal des petits et des grands, ses calembours sont d'un goût délicieux, la qualité du dessin est à la hauteur des gags. On rappelle également que le tandem qui en est à l'origine n'a pas plus de 40 ans et une énergie débordante. Il faut dire que dans le même temps où le scénariste René Goscinny invente de nouvelles aventures à Astérix avec son complice dessinateur Albert Uderzo, il concocte *Lucky Luke* avec Morris et *Le Petit Nicolas* avec Sempé, tout en assurant la rédaction en chef de *Pilote* !

Hergé est ébranlé. D'autant qu'en faisant allusion à Tintin par comparaison, l'article le présente comme « le porte-drapeau de l'Occident face au monde communiste[32] ». Désormais, dans ses conversations avec Louis-Robert Casterman, il ne dissimule plus ses vives inquiétudes. Quelques mois après, beau joueur, fidèle à son élégance légendaire, il continue à juger le succès de la série justifié par son indéniable qualité.

Mais il l'attribue aussi au dynamisme commercial et au sens de la promotion des éditions Dargaud. Dans cet esprit, Hergé prend l'initiative de confier à un jeune expert le soin d'effectuer une sorte d'étude du marché afin d'y adapter la stratégie de lancement du prochain album *Tintin*, tant en Europe qu'outre-Atlantique[33].

En termes courtois mais fermes, il reproche en fait à son éditeur son manque d'agressivité commerciale. À plusieurs reprises dans un passé récent, celui-ci aurait dû exploiter les occasions qui se sont présentées : focalisation de la grande presse sur la BD grâce à l'agitation entretenue par Goscinny ; exposition « Tintin et 20 ans de bande dessinée » organisée par les éditions du Lombard ; diffusion par l'ORTF de dessins animés Tintin... Or rien n'a été fait. Aux yeux d'Hergé, la passivité de Casterman contraste vivement avec le dynamisme de ses concurrents, Dupuis *(Lucky Luke)* et Dargaud *(Astérix)* sans parler du Lombard qui est partout.

L'éditeur de Tournai réfute en bloc et en détail. Il a beau jeu de lui objecter que *Tintin* se vend très bien, de mieux en mieux même comme en témoignent les relevés. Et qu'on ne peut décemment pas faire de la publicité quand il n'y a pas de nouveauté à présenter ! Il n'y a pas à en sortir. Du point de vue de Casterman, en n'occupant plus le terrain en librairie, Hergé a cassé le rythme, de son fait. S'absenter des devantures est impardonnable : les trois quarts des albums signés Hergé remontent à plus de dix ans... Tant qu'il ne sera pas capable d'en produire un nouveau, ses récriminations commerciales resteront lettre morte[34]

Quoi qu'il en soit, Hergé est bien obligé de prendre acte de ce que l'onde de choc du succès d'*Astérix* profite à toute la bande dessinée franco-belge. Désormais, les adultes ne demandent plus un emballage cadeau lorsqu'ils achètent un album. Mais malgré la montée des périls, il se refuse obstinément à considérer *Astérix* comme un concurrent de *Tintin* :

« Il est plutôt une critique de notre société. On peut s'identifier à Tintin, pas à Astérix[35]. »

Effectivement, le petit Gaulois n'est un héros qu'au second degré. On ne s'identifie peut-être pas à sa personne mais à son état d'esprit, en France plus qu'ailleurs. Astérix est un symbole et Obélix un personnage. Comme Tintin et Haddock. La comparaison est souvent esquissée. C'est peu dire qu'elle touche Hergé. Il en faudrait à peine un peu plus pour que, en lui sautant aux yeux, la rivalité le fasse bondir.

Ce jour-là, il traîne aux Studios. Depuis *Les Bijoux de la Castafiore*, l'inspiration l'a, semble-t-il, déserté. Quelques projets ont bien été agités ici ou là. Rien de bien sérieux. Du moins rien qui l'ait suffisamment séduit pour le retenir durablement. Les tiroirs s'enflent de nouveaux dossiers. Jusqu'à ce que l'un ressorte et le tourmente.

Loin de la folie et des risques du précédent album, ce serait quelque chose comme une aventure conventionnelle, racontée dans un registre des plus classiques. Dans un but, un seul : instiller dans l'esprit du lecteur un doute quant à la vie sur les autres planètes. Toute l'histoire serait construite en fonction de la fin. Au passage, il a dans l'idée de régler définitivement leur compte à Roberto Rastapopoulos, Allan Thomson et leur clique de malfaisants. Non en les tuant mais en les démythifiant de manière à révéler le pauvre type sous le masque du forban. Rien de tel que de ridiculiser un méchant quand on veut l'éliminer.

Pour savoir ce qui se passe ailleurs, du côté de l'au-delà, Hergé s'abandonne à la lecture du *Livre des secrets trahis* de Robert Charroux. Mais son équipe des Studios, elle, garde les deux pieds bien sur terre. Michel Demarets étudie sur place, à l'aéroport international de Bruxelles, le système de verrouillage intérieur d'un Boeing 707... Grâce à l'intervention du major Paul Remi auprès du capitaine de vaisseau Poskin, Bob De Moor peut se rendre à Ostende afin d'y réaliser des croquis de bunkers de la Seconde Guerre mondiale, dans l'enceinte de la Force navale... De fidèles lecteurs de *Tintin* vivant à Djakarta sont mis à contribution : on leur demande des photos précises de l'aéroport de Kemajoran (tour de contrôle, bâtiments, salles de transit)... Pendant ce temps, Hergé lit. Et rêve au titre de son futur album. Tout y passe, le pire et le meilleur : *Tintin et le milliardaire, Échec à Rastapopoulos, As-tu rêvé, Tintin ?, La Jungle du grand secret, Tintin à la frontière du monde, Pas d'os pour Milou, Escale à Djakarta, Mille et un tonnerres de Brest, Tintin et les gens d'ailleurs, Rasta traque Tintin, Un Tintin venu d'ailleurs, Du tintouin pour Tintin, Les voyages forment le capitaine, Attention, chien Milou !, Tintin et les Titans, Venus de Vénus ?...*

Le problème n'est pas tant le titre. Il manque un coup de fouet pour qu'Hergé ait encore envie de catalyser les énergies des uns et des autres.

Sur son bureau, le secrétaire particulier Baudouin Van den Branden de Reeth lui a préparé à sa demande un dossier de presse relatif à « l'affaire *Astérix* ». Hergé s'y plonge, relit l'enquête de *L'Express*, exprime sa mauvaise humeur en relevant que « dans le sillage d'*Astérix, Tintin* mord la poussière », s'empare d'un autre article et laisse éclater sa colère en y découvrant que, selon le journaliste, « *Astérix* a le même succès que *Tintin* naguère ». Il se lève de sa chaise et prend tout le monde à témoin, agitant le papier rageusement :

« Vous avez lu ? Ça alors... Naguère ! Naguère ! Demain, on commence un *Tintin*[36]... »

Le soir même, il se calme enfin. Le lendemain, les gens des Studios font mine d'avoir oublié l'incident. Mais dans les conversations tant avec ses collaborateurs qu'avec son éditeur, Hergé sent bien qu'il s'est enferré dans son propre piège. D'autant qu'un travail a effectivement été entrepris depuis quelques mois. Pris au mot par son entourage, il ne peut plus faire machine arrière. Peu après, le journal *Tintin* publie la première planche de *Vol 714 pour Sydney*.

Faisant escale à Djakarta sur la route de Sydney, Tintin, Milou, Haddock et Tournesol retrouvent une vieille connaissance au bar de l'aéroport, Piotr Szut, ce pilote estonien qu'ils avaient recueilli sur leur radeau dans *Coke en stock*. Désormais au service du milliardaire Laszlo Carreidas, géant de l'industrie aéronautique, il doit conduire son patron à un congrès en Australie. Les présentations sont faites. Emballé par ce nouveau trio d'amis, Carreidas les embarque dans son avion à destination de

Sydney. Haddock résiste à l'invitation par politesse. Tintin aussi, par méfiance. Car le copilote Paolo Colombani et le secrétaire particulier Spalding lui paraissent louches. Son flair ne l'a pas trompé. En vol, l'Anglais détourne l'avion avec l'aide d'une partie de l'équipage. Après un atterrissage en catastrophe sur une île, Tintin comprend enfin les raisons de cet acte de piraterie. Rastapopoulos, toujours lui, en est le commanditaire. Disposant de spécimens de ses fausses signatures grâce à son secrétraitre, il veut faire avouer au milliardaire le numéro de son compte en Suisse afin de le vider. Plusieurs injections de sérum de vérité ayant produit un effet contraire, Rastapopoulos s'énerve. Dans un faux mouvement, il se pique lui-même et dévoile sa vraie nature, celle d'un cynique qui a le génie du mal. Tintin et ses amis, qui ont réussi à fausser compagnie à leurs geôliers, délivrent le milliardaire et neutralisent Rastapopoulos. Les bandits ne tardent pas à les retrouver. Après une course-poursuite dans la jungle de l'île, le trio de Moulinsart découvre une étrange statue dans un souterrain. Par la même occasion, il fait connaissance d'un non moins étrange personnage du nom de Mik Ezdanitoff, travaillant pour la revue *Comète*. Familier des phénomènes hypnotiques et télépathiques, il semble en prise directe avec une civilisation extraterrestre. Rastapopoulos et sa bande sont toujours à leurs trousses. Les uns et les autres sont menacés par une éruption de lave souterraine. Grâce à leur nouvel ami, Tintin et les siens échappent au volcan déchaîné en soucoupe volante. Interviewés à leur retour par la télévision, ils ont du mal à expliquer ce qui leur est arrivé. D'autant qu'ils sont frappés d'amnésie. Mais dans leurs propos, le doute subsiste quant à la possibilité d'une vie sur d'autres planètes que la Terre. L'histoire s'achève là où elle a commencé : l'image d'un avion sur la piste de l'aéroport de Kemajoran (Djakarta). Nos héros embarquent afin de poursuivre leur voyage vers l'Australie, comme prévu. Cette escale n'aura été qu'un rêve des plus curieux, un de ceux qu'on oublie dès le réveil. Comme s'il ne s'était rien passé.

Le fait est que pour le lecteur non plus, il ne s'est rien passé. *Vol 714 pour Sydney* n'est qu'une aventure de plus. Un album de trop. Car au stade où Hergé est parvenu, après l'exceptionnel doublé de *Tintin au Tibet* et des *Bijoux de la Castafiore*, ce qui n'apporte rien à son génie l'amoindrit.

Il y a si peu à dire sur cette histoire, si conventionnelle dans sa dramaturgie, si prévisible dans son comique, si peu audacieuse dans son avancée vers la science-fiction, que les amateurs se rabattront plus que jamais sur ses sources.

De l'aveu même d'Hergé, le Carreidas 160 JET doit tout (plan, dessin et maquette tant du fuselage que de la cabine) au crayon de son collaborateur Roger Leloup. Au moment de la conception, il lui a seulement été demandé de se tourner vers le futur, notamment les prochains avions supersoniques commerciaux. Un Boeing 707 a servi de modèle, pour être en phase avec l'avenir très prometteur du moteur à réaction [37]. Cet appareil est la seule surprise de l'album. Malgré ses indéniables qualités graphiques et technolo giques, il fait moins rêver que la fusée d'*On a marché sur la Lune*.

Hergé ne se contente pas de tourner en dérision les mauvais, familiers des lecteurs fidèles. Il essaie de se rattraper avec quelques nouveaux personnages, Carreidas en tête. C'est une caricature du génial constructeur des Mirage et Mystère, Marcel Dassault. Il lui a beaucoup emprunté : sa silhouette, son chapeau, son cache-col, son côté frileux... Mais autant la copie est pingre, autant l'original était prodigue. Les deux étaient probablement des éternueurs compulsifs. Horrifiés par la fumée du tabac, ils étaient pareillement obsédés par les microbes, au point d'éviter le serrement de main. Dassault était fort capable, lui aussi, d'acheter des tableaux de maître sans les voir, sur un simple coup de fil, pour qu'ils ne tombent pas dans d'autres mains que les siennes. Mais il n'y a que dans une bande dessinée qu'un homme de cette envergure soit capable de tricher à la bataille navale...

L'étrange Mik Ezdanitoff de la revue *Comète* est, lui, directement inspiré de l'invraisemblable Jacques Bergier, archétype du fou génial, passionné par l'occultisme, les parasciences, la parapsychologie et le paranormal. Avec un autre journaliste-écrivain, Louis Pauwels, il est coauteur du best-seller *Le Matin des magiciens*, manifeste philosophique dont *Planète*, revue de luxe devenue par son succès un phénomène de masse, est l'incarnation périodique[38]. Hergé est autant fasciné par son incroyable curiosité intellectuelle qu'amusé par son ironie et son côté pittoresque. Mais il le prend suffisamment au sérieux pour y puiser une bonne partie de sa documentation, comme il le fit jadis avec *Le Crapouillot*.

Quant au docteur Krollspell, directeur d'un institut psychiatrique à New Delhi et exécuteur des basses œuvres de Rastapopoulos, Hergé reconnaîtra avoir songé en l'imaginant à l'un de ces médecins qui avaient sévi dans les camps de concentration nazis. Mais cela n'est jamais expressément signifié[39].

Pour le reste, les audaces de langage et les échappées vers l'absurde se comptent sur les doigts de la main, lorsque Haddock s'énerve (« Il y a des bornes aux limites, quand même ! ») ou que Milou dit préférer voyager en transit plutôt qu'en avion. Pour y retrouver un plaisir d'antan, les amateurs s'amuseront plutôt à comparer les versions française et anglaise de l'album. Ne fût-ce que pour constater, entre autres modifications, comment « son inséparable Riquet à la houppe » devient « his pal young Sherlock Holmes ». Et comment « sorcellerie » remplace « divination », tandis que la « calomnie » se métamorphose en « grossière erreur ».

En fait, le plus touchant dans cet album, digne d'un honnête artisan de la bande dessinée mais indigne du grand Hergé, se dissimule dans un détail. Seul l'auteur et le principal intéressé sont dans le secret. Il faut savoir que depuis longtemps, Hergé trouve régulièrement dans son courrier des lettres de fidèles lui demandant l'incroyable faveur de figurer dans l'une des cases de son prochain album. Tous envoient leur photo, naturellement. Il est obligé de décliner de telles offres de service, avec courtoisie et régularité, sous peine d'asservir son œuvre à son public. Mais un lecteur plus patient que les autres est enfin récompensé de ses efforts. Six ans après sa demande[40]... Touché par la simplicité, l'enthousiasme et la spontanéité de sa lettre, Hergé a décidé de le faire passer à la postérité en lui accordant un insigne privilège : serrer la main du capitaine Haddock dans l'avant-dernière vignette du récit. À une condition : que nul ne le sache.

C'est donc lui, le jeune journaliste de télévision qui interviewe le capitaine avant son départ pour Sydney. Il s'appelle Jean Tauré de Bessat, cet habitant de Talence (Gironde), simple lecteur passionné des aventures de Tintin, l'un des rares à avoir accompli le rêve de tous : entrer dans une bande dessinée aux côtés de ses héros.

Si la gestation de *Vol 714 pour Sydney* a été parfois laborieuse, si l'intérêt qui se dégageait du récit s'en ressentait, c'est aussi qu'Hergé a peiné à le mettre au point. Durant de longues périodes, il ne put même pas tenir un crayon entre les doigts tant les plaques d'urticaire envahissaient ses mains. C'est à cette époque qu'il confie un jour à Michael Turner, son traducteur anglais :

« Je ne suis plus amoureux de Tintin. En fait, je ne peux plus le voir[41]... »

Jacques Martin, l'un de ses deux plus proches collaborateurs aux Studios, est également témoin de ces moments de lassitude. Hergé se sent de plus en plus prisonnier de ses personnages. Ses créatures l'asphyxient :

« Je hais Tintin, vous n'avez pas idée à quel point[42]... »

Le rituel du thé à cinq heures tourne à la flagornerie et à l'autocélébration. Le grand dessinateur, qui ne rechigne pas à entretenir sa gloire, devient petit à petit intouchable. Bien peu se risquent à le critiquer. Nul n'a assez d'influence pour le pousser à se remettre en question, à supposer qu'il en éprouve le désir. Le mythe a dépassé l'homme. Hergé n'en peut mais. Certains membres de son entourage ne s'adressent plus à lui comme avant. Parce qu'il n'est plus le même. Parce que le regard qu'ils posent sur lui ne peut s'affranchir de son impressionnante notoriété internationale.

La revue de presse et le courrier des lecteurs occupent désormais une place considérable, tant dans les armoires que sur son bureau. L'étude de sa correspondance mériterait à elle seule une thèse d'université. Elle contient le monde en miniature, avec ses espoirs et ses contradictions, ses incohérences et sa tendresse.

Il y a d'abord les solliciteurs, quémandeurs et autres tapeurs de tout poil qui se permettent même d'envoyer des lettres de rappel. Certains sont de vrais cas sociaux. D'autres des faux, ainsi ce curé qui lui demande une voiture pour rendre visite à sa vieille mère sans se fatiguer ! Il y a ceux qui, excipant de leurs qualités de dessinateur et de scénariste, se proposent tout simplement pour prendre sa suite. Il y a ceux qui lui suggèrent d'envoyer Tintin dans leur pays à l'occasion de ses prochaines aventures. Il y a ce lecteur de Kourigba (Maroc) qui se plaint de ce que le professeur Tournesol use et abuse de l'expression « faire le zouave ». Il faut dire qu'il fut sergent du 1er régiment de zouaves et que sa devise reste : « Être zouave est un honneur. » Il y en a même un qui, après avoir loué ses qualités d'invention et d'imagination, lui réclame une preuve de l'existence de Tintin. Il est vrai qu'il écrit d'un hôpital psychiatrique. Enfin, il y a ceux, les plus nombreux, qui lui demandent simplement : « C'est quand le prochain ? »...

Hergé n'aime pas écrire mais il se doit de répondre. Comme le poète Max Jacob, il pourrait dire de cette corvée qu'elle est son épistolat. Dans ses réponses, manuscrites puis la plupart du temps dactylographiées dès 1935, plusieurs facettes de sa personnalité se révèlent.

Il y a d'abord le Hergé prévenant, attentionné et surtout poli, jusqu'à s'exprimer exclusivement dans une langue impeccable. Quand il écrit un 1er avril, il prend garde de dater sa lettre du jour suivant afin de dissiper le moindre doute, et donc tout embarras, chez son correspondant. Il y a ensuite le Hergé foncièrement gentil, au point de ne pas savoir dire non quand une lettre le touche. Combien de fois n'a-t-il pas envoyé un album dédicacé à condition, toutefois, que cela ne se sache pas ? Ou un dessin original à un enfant malade ? Il y a également le Hergé d'une prudence scoute qui, pour ne pas décourager les vocations, s'abrite derrière des maximes célèbres quand on lui demande comment devenir auteur de bandes dessinées : celles de La Fontaine (« Travaillez, prenez de la peine... »), de Boileau (« Vingt fois sur le métier, remettez votre ouvrage ») ou de Musset (« Mon verre est petit mais je bois dans mon verre »). Il y a enfin le Hergé doté d'un sens de l'humour à toute épreuve, mélange d'esprit français, d'*understatement* anglais et de réflexes bruxellois. Répondant à un écrivain qui lui a envoyé un exemplaire de son *Éloge de la guillotine*, Hergé promet de le lire à tête reposée. S'adressant à René Goscinny, il écrit dans une note manuscrite en bas de page : « Faut-il vous répéter que chaque semaine, dans *Pilote* (mâtin !), je vous lis avec délix[43]... » Les sans-grade et anonymes ont droit aux mêmes égards que les puissants. Il leur répond tout aussi longuement. Ainsi, à deux adolescentes qui demandent au créateur des Dupondt la voie à suivre pour entrer dans les services spéciaux, il écrit : « Pour devenir agent secret, il faut absolument l'autorisation des parents et de la direction de l'école. Tous les agents secrets vous le diront. La formation professionnelle d'agent secret se fait dans des établissements eux-mêmes tellement secrets que je n'ai jamais réussi à connaître leur adresse ! »

Mais comment s'occupe-t-il lorsqu'il ne se consacre pas au courrier ? Le fait est qu'il a de moins en moins envie de travailler. Les Studios sont le cadre idéal pour des travaux forcés dorés. Ils portent son nom comme un étendard. Sauf que désormais, ils ont quelque mal à le voir flotter dans l'air du temps. Démobilisés par la force des choses dans une petite entreprise qui ne tourne plus qu'au ralenti, ses dessinateurs se réfugient dans leurs travaux personnels. En attendant que le patron reprenne du poil de la bête. Or, il refuse régulièrement les scénarios qui lui sont proposés. Moins il sent les histoires des autres, plus il prend ses distances. En vérité, il n'a plus le feu sacré. Mais qui osera le lui faire avouer ?

Il y a dix ou vingt ans encore, quand la mélancolie réduisait à néant toute sa puissance créatrice, la pression conjuguée des lecteurs et de l'entourage lui donnait le courage de ne pas tout abandonner définitivement. Aujourd'hui, il n'y a plus guère que le sens du devoir qui le retienne de tout plaquer. Et le spectre du désœuvrement, car il conserve en lui un vieux fond de culpabilité, qui lui fait se considérer en état de péché lorsqu'il ne travaille pas. S'il renonce, il entraînera les Studios dans sa chute. Une éventualité qu'il se refuse à envisager, du moins pour l'instant. Écartelé entre son attachement à sa liberté de création et son affection pour les Studios, il choisit de ne pas choisir.

Pour l'heure, Hergé continue à contrôler et à maîtriser le travail effectué en son nom. Afin que nul ne se perde en conjectures sur l'inactivité supposée des Studios, quelques planches du « prochain album », toujours les mêmes, sont prêtes. On les ressort à chaque fois que des journalistes rendent visite au Maître. Pour la galerie. Complaisamment filmées, elles les persuadent de détenir un scoop et entretiennent l'illusion d'une intense activité dans les laboratoires de l'avenue Louise. Malgré les temps morts qui s'éternisent, tout le monde doit être à son poste en permanence. Car tout le monde est à son service. Même s'il n'y a rien à faire. Même si l'inactivité du patron rend certains neurasthéniques :

« Faites semblant de travailler ! » leur lance-t-il souvent, sans qu'on sache très bien s'il est sérieux ou ironique.

Il supporte mal qu'on doute de l'utilité de ses Studios. Et encore moins qu'on laisse entendre que son équipe se passe très bien de lui pour faire du Hergé. Il convient volontiers que sa dizaine de collaborateurs exécute les décors, les coloriages, le lettrage ainsi que les engins et véhicules. Mais dans le même temps, il est bien clair qu'il assure, pour sa part, le scénario, le découpage, les dialogues, la mise en page, le crayonné, les personnages et l'encrage. Bref, l'essentiel. Malgré cela, le mythe de « l'équipe Hergé » perdurera longtemps.

Rien ne le fait bondir comme d'entendre certaines « légendes » selon lesquelles Bob De Moor se charge de la mise au net. Des interventions ponctuelles, soit. Mais nul ne saurait se substituer au maître sur le plan graphique. Jamais il ne laissera dire qu'il n'est plus l'auteur à part entière de ses albums. Même si dans les milieux bédéphiles, chacun sait ce que la modernisation des anciens albums et le début des *7 Boules de cristal* doivent à Edgar Jacobs, la saga lunaire à Bernard Heuvelmans, la fusée et les avions à Roger Leloup, le personnage d'Abdallah à Jacques Van Melkebeke, celui de Séraphin Lampion à Alidor et nombre de planches et de gags des derniers albums à Bob De Moor et Jacques Martin.

Pour autant, ceux-ci ont toujours reconnu qu'Hergé contrôlait et maîtrisait tout le processus. Jusqu'à la fin, il sera toujours à l'origine de ce mouvement inimitable, ce trait, cette rondeur et ce côté enlevé sans lequel Tintin n'existerait pas. D'une vignette l'autre, sa main crée le lien indispensable à l'unité de l'ensemble. Il suffit d'étudier les originaux des planches crayonnées pour réduire à néant les rumeurs les plus malveillantes. Cela dit, s'il reconnaît volontiers l'apport des membres de son équipe, il se refuse à leur rendre hommage en citant leurs noms dans une sorte de générique au début des albums. Il considère que leur travail lui appartient puisqu'ils sont payés pour exécuter ses directives. Il juge donc normal de s'attribuer leurs idées.

Jamais ses albums ne seront signés « Studios Hergé ». Qu'on se le dise. Les aventures de Tintin et Milou, c'est Hergé. Depuis toujours et pour toujours. Un point, c'est tout.

Au milieu des années soixante, la diffusion de l'œuvre franchit un cap. Casterman ne vend plus 1 million mais 1,5 million d'exemplaires de ses albums par an. Trois d'entre eux ont depuis peu franchi individuellement la barre du million : *Tintin en Amérique, On a marché sur la Lune* et *Le Trésor de Rackam le Rouge*. Neuf autres se sont vendus à plus de 900 000 exemplaires, cinq autres à plus de 800 000. En tout, vingt millions d'albums de *Tintin* sont désormais en circulation[44].

Jamais Hergé n'a autant besoin de ses Studios que dans ces moments-là. Car même s'il peine de plus en plus à donner la nouvelle histoire que chacun attend de lui, il se fait un devoir d'assurer, en tout premier lieu, la permanence et la continuité de l'œuvre déjà accomplie. Les modernisations, adaptations, modifications et refontes de ses anciens albums sont en fait devenues l'ultime justification de l'existence des Studios.

Tout n'exige pas un travail d'ampleur. Mais rien n'est négligé, pas même les « bricoles » suggérées le plus souvent par des lettres d'éminents lecteurs. C'est l'abbé André Coenraets qui déplore dans *Le Temple du soleil* l'assimilation déplorable entre « zouave » et « indio »[45]. Ce sont des professeurs de philologie et de linguistique de l'Université de Bordeaux qui signalent, dans l'édition anglaise du *Sceptre d'Ottokar*, le remplacement de « gendarmskaia » par « politsia », initiative qui leur paraît heureuse car plus conforme à l'esprit de la langue syldave telle qu'ils ont pu la reconstituer[46]. C'est aussi la compagnie Air India qui se plaint d'être citée et d'apparaître dans *Tintin au Tibet* dans le cadre d'une catastrophe aérienne, gaffe qu'Hergé répare en lui substituant dans les bulles Sari Airways et en retouchant deux dessins[47].

Il arrive aussi qu'Hergé n'attende pas l'ouverture du courrier pour modifier tel ou tel détail. C'est le cas lorsqu'il introduit volontairement un anachronisme dans la nouvelle édition des *Cigares du pharaon* : un exemplaire d'*Ojectif Lune* sous la tente du cheikh en plein désert alors que l'histoire a été écrite et publiée pour la première fois au début des années trente tandis que la fusée... C'est curieux mais habile. Car en prenant cette liberté, Hergé permet à une nouvelle génération de lecteurs d'entrer dans son œuvre et d'y naviguer à loisir, dans n'importe quel ordre, sans jamais être perdue. Mais d'une manière générale, il déteste modifier quoi que ce soit sous la pression, surtout si elle s'exprime publiquement. Quand le magazine *Marie-Claire* lui apprend qu'à la suite d'un référendum 9/10 des lecteurs ont voté pour qu'il ne change rien aux vêtements de son héros, il est d'autant plus satisfait que, de toute façon, il n'avait nullement l'intention de consulter le peuple sur cette question :

« Tout cela confirme que les culottes de Tintin sont une des principales valeurs spirituelles de l'Occident ! » leur dit-il[48].

Ce ne sont que peccadilles en regard des grands chantiers mis en œuvre tout au long des années soixante.

L'Île noire tout d'abord. C'est sa troisième version, une manière de record dans les annales de la bande dessinée. La refonte totale de cette histoire qui, faut-il le rappeler, se déroule principalement en Grande-Bretagne, est le résultat d'une initiative anglaise. Methuen, son éditeur londonien, estime en effet que l'album est truffé d'imprécisions et d'inexactitudes. 131 erreurs très exactement ! Un public aussi averti que le sien jugera une telle hécatombe impardonnable.

Hergé en convient sans réserve. Il décide de ne rien changer au scénario, de transformer très légèrement le découpage, mais de modifier profondément les décors, les paysages, les accessoires. L'air de rien, cela représente deux ans de travail. Bob De Moor est nommé envoyé spécial des Studios Hergé à Londres, Ardrossan, Glasgow et Edimbourg. Il a une semaine pour remplir une mission qui tient tant de l'enquête que des repérages. Accueilli à la gare de Victoria par les deux traducteurs de *Tintin*, son appareil View Master en bandoulière, il prend de nombreux croquis (paysages, chemins de fer, pubs), et autant de photos (trains, machinistes, écriteaux, uniformes), sans oublier de ramener de la documentation (cartes postales).

Dans un premier temps, Hergé et son collaborateur refont l'album entièrement au crayon et le soumettent en l'état au jugement des éditeurs de Methuen. Ce n'est qu'après d'ultimes corrections que se fera la mise à l'encre[49].

Certains détails posent des problèmes. Ainsi, alors qu'il est prévu de refaire les uniformes des agents et des mécanos du chemin de fer, British Railways refuse de les prêter. Pour des raisons de sécurité ! Tant de mauvaise volonté n'empêchera pas la compagnie de se plaindre à la parution de l'album : selon ses responsables, au lieu d'encourager les enfants à rester tranquillement assis sur leur siège, Tintin les pousse à grimper sur le toit des wagons[50]...

D'autres points de détail sont modifiés à l'initiative non des Anglais mais d'Hergé lui-même. Il profite de l'occasion pour corriger ce qui aurait dû l'être depuis longtemps. Pour tous les publics, des deux côtés de la Manche. Mais il faut entendre le terme « correction » dans son acception la plus large. À commencer par la suppression d'erreurs manifestes signalées par les lecteurs. C'est le cas avec cette réplique de Milou, passant sous un tunnel juché sur le toit du wagon : « Pouah ! Quelle fumée ! » Or, si Hergé avait bel et bien métamorphosé le train à vapeur en train à moteur diesel, il avait oublié d'y adapter le dialogue, lequel deviendra comme de juste : « Quelle crasse, ce mazout[51] ! »

Pour l'essentiel, il ne se prive pas de moderniser ce qui, avec le recul, lui paraît désuet et donc préjudiciable à l'image de son héros. Ainsi, lancé à la poursuite des bandits, Tintin ne saute plus sur le toit d'un camion : il monte dans une voiture qui le prend en auto-stop, pratique à la mode[52].

Le rythme ou le comique de la situation en souffrent un peu, mais ce n'est rien par rapport aux « suggestions » de la maison Methuen. Ils ont vraiment relu l'album non à la loupe mais au microscope. Leur requête ? Remplacer les écriteaux à la gare par ceux standardisés des chemins de fer britanniques ; substituer une Ford Consul avec l'indication « Taxi » sur le toit et une antenne radio au taxi londonien qu'on ne pourrait jamais trouver en pleine campagne ; moderniser la livrée du chauffeur ; déplacer de la droite vers la gauche une voiture arrêtée sur la route ; réduire la hauteur des arbres dans un paysage situé à proximité de la côte ; transformer en pierre blanche la borne sur le bas-côté ; adapter la barrière d'un champ à la norme anglaise de cinq barreaux ; noircir les chaussures marron d'un policier et remplacer son uniforme par un autre afin qu'il ait l'air de travailler pour un commissariat du Sussex et non de Londres ; revoir les vêtements d'un garde-chasse ; labourer un peu plus souvent les champs car les prairies sont répétitives ; moderniser un téléphone ; refaire les uniformes, la couleur des voitures et le système d'alerte des pompiers ; repenser l'architecture d'une maison à poutres apparentes ; arranger le col de la blouse d'un médecin ; remplacer les vieux billets de la Bank of England par de plus récents ; rendre une remorque de camping et un camion en conformité avec les exigences de la sécurité routière ; remplacer la locomotive à vapeur par une locomotive à diesel ; revoir les bogies et la largeur des couloirs dans les wagons ; tenir compte de ce que les lignes sont électrifiées dans le sud de l'Angleterre lorsque Tintin se promène sur les rails ; trouver un autre nom pour la marque de whisky (l'Écossais Johnny Walker devra s'effacer devant son compatriote Loch Lomond, marque fictive, elle) ; envoyer le chauffeur et le mécanicien du train se rhabiller ; débaptiser le pub pour l'appeler plutôt The White Hart ; faire en sorte qu'un des avions soit un D. H. Tiger Moth ; revoir toute l'allure vestimentaire des Écossais en gardant à l'esprit qu'ils n'aiment pas le vert ; moderniser la TSF ; ne pas oublier qu'il n'y a pas encore de télévision en couleurs en Grande-Bretagne ; retirer leurs casques aux policiers écossais ; remplacer leurs pistolets automatiques par des revolvers ; intituler le journal *The Daily Reporter*... Ouf !

Easy, isn't it ?

Dans la plupart des cas, Hergé obtempère. Parfois, il résiste. Ainsi, l'un de ses bars s'appelle The Kiltoch Arms malgré les pressions pour le baptiser The Glengarry Arms. Et quand on lui suggère amicalement de « scotlandiser » les patronymes de ses policiers dans la dernière planche de l'album, il accepte Macleod mais refuse Macpherson, Macildowie et Scott[53] !

Le résultat de ce grand chambardement ? La dimension belge de *Tintin* a cette fois vraiment disparu. Au risque de la fadeur, il n'a jamais été aussi universel. Mais il n'y a pas que cela.

Cette version définitive de *L'Île noire* est d'un grand réalisme, jusque dans le moindre détail, puisque le dessinateur a été jusqu'à remettre en noir et blanc les images de la télévison. Soit. Mais ce souci a figé tout mouvement. L'album gagne en exactitude ce qu'il perd en vérité. L'Histoire prend le pas sur l'histoire et le décor sur la narration. À ceux qui en doutaient encore, Hergé signifie par là qu'il préfère de loin sacrifier la mythologie au profit de la réalité. Acculé à un dilemme, il prendra toujours le parti de la clarté contre celui du mystère. Tant pis si l'action, la simplicité du récit et son rythme souffrent de ce que le souci du détail juste capte l'attention du lecteur à leur détriment.

Toutes choses qui poussent nombre d'amateurs à rejeter cette nouvelle version au profit de l'ancienne. Sa publication en 1965 est également révélatrice de la situation d'Hergé, de l'évolution de l'artiste et de son attitude. Paradoxalement, les Studios l'assistent autant qu'ils l'étouffent. Tout en l'aidant efficacement à poursuivre son œuvre, ils tuent son naturel et sa fraîcheur. Plus ça va, moins il se reconnaît dans leur travail alors qu'il l'assume en totalité par sa seule signature. Cette *Île noire* nouvelle manière dans laquelle ses admirateurs ne le reconnaissent plus est un signe. Au fur et à mesure que la ligne claire devient une ligne raide, les Studios se referment sur leur créateur. Comme un piège[54].

Après *L'Île noire*, c'est au tour de *Coke en stock* d'y passer. Cette fois, la refonte est plus limitée. Elle n'a qu'un but : désamorcer tout reproche de racisme. Car la rumeur souterraine, toujours elle, l'accuse régulièrement de mépriser les Noirs et les Arabes. Dans un premier temps, les responsables du bureau parisien de Casterman lui suggèrent de modifier « quelque peu » les visages des pèlerins en route vers La Mecque que

Rastapopoulos a tenté de réduire en esclavage[55]. Bien que la scène se déroule dans la dernière partie du récit, à un moment où Tintin et Haddock ont vraiment le beau rôle puisqu'ils les délivrent, on lui conseille d'éclaircir un peu leur visage et de leur dessiner des traits moins marqués. Tous les musulmans n'ont pas le type négroïde !

Dans un second temps, Hergé procède à un nettoyage de la langue, car il a été critiqué pour avoir fait parler les Noirs en « petit nègre ». Ce qui était compréhensible dans *Tintin au Congo* est devenu impardonnable trente-cinq ans après. Dans la nouvelle version de *Coke en stock*, les Noirs sont donc exempts de naïveté. Ils ne s'expriment plus comme de grands enfants dotés d'un accent fleurant bon les colonies, mais comme... dans des polars new-yorkais ! Hergé a en effet puisé au sein de sa documentation américaine pour ce qui est des mots, et dans les romans noirs de Chester Himes pour leur mise en scène. Il juge cela à la fois plus discret et plus juste[56].

La traduction est éloquente. On peut en juger par cette adresse d'un pèlerin à Haddock :

« Toi, pas te fâcher, missié. Toi, pas crier. Nous pas savoir toi bon Blanc. Nous croire toi méchant Blanc qui enferme pauvres Noirs dans ventre du bateau. Où être méchants Blancs ? » (version originale).

« Écoute, m'sieur... Faut pas te fâcher... On a été enfermés ici par des méchants Blancs... On croyait que tu étais avec eux... On ne savait pas, nous, m'sieur. Où sont les méchants Blancs, maintenant, m'sieur ? » (version remaniée).

Effectivement... On se croirait à Harlem plutôt

qu'en mer Rouge. Une dizaine de vignettes sont concernées par cette évolution syntaxique. Elles sont complétées par deux retouches au riche vocabulaire imprécatoire du capitaine. C'est ainsi que « Fatma de Prisunic » devient « Bayadère de carnaval », et que « bougres de zouaves à la noix de coco » se métamorphose en « bougres d'ectoplasmes à roulettes ». Ces gracieusetés s'adressant l'une à une femme voilée, l'autre à des pèlerins musulmans, on conviendra qu'elles ne pouvaient figurer plus longtemps dans un album à prétention humanitaire et antiraciste. C'est pourquoi Hergé ne se contente pas de remplacer d'inoffensifs « missié ! » par autant de « m'sieur ! ». En fait, dès qu'il en a l'occasion, il évacue toute référence trop péjorative, appuyée ou de mauvais goût à la couleur de la peau. Il substitue souvent « Noirs » à « nègres ». Plus rarement, Haddock tempère ses ardeurs, remplaçant « Espèces de coloquintes à la graisse d'anthracite » par « Espèces de coloquintes à la graisse de hérisson ». Pour autant, Hergé ne modifie pas le langage du capitaine quand il s'exprime en « petit nègre », dans le fol et naïf espoir de se faire mieux comprendre de ses interlocuteurs, lesquels parlent désormais normalement. Car si l'un et les autres étaient au diapason, il n'y aurait plus de contraste. Nul ne serait ridicule et le comique de la situation disparaîtrait[57].

Là encore, comme pour les ouvrages corrigés précédemment avec *Coke en stock*, les modifications à caractère politique ou ethnique ne sont jamais entreprises à l'initiative de l'auteur mais de l'éditeur. Hergé en accepte le principe pour des raisons commerciales et pour complaire à Casterman ou à Methuen, même s'il est parfois conscient de ne pas y trouver son intérêt sur le plan artistique. En dernier ressort, elles lui sont soumises pour approbation. Il a toute latitude pour les approuver, non en bloc mais en détail, libre à lui d'en admettre certaines et d'en refuser d'autres[58].

La plupart du temps, il y consent et s'y résigne non de gaieté de cœur mais par opportunisme. Car l'époque a changé. Hergé s'adapte, ce qui ne signifie pas qu'il a évolué. À la fin des années soixante, le père Lannoy, missionnaire à Kinshasa, lui écrit à la veille de publier chaque semaine *L'Oreille cassée* dans sa revue *Afrique chrétienne*. Le missionnaire sollicite l'autorisation d'effectuer lui-même une petite retouche qui a son importance :

« Dans une des dernières images, on voit les "méchants" entraînés en enfer par des diables noirs. Ce qui ne fait pas plaisir à nos Noirs. Plusieurs fois, en voyant les images dont on se sert pour le catéchisme, ils demandent : pourquoi les anges sont-ils blancs et les diables noirs ? À leur place, on dirait la même chose ! Donc, je voudrais gratter le noir de la peau des diables pour ne laisser que le contour des corps... comme pour les Blancs[59] ! »

On ne connaît pas la réponse d'Hergé mais on peut imaginer qu'elle a été favorable. Cela ne signifie pas pour autant que cette remarque lui ait fait prendre conscience d'une quelconque anomalie. Dans l'album, les diables resteront toujours noirs...

Avec *Tintin au pays de l'or noir*, la refonte

s'exerce à différents niveaux. La langue tout d'abord, à commencer par la couverture. Hergé avait conçu le sous-titre en caractères arabes de manière si décorative qu'il ne s'était guère préoccupé du sens. De fait, leur agencement était si fantaisiste que ça ne voulait rien dire. Cette fois, l'inscription est nettement plus significative. Outre le relettrage de plusieurs phylactères, il procède ici ou là à quelques menues retouches dans les textes. Mais pour l'essentiel, l'esprit de cette nouvelle version réside dans sa modernisation. Là, Hergé emploie les grands moyens. Et il ne s'agit pas que de redessiner le pétrolier à bord duquel Tintin s'embarque !

Il supprime purement et simplement l'un des éléments narratifs dramatiques du récit : la lutte opposant les groupes terroristes juifs aux soldats anglais dans la Palestine du mandat britannique. En la remplaçant par un affrontement entre les partisans du Cheikh Bab el Ehr et l'armée régulière de l'émir Ben Kalish Ezab, donc entre Arabes, il simplifie la situation. Or on sait qu'à ses yeux tout ce qui relève de la clarté est souhaitable. Tant pis si, dans la foulée, le personnage de Finkelstein, devenu Goldstein lors du passage du *Petit Vingtième* à l'album, passe définitivement à la trappe. Tant mieux si le redécoupage de l'histoire ne sacrifie pas le merveilleux personnage inspiré du fils de Fayçal, roi d'Arabie saoudite, le petit Abdallah, cousin des sables des garnements bruxellois de *Quick et Flupke*.

Il avait imaginé et dessiné son histoire en 1939. À l'époque, la révolte arabe contre le « foyer national juif », lancée depuis trois ans et appuyée par les forces de l'Axe, avait transformé la Palestine en théâtre d'affrontements sanglants entre l'armée britannique, les nationalistes arabes et les groupes terroristes juifs (Stern, Irgoun et Hagana). Avant la guerre, Hergé était encore sous l'onde de choc de sa rencontre avec Tchang. L'influence de son ami chinois avait favorisé en lui une sorte de prise de conscience politique.

À la fin des années soixante, vingt ans après la création de l'État d'Israël, des références telles que « Livre blanc », « plan de partage » et « déclaration Balfour » ne disent plus rien aux lecteurs, sans parler des plus jeunes d'entre eux. L'enjeu a disparu avec l'actualité. Le centre d'intérêt du public s'est déplacé. Sans compter que l'éditeur et les lecteurs anglais ne tiennent pas à ce qu'on remue tout ça, surtout dans une œuvre destinée à la jeunesse. Gageons que certains d'entre eux parmi les fidèles trouvent plus facilement leurs repères dans l'univers imaginaire de Tintin que dans celui bien réel du Proche-Orient. Dans cet esprit, l'auteur a probablement raison de remplacer Haïfa, port de Palestine devenu celui d'Israël, par Khemkhâh, port du Khemed.

Par une astuce de scénario, Hergé glisse donc de la guérilla urbaine entre sionistes et antisionistes à un conflit impérialiste entre deux grands se disputant l'exploitation des champs pétroliers. Ainsi, il fait coup double : non seulement son album y gagne en clarté, donc en lisibilité, mais il devient plus intemporel, donc plus universel[60].

Si ces rééditions paraissent parfois acrobatiques, hasardeuses ou délicates dans leur projet, ce n'est rien en regard des problèmes suscités par la réapparition de deux albums-cultes : *Au pays des Soviets* et *Tintin au Congo*. Dans un cas comme dans l'autre, Hergé a failli perdre son calme légendaire. C'est dire !

Dans les années d'après-guerre, et plus encore dans les premiers temps des Studios, alors qu'il s'était lancé dans une politique de modernisation de ses anciens albums, il ne voulait pas entendre parler d'*Au pays des Soviets*. À chaque fois qu'un lecteur le relançait, il lui répondait en avançant trois types d'arguments.

Le premier tient à l'indigence du scénario, la gaucherie du dessin et la médiocrité de l'ensemble. Ayant accédé à la notoriété, Hergé est trop perfectionniste et trop orgueilleux pour le mettre sur le compte de la maladresse. En privé, il va jusqu'à renier cette œuvre de jeunesse, signifiant par là qu'il ne s'y reconnaît plus. Le deuxième type d'arguments avancé est plus technique. S'il reprend l'album pour l'adapter, il doit tout refaire, scénario, textes et dessins. Une tâche considérable qui exigerait beaucoup de temps. De plus, s'il avait le goût de se lancer dans cette entreprise, ce qui n'est même pas le cas, il aurait besoin d'une documentation plus récente qui lui fait défaut. Enfin, son troisième et dernier argument, sans appel, clôt la discussion : un créateur fait ce qu'il veut selon son bon plaisir et son inspiration sans avoir à se justifier, que cela plaise ou non[61]...

Au début des années soixante, Hergé change son fusil d'épaule. En plein été, il propose à son éditeur une nouveauté renversante pour Pâques ou la rentrée suivante : *Tintin au pays des Soviets* ! Louis-Robert Casterman avait lui-même envisagé cette éventualité, mais sous l'angle d'un édition à tirage limitée. Le projet de l'auteur outrepasse son souhait. Il s'agit de republier, dans les conditions normales de la librairie et dans son intégralité, la version originale en noir et blanc de 1929. Sans retouche ni rajout. Simplement, elle sera précédée d'un avertissement de l'éditeur destiné probablement à resituer l'œuvre dans son contexte historique. Pour plus de précaution, on l'entourera même d'un bandeau : « Garanti d'origine ».

La dimension inquiétante qu'a prise le piratage a poussé Hergé à prendre les devants. La copie et la diffusion illégales de ses œuvres est en effet un phénomène récent. Cette forme de consécration inattendue l'irrite, quand elle en réjouirait d'autres[62]. Casterman en convient, d'autant qu'il est le premier à en faire les frais. Pour autant, le projet d'Hergé ne l'enthousiasme guère. La grande maison de Tournai promet de diligenter une enquête à cet effet auprès des services concernés. Un peu comme au Parlement, lorsqu'on commande un rapport à une commission afin d'enterrer une idée dont on veut se débarrasser. Il faut dire que le projet d'Hergé soulève plus de réticences, de gênes et d'hésitations que de ferveur. Même si nul n'ose le lui dire en face.

Aussi, ça traîne, ça traîne... Trois ans après, Hergé revient à la charge. Il est las de se voir réclamer du monde entier cet album toutes les semaines. Las de devoir refuser de nombreuses propositions de photocopie, il consent désormais à un tirage limité et à une diffusion nécessairement restreinte. Mais il n'obtient que des réponses dilatoires de son éditeur, quand il en obtient[63].

Son état d'esprit a évolué, le temps ayant fait son œuvre. Il ne renie plus rien des faits et gestes, des propos et pensées qui furent ceux de son héros lors de son périple chez les bolcheviks. Coupable et responsable, il assume tout en bloc. Mais il éprouve la nécessité de justifier ses errements et ses excès de langage. À l'exégète qui l'interroge sur la place de cet album engagé au sein de son œuvre, il répond sur un ton plein de sagesse et de bons sentiments :

« À mesure qu'avec l'âge m'est venue l'expérience, j'ai de moins en moins cru que "bons" et "mauvais" se trouvent séparés par une frontière géographique. Si Tintin a une "politique", c'est de tendre la main, à travers n'importe quel Rideau, à la jeunesse de tous les pays, quelle que soit la couleur de sa peau et de ses opinions[64]. »

En septembre 1969, ce sont en fin de compte les Studios Hergé qui reproduisent fidèlement, sous couverture cartonnée grise, l'édition originale du fameux album. Tirage hors-commerce numéroté, limité à 500 exemplaires et destiné aux amis. Il y en a effectivement un certain nombre, toujours les mêmes, car Hergé n'est pas un homme aux amitiés successives, ni un ami à géométrie variable. Ce qui est tout à son honneur. Cela étant, les premiers exemplaires ont d'autres destinataires : le n° 1 est réservé à Mme Georges Remi, les numéros de tête au roi Léopold et à la famille royale, au président Georges Pompidou, à son Premier ministre

Jacques Chaban-Delmas, à André Malraux, puis aux éditeurs, journalistes, dessinateurs, écrivains, relations, traducteurs, spécialistes de la bande dessinée.

Cette édition marque un progrès. Pour autant, rien n'est réglé. *Au pays des Soviets* demeure rigoureusement introuvable en librairie. Au début des années soixante-dix, les éditions pirates prolifèrent. Plaintes et procès se multiplient. Certains contrefacteurs, tel cet éditeur d'Istanbul, ont même le culot de proposer vingt-deux albums au public alors qu'en Belgique ou en France, il n'y en a que vingt en circulation. En faisant procéder à des découpages de planches et de vignettes dans l'ensemble de l'œuvre, il a en effet réussi à « inventer » de toutes pièces deux aventures particulièrement originales de Tintin et Milou ! Hergé supporte de moins en moins de telles méthodes. Peu lui importe qu'elles fassent florès à travers le monde avec les produits s'inscrivant durablement dans l'air du temps et symboliques d'un certain prestige. Il est insensible à ce genre d'hommage. Le regain d'activité des pirates ne fait que renforcer son désir de voir officiellement réédité *Au pays des Soviets*. Parce que c'est le seul moyen de ne pas se faire déposséder de son œuvre. Ou, comme il le dit joliment :

« Parce que, à la longue, l'envie peut venir au chevalier de Hadoque de renflouer sa *Licorne* et de la faire voguer sous son vrai pavillon[65]. »

En 1972, soit dix ans après avoir posé les premiers jalons d'une réédition problématique, Hergé n'arrive toujours pas à obtenir une réponse franche et directe de son éditeur. Après maintes conversations de vive voix et une correspondance sans suite, il le met en demeure de lui répondre par oui ou par non. Par écrit.

Louis-Robert Casterman est pris entre deux feux. D'un côté, il est soumis à la pression désormais insistante de son auteur vedette qui menace de publier ailleurs cet album tabou. Ce n'est pas une parole en l'air puisqu'à sa demande, Jacques Martin lui a organisé un déjeuner au restaurant Le Londres, rue de l'Écuyer, avec Charles Dupuis, l'éditeur de *Spirou*. Des offres précises y sont formulées autour d'un faisan Souvaroff[66]. Dupuis, comme le Lombard et d'autres de moindre importance, seraient tout aussi ravis d'emprunter ainsi Hergé à son éditeur historique.

D'un autre côté, le patron de Casterman subit la pression de certains de ses collaborateurs, ceux du bureau de Paris surtout, qui craignent de virulentes réactions de la presse de gauche. Selon eux, cela porterait un préjudice certain à leurs rapports avec les milieux des libraires et bibliothécaires. Il faut dire que l'esprit de Mai 68 est passé par là. Il a soufflé sur l'École, l'Université, l'Édition et les sphères intellectuelles. Les représentants de Casterman s'imaginent mal défendre cet album en rappelant qu'à l'époque, l'opinion publique dont Hergé était le fidèle reflet avait été choquée par le martyre des Romanov et le massacre de la famille impériale[67]...

Casterman se résout finalement à accéder à la demande d'Hergé en « habillant » son projet de telle manière que son contenu politique et sa charge provocatrice en seront diminués. Et la critique désamorcée. Il fait réunir les planches des éditions originales en noir et blanc d'*Au pays des Soviets*, de *Tintin au Congo* et de *Tintin en Amérique* pour les publier en un seul volume. On y joint même *Les Aventures de Totor, C.P. des hannetons* ! On ne saurait mieux noyer le corps du délit. Cette habile réunion de primitifs, publiée en recueil en 1973 sous un label austère *(Archives Hergé)*, est présentée comme une curiosité. Un objet pour collectionneurs, puristes et nostalgiques.

L'abcès est crevé. La cote du faux-vrai album piraté s'écroule sur le marché parallèle. Hergé est satisfait. Casterman également. Il n'y a plus d'« affaire Soviets ».

Et *Tintin au Congo* ? L'affaire se règle également à la même époque. Plus facilement car la question se pose de manière moins aiguë.

Totalement redessiné en 1946 lors de sa mise en couleurs et de sa réduction de 120 à 62 pages, l'album est depuis longtemps épuisé. D'« introuvable » à « interdit », il n'y a qu'un pas, vite franchi par les colporteurs de rumeurs. Casterman ne l'a pas réimprimé par délicatesse vis-à-vis des Congolais. Hergé est persuadé qu'en vérité il craint moins la réaction des Africains eux-mêmes que « celle des pro-africains de France[68] ». L'éditeur a la franchise de reconnaître qu'effectivement, il est moins préoccupé par l'attitude des petits Noirs admirateurs inconditionnels de Tintin que par celle d'intellectuels blancs militants de gauche prêts à chercher querelle à Hergé à la moindre occasion[69].

C'est donc pour devancer la pression du lobby tiers-mondiste que Casterman a pris l'initiative de ne plus le rééditer. Hergé l'a suivi dans cette voie, en traînant les pieds. Ses regrets sont vifs eu égard au succès jamais démenti de cet album. Il y en a tout de même 800 000 exemplaires dans la nature alors qu'il est introuvable en librairie depuis des années. Mais il ne s'est jamais résigné à passer cette mévente imposée par pertes et profits. C'est moins une question d'argent que d'image.

Quand des lecteurs s'étonnent de ce que le titre *Tintin au Congo* ne figure point au côté des autres, au dos des *Bijoux de la Castafiore*, il est embarrassé pour leur répondre. Le fait est que cela apparaît comme une sorte de censure.

Aussi étonné qu'eux, il presse son éditeur de réparer sans tarder cet « oubli » et, par la même occasion, de réimprimer *Tintin au Congo*. Dans le monde entier sauf l'Afrique, afin d'y ménager les susceptibilités. Pour ne pas froisser les lecteurs du continent noir, Hergé envisage même de préciser dans toutes les éditions de tous les albums qui y sont diffusés : « *Tintin au Congo* : épuisé[70] ». » Il sait qu'une maison d'édition de Usumbura (Rwanda) a d'ores et déjà publié une édition swahili de l'album.

10 000 exemplaires en ont été imprimés, il est vrai sous le contrôle des Pères de la Mission[71]. Il sait également, pour en avoir parlé un jour avec M. Joos de Radio-Brazzaville, que si l'album a été jadis diffusé au Congo à la demande des Congolais eux-mêmes, c'est parce que aucun lecteur ne se sent visé. Pas même concerné. Car, à ses yeux, l'idiot tourné en ridicule, ce ne peut être que l'autre, celui d'en face, membre d'une ethnie différente de la sienne[72]. Mais à la fin des années cinquante, l'album était boycotté par les

autorités coloniales, plus que jamais soucieuses de ne pas heurter ni provoquer les nationalistes de plus en plus chatouilleux[73].

À partir de 1960, ladite colonie du Congo belge accède à l'indépendance. Rebaptisée République démocratique du Congo, puis dans un second temps Zaïre, son émancipation s'inscrit dans un vaste et profond phénomène de décolonisation qui secoue l'Afrique et l'Asie. Les événements, notamment la sécession de Moïse Tschombé au Katanga, réveillent en Hergé un souvenir de Macbeth :

« Une histoire pleine de bruit et de fureur, racontée par un fou[74]... »

À la fin des années soixante, il est las de demander à son éditeur de ne plus « geler » cet album. Car c'est bien de cela qu'il s'agit. À nouveau, pour débloquer la situation, il menace d'aller voir ailleurs, son album sous le bras. Les éditions Rencontre, à Lausanne, lui ont d'ores et déjà fait des propositions dans ce sens. Il n'en faut guère plus pour décider Casterman. D'autant que l'auteur ne demande que quelques corrections mineures : substituer « Noir » à « nègre »...

L'album en couleurs de *Tintin en Congo* reparaît donc en 1970, soit trois ans avant que la version originelle en noir et blanc ne soit rééditée aux côtés d'*Au pays des Soviets* dans un volume d'*Archives Hergé*. Il n'y a donc plus de tabous, ni politique, ni racial.

Signe des temps. Peu après, au moment de la publier en version allemande et suédoise, les éditeurs concernés déposeront une requête visant à censurer l'histoire d'un point de vue... écologiste ! Il est vrai que quinze gazelles y sont massacrées, un singe dépiauté, des crocodiles trucidés, un serpent éventré, un léopard asphyxié, un éléphant occis, un rhinocéros dynamité et un buffle assommé ! Un tel carnage n'est plus acceptable à une époque où la protection de la nature est enseignée aux écoliers à l'égal d'une vertu cardinale. S'il le supprime, l'esprit de l'album en serait altéré. Hergé devrait le remanier si profondément qu'il en perdrait sa saveur. Il n'en est pas question. Ni pour les Suédois, ni pour les Allemands, ni pour personne. C'est à prendre ou à laisser tel quel. En bloc. Éventuellement précédé d'un avertissement, c'est sa seule concession[75].

À la veille de la reparution si controversée de *Tintin au Congo*, la rédaction de *Zaïre*, qui se présente comme l'hebdomadaire de l'Afrique centrale, se livre à une enquête auprès des lecteurs congolais de 7 à 77 ans. Ses résultats sont édifiants. Non seulement ils considèrent que Tintin fait partie intégrante de leur patrimoine, mais ils voient en lui un héros national. N'a-t-il pas fait le voyage du Congo alors qu'il n'a jamais mis les pieds en Espagne, en Grèce ou au Japon ? Débarrassés de leurs complexes de colonisés, parvenus à maturité après dix ans d'indépendance, ils se disent prêts à aimer, apprécier et savourer les aventures de Tintin sans entraves, comme les y encourage le journal :

« Si certaines images caricaturales du peuple congolais données par *Tintin au Congo* font sourire les Blancs, elles font rire franchement les Congolais, parce que les Congolais y trouvent matière à se moquer de l'homme blanc "qui les voyait comme cela"[76] ! »

C'est ainsi qu'en 1970, Hergé a l'immense satisfaction de voir *Tintin au Congo* paraître en feuilleton chaque semaine « là-bas » dans la revue *Zaïre*. Son œuvre est définitivement inscrite dans l'imaginaire de ce peuple. Celui-là aussi. Après tout, au lendemain de la réussite du vol Apollo, le président Mobutu n'a-t-il pas félicité le président Nixon en évoquant Tintin et Haddock qui ont marché sur la Lune avant même les Américains ?

Hergé est désormais en mesure d'imposer sa volonté ou d'opposer un refus définitif sans recourir à ces brutales manifestations d'autorité qu'il abhorre. Sa notoriété l'y autorise. Son nom le couvre. Il se sent protégé par sa signature. À juste titre.

Il n'est guère de journées qui, par la revue de presse ou l'abondant courrier international, n'apportent la preuve de son intangibilité. Comme s'il jouissait désormais d'un statut d'intouchable. Paradoxalement, il a conquis le monde ou presque, mais il n'est pas totalement accepté chez lui. Pas encore.

En Belgique, un verrou subsiste. Il ne saute qu'à la fin des années soixante. Un vrai bastion par son importance symbolique, tant dans la mémoire d'Hergé que dans l'esprit de ses compatriotes. C'est *Le Soir*.

Hergé est convaincu que son nom et celui de son héros sont proscrits des colonnes du grand quotidien francophone de Bruxelles depuis 1945. Ce n'est pas de la paranoïa. On lui fait payer sa collaboration au *Soir* « volé »[77]. À la rédaction comme aux ateliers, les anciens lui en veulent d'autant plus que sa notoriété est grande. Un jour, lors d'une projection privée au cinéma Marivaux, il rencontre Marcel Vermeulen, photograveur devenu journaliste. Inévitablement, ils évoquent le vieux temps :

« Tu n'as pas perdu de temps, toi non plus, puisque te voilà reporter et critique de cinéma !

— C'est parce qu'il y a une différence profonde entre le crayon et la plume. Si j'avais, moi, collaboré au *Soir* "volé", je ne serais certainement pas ici[78]... »

Contrairement aux autres personnes présentes dans la salle, Vermeulen n'est pas impressionné par Hergé. Il voit toujours en lui l'ex-boy-scout vite monté en graine dans les coulisses du *Vingtième Siècle*. Mais malgré l'admiration qu'il porte à son talent, il n'a pu empêcher sa réplique de fuser. Ce qui a eu pour effet immédiat d'assombrir le visage d'Hergé. Comme si à la joie des retrouvailles avec un vieux compagnon du zinc et du marbre avait aussitôt succédé une profonde déception non dénuée de tristesse.

Et pourtant... En rédigeant un jour pour *Le Soir* une petite gazette évoquant les principaux créateurs de bande dessinée dans le monde, Marcel Vermeulen y avait naturellement inclus Hergé. Au moment de relire la copie, le rédacteur en chef Charles Breisdorf dit « le cuirassé » bondit à la vue de ce nom maudit. Il vit rouge et le barra sur les épreuves en lâchant un mot pour toute explication :

« Traître[79] ! »

Cette censure qui ne dit pas son nom dure

ainsi pendant vingt-cinq ans. Jusqu'au jour où Henri Desclez, un journaliste de 27 ans, succède à Paul Caso qui avait relancé *Le Soir-Jeunesse*. Formé à l'École des beaux-arts, auteur de petites histoires complètes dans différents magazines, il est chargé des rubriques spectacle, jeunesse et bande dessinée. Naïvement, ignorant qu'il est tacitement interdit d'imprimer le nom du père de Tintin dans les colonnes du journal, il consacre sa première chronique à Hergé. Ce n'est pas de la provocation mais le reflet de son inconscience et de son ignorance. Car l'hommage lui paraît tout indiqué pour essuyer les plâtres de sa rubrique.

Son initiative n'est pas freinée car le rédacteur en chef Jean Corvilain est également nouveau dans la maison. Lui non plus n'est pas au courant de cet ukase. L'article est donc publié. Il fait l'effet d'une bombe, du moins au sein de la rédaction. La vieille garde du *Soir* est scandalisée. Le jeune journaliste est aussitôt convoqué par la direction. On lui fait comprendre que de telles choses ne se font pas ici, le personnage en question figurant de longue date sur une sorte de liste noire[80].

Sans le faire exprès, cette gaffe ouvre les vannes. Dès lors, le journal ne peut plus éviter de l'évoquer dans des articles et, par la même occasion, d'accepter les publicités pour ses albums. Hergé n'est plus pestiféré dans un territoire qui, à ses yeux, demeure à plusieurs titres le sien.

À la suite du premier article du *Soir-Jeunesse* évoquant à nouveau Tintin et Milou après une trop longue absence[81], les lecteurs découvrent des pavés surmontés du portrait d'Hergé annonçant qu'il dédicacera *On a marché sur la Lune* aux Galeries Anspach à l'occasion du départ d'Apollo XII. Ils reprennent l'habitude d'entendre parler de lui régulièrement dans les colonnes de leur journal. Curieusement, pendant quelques semaines, il est très souvent question de lui. À croire que *Le Soir* veut compenser des années d'ostracisme. Sa présence est signalée au Palais des Beaux-Arts à l'occasion d'une conférence prononcée par Pierre Sterckx sur l'esthétique de la bande dessinée[82]. Peu après, il est cité comme un des pionniers de la BD belge[83]. Puis on célèbre le trentième anniversaire de la parution de *Tintin au pays de l'or noir* dans *Le Petit Vingtième*[84]. À la moindre occasion, au moindre prétexte...

Désireux de remercier de vive voix l'homme à qui il doit la levée de ce tabou qui lui pesait tant, Hergé demande à deux collaborateurs des Studios d'organiser une rencontre informelle dans une galerie, à l'occasion d'un vernissage. Quand on le lui présente, il ne lui dissimule pas qu'il entend bien payer sa dette :

« J'ai été ravi de voir cet article dans ce journal. Enfin... très sincèrement touché. Vous n'imaginez pas avec quelle émotion... Dites-moi, qu'est-ce que je peux faire pour vous ?

— J'aimerais bien avoir un exemplaire de *Tintin au pays des Soviets*. Dédicacé... »

Quelques jours après, Henri Desclez le reçoit. Il n'oubliera jamais ces instants intenses et émouvants. Hergé non plus. En 1974, quand Greg quittera la rédaction en chef du journal *Tintin*, Hergé appuiera la candidature d'Henri Desclez qui lui succédera[85]. Désormais, n'étant plus banni des colonnes du *Soir*, il se sent totalement accepté par son propre pays. Un quart de siècle après avoir cessé de l'aimer au motif que celui-ci avait soudainement cessé d'être aimable.

New York, 1972. Au 1er Congrès international de la bande dessinée, la profession unanime rend hommage au génial créateur de *Tintin*. C'est plus qu'une consécration. La boucle est bouclée. À 65 ans, il pourrait songer à la retraite et s'arrêter là. Mais non. Il déborde de projets de toutes sortes. Des lectures, des rencontres, des voyages, des albums... L'avenir est devant lui.

12

Fin d'une vie, fin d'une œuvre

1973-1983

Il est temps d'installer le mythe sur son socle. De figer la statue du créateur en regard du jugement de l'Histoire. Car parvenu au faîte de sa carrière, Hergé se montre très préoccupé par ce qu'il restera de lui.

Les interviews qu'il a accordées depuis quelques décennies en témoignent : même dans la reconstruction de son passé, il demeure un partisan de la ligne claire. Ses réponses sont souvent plus courtes et moins substantielles que les questions des journalistes. Leur simplicité les rend immédiatement lisibles par le plus grand nombre. Cela ne l'empêche pas de cultiver le paradoxe. Ainsi se plaît-il à déclarer que, pas plus que Jean de La Fontaine, il n'est un auteur pour enfants. À le croire, ils seraient également victimes d'un malentendu, Hergé étant persuadé que nombre de ses jeunes lecteurs deviennent des contestataires.

Il est tourmenté à l'idée de n'être pas à la hauteur de son œuvre. Angoissé à la pensée d'apparaître en deçà de sa légende. Plus les savantes exégèses de ses albums s'accumulent sur son bureau, plus il craint que sa famille de papier ne soit recouverte par les fleurs. Masquée par la cathédrale de papier qu'elle a suscitée. Comment, dans de telles circonstances, ne pas se sentir dépassé ?

En 1975, un livre paraît qui déterminera le canon de tous les conciles tintiniens à venir, des plus sectaires aux plus œcuméniques. Hergé en est le coauteur puisqu'il s'agit d'une très longue interview qui échappe, fait notable, aux poncifs et aux répétitions. Le pape de la bande dessinée moderne ne pouvait faire moins que de délivrer cette bulle sur sa propre mythologie. L'initiative en revient à Numa Sadoul, 28 ans, écrivain, comédien, dramaturge et bédéphile.

Les entretiens se déroulent dans les Studios de l'avenue Louise ou à son domicile, des heures et des jours durant. C'est la première fois qu'Hergé est aussi longuement et aussi profondément soumis à la question. Il se prend au jeu. Même quand l'exercice l'épuise, il en redemande tant son interlocuteur manifeste d'intérêt pour sa vie et son œuvre. Au fur et à mesure qu'il se livre à cet inconnu vite devenu un familier, il s'étonne de ce que celui-ci arrive à lui soutirer, alors qu'il s'est si rarement livré tant la pudeur lui est une vertu naturelle.

Est-ce une coïncidence ? Sadoul est-il arrivé au moment *ad hoc* (pardon, capitaine) dans sa vie ? Ou son art de la maïeutique est-il parfaitement au point ? Toujours est-il qu'avant cette rencontre Hergé n'éprouvait pas la nécessité de s'exprimer de manière si pénétrante, si personnelle et parfois si intime sur son travail et sa vie privée. Il avait toujours dit ne pas comprendre qu'on s'intéresse tant à ses « petits bonshommes ». À la relecture du tapuscrit, il n'en revient pas d'avoir confié tant de choses. Mais à l'étonnement admiratif succède vite le regret rétractif. Pendant trois ans, Hergé en reprend les versions successives mot par mot, leur donnant parfois une allure des plus proustiennes tant les paperolles, surcharges et allongeails s'y accumulent. Vingt fois, il le remet sur le métier. Sur les conseils de Casterman, il atténue son agnosticisme et censure les passages évoquant des conflits familiaux (en raison de la procédure de divorce en cours) ou son attitude politique (un côté réactionnaire trop marqué)[1].

À la fin, il faut lui arracher des mains ce tapuscrit devenu palimpseste. Il y tient autant que si c'était son propre livre. C'est qu'entre-temps, le projet a évolué. L'interview initiale s'est métamorphosée en objet de référence. Jusqu'à cet instant de grâce où il a eu le sentiment de délivrer pour la première et la dernière fois, sous une autre forme que celle du dessin, une profession de foi, une manière de testament.

À quoi ressemble le portrait d'Hergé à l'approche de ses 70 ans ? Avant d'en tracer les contours et les creux dans l'ombre et la lumière, il convient de se pencher sur ses autoportraits successifs, exercice auquel il se livre depuis que sa notoriété lui interdit de s'y dérober. Ainsi, le double regard suscitant deux types de mosaïques humaines, une vérité peut émerger de leur confrontation.

En 1957, âgé de 50 ans, il répond au questionnaire de l'hebdomadaire *Femmes d'aujourd'hui*.

Sa personnalité, tout d'abord. Pressé de se décrire, il se retranche derrière les descriptions qu'ont données de lui différents journalistes. La sélection qu'il opère dans les coupures de presse n'est pas innocente. Elle correspond à l'image qu'il veut offrir de lui. Le mot « sympathique » revient trois fois. Il émerge d'un ensemble de jugements fort positifs d'où il ressort que l'homme est simple, gentil, aimable, pondéré, modeste et plein d'humour. Mais naturellement, ce sont les autres qui disent des choses pareilles. D'ailleurs, tout cela est entre guillemets...

Le physique, ensuite. Cheveux châtain clair, des yeux gris tirant tantôt vers le bleu, tantôt vers le vert. Pour ce qui est de l'élégance, ses collaboratrices évoquent plutôt sa netteté, son chic et son allure sportive.

Le caractère maintenant. De son propre aveu, tout et son contraire. À chacun de juger s'il se voit cyclothymique, maniaco-dépressif ou simplement humain : « S'il est vrai que je suis le plus souvent un calme, un souriant, un optimiste, il est également vrai que je suis parfois un emporté, un triste, un inquiet[2]. »

Deux ans après, en 1959, il répond à un questionnaire dressé par l'éditeur Methuen à l'intention de la presse anglaise. Quel portrait-robot s'en dégage ? Vit entouré de quatre chats. Pense beaucoup de bien des Anglais. Ne parle pas leur langue même s'il la comprend. Pilote alternativement sa Porsche ou sa Mercedes. Tient le capitaine Haddock pour son personnage favori. Admire l'Angleterre pour son sens de l'humour. Considère ce trait de caractère comme une vertu première. S'est employé toute sa vie à la cultiver[3].

Peu après, en 1963, il poursuit dans le même esprit. En résumant sa vie à un journaliste français, il présente de lui une image volontariste, toute de modestie et de discrétion : « C'est l'histoire d'une sorte d'artisan qui s'est longuement et consciencieusement appliqué ; le succès est venu peu à peu sans doute aidé par la chance, par le hasard ; en tout cas le succès n'a pas changé le signe sous lequel se déroule mon existence depuis trente ans, et qui est tout simplement le travail. Il est dans l'ordre des choses qu'on parle de mon travail, mais je n'aime pas du tout qu'une publicité soit donnée à ma vie[4]. »

Soumis au fameux « Questionnaire de Proust » sept ans plus tard, il livre des réponses qui correspondent à son premier mouvement, le plus naturel et le moins affecté. Puis à la réflexion, il reprend ce premier jet dactylographié. De remords en ratures, plus farceur et plus perfectionniste que jamais, il refait presque tout. Avec cet humour, cette ironie et cette autodérision qui sont les masques de sa pudeur. La comparaison entre les deux versions fournit un éclairage pénétrant sur certaines facettes de sa personnalité. Juste de quoi creuser quelques pistes.

Le comble de la misère ? La solitude, écrit-il tout d'abord. Puis il barre, évoque la soif selon Haddock, la mort en solitaire, la misère physique ou morale avant de se décider : « Être malade, pauvre et seul »... Où aimerait-il vivre ? Londres ou Rome, dit-il, avant de préciser qu'en attendant il se sent très heureux à Bruxelles... Son idéal de bonheur terrestre ? Le bonheur, avoue-t-il. Puis il remplace cette mention par une autre tout aussi fantaisiste (le paradis de Mahomet sur terre !) avant d'écrire : « Vivre en paix avec moi-même et avec les autres »... Pour quel défaut a-t-il le plus d'indulgence ? « Pour les fautes d'hortaugraffe » *(sic)*... Ses héros de roman préférés ? Angelo, le hussard de Giono, et Fabrice del Dongo, le jeune marquis de Stendhal. Estimant que ça ne suffit pas, Hergé rajoute : « Des héros qui ne soient pas des héros mais des êtres de tous les jours. » Puis il biffe... Son personnage historique favori ? Il prétend n'en avoir pas connu d'assez près pour s'exprimer sur la question. Puis il retire cette inutile marque de modestie et choisit Marc Aurèle... Ses héroïnes favorites dans la vie réelle ? Dans un premier temps, il désigne les femmes. Sans plus. Puis il barre. Dans un second temps, il élit les infirmières, les garde-malades et les petites sœurs des pauvres. Et il barre à nouveau. Finalement, ce sera : « Toutes les femmes anonymes qui consacrent leur vie à soulager la misère des autres »... Ses héroïnes dans la fiction ? Madame de Mortsauf, créature balzacienne du *Lys dans la vallée*. Mélanie de préférence à Scarlett, dans *Autant en emporte le vent*... Son peintre favori ? Botticelli pour ce qui est des anciens, Miró pour les actuels... Son musicien favori ? Debussy. À la réflexion, il rajoute Erik Satie et les Beatles. Mais à la relecture, retire les quatre garçons de Liverpool... Sa qualité préférée chez l'homme ? La loyauté... Et chez la femme ? La même chose... Sa vertu préférée ? Idem... Son occupation préférée ? Les vacances au soleil, avoue-t-il. Non sans préciser, avant de le retirer aussitôt, qu'il n'aime rien tant que ne rien faire, nager et se dorer au soleil... Qui aurait-il aimé être ? Personne. Pris de remords, il remplace cette expression de nihilisme absolu par un choix nettement plus optimiste : Mathusalem... Son principal trait de caractère ? L'inquiétude, répond-il dans un accès de lucidité. Mais en y songeant, il en rajoute deux autres, comme si cela ne suffisait pas : la curiosité et le perfectionnisme... Ce qu'il apprécie le plus chez ses amis ? Le naturel... Son principal défaut ? Croire qu'il les a tous... Son rêve de bonheur ? La mer, le soleil, des amis, des tableaux, de la musique et des chats. À la réflexion, il les garde, dans le même ordre, à l'exception de la mer et du soleil qu'il remplace par « une femme »... Ce que serait son plus grand malheur ? Perdre la vue... Ce qu'il voudrait être ? Peintre. L'aveu est éclatant. Aussitôt après s'en être rendu compte, il le rejette et déclare, plus sagement : « Je ne désire rien d'autre que d'être moi-même »... Sa couleur préférée ? Le rouge... Sa fleur préférée ? La rose... Son oiseau préféré ? La mésange. Et puis non : le rouge-gorge... Ses auteurs favoris en prose ? Balzac, Stendhal, Dickens, Proust (sauf son questionnaire !)... Ses poètes favoris ? Villon, Verlaine... Ses héros dans la vie réelle ? Les explorateurs. Sous-entendu les vrais explorateurs, les Haroun Tazieff et Paul-Émile Victor... Ses héroïnes dans l'Histoire ? Après une nouvelle pirouette (« je n'en ai connu aucune d'assez près ! »), il jette son dévolu sur Élisabeth d'Angleterre, choix qu'il regrette aussitôt par un jeu de mots : « L'héroïne est très dangereuse. »... Ses noms favoris ? Northumberland. Beaugency. Samarcande. . Ce qu'il déteste par-dessus tout ? La grossièreté... Les caractères historiques qu'il méprise le plus ? « Même les pires, je me demande si j'aurais fait mieux à leur place »... Le fait qu'il admire le plus ? Le fait exprès ! Sans blaguer : que le soleil se lève chaque jour... La réforme qu'il admire le plus ? Il hésite entre plusieurs : la suppression de l'esclavage, la minijupe ou la mise en site propre des trams. Finalement, il n'en choisit aucune !.. Le don de la nature qu'il voudrait avoir ? Celui de la création musicale... Comment il aimerait mourir ? Vite et bien. Ou encore : discrètement. À la réflexion, ce serait plutôt : paisible et en bonne santé... L'état présent de son esprit ? Il se sent soulagé d'être parvenu au bout de ce questionnaire... Enfin, quelle est sa devise ? « Fais de ton mieux. » Elle lui va. Mais comme elle s'avère insuffisante, il la complète par un proverbe chinois : « L'homme courtois évite de poser le pied sur l'ombre de son voisin[5]. »

Quant à la teneur de sa philosophie, Hergé répondra cinq ans après cette mise à l'épreuve, dans une lettre à un prêtre-écrivain : « Accepter le monde tel qu'il est sans vouloir le changer ; m'accepter moi-même comme je suis, en essayant tout de même de m'améliorer par-ci par-là[6]... »

Ainsi se voit Hergé, ainsi veut-il apparaître. Telle est son image à travers ce qu'il livre de lui dans ses autoportraits. Un personnage fort et vulnérable, désarmant d'humour et rongé par l'inquiétude, oscillant entre la force de la volonté et la faiblesse de la résignation. Pour autant, est-ce vraiment lui ?

À chacun son Hergé. Selon que l'on interroge ceux qui furent jadis ses proches, confrères et commensaux, ou que l'on écoute ceux qui sont ses familiers, collaborateurs et amis, on perçoit des sons de cloche plus ou moins différents. Parfois même contradictoires. Mais à la réflexion, le concert est assez harmonieux. Si l'on met tous ces morceaux dans un kaléidoscope, et que l'on secoue le tube à maintes reprises, derrière un désordre et une incohérence apparents, on découvre une certaine idée d'Hergé. En surface, un homme ouvert et épatant. En profondeur, un individu secret et indéchiffrable. Quelqu'un qui a de l'humour toute l'année sauf le 1er avril.

Déteste faire preuve d'autorité ou élever la voix avec ses collaborateurs. Fera plutôt appel à l'esprit scout pour se faire obéir, du moins avec ceux qui y sont sensibles.

Patient, naïf, candide, affable. Noblesse de caractère. Parfait gentleman. Modeste plutôt qu'humble. Mettra longtemps avant de prendre conscience de la pérennité de son œuvre. Véritablement élégant, non seulement dans le choix des matières, des coupes et des couleurs mais aussi dans sa manière de les porter. Avec un naturel dénué de toute ostentation. Est de ceux qui considèrent que le vêtement est une idée qui flotte autour d'un corps. Conceptions empruntées aux Anglais. Admire en eux leur capacité à se moquer d'eux-mêmes, en sus de leur sens de l'humour, de leur art consommé de la litote, de leur mode de vie. N'en est pas moins très belge dans son goût de la dérision et de l'autodérision.

Orgueilleux, vaniteux, égocentrique, puritain,

colérique, pas spontané, réservé dans ses marques d'affection. Être éclairé mais pas généreux. Génie qui ne partage ni ne transmet. Surtout pas d'élèves à qui donner la clef de son œuvre de crainte d'en galvauder le mécanisme. Rigide, étroit d'esprit. Déteste être mis au pied du mur. Fuit les conflits. A horreur de prendre des décisions. Préfère laisser le temps s'écouler et les situations pourrir dans l'équivoque. Assez organisé et maniaque pour avoir placé trois sonnettes à voyants rouges à l'entrée de son bureau : « Entrez », « Patientez », « En rendez-vous ».

Déteste la muflerie, la bêtise, la grossièreté, le manque d'éducation et la médiocrité en toutes choses. Individualiste jusqu'à se dire allergique à tout ce qui ressemble de près ou de loin à une association. Ce qui ne l'empêche pas de placer la sociabilité très haut dans son échelle des valeurs, aux côtés de la courtoisie, du savoir-vivre et de la fidélité en amitié. Souvent conditionné dans ses rapports quotidiens par l'obsession du respect d'autrui. Manque de spontanéité, hésitant, coléreux.

Refuse de passer pour conservateur et réactionnaire. Récuse les clivages gauche-droite. Se définit comme un homme d'ordre et de bonne foi, idéaliste à la recherche de la vérité. En période électorale, tient autant de Tintin qui n'est pas concerné car trop jeune pour voter, du capitaine Haddock dont les insultes équitablement réparties renvoient dos à dos gouvernement et opposition, de Tournesol qui reste sourd à cette démagogie et des Dupondt qui donneront leurs suffrages à un parti d'ordre. Déteste la volonté de puissance, l'arrogance de l'argent-roi, le matérialisme primaire et le culte de la consommation propres au capitalisme triomphant. Nostalgique d'un âge d'or, d'un paradis perdu et d'une époque de pureté, ce qui accentue sa peur du monde moderne. N'en conserve que l'apologie de la vitesse.

Ne dessine pas les personnalités qui l'impressionnent trop. Car les caricaturer serait leur manquer de respect. Il en est ainsi du général de Gaulle. À défaut de le croquer, il l'imagine : « Il a longtemps évoqué pour moi une sorte de Moïse à képi, en liaison directe par téléphone rouge, depuis les brumes du Sinaï-Élysée, avec Dieu le père, et transmettant à son peuple des lois écrites sous la dictée du Tout-Puissant. Le général rendra la pareille à Hergé, ou plutôt à Tintin, en lâchant en présence de Malraux un mot historique bien dans sa manière : « Au fond, vous savez, mon seul rival international, c'est Tintin ! Nous sommes des petits qui ne se laissent pas avoir par les grands. On ne s'en aperçoit pas à cause de ma taille[7]. »

Reconnaît exercer une responsabilité en tant que dessinateur. Cherche à l'atténuer en se présentant en poète plutôt qu'en moraliste. À fait de son héros un chic type plutôt qu'un bon fils ou un bon élève. Un brave gars apte à défendre un homme victime de la misère, de l'injustice ou de la violence, mais pas prêt à se battre pour le bonheur de tous les hommes sur terre. Si Hergé se sent investi d'une mission, elle ne consiste pas à éduquer les jeunes mais à leur transmettre un certain esprit chevaleresque, le goût de l'action et le sens de l'humour. S'il les instruit en les divertissant, c'est par surcroît.

Présente toujours les choses de manière à ne pas se dévaloriser. Offre l'image de quelqu'un qui a atteint la sagesse et la sérénité intérieures. Très ouvert à la réincarnation de l'âme. Inquiet en permanence. Ascète à sa manière. N'a jamais cessé de chercher sa voie et de poursuivre une quête spirituelle sous différentes formes.

Jouisseur à sa manière. Aime la bonne chère et le bon vin. Avoue une dilection pour le Château La Lagune, 3e cru classé, une des valeurs sûres du Haut-Médoc. A toujours bu plus que de raison des alcools divers et variés. Et fumé tout autant. N'en demeure pas moins aux antipodes d'un véritable bon vivant tel que son frère, au physique le sosie appliqué d'Éric von Stroheim, au moral un personnage rabelaisien bourré de contradictions. Paul Remi : amateur de belles femmes, de bon vin, de bonne chère, très macho, militaire mais original jusqu'au bout des ongles, excellent cavalier, doté d'un humour sarcastique, intelligent et cultivé, extraverti, tonitruant, généreux, doté d'une certaine noblesse de caractère. Georges Remi : le contraire... Ne parlent pas la même langue. Souffre de tant aimer Paul et d'être toujours incapable de communiquer avec lui.

Ayant conservé toute sa vie une âme d'enfant, n'a jamais eu vraiment à se pencher sur Tintin puisqu'ils ont le même âge. Ingénu à maints égards. Considérerait volontiers Che Guevara comme un héros du scoutisme. Superstitieux au point de se faire tirer les cartes à la veille de prendre de graves décisions. Consulte volontiers les voyantes. Croit aux signes et au mauvais œil. Attiré par les phénomènes ésotériques et paranormaux.

Se sent plus bruxellois que wallon, et francophone avant tout. Manifeste sa bonne humeur en parlant bruxellois avec un accent prononcé. Inquiet pour l'avenir de son pays. Croit en la pérennité de la nation belge et se désole d'autant plus d'assister à sa décadence. Devient de plus en plus critique à l'endroit de ses compatriotes au fur et à mesure qu'il ne supporte plus le travail mal fait. Utilise souvent comme métaphore les pavés disjoints des ruelles situées derrière l'avenue Louise pour évoquer les dissensions communautaires. Trop perfectionniste pour aimer encore son pays d'un amour sans mélange. Attitude d'autant plus paradoxale qu'il est la Belgique faite homme.

En osmose avec la nature. Facétieux, spirituel, doté d'un bon esprit d'à-propos. Déteste l'exhibition sous toutes ses formes. Puritain à l'excès. Invité à dîner avec Fanny chez leur ami Stéphane Janssen, il est très gêné à l'idée d'offenser le prince Albert et la princesse Paola en les mettant en présence d'un couple illégitime. Conserve de ses origines incertaines un sentiment aristocratique profondément ancré. Se sent différent du commun. Considère la famille royale avec un respect et une déférence mêlés à une secrète complicité.

Très pudique. Tendance à réprimer ses élans profonds. Admire dans ses amis Gabriel Matzneff et Stéphane Janssen le courage avec lequel ils ont été au bout de leurs instincts, le premier en subissant l'opprobre public en raison de ses amours adolescentes, le second en quittant femme et enfants pour vivre son homosexualité. Supporte mal l'époque des médias triomphants et l'invasion de la vie privée des personnages publics. Distingue vie professionnelle et vie privée. Fuit les mondanités. Sans cesse sollicité pour les banquets et cérémonies, décline courtoisement mais fermement. S'est assigné la règle de ne jamais assister à aucune manifestation ou réunion autre que professionnelle. N'est pas en représentation. Assez subtil, malin et intelligent pour s'effacer et se retirer à temps. Persuadé que l'argent et la notoriété modifient le regard que les gens portent sur celui qui a réussi.

Prêt à tous les calembours par goût du jeu et de la musicalité (Tintouin chez Milou !). Exprime son propre sens de l'humour dans ce qu'il a de plus subtil non à travers un comique de situation mais dans les réparties de ses personnages : Milou traitant le cheikh d'« espèce d'homme ! » après que celui-ci a traité Tintin d'« espèce de chien ! »... Dupond en scaphandre une canne à la main devisant avec Dupont parmi les cratères : « Dire que nous foulons ce sol de la Lune où jamais la main de l'homme n'a mis le pied »... Haddock accablant le colonel Boris de « vivisectionniste ! » et d'« anthropophage ! » au motif que Milou s'est cassé la patte à cause de lui... Ne prend pas ombrage lorsque ses lecteurs lui mettent le nez dans ses erreurs.

Ne se considère pas comme un redresseur de torts, contrairement à son héros. Ne condamne jamais. Pas même les criminels : face à l'apparente désinvolture du coupable, se demandera toujours si elle ne dissimule pas en vérité le remords le plus profond. Déduit de sa qualité de Gémeaux sa propension à écouter le pour et le contre, sa faculté d'être observateur plutôt qu'acteur. Médiateur parce que l'homme du juste milieu. Veut être équilibré plutôt qu'équilibriste.

Accepte que l'on utilise Tintin à des fins publicitaires mais refuse systématiquement qu'il soit associé à des produits douteux (alcool, bonbons colorés, etc.). Le préserve en le maintenant, malgré les tentations et sollicitations, dans l'univers des enfants. Craint surtout de voir l'œuvre parasitée par les commentaires. Se refuse à analyser le phénomène Tintin de peur que la mise à nu de son inconscient ne stérilise son génie créateur. N'en demeure pas moins l'archiviste maniaque de son œuvre. Fait tout conserver : les originaux de ses dessins bien sûr, mais aussi les livres, coupures de presse, objets et autres instruments de la mythologie. Fait tout noter et tenir à jour les listes des gens qu'il invite aux cocktails, ceux auxquels il envoie ses vœux, ceux auxquels il fait l'hommage de ses albums. Fait recopier les dédicaces qu'il leur a écrites et pointer les correspondants qui n'ont pas l'élémentaire courtoisie de le remercier ou d'accuser réception.

Absence de solide culture graphique et artistique compensée par une intelligence et une sensibilité intuitives. Tend de plus en plus à réduire la part de la préméditation dans son travail. N'envisage pas sa technique autrement que comme une façon de raconter des histoires, malgré l'évolution de son style ou le degré de maturité qu'a atteint son art. Bourreau de travail. Conscient que sa force de conviction et sa constance lui ont longtemps tenu lieu de génie : après s'être fait une certaine idée de la bande dessinée (la ligne claire), s'y est tenu jusqu'au bout.

Convaincu que les éditeurs abusent des auteurs, et les exploitent le plus souvent jusqu'à se payer sur la bête.

Hanté par l'idée de finir comme sa mère dans un lieu réservé aux dépressifs chroniques, mélancoliques irrécupérables et suicidaires récidivistes, telle la clinique du docteur Titeca, nom à ne pas prononcer en sa présence en raison des souvenirs qu'il charrie. Angoissé par la dégradation de son corps et le spectre du vieillissement.

Tendance chronique à l'angoisse, la mélancolie, l'incertitude face à l'avenir. Noircit le tableau. Sous des dehors optimistes, dissimule une conception tragique de la vie. N'a pas la vocation du bonheur.

Hergé, c'est aussi tout cela. Mais ce n'est pas que cela. Question d'éclairage, de point de vue, de perception. L'écrivain Robert Poulet l'a très bien défini comme un Belge moyen qui aurait une sensibilité d'aristocrate[8]. On peut également le restituer non par des traits de caractère mais par des anecdotes qui en disent long.

Il est sincère quand il dit vouloir éviter de passer à la télévision tant il s'y sent mal à l'aise. À chaque fois qu'il a la faiblesse d'accepter, il en revient avec le sentiment d'avoir été piégé, convaincu que nul ne l'a écouté, chacun s'étant accroché à l'apparence plus qu'au fond. Même sa prestation à « Apostrophes » l'a déçu. Cette vieille défiance envers la petite lucarne trouve son origine dans un incident survenu en 1972. Hergé avait été invité à l'émission de Philippe Bouvard à l'occasion du lancement du film *Tintin et le lac aux requins*.

« Qu'est-ce que vous avez fait dans ce film ? demanda l'animateur à Hergé.

— Eh bien, je l'ai supervisé... »

Quatre fois, Bouvard lui reposa la même question au cours de l'émission. Quatre fois, Hergé lui opposa la même réponse, de plus en plus embarrassée. Les habitués sentaient déjà le vent du boulet. Pas le principal intéressé, encore plus candide qu'à l'accoutumée. Jusqu'à la cinquième et dernière reprise avant le KO final :

« Alors, monsieur Hergé, en dehors du requin, qu'est-ce que vous avez fait dans ce film ? »

L'interpellé resta sans voix. Tétanisé. Il ne prononça pas un mot de plus de la soirée, y compris après l'émission. Jamais il ne pardonna à Philippe Bouvard.

Mais il arrive que la victime se rebiffe. Un jour, au déjeuner annuel du journal *Tintin*, Tibet exécute au cours du repas un dessin de Tintin en train de déféquer, ainsi légendé : « Après tout, moi aussi je fais mes besoins comme tout le monde... » Le bout de papier passe de main en main. Tout le monde pouffe. Hergé, qui s'en aperçoit, le réclame. Il fait taire la joyeuse assemblée en tapant son couteau contre le verre. Puis il passe un méchant savon au coupable. Devant tout le monde[9].

Hergé est aussi comme ça.

C'est peu dire que son image ne lui est pas indifférente. De la voie de la sérénité à celle du détachement, il y a un abîme. Il ne le franchira pas. Pour s'être imprégné de l'esprit du taoïsme, il n'a pas pour autant renoncé à son passé ni aux valeurs de son éducation. Quelque chose en lui l'empêchera toujours d'en surmonter toutes les contradictions. Le taxe-t-on de racisme, il hausse les épaules, blasé qu'on lui accole une telle épithète, et banalise l'accusation en jugeant tout aussi inepte de qualifier Goscinny de « chauvin » et Charlier de « militariste ». Mais au fond de lui, il est touché au vif. À chaque fois que l'affaire revient sur le tapis, il répond courtoisement mais fermement. Quand son éditeur américain publie *Tintin en Amérique*, il est piégé par un magazine new-yorkais qui monte en épingle ses déclarations sur le racisme reproduites dans une interview du *Figaro*. Aussi, pour désamorcer la bombe, se sent-il obligé de blanchir quelques personnages secondaires dans plusieurs vignettes, et de les redessiner, afin de ne pas provoquer inutilement la communauté noire. Pour autant, ça ne le fait pas réfléchir sur la portée morale ou les répercussions des planches incriminées. Pour n'avoir pas à affronter ce genre de cas de conscience, il se retranche derrière un mot fameux : « Donnez-moi dix lignes de n'importe qui et je le ferai pendre[10] ! »

En public, il n'hésite pas à faire amende honorable. Ce n'est jamais perçu comme un reniement mais comme une évolution en harmonie avec ses propres bouleversements intérieurs. Ainsi regrette-t-il d'avoir montré les Incas paniqués par l'éclipse dans *Le Temple du soleil*. En fait, ces héritiers d'une des plus anciennes civilisations savaient parfaitement de quoi il retournait. Cette manifestation de bêtise était indigne d'eux. Hergé, qui dit être désormais beaucoup plus respectueux de l'Autre, referait l'épisode différemment si c'était à refaire, quitte à ce que l'ensemble du récit en soit modifié[11].

Comme Tintin, Hergé veut bien sauver un homme à défaut de s'intéresser au sort de tous les hommes. Mais en cela, il n'a pas pour autant abdiqué les vieux réflexes de sa jeunesse. Ainsi, sollicité par le père Gall, il prend fait et cause pour le soldat Ronald Newman, membre d'une tribu de Peaux-Rouges du Dakota du Nord, condamné à vingt ans de travaux forcés pour désertion. Là où certains voient une crise de démence, et d'autres une manifestation d'antimilitarisme, Hergé est de ceux qui évoquent la nostalgie de la prairie pour absolution. Il plaide donc sa cause. Même si c'est un « service inutile », comme dirait Montherlant, il le fait parce que Tintin en aurait fait autant. Puisque le malheureux a été condamné par un tribunal militaire américain à Munich, il s'adresse donc au général Lyman Lemnitzer, qui commande les forces de l'OTAN stationnées en Europe. Une fois n'est pas coutume, il se met en avant, excipe de sa notoriété et « mouille » Tintin dans l'affaire :

« C'est un jeune garçon courageux et généreux qui a pour but dans la vie de lutter contre l'injustice, de défendre les opprimés. S'il était un personnage réel au lieu d'être un personnage de fiction, je suis sûr (le connaissant bien !) qu'il entreprendrait de grandes actions audacieuses pour sauver Ronald A. Newman. Moi, son créateur, j'agis à sa place comme je le peux ; et je ne le peux pas autrement qu'en vous écrivant[12]... »

Grâce à sa pression, conjuguée avec d'autres, l'Indien aura gain de cause. Dans sa correspondance avec le père Gall, Hergé avait été jusqu'à écrire : « Cette affaire Newman rappelle le nazisme[13]. » Faut-il prendre l'énormité de ce rapprochement comme le jugement d'un ingénu ou celui d'un cynique ? Ou comme la volonté de banaliser une barbarie à laquelle on a été associé d'une manière ou d'une autre ?

À la décharge d'Hergé, on serait tenté de rappeler la vieille parabole : celui qui sauve un homme sauve l'humanité. À sa charge, on est forcé de constater que dans le même temps où il eut ce noble geste humanitaire, il était choqué que l'on attribuât le prix Nobel de la Paix à Willy Brandt. À ses yeux, le chancelier allemand demeurait l'homme qui, pendant la guerre, avait endossé l'uniforme norvégien pour se battre contre l'armée allemande. Une armée aux ordres de Hitler, certes, et le jeune Willy Brandt était un militant antinazi, soit. Mais son choix l'engageait à tirer sur ses compatriotes... Et Hergé, toujours prompt à renvoyer les belligérants dos à dos, d'évoquer ces Français et ces Belges qui avaient combattu sur le front de l'Est sous l'uniforme allemand ! La vraie « logique » de son raisonnement éclate *in fine*, lorsqu'il avoue avoir été non seulement choqué par la décision du comité norvégien, mais également gêné par le fait que Willy Brandt se soit agenouillé devant le monument érigé à la mémoire des victimes du nazisme, dans le ghetto de Varsovie[14].

Hergé est l'homme qui exprime encore de telles opinions au début des années soixante-dix. Mais il est aussi celui qui, à la réflexion, préfère les supprimer du tapuscrit de son livre d'entretiens, conscient que cela ferait mauvais effet et accentuerait son image déjà très marquée. Il connaît bien son monde. À la fin de ces années-là, le baron Adelin Van Ypersele de Strihou, patron de l'agence de publicité Vanypeco auquel il est lié d'amitié depuis 1932, se met en tête de le faire décorer, estimant qu'Hergé est par sa notoriété le meilleur ambassadeur de la Belgique dans le monde. Chacun des ministres sollicités à tour de rôle paraît aussi embarrassé en raison du lourd dossier judiciaire de collaborateur qu'il traînerait derrière lui. Aucun ne veut prendre le risque d'entamer la procédure. Pour en finir, Van Ypersele de Strihou s'adresse directement au prince Albert. C'est ainsi qu'en 1978 Hergé est fait officier de l'ordre de la Couronne[15].

Ses amis ne savent pas tout de lui. Chacun détient une parcelle de sa vérité. Non qu'il ait cloisonné ses relations. Mais il n'est pas homme à se livrer. Rares sont ceux qui se souviennent l'avoir vu s'épancher. S'il est quelques sujets tabous qu'il vaut mieux ne pas aborder en sa présence (son mystérieux grand-père, les dernières années de sa mère), il en est un qu'aucun de ses proches n'ose évoquer sans y être contraint : les enfants.

Il n'est pourtant pas inutile ni inepte de s'interroger sur les relations qu'il entretient avec ses premiers lecteurs. Ceux auxquels son œuvre est, en principe, prioritairement destinée.

Officiellement, il les aime. Il les place même très haut. Sa correspondance en témoigne. Dans l'esprit du plus grand nombre, qui dit « enfants » dit « Hergé ». À la fois expert technique et caution morale. L'image de son héros s'est superposée à la sienne, jusqu'à s'y substituer parfois. Quand Yves Robert et Danièle Delorme sont venus présenter leur film *La Guerre des boutons* à Bruxelles en 1962, ils l'ont d'abord projeté en privé à Hergé dans un studio de la Warner.

Pourtant, les collaborateurs des Studios sont bien placés pour savoir qu'il refuse systématiquement les visites d'école. Ou qu'il lui est arrivé de rembarrer sèchement des gamins venus le saluer à l'improviste. Ou pis encore. Ainsi, un jour qu'il était particulièrement incommodé par des bruits d'enfants retardés, jouant dans la cour d'une école spécialisée juste derrière les Studios, il se serait rendu au poste de police pour porter plainte afin de faire déménager ces nuisibles... Il est vrai que dans un cas comme dans l'autre, ce sont toujours les enfants des autres. Combien de fois n'a-t-il dit, plus sérieux qu'ironique :

« Ce que je déteste le plus, ce sont les tout petits bébés, et les très vieilles dames. »

À un journaliste qui insiste pour figurer dans un album par le biais d'un personnage, afin de laisser un souvenir sur cette terre, Hergé répond :

« Mais cher ami, vous avez maintenant un fils. Le voilà, le "souvenir" que vous laisserez. N'est-ce pas autrement réel, autrement ressemblant que quelques traits dans une histoire dessinée[16] ? »

Et lui-même ? Quand Numa Sadoul lui demande s'il ne considère pas Tintin comme son fils, il répond : « C'est possible. Je l'ai élevé et nourri. Malgré tout je crois être assez adulte pour pouvoir me passer d'enfants adoptifs. Je n'en ai pas besoin, me semble-t-il. » Puis il fait supprimer ces phrases du tapuscrit et les remplace par d'autres plus anodines, le présentant comme le père de l'enfant Tintin.

Ce fils adoptif est-il seul ? Au début des années cinquante, jugeant irresponsable l'attitude de son frère Paul dans sa vie familiale, Hergé propose d'adopter officiellement ses deux jeunes enfants. Il pourvoirait ainsi à l'éducation équilibrée qui leur faisait défaut selon lui. Mais leur mère refuse[17].

Plus tard, à partir de 1978, l'entourage découvre l'existence d'un autre fils virtuel. Hergé est en effet secondé dans ses tâches quotidiennes par un nouveau secrétaire, nettement plus jeune que les précédents. Né en 1951, Alain Baran vient de quitter le monde de la danse classique et la troupe de Béjart. Il est le fils de Dominique de Wespin, journaliste et écrivain avec laquelle Hergé entretient des liens d'amitié depuis l'avant-guerre. Deux générations séparent ces hommes. Mais l'harmonie est telle entre eux qu'Alain Baran ne tarde pas à représenter Hergé à l'extérieur pour nombre d'affaires. Plus que ne l'aurait fait un autre secrétaire. Hergé reste maître de son univers tout en sachant déléguer. Il lui fait entièrement confiance, comme s'il était de la famille. Il s'appuie sur ses qualités de discrétion et l'idée qu'il se fait de sa fonction, en vertu de laquelle le secrétaire est l'homme du secret. Il lui témoigne une telle affection que l'entourage parle vite de relation filiale. Il est vrai que dans leurs trois niveaux d'échanges, outre l'amitié et la relation de maître à disciple, il y a bien des rapports père-fils. Hergé avait vu grandir cet enfant qui avait tôt perdu son père. L'osmose est telle entre eux que la rumeur, évoquant un hypothétique projet d'adoption, le présente même comme son « fils naturel », ce qui fait sourire, sinon rire, les intéressés. Mais Baran ne la dément pas tant elle est flatteuse, la plaçant sous la tutelle d'un autre tandem du même esprit, formé au cinéma par François Truffaut et son acteur-fétiche Jean-Pierre Léaud[18].

Sans verser dans une psychanalyse de bazar, on conviendra que ces faux-fuyants dissimulent plus que de la pudeur. La seule chose qu'Hergé n'ait pas réussi à créer, c'est une famille qui ne soit pas de papier. Quand d'aventure des gamins gravitaient dans son entourage proche, il les envoyait jouer plus loin au bout de dix minutes. Le fait est qu'Hergé, deux fois marié, n'a jamais eu d'enfants. Tant Germaine que Fanny auraient bien aimé en avoir, à un moment ou à un autre. Pour la première comme pour la seconde Mme Georges Remi, rien ne s'y opposait.

Rien si ce n'est qu'Hergé était stérile. Cette incapacité, non pas génétique mais accidentelle, est due aux effets secondaires d'une intervention bénigne : des rayons pour soigner des démangeaisons... C'était son secret. S'il en a souffert, ce ne fut jamais au point d'aller consulter un médecin et de suivre un traitement. Il semble s'être vite fait une raison. Jamais il n'en parle. À personne. Même dans la plus stricte intimité, il évite le sujet. D'ailleurs, dans ces moments-là, la question ne se pose pas[19].

Ce serait pourtant une clef fort utile à tous ceux qui se passionnent pour les sources de cette œuvre qui part du monde de l'enfance pour y retourner. À l'examen, elle permettrait peut-être de mieux comprendre ce que nombre de ses proches murmurent sans trop oser l'avouer tant cela leur paraît incongru. À savoir que le père de

Tintin n'aime pas les enfants. Que cela remonte à sa propre enfance quand il prit très mal la naissance de ce petit frère vite fêté comme un héros par leurs parents, ou que ce soit plus récent, le fait est qu'il ne supporte pas leur compagnie. Par maladresse ou manque d'expérience, il ignore comment s'y prendre avec eux.

Ceux qui en sont convaincus sont souvent les mêmes qui ont entendu parler d'un incident peu à l'honneur de cet homme de qualité. À la fin des années quarante, alors que la crise déchirant leur couple semblait marquer une pause, Georges accéda à une demande insistante de Germaine. Ils adoptèrent un enfant, orphelin de 7 ou 8 ans venu d'un pays lointain. Mais au bout de quinze jours, comme il ne supportait pas cette nouvelle présence et les bouleversements qu'elle apportait dans sa vie quotidienne, il le rendit...

Ce jour-là, Totor C.P. des hannetons, Quick et Flupke, Tintin et le petit Tchang ne devaient pas être très fiers de leur papa. Il lui manquera toujours d'avoir reçu le sourire non de ses créatures mais de ses propres enfants. Cette histoire, longtemps considérée comme taboue, trouve peut-être sa source dans une confusion avec la présence dans les années cinquante, aux côtés du couple, du petit Wilfrid, le fils des gardiens de la propriété.

Hergé se prête d'autant moins au portrait fouillé que la plupart des gens le croient lisse et limpide. Aussi épuré que son dessin. Pourtant, l'enquête ne cesse de révéler une image autrement fascinante qui le rend plus attachant. Elle est toute de complexité et de contradictions, de déchirements et de paradoxes, d'arêtes et de crevasses. Aussi droit vu de l'extérieur que tordu vu de l'intérieur. Encore faut-il sans cesse démêler dans ses aveux ce qui relève d'une profonde sincérité et ce qui procède de son inaltérable sens du devoir. Sa quête du bonheur est si naïvement intense qu'il se convainc d'avoir enfin trouvé l'équilibre et la voie de la sagesse. Plus il se dit réconcilié avec lui-même, plus on voit poindre le spectre de l'inquiétude.

Dans quelle mesure le grand chambardement qu'a subi Hergé dans les années soixante l'a-t-il véritablement modifié ? Sa révolution intérieure fut-elle si profonde ? À l'examen, la réalité est contrastée, comme toujours avec des personnages aussi simplement exceptionnels.

Ce qui n'a pas changé, c'est sa fidélité aux amis et, partant, la qualité desdits amis. Les compagnons de jeunesse pourront compter sur lui jusqu'à la mort même s'il ne les voit parfois que de loin en loin. Ce premier cercle, le plus près du cœur, occupe une place à part dans sa mémoire bien qu'il n'éprouve plus depuis longtemps la nécessité de le fréquenter régulièrement. Le second, constitué de gens rencontrés à la veille ou au début de la guerre, a pris une égale importance dans sa vie en raison des événements, intenses sinon dramatiques, qu'ils ont traversés côte à côte.

Inutile de préciser que l'entourage d'Hergé est majoritairement formé d'hommes que leur passé et leur sensibilité situent nettement à droite, malgré de rares exceptions qui confirment la règle tel le critique d'art Pierre Sterckx. Quand ils se sont engagés, sous l'Occupation, la plupart l'ont été du côté de la collaboration plutôt que de la résistance.

En revanche, sa sensibilité littéraire a sinon changé, du moins évolué. Elle s'est adaptée à ses propres mutations intellectuelles. Il n'a pas renoncé à ses anciens acquis mais les a enrichis. Pourtant, lorsqu'on lui demande de citer non les écrivains mais les dix œuvres qui l'ont le plus marqué, sa sélection n'en porte pas la trace : *Sans famille, Robinson Crusoé, L'Île au trésor, Les Trois Mousquetaires, Les Aventures de M. Pickwick, L'Homme, cet inconnu, La Cousine Bette, Les Grandes Espérances, La Chartreuse de Parme* et *À la recherche du temps perdu*[20].

On le voit, seule l'œuvre de Dickens est citée deux fois. Cette liste date de 1975. Mais trente ans avant, Hergé confiait à un ami :

« J'ai lu comme tout le monde l'un ou l'autre roman de Marcel Proust ; mais à la vérité, cet écrivain ne suscite pas en moi un vif intérêt ; mon métier de dessinateur, qui m'absorbe de plus en plus, ne me permet pas de consacrer beaucoup de temps à la lecture[21]. »

Peut-être en a-t-il désormais le loisir. À moins qu'il n'ait jugé convenable de paraître proustien. Il est plus sincère dans d'autres de ses élans. Dans son intérêt pour l'histoire contemporaine, par exemple, lorsque dès l'annonce de la parution du nouveau livre de souvenirs de Léon Degrelle *La Cohue de 40*, il se dépêche de le commander à son éditeur lausannois. Ou quand, en privé, il juge *La Campagne de Russie* du même Degrelle « très émouvant et très bien écrit[22] ».

Balzac et Simenon sont toujours là, dans un coin de sa bibliothèque, panthéon privé de l'honnête homme. Félicien Marceau n'a pas tardé à les rejoindre définitivement. Quand cet ancien compatriote est couronné du prix Goncourt 1969 pour son roman *Creezy*, il lui envoie un bref télégramme lourd de sous-entendus : « On croit rêver. Hergé. » Lorsque Marceau est élu membre de l'Académie française, non sans difficulté eu égard à son passé, il lui adresse un mot chaleureux : « Que cette épée soit comme le sabre de Monsieur Prudhomme le plus beau jour de votre vie[23]. »

Il n'est pas interdit de déceler l'influence de Félicien Marceau, auteur d'une fameuse étude sur Balzac et son monde, dans la séduction que cet écrivain continue d'exercer sur lui. Car sans être véritablement complexé sur le plan intellectuel, Hergé a toujours besoin de précepteurs, ou plutôt de passeurs, en accostant sur des territoires trop impressionnants.

Le temps est loin où le jeune Georges Remi se permettait de citer Kipling dans un article du *Boy-Scout belge* sur l'art de manier le lasso. Devenu le grand Hergé, il est désormais plus prudent. Il témoigne de ce qu'on peut être un autodidacte tout en ayant une orthographe, une syntaxe et un vocabulaire impeccables. À condition toutefois d'avoir fait, comme lui, ses humanités en un temps et dans des lieux où elles étaient autrement rigoureuses. Poursuivant les anglicismes abusifs qui auraient échappé à sa vigilance, il réclame, dans une nouvelle version de *Tintin en Amérique*, le remplacement de « Quel trafic ! » par « Quelle circulation ! »[24]. Question de principe. On comprend que le laisser-aller et la vulgarité de certaines bandes dessinées modernes le heurtent. Tout l'esprit d'Hergé est à la fois dans son exigence stylistique et dans des détails qui trahissent sa vraie formation. Il est prêt à remplacer « saindoux » par « graisse à frites » pour se faire comprendre du plus grand nombre. Mais il ne renoncera pas à un terme technique qui lui est naturel et lui paraît le plus exact. Ainsi, dans *Le Trésor de Rackham le Rouge*, voit-on Tintin scaphandrier s'adosser à un gros morceau de bois pour se protéger de l'attaque d'un requin. Il l'appelle un « couple »[25]. Or, mis à part les marins et les fidèles de Jules Verne, de ceux qui relisent *L'Île mystérieuse* et *Robinson Crusoé*, combien de lecteurs d'Hergé comprennent qu'il s'agit des « éléments de la charpente d'un navire qui vont de la quille aux barrots de pont et auxquels le bordé est ajusté[26] » ?

Raymond De Becker, avec lequel il conserve des relations épistolaires suivies jusqu'à sa mort à Paris en 1969, joue un rôle de passeur dans le domaine du paranormal, des sciences occultes et de l'ésotérisme. On retrouve son ascendant dans certaines lectures d'Hergé, tel *L'Esprit cet inconnu* de Jean Charron, livre qu'il referme en ayant la conviction d'avoir enfin trouvé une explication satisfaisante sur la mort et l'au-delà, l'âme y étant expliquée comme une pure énergie immortelle[27]. De Becker est certainement à l'origine de la passion d'Hergé pour la psychologie jungienne mais aussi pour des ouvrages de sociologie et de prospective. Dans ses dernières années, outre *Dialectique du moi et de l'inconscient* de Carl Jung, il est en effet fasciné par des best-sellers tels que *Le Choc du futur* d'Alvin

Toffler et la plupart des essais si prophétiques de l'ère médiatique de Marshall McLuhan, notamment *Guerre et paix dans le village planétaire*[28].

Un autre journaliste-écrivain, également rescapé des grandes purges de la Libération, a une influence sur ses lectures. Robert Poulet, devenu l'un des meilleurs critiques littéraires de langue française dans les colonnes de l'hebdomadaire d'extrême droite *Rivarol*, exerce ce magistère. Mais plus encore que Raymond De Becker car Hergé l'admire sans réserve. Il n'a pas de mots assez forts pour louer son courage, sa dignité et son honnêteté intellectuels, dans l'adversité comme dans l'exil. Lorsqu'il reçoit son *Contre la plèbe* (1967), il en fait son livre de chevet tant il y retrouve ses préoccupations et ne tarit pas d'éloges à son sujet[29]. Il savoure également les billets que son ami signe du pseudonyme de Pangloss dans *Pans !*, l'hebdomadaire satirique bruxellois. Quand il aime, Hergé est ainsi. Inconditionnel. Lorsque Poulet est attaqué, il le défend en bloc et en détail, qu'il s'agisse de ses humeurs, de son style et de ses partis pris qui ne sont pas tous littéraires. Car dans ses *Mémoires* parus en 1976, auxquels Hergé ne trouve rien à redire, non seulement Robert Poulet n'exprime aucun regret sur sa période noire et pourfend ses ennemis d'hier comme s'ils étaient toujours ses adversaires d'aujourd'hui, mais il réécrit l'histoire du génocide juif par les nazis d'un point de vue révisionniste. Fidèle à la technique du renvoi dos à dos chère à Hergé, prompt à généraliser la barbarie pour mieux la banaliser, il place sur le même plan tous les « massacres » de la guerre (Auschwitz, Katyn, la Kolyma), le génocide des

Juifs, le bombardement de Dresde, l'incendie de Hambourg et l'anéantissement d'Hiroshima et Nagasaki[30]. Ces idées-là n'ont pas de mal à déteindre sur Hergé qui ne demande qu'à être convaincu. Mais l'empire de l'un sur l'autre est également philosophique et littéraire.

C'est également à Robert Poulet qu'il doit, non la découverte mais la révélation de l'œuvre de Montherlant qui laisse une empreinte indélébile sur lui. Les deux écrivains se sont régulièrement fréquentés à partir de 1935. Ils n'étaient pas liés par une amitié mais par « une familiarité, un compagnonnage agréable[31] ». Le Montherlant d'Hergé est essentiellement celui de trois de ses livres qui développent une même problématique, celle de l'action et de l'inaction. On la retrouve en effet dans *Service inutile, Le Maître de Santiago* et *Le Cardinal d'Espagne,* un recueil d'essais et deux pièces de théâtre dans lesquels il a puisé nombre de formules : « Les grandes aventures sont intérieures », etc. Un univers auquel Hergé s'accorde naturellement puisqu'il exalte le sens de l'honneur et la noblesse des sentiments, pourfend la bassesse d'âme et la médiocrité en toutes choses.

Par un glissement des plus curieux, Hergé va transformer son admiration pour Montherlant en amitié pour Gabriel Matzneff, lequel demeurera très proche et fidèle au grand écrivain jusqu'à son suicide. Il opère ainsi une sorte de transfert, du père inaccessible car trop prestigieux, à celui qui lui apparaît en quelque sorte comme son fils spirituel.

Hergé et Matzneff se connaissent depuis 1964. En ce temps-là, ce fils d'émigrés russes, âgé de 28 ans, s'apprête à publier son premier recueil,

Le Défi, et son premier roman, *L'Archimandrite*, célébrant la sensualité de l'orthodoxie. Il n'est alors l'auteur que de chroniques dans la presse. Outre la beauté spirituelle de l'Église de ses aïeux, la littérature sans imagination et la tenue de son journal intime, il se passionne pour Montherlant et... Tintin ! C'est à partir de cette double fascination, entretenue par une longue et régulière correspondance, que naît et se développe leur amitié, après un déjeuner en tête à tête, suivi de beaucoup d'autres à Paris ou Bruxelles.

Gabriel Matzneff, qui évoque l'œuvre d'Hergé avec la même ferveur qu'il le ferait pour celle de Dostoïevski, lui doit, entre autres choses, la construction de *Nous n'irons plus au Luxembourg*, roman bâti comme une bande dessinée. Pour lui rendre hommage, il ne se contente pas de lui consacrer des articles très fouillés, dans le quotidien *Combat* notamment. Il intitulera un de ses recueils de pamphlets *Le Sabre de Didi*, clin d'œil à l'obsédé décapiteur du *Lotus bleu*. Car à ses yeux, de tous les symboles (croix, faucille, etc.), son arme est celle qui résume le plus exactement le XXe siècle, manière de signifier que les dogmatiques de tous bords sont des pourvoyeurs de cimetières.

Hergé, lui aussi, doit beaucoup au commerce régulier qu'il entretient avec Matzneff. Peut-être la différence d'âge n'y est-elle pas étrangère. Néanmoins, il est le seul dans le monde littéraire avec lequel il puisse se sentir complice. Quand il lui envoie une carte postale de ses vacances à Chamonix, il s'amuse à corriger les coquilles imprimées (« ennivrante » avec un n de trop), ce qui témoigne de son œil typographique très sûr. En lisant le journal de Matzneff des années 1953-1962, intitulé *Cette camisole de flammes*, Hergé a trouvé des traces de Nietzsche, auteur qu'il fréquente depuis longtemps. En 1931 déjà, il noircissait son calepin de poche de quelques-unes de ses pensées (« La vie est toujours une chose à surmonter »). Après-guerre, quand la solitude le poussait à chercher son salut dans les livres mais que la dépression annihilait tout effort intellectuel soutenu, son ami Marcel Dehaye était son fournisseur attitré en citations. Nietzsche était toujours là. Dans les pages de Matzneff, Hergé (re) découvre : « Toute conviction est une prison. » Il en a fait sa devise, en usant et en abusant à chaque fois qu'il a dû justifier son refus de tout engagement. Quitte à ce que cette conviction-là lui serve de prison. Fidèle à Gabriel Matzneff comme il sait l'être dès lors qu'il accorde son amitié à quelqu'un, il ne se contente pas de lire tous ses livres avec l'attention et la méticulosité d'un critique bienveillant. Il les défend quand l'écrivain est attaqué, fût-ce violemment par Robert Poulet, notamment pour son roman *Ivre du vin perdu*. Malgré le scandale provoqué par la révélation d'amours impubères dont Matzneff se glorifie (beaucoup de lycéennes et quelques petits garcons), Hergé ne lui tournera jamais le dos. Il ne cessera de voir en lui « le plus considérable des jeunes écrivains français » et, pour tout dire, le prince héritier du roi Montherlant[32].

Outre ces lectures littéraires, qui correspondent à sa formation et son itinéraire intellectuels, il en est d'autres qui, au cours des années soixante, entraînent Hergé vers de plus lointains horizons. Elles sont liées à son évolution morale et religieuse.

Après avoir été longtemps convaincu de sa qualité de catholique sincère, il a découvert qu'en fait, il n'avait jamais eu la foi. De son éducation catéchistique, il a surtout conservé l'esprit des dogmes et des contraintes, le sens du devoir et celui du péché. Toutes choses qui ont développé au plus profond de son être un complexe de culpabilité dont il mettra sa vie entière à se défaire.

Les livres, plus que les hommes, jouent un rôle décisif dans son attirance pour les philosophies extrême-orientales. Dans un premier temps, Hergé en retient l'apparente simplicité des principes : ce qu'il faut, c'est être et non avoir... Il goûte la clarté et le naturel des *Chemins de la sagesse* d'Arnaud Desjardins. Surtout, le célèbre *Tao-tö-king*, traité du philosophe chinois Lao-tseu, l'attire irrésistiblement vers le taoïsme, perçu non comme une religion mais comme un art de vivre. Il puise dans ses préceptes des formules qui sont autant de viatiques dans les moments de doute et d'inquiétude : « Ceux qui en font trop gâtent leur affaire ; ceux qui serrent trop fort finissent par lâcher. » De l'agir-sans-agir si symbolique de l'esprit du Tao, il retient l'art du détachement vis-à-vis des conséquences pratiques de ses actes, et la faculté de s'intéresser aux causes plutôt qu'aux effets. La représentation du monde incarnée en deux énergies complémentaires lui convient de plus en plus. Persuadé que la sagesse est une mère exigeante, il semble en permanence préoccupé par les questions d'équilibre dynamique entre le Yin et le Yang, le repos et l'activité, le froid et le chaud. Qu'on ne s'y trompe pas : son ambition n'est pas de devenir sage mais un Sage[33].

Quand il ne s'absorbe pas dans les livres de Jung ou de Lao-tseu, Hergé aime s'étourdir avec les essais du philosophe anglais Alan Watts, lequel se définit comme un « tournesol mobile ». Ce clochard céleste, qui est alors un des symboles de la contre-culture américaine, fait la synthèse entre les Emerson et les Thoreau qui cherchaient Dieu dans la nature, la psychologie religieuse de Jung et l'esprit du taoïsme, le tout mâtiné d'un courant libertaire bien dans l'air du temps. On comprend que les hippies et les beatniks de la côte ouest soient séduits par un tel gourou. Mais Hergé ? Il est vrai qu'il a vu *Hair*, la comédie musicale qui fait fureur, et qu'il a apprécié « ce merveilleux spectacle[34] »...

En fait, il se retrouve sans doute dans l'hyperindividualisme, la critique de l'État, le détachement et l'épicurisme distillés tout au long des livres d'Alan Watts. D'autant qu'ils ont généralement une dimension mystique et poétique qui les rend attachants. Leur succès, qui va grandissant, ne tarde pas à dépasser les limites des campus pour s'étendre dans des couches contestataires de la société où le « zen » n'a pas besoin d'être explicité pour séduire. Plusieurs passages soulignés de rouge témoignent de la ferveur avec laquelle Hergé a lu ces livres. En les isolant, on a une idée des principes qui l'ont marqué, suffisamment en tout cas pour qu'il les fasse siens, à l'orée de la soixantaine.

« L'objet du zen consiste à diriger notre attention sur la réalité même et non sur nos réactions intellectuelles et émotionnelles à cette réalité. » « L'homme souffre à cause de sa soif de posséder et de garder ce qui est essentiellement transitoire » (dans *L'Esprit du zen*). « Le problème vient toujours du fait que l'acceptation de soi-même ne peut jamais être un acte délibéré » (dans *Psychothérapie orientale et occidentale*). « L'acceptation fondamentale de soi comporte toujours le risque de vous rendre invisibles à l'importance des valeurs morales. Mais c'est un risque sans lequel il ne saurait y avoir de liberté » (dans *Amour et connaissance*). « En confortant les noms et la nature, on en arrive à croire qu'avoir un nom séparé fait de vous un être séparé. C'est littéralement se laisser ensorceler » (dans *Le Livre de la sagesse*)[35].

En s'imprégnant de la pensée d'Alan Watts, Hergé réapprend à vivre. Ce qu'elle lui révèle ? Qu'on maîtrise vraiment les événements non en s'opposant à eux mais en cédant à leur force afin de mieux les détourner de leur cours initial. Qu'on les domine en s'adaptant à eux. Que la prétendue humilité est en réalité la forme la plus subtile de l'orgueil. Qu'en prenant au sérieux la « course de compétition », on risque d'être sujet aux dépressions aussi fréquemment qu'aux rhumes. Que le mystère de la vie n'est pas un problème à résoudre, mais une réalité à éprouver. Que l'homme naturel est infiniment plus appréciable que l'homme conceptuel. Qu'il faut avec Confucius substituer les passions et les sentiments aux principes du bien et du mal...

Depuis sa rencontre avec Fanny, Hergé a

changé. *Tintin au Tibet* a été le premier signe extérieur de son évolution. Encore pouvait-il être attribué à un état passager ou à un épisode dépressif. La séduction de l'Orient fut le symptôme d'une métamorphose plus durable. En s'installant dans cette nouvelle existence, ponctuée par un divorce tardif en 1975 et un remariage deux ans après, Hergé modifie son mode de vie. Il travaille nettement moins, profite de l'instant présent, se laisse aller à une frénésie de voyages (Italie, Grande-Bretagne, Suède, Grèce, Danemark, Chine nationaliste, États-Unis)...

Signe des temps quand les temps changent : contrairement à son habitude, il ne rechigne plus à porter un jugement sur ses confrères, fût-il plus proche de l'exercice d'admiration que de la critique sans appel. Il tient Sempé pour le La Bruyère du XXe siècle, et sous la plume de cet honnête homme, il n'est pas de plus beau compliment[36]. Les planches des *Frustrés* de Claire Bretécher sont d'une férocité et d'un pathétique qui l'enchantent et lui procurent un vrai bonheur de lecture, qu'il s'agisse des dessins ou des dialogues[37]. En dehors d'hommes comme Jacobs, Cuvelier, Schulz ou Johnny Hart, qu'il considère déjà comme des classiques, Hergé loue volontiers les qualités d'artistes tels que Jean Giraud dit Gir dit Moebius, Hermann, Gébé (« qui n'a que du talent »), Franquin (« prodigieux dessinateur »), Gotlib ou Raymond Macherot, le créateur d'*Anthracite* et de *Chlorophylle*, qu'il juge l'égal de Walt Disney dans sa manière de camper le caractère des animaux. Il lit d'une traite *Les Six Voyages de Lone Sloane*, un héros auprès duquel Tintin lui paraît excessivement bourgeois et raisonnable. Son auteur Philippe Druillet est un des rares, selon lui, à donner une dimension nouvelle à la BD, plus proche de l'onirisme que du fantastique. Il se délecte de ses grandes images « à la fois précises, minutieuses et fulgurantes où tout fuse et explose dans une sorte de délire graphique ». Quant à Jean-Claude Mézières, qu'il peut se flatter d'avoir repéré dès l'âge de 15 ans, Hergé se dit impressionné par sa capacité d'invention et sa puissance de composition. Après avoir lu *L'Ambassadeur des ombres, Les Oiseaux du maître, Le Pays sans étoile* ou *L'Empire des mille planètes*, il va jusqu'à évoquer Jérôme Bosch et Gustave Doré, c'est dire !

Mais à ses yeux, Fred, pilier de *Pilote* où il dessine Philémon et scénarise Timoléon, demeure largement au-dessus du lot. Pour sa faculté à se dégager de l'influence américaine. Pour la dimension poétique et la lisibilité de son dessin. Pour son irrespect à l'endroit des institutions. Pour sa faculté de faire croire à l'incroyable. Et pour ce mélange de surréalisme, de loufoque, d'inquiétude, d'absurde, de logique qui n'appartient qu'à lui[38].

Pour être ouvert à la culture d'une autre génération de dessinateurs, Hergé n'est pas pour autant prêt à accepter n'importe quoi. Ni jeuniste, ni démagogue, il met un frein à ses enthousiasmes. Peu lui chaut de passer pour conservateur. Il distinguera toujours les créateurs des fabricants. Et les artistes du reste des fournisseurs. En fait, seuls la vulgarité, la confusion et le travail bâclé le choquent vraiment. Ainsi, en découvrant un paquet de bandes dessinées underground expédié d'Amsterdam, il ne le récuse pas globalement. Il apprécie les dessins de Robert Crumb et parvient même à trouver « intéressantes » les bandes les plus pornographiques tant leur agressivité, leur bonne humeur et leur exagération les rendent finalement comiques[39].

Ces artistes, plus ou moins jeunes et audacieux, ont tous en commun de raconter des histoires en images. Pour Hergé, c'est le premier critère d'appartenance au club. Le reste (clarté, lisibilité, simplicité) est affaire de choix, de goût et de sensibilité, bien que cela détermine une adhésion plus durable au club...

Au début des années soixante-dix, il n'a pas encore déposé les armes. Même si l'évolution du 9e art ne lui est pas un objet de préoccupation permanente, il continue à l'observer. Signe des temps : c'est à son instigation que le dessinateur Claude Renard crée un cours de BD à l'Institut Saint-Luc à Bruxelles. Un demi-siècle après son passage éclair dans cette institution, Hergé continue à dessiner. Mais ça vient de plus en plus difficilement. La revue *Critique* lui ayant proposé de réaliser la couverture de son prochain numéro, il décline poliment, non sans préciser :

« Tout ce qui est dessin d'illustration m'est devenu insupportable[40] ! »

Ses entretiens avec les journalistes sont du même ton, plus libres qu'avant. Comme s'il avait atteint l'âge où l'on ne craint plus personne. S'il n'admet pas volontiers être privé du sens des couleurs, il reconnaît son aversion chronique pour le mauve. La lenteur accrue de ses travaux en cours est alarmante. Traité le plus souvent comme un grand dessinateur dont l'œuvre est achevée, ou tout au moins derrière lui, il ne répugne plus à en dresser le bilan, mêlant pertes et profits.

Des regrets ? Ils ne concernent pas un album mais des images. Il distingue bien çà et là des vignettes superflues, dont l'existence ne se justifiait que par la nécessité d'arriver au nombre de pages prévu[41].

Des motifs de fierté ? Trop pudique pour flatter ses enfants en public, il ne rechigne pas toutefois à évoquer son album *(Tintin au Tibet)* et ses deux dessins préférés. Les seuls qui le satisfassent entièrement. Le premier se trouve dans *Le Crabe aux pinces d'or*. On y voit des pillards dans les dunes (allongés au premier plan, se relevant au deuxième plan et s'enfuyant au troisième plan) agressés par les insultes d'Haddock résonnant dans ce morceau de désert. Ce n'est effectivement pas une mince prouesse que de condenser toute une séquence en une vignette :

« En une seule case, une succession de mouvements, décomposés et répartis entre plusieurs personnages. Cela pourrait être le même bonhomme, à des moments successifs, qui est couché, qui se relève doucement, qui hésite et qui s'enfuit. C'est en somme, si vous voulez, un raccourci d'espace et de temps[42]. »

L'autre dessin selon son cœur appartient au *Trésor de Rackham le Rouge*. On y voit Haddock débarquant nu-pieds sur l'île d'un pas décidé, fusil en main, tandis qu'au second plan Tintin et les Dupondt tirent la barque sur la plage et qu'au fond la muraille du Sirius se découpe sur l'horizon. Hergé n'aurait jamais cru réussir aussi parfaitement cette composition triangulaire dont l'échafaudage a disparu. Là encore, le grand art est dans la condensation. Mais cette fois, elle pousse le lecteur à reconstituer inconsciemment plusieurs mouvements antérieurs, comme s'il était lui-même l'opérateur de ce *flashback* modèle[43].

À la veille de 1970, alors que la télévision s'apprête à devenir la grande concurrente de la bande dessinée, Hergé est « L'invité du dimanche », roi d'un jour grâce à l'émission animée par Pierre Tchernia, diffusée à 16 heures sur la deuxième chaîne française, au moment de la plus large audience. Selon l'usage, l'invité a le privilège de composer son plateau. Qui a-t-il donc convié autour de lui ? Des écrivains (Gabriel Matzneff, Jacques Bergier, Pol Vandromme), un universitaire (Henri Plard), des scientifiques (Bernard Heuvelmans, le professeur Ananoff), l'un de ses plus proches collaborateurs (Baudouin Van den Branden de Reeth), un dessinateur (Sempé), des artistes de la bande dessinée (Franquin, Goscinny, Uderzo, sans oublier Alain Saint-Ogan). Et un peintre français, structuraliste après avoir été un théoricien de l'abstraction, Jean Dewasne. Il est alors relativement célèbre pour avoir réalisé un ensemble mural dans le stade de glace des jeux Olympiques de Grenoble.

Si ça n'avait tenu qu'à lui, Hergé aurait pu faire une émission uniquement avec des peintres tant l'art occupe une place centrale dans son grand chambardement. Quand il a basculé voilà dix ans, sa nouvelle perception de la peinture a été le symptôme le plus sûr de sa métamorphose intérieure.

Jusqu'alors, Hergé était classique dans ses goûts. En art, comme dans d'autres domaines ayant partie liée avec l'émotion et la sensibilité, il semblait s'être volontairement bridé pendant des années. Son aptitude à la curiosité en était inhibée. C'est à peine s'il s'était permis de consacrer un texte à un artiste, l'aquarelliste belge Henri Cassiers (1858-1944) dont les talents d'affichiste avaient exercé une forte influence sur le pionnier de la « ligne claire ». Outre Ingres, dont il admirait sans réserve le génie du dessin, Hans Holbein était alors sa référence absolue. Il avait d'ailleurs accroché la reproduction d'un de ses portraits à l'encre au mur des Studios Hergé, non loin d'une autre reproduction, celle d'*Intérieur hollandais*, un Miró des années vingt. Ces artistes étaient alors ses deux pôles.

Ses proches ont compris son bouillonnement intérieur le jour où des expressionnistes belges sont venus défier ce tandem idéal de classique et de moderne. Puis lorsqu'il s'est éloigné de ces nouveaux venus, jugés trop démonstratifs et bruyants, pour s'orienter vers des artistes plus portés à la réserve, au murmure, à la méditation intérieure, à la rêverie sans limites. De plus en plus loin des figuratifs, de plus en plus près des abstraits. En entrant dans la matière par ce biais, il a plus de chances de tenter la grande évasion. Cette évolution affecte naturellement son langage et ses critères. Évoquant cette fameuse case du *Crabe aux pinces d'or* si chère à son cœur, il se surprend à la décrire comme une copie volontaire du *Nu descendant un escalier* de Marcel

Duchamp. Une telle comparaison ne lui serait jamais venue à l'esprit avant. D'autant qu'elle paraît moins adéquate que la référence à la *Parabole des aveugles* de Bruegel l'Ancien, puisqu'il se pose les mêmes problèmes narratifs que lui.

Hergé ne tarde pas à s'affranchir de catégories trop rigides à son goût. Dans son rejet d'une peinture gestuelle, il inclut aussi bien le romantisme et l'expressionnisme que l'action painting. Autant de styles qu'il perçoit désormais comme des repoussoirs à l'esprit de rigueur qui a ses suffrages, qu'il soit géométrique ou pas, calibré ou d'une imagination débridée.

Désormais, il n'hésite plus à mettre sur un pied d'égalité peintres, sculpteurs et dessinateurs de bandes dessinées. Libéré de ses anciens complexes, il récuse l'idée d'art mineur et globalise tout ce qui leur est commun : processus de création, originalité des moyens d'expression, recherche d'un équilibre... Il se permet plus facilement de mettre en parallèle la divine proportion de la Renaissance et le nombre d'or qu'il dit avoir toujours ressenti d'instinct, jusqu'à l'époque récente où on lui en a révélé l'existence. Ainsi, Hergé aurait naturellement appliqué ce vieux principe de l'unité parfaite dans la composition. Toujours est-il que certains de ses grands dessins (le chevalier de Hadoque défendant son navire à coups de sabre et de pistolet contre l'attaque des pirates dans *Le Secret de la Licorne*) témoignent de ce souci de l'harmonie et de l'équilibre dans la construction.

Intellectuellement excité à l'idée de creuser les rapports entre la peinture et l'univers de la BD, il ne se contente pas de faire de timides allusions à des œuvres de Braque, Renoir et Picasso dans *Vol 714 pour Sydney*. Il est de ceux qui se demandent si Picasso ne s'est pas inspiré des comics américains que lui passait Gertrude Stein quand il a peint *Le Rêve et le mensonge de Franco* en 1937.

À la fin des années soixante, pressé par un correspondant de mettre des noms sur ses dilections, il cite trois peintres (Miró, Dewasne et Vasarely) comme il cite trois écrivains (Balzac, Stendhal, Simenon). Mais de même qu'en littérature il se sent de plus profondes affinités avec des écrivains moins évidents (Matzneff, Poulet), en art il se reconnaît de plus en plus en des peintres moins prévisibles.

Hergé fait le ménage dans sa collection, évacuant les tableaux qu'il juge « superflus » et surtout ceux qui lui rappellent trop l'époque Germaine. Ainsi quelques classiques côtoient les œuvres de la période Fanny. Quand on lui propose de participer à la sortie d'un de ses albums en Angleterre, il accepte à l'idée d'en profiter pour revoir les Turner de la Tate Gallery. De même, une escale à Paris lui est une occasion de s'acheter deux céramiques Song avec une égale ferveur que lorsqu'il acquiert, le même jour, un mobile de Calder d'un mètre soixante. Sa grâce, sa poésie et sa légèreté l'éblouissent aussi sûrement que l'âge d'or de l'art chinois.

Quels sont ses peintres ? Outre des « classiques modernes » tel le Malevitch du *Carré blanc sur fond blanc*, on trouve des artistes de la génération née dans les années vingt, américains comme Kenneth Noland, Robert Rauschenberg et Roy Lichtenstein, français comme Jean

Dewasne, belges comme Pierre Alechinsky ou hollandais comme Karel Appel. Ils forment le noyau dur de son musée imaginaire ou réel, entre leurs cadets David Hockney, Franck Stella et Andy Warhol, et leurs aînés Alexander Calder, Constant Permeke, Victor Vasarely, Jean Dubuffet, Lucio Fontana, Serge Poliakoff ou Mark Rothko. Ces ombres désormais familières, avec l'univers desquelles il entretient un commerce régulier, ne sont pas exclusives. Elles n'empêchent pas des coups de foudre durables pour les promesses de son jeune compatriote Jean-Pierre Maury ou du Hollandais Pat Andréa, la puissance du sculpteur espagnol Miguel Berrocal, ou le courage avec lequel Jean-Pierre Raynaud ose transgresser les tabous.

D'un groupe l'autre, il semble avoir voulu les visiter tous avant de se frayer sa propre voie de collectionneur. Non pas en propriétaire mais en connaisseur animé par une idée fixe déterminée par un absolu. Des expressionnistes aux conceptuels en passant par les abstraits, les proches de Cobra, les tenants du pop'art, les nouveaux réalistes et les minimalistes, ils sont autant d'étapes nécessaires vers un but qu'il est le seul à ressentir confusément. Quelque chose de l'ordre de la pureté. Le fait est que son goût se réoriente en permanence vers un art de plus en plus dépouillé. Jusqu'à ce que cette quête s'achève dans sa logique ultime, la transparence. Elle serait l'aboutissement mortel d'une recherche de l'équilibre inaugurée avec *Tintin au Tibet*. À croire que ce qu'il guette désormais dans un tableau, c'est l'expression la plus absolue du silence des espaces infinis, telle qu'on peut la retrouver notamment dans certains monochromes, fendus ou pas. Comment ne pas y voir le paroxysme de la « ligne claire » ? L'esprit rationaliste qui solliciterait une quelconque explication repartirait bredouille. Car Hergé est de ces amateurs éclairés pour lesquels il n'y a rien à expliquer dans la mesure où il n'y a rien à comprendre. Il lui suffit de passer des heures, seul, face à l'un de ses tableaux pour qu'un dialogue s'instaure. Il est comblé au-delà de toute attente et cela seul suffit, que l'on comprenne ou pas « ce que tout cela veut dire ». Quand il est envahi par la sensation d'être parvenu au bord vertigineux des choses, il sait ce que cette peinture signifie pour lui. Il se moque bien alors de traduire son état en un langage élaboré. Reflet de son aventure intérieure, sa collection a moins partie liée avec l'évolution du goût de ses contemporains qu'avec son propre itinéraire spirituel.

Animé de la ferveur des nouveaux convertis, Hergé n'est pas seulement un amateur hardi qui s'intéresse aux œuvres de Dan Flavin, sculpteur de tubes de néon colorés, ou de Dennis Oppenheim, *land artist* traçant ses cercles dans la neige de la Nouvelle-Angleterre, en un temps où les amateurs ne sont pas légion. Il est également du type discret. Par prudence et par pente de caractère. Le jour où le chroniqueur d'un grand hebdomadaire a eu le malheur de mentionner le prix d'un de ses vases Ku-Yüh-Hsuan en en précisant la valeur alors qu'il lui avait promis de n'en rien faire, Hergé lui a envoyé une lettre plutôt sèche. Un souci de la sécurité mêlé à un vieux fond de pudeur. Rien ne l'indispose comme les signes ostentatoires de richesse. La compagnie des parvenus grenouillant en marge du marché de l'art lui fait horreur. Contrairement à d'autres, il ne collectionne pas pour accumuler ni pour spéculer, mais pour contempler. Pour vivre entouré de peinture. Il n'achète pas dans l'intention de revendre. Mais il n'hésite pas à échanger une toile dans le fol espoir d'en posséder une autre qui l'obsède plus encore. Pendant une longue période, Hergé a été pris d'une frénésie d'achat : objets d'art africains ou indiens, céramiques chinoises... Et toujours, la peinture. Parfois, il a réagi par amitié, donc par faiblesse, en incluant dans son musée privé des toiles qui n'y avaient pas leur place. Mais avec le recul, en considérant la trentaine d'œuvres qui le constituent, on peut dire qu'il s'est peu trompé dans ses choix.

C'est le secret d'une collection formée à partir de coups de cœur mais d'une étonnante cohérence, sans esprit de méthode et sans excès, avec une ouverture d'esprit des plus rares chez les gens de son milieu et de sa génération. Malgré sa fortune, il garde la tête froide. D'autant qu'il n'est pas homme à marchander. Après avoir remarqué, au grand marché des antiquités chinoises de Londres, un vase Chun Yao de l'époque Song d'un bleu ciel inoubliable, il se sauve à l'énoncé du prix : 75 000 livres sterling (valeur 1978). Mais quand on lui propose un Rothko pour 9 millions de francs belges (valeur 1973), il se ronge les ongles pendant huit jours avant de renoncer à l'acquérir.

Face au tableau, il aime moins expliquer que méditer en solitaire. Il n'a que la qualité de son regard et la plénitude de son silence à opposer au monde qui surgit de la surface plane. Surtout s'il s'agit de ces Fontana et de ces Rothko qui l'envahissent littéralement, l'abandonnant stupéfait dans sa fascination pour l'empire du vide. Ou même des monochromes de son compatriote Jef Verheyen, partisan de l'essentialisme qui travailla justement en collaboration avec Fontana. Quand il est en société, il se révèle plus bavard, tant par courtoisie que par intérêt. Bien qu'aucune formation ne l'y prédispose, il lui arrive souvent de tenir un discours argumenté sur la peinture, fruit d'un esprit curieux, influençable et poreux. Ses lacunes d'autodidacte, il les compense en s'absorbant dans la lecture d'essais ardus qui laissent leur empreinte. Ainsi, *Vide et plein, réflexions philosophiques* de l'universitaire François Cheng sur le langage pictural chinois l'initie à l'histoire comparée. On peut d'ailleurs imaginer que les perspectives déconcertantes offertes par l'art contemporain entament une partie de sa personnalité, celle d'un conservateur soucieux d'ordre.

Outre son tailleur M. Van Geluwe, collectionneur de peinture moderne à condition qu'elle fût belge, deux hommes jouent un rôle clef dans l'évolution d'Hergé. Ils exercent auprès de lui l'indispensable fonction de passeur, comme le font pour les livres et les idées ces journalistes, critiques et écrivains qu'il fréquente depuis des décennies.

Marcel Stal, le premier d'entre eux, l'a connu en 1935 grâce à son frère Paul, condisciple à l'école d'artillerie. Officier de carrière, attaché militaire en Allemagne après la guerre, il quitte l'armée en 1960 avec le grade de colonel. La peinture est sa passion de longue date puisqu'il a acheté son premier tableau à 17 ans, un âge auquel on collectionne plutôt les timbres. Pour le convaincre de sauter le pas et de se consacrer au commerce de l'art, Hergé lui force la main : il paie lui-même le loyer du premier trimestre de « Carrefour », galerie de tableaux située au centre de Bruxelles, avenue Louise, tout près des Studios. Une telle proximité ne relève pas du hasard. Hergé ne tarde pas à en faire son port d'attache. En semaine, il passe tous les jours chez Stal, à 12 h 05 précisément, pour bavarder entre les cimaises avec les critiques, collectionneurs et artistes de passage autour d'un verre de « French », un cocktail local (1/3 de gin, 2/3 de noilly dry). C'est là qu'il se lie d'une profonde amitié avec Stéphane Janssen, infatigable propagandiste des peintres de Cobra à la galerie « La Balance », à quelques numéros de là. Le conclave siège dans la bonne humeur plutôt que dans la pédanterie, animé d'un goût de la polémique qui s'accommode de l'art de la conversation entre gens de bonne compagnie. Attentif, parfois distant mais jamais détaché, Georges Remi supplante dans ces moments privilégiés Hergé, auteur de bandes dessinées mondialement connu qui, dans ce cénacle, n'a pas droit de cité. Grâce à Marcel Stal et à son cercle, Hergé fait la connaissance de Fontana, dont les monochromes, perforations et lacérations l'impressionnent vivement. En appréhendant certaines de ses déchirures comme des haïkus, il leur donne une dimension zen qui est peut-être leur véritable écrin. Il ne prend pas seulement du plaisir à participer à ces réunions informelles.

En frottant son intelligence et sa sensibilité à celles des autres, il en retire un profit certain. À « Carrefour », le collectionneur trouve nombre des œuvres qui peuplent son univers, hormis celles des artistes américains que lui procure Guy Debruyne de la galerie « D », un jeune marchand bruxellois particulièrement entreprenant pour lequel il se prend d'amitié.

L'autre homme d'influence gravitant dans le premier cercle des amis d'Hergé se nomme Pierre Sterckx. Alors qu'il était enfant à la fin de la guerre, ce Bruxellois a découvert d'un même élan la peinture, la bande dessinée et la littérature le jour où son père a apporté un exemplaire du *Lotus bleu* à la maison et l'a fait colorier par toute la famille. Devenu un critique d'art à l'affût des avant-gardes, professeur d'esthétique à l'école Saint-Luc, écrivain, dramaturge, tout ce qu'il entreprend le ramène à la peinture. Ou au jazz, passion à jamais inassouvie tant il est persuadé d'avoir raté sa vie en ne devenant pas contrebassiste professionnel.

Les deux hommes se rencontrent à la galerie « Carrefour » qui porte bien son nom. Hergé l'aborde d'une manière on ne peut plus directe :

« J'ai lu vos articles et j'ai entendu parler de vous. J'aimerais bien vous inviter, disons... tous les jeudis midi. Pour parler peinture. Et je vous payerais pour ça. »

Sterckx ne peut s'empêcher d'éclater de rire tant la proposition lui paraît incongrue. Il l'ignore encore mais elle correspond parfaitement au tempérament d'Hergé. En la circonstance, il a moins besoin d'un passeur que d'un précepteur. Pierre Sterckx accepte de jouer les guides bénévoles. Une amitié est née. Ils se voient régulièrement au domicile d'Hergé à Uccle, approfondissant de « séance en séance » tant l'éthique que l'esthétique de l'art. Ensemble, ils prennent l'habitude de visiter des expositions ou de rencontrer des artistes en leur atelier, en Belgique ou ailleurs. Hergé comble ses lacunes en écoutant Sterckx lui parler de ses cours sur Piero della Francesca et Uccello ou de ses lectures, lorsqu'il évoque avec une verve et un humour rien moins qu'universitaires les intuitions d'un Roland Barthes ou les dernières théories d'un historien d'art. Leur complicité déborde du cadre puisque Sterckx lui fait découvrir d'autres musiques. Après l'avoir fait assister à un concert du pianiste de jazz Keith Jarrett, alors âgé de 23 ans, il entend Hergé commenter, ébloui entre deux ballades : « C'est comme si Debussy n'était pas mort[44]... »

Face à la peinture, Hergé ne réagit pas uniquement en collectionneur. Pendant toute une période, il se croit peintre. D'autres grands dessinateurs avant lui ont rêvé de l'être dès leur plus jeune âge, Töpffer et Christophe pour ne citer qu'eux. Certains, tel Lyonel Feininger, sont passés de la BD à la peinture. Georges Remi, lui, a d'abord voulu être Albert Londres puis Juan Miró. Finalement, il sera Hergé.

Avec le recul, on a pu dire qu'à la fin des années vingt, dans ses couvertures du *Boy-Scout belge*, le jeune dessinateur faisait du Warhol avant la lettre en republiant chaque mois le même portrait mais en changeant le fond de couleur à chaque fois[45].

Le peintre Pierre Alechinsky, nourri très tôt de l'œuvre d'Hergé, lui, n'a jamais oublié les bandes de *Quick et Flupke* qui ont marqué son adolescence à la fin des années trente, l'une d'entre elles particulièrement, intitulée « Occultation 1 » et dans laquelle on assiste au vernissage d'une exposition du peintre Flupke sur « Bruxelles la nuit » à la galerie Thétis. Après avoir perçu ces monochromes noirs comme des réminiscences de Dada et d'Alphonse Allais, il y verra rétrospectivement une préfiguration de ceux d'Yves Klein[46].

On ne peut oublier non plus que le capitaine Haddock est véritablement porté sur les fonts baptismaux dans cette fameuse vignette du *Secret de la Licorne* où, tout à l'excitation du récit de l'épopée familiale, il finit par transpercer le portrait de son aïeul en apparaissant à sa place dans la toile déchirée. Une situation qui révélerait chez son auteur non une technique de dessinateur mais bien une secrète attitude de peintre[47].

Enfin, on ne peut ignorer l'irrépressible besoin que ressent Hergé de s'entourer de peinture. À une certaine époque, son environnement quotidien est constitué d'œuvres maîtresses de Poliakoff, Fontana, Rosenquist, Dewasne, Berrocal, Stella, Noland... Mais aussi Lanskoy, et Herbin dont il aime la rigueur. Sans oublier son fameux portrait en tétrade réalisé en 1977 par Andy Warhol, lequel comparait volontiers Hergé à Walt Disney, assurant avoir été également influencé par l'un et par l'autre de ces deux géants. Joint à d'autres actions promotionnelles, ce portrait devait servir à la diffusion des albums

Tintin sur le marché américain. Quant à Lichtenstein, qu'on retrouve également dans son champ de vision quotidien avec sa série de cathédrales sérigraphiées d'après Monet, sa proximité avec l'univers de la BD, son inscription dans la netteté graphique de certains *comics*, son extrême lisibilité ne peuvent susciter en Hergé qu'un sentiment d'intense et sincère fraternité. Comme on le dirait de deux artistes dont les moyens diffèrent mais pas les problèmes[48].

Tout cela fait-il d'Hergé un peintre raté ? Ou un dessinateur qui est passé à côté de sa vraie vocation comme il l'a souvent dit durant ses épisodes dépressifs ? Pour en avoir le cœur net, il doit aller au bout de cette illusion.

Au plus fort de sa grande remise en question, en plein chamboulement intérieur, il délaissa dans la plus grande discrétion la table à dessin pour le chevalet. Après avoir fait connaissance de Louis Van Lint à la galerie « Carrefour », il lui demanda des leçons particulières. C'est ainsi que cet homme de la même génération que lui, un abstrait lyrique qui participa à la création du mouvement Cobra, se rendit chaque semaine à son domicile afin de lui enseigner une technique qui lui faisait défaut. Toujours cette nécessité de se donner des précepteurs.

Hergé se mit alors à peindre des toiles abstraites de format moyen, à deux exceptions près dont un portrait de Fanny. Les premières furent naturellement influencées par le magistère de Van Lint, les suivantes par une fréquentation assidue de l'œuvre de Miró (le nom de Milou en japonais...). Visiblement, il recherchait quelque chose. Mais quoi ?

Bientôt, ça se sut. Quelques-uns s'interrogèrent : la notoriété aidant, ne serait-il pas complexé de la BD en général et de Tintin en particulier ? Robert Poulet poussa le raisonnement plus loin. Considérant que cette nouvelle activité allait de pair avec sa découverte de l'art contemporain, sa présence aux vernissages dans les galeries d'avant-garde et à tout ce que cela laisse supposer de mondanité, il était persuadé que l'ensemble correspondait à sa « période snob ». Celle d'une grave crise d'idendité à l'issue de laquelle Hergé avait provisoirement renoncé à être lui-même[49].

Un jour, celui-ci demanda à son vieil ami l'avocat Gaston Duval d'annoncer sa visite à son beau-père, une personnalité qu'il ne connaissait que de réputation mais dont l'avis lui paraissait décisif parmi peu d'autres. Il faut dire que Léo Van Puyvelde était alors conservateur en chef des musées royaux des Beaux-Arts de Belgique. C'est ainsi qu'Hergé se rendit à Uccle, dans la villa de l'historien d'art, avec cinq ou six de ses toiles sous le bras. Plus ingénu que jamais, il voulut les soumettre à son jugement expert. Il fut fort bien reçu, cet éminent spécialiste de la peinture flamande conservant tous les albums de *Tintin* en noir et blanc dans sa bibliothèque. Plus dure fut la chute. Son verdict fut courtois et sans appel :

« C'est pas mal, pas mal... Mais ça serait tellement mieux que vous vous consacriez à la bande dessinée[50]... »

Sur le moment désarçonné, Hergé ne put dissimuler une immense déception. Il continua à peindre pendant quelques semaines mais l'enthousiasme l'avait déserté. Jusqu'au jour où il renonça définitivement :

« Je ne serais jamais qu'un peintre du dimanche », dit-il à Fanny pour toute explication[51].

Il craignait d'être happé par cette passion dévorante et de ne plus avoir la main le jour où il se déciderait à attaquer son prochain album. C'est dans cet esprit qu'il confia à son ami Marcel Stal, le galeriste de l'avenue Louise :

« Je sens que si je continue, je vais y perdre mon crayon[52]. »

Malgré la fierté, l'amour-propre et l'orgueil, toutes choses dont il est prodigue, il n'est pas dupe de ses propres limites. C'est sa force. La peinture hantait son imaginaire depuis sa tendre enfance. Il a fallu qu'il aille au bout de son rêve pour se rendre compte que c'était une inaccessible étoile. Non seulement il manque de métier, mais il sent qu'il n'a rien à dire par ce moyen d'expression. Imitation n'est pas création. Or, à 50 ans révolus, on n'entame pas une nouvelle carrière artistique, surtout pas sur de tels principes d'incertitude. Pas quand on s'appelle Hergé et qu'on ne souffre pas la médiocrité.

Il peint en tout trente-sept tableaux. Jamais montrés en public, ils resteront la propriété de Fanny, sa seconde épouse. À deux exceptions près qui se trouvent être les seuls qu'il ait signés. « Hergé », comme les albums. Pourtant, à ses débuts, il avait choisi ce pseudonyme pour ses petits dessins qu'il jugeait sans importance, réservant son vrai nom pour les tableaux qu'il ne manquerait pas de peindre plus tard[53]...

Marcel Stal possédait ces deux toiles. L'une,

qu'il a conservée, intitulée *Personnage de rêve* et très influencée par Miró, avait dû être arrachée à l'artiste en échange d'un petit Fontana que le galeriste venait de ramener d'Italie et pour lequel Hergé se serait fait damner[54]. L'autre, marquée par l'enseignement de Van Lint, a été vendue 1 million de francs belges en 1995. Elle est désormais accrochée à un mur de la maison du comédien Stéphane Steeman, tintinissime collectionneur à qui rien de ce qui est hergéen n'est étranger.

Le jour où il s'est éloigné pour toujours du chevalet, rejoignant une table à dessin qu'il n'aurait jamais dû quitter, Hergé a été particulièrement bien inspiré. Au moins cette aventure lui aura-t-elle appris que lorsqu'on sait faire une chose comme nul autre homme au monde, on s'y tient. Toute sa vie. Tant pis si cela résonne comme une condamnation. Passé ses grands accès de mélancolie, ne fêtera-t-il pas lui-même avec humour ses « cinquante ans de travaux fort gais » ?

On finirait par l'oublier tant le personnage se multiplie : à la veille de ses 70 ans, Hergé est toujours un dessinateur en activité. Il prépare dans la douleur un nouvel album sans se soucier des rares critiques qui ont osé écrire que depuis *Les Bijoux de la Castafiore*, il n'avait plus rien à dire. Que *Vol 714 pour Sydney* était pire qu'un album de plus, un album de trop. Huit années se sont écoulées depuis le dernier. C'est long. Les libraires ont du mal à calmer l'impatience des lecteurs les plus fidèles, très sollicités par un marché en pleine expansion. Quand son éditeur le presse de produire plus, il répond imperturbablement :

« Je ne fabrique pas du papier Canson[55] ! »

De plus en plus accaparé par l'exploitation de son image et de ses produits dérivés, il a moins de temps à consacrer au vaisseau amiral de son entreprise, les aventures de Tintin. Aux Studios, ses collaborateurs sont bien placés pour constater que la ferveur n'y est plus. Il avait longtemps eu en lui ce je-ne-sais-quoi d'inapaisé qui irriguait son œuvre. Avec l'âge, l'expérience et la fatigue, la sérénité a balayé cette tension. Tant mieux pour lui, tant pis pour elle.

Cela fait pourtant longtemps qu'Hergé songe à son prochain album. Depuis 1962 exactement, alors qu'il venait d'achever *Les Bijoux de la Castafiore*. Il envisageait d'écrire une histoire sur la rivalité entre les généraux Alcazar et Tapioca, pratiquants assidus du coup d'État à répétition, frères ennemis de la révolution et de la contre-révolution depuis *L'Oreille cassée*. La mise en chantier de ce scénario connut bien des vicissitudes, Hergé ne cessant de le mettre de côté et de le reprendre. Il hésite sur le point de détail comme sur les lignes de force. Il se demande par exemple si Tintin doit apparaître comme une victime, imaginant même de le faire emprisonner dans un camp de concentration pour des motifs politiques, au risque de gripper le moteur de son action[56]. En attendant d'être fixé sur le sort de son héros, Hergé nage dans le flou.

Pour l'instant, il a un titre provisoire : *Tintin et les Bigotudos*. Il est impératif de réintroduire le nom du héros dans le titre, celui-ci en ayant disparu depuis ses aventures au Tibet. Casterman y tient, pour des raisons commerciales. Hergé s'y montre d'autant plus sensible qu'il entend réaffirmer haut et fort la primauté de Tintin dans ses aventures, quand ses lecteurs glorifient plus volontiers Haddock. Persuadé que son personnage était suffisamment connu, il s'était autorisé deux titres plus romanesques. Les dures réalités de la librairie l'inclinent à réviser son jugement. Quant aux « bigotudos », appellation latino-américaine de « moustachus », elle lui permet d'emblée de donner sa touche exotique à l'album. Pour le reste...

L'inspiration est rarement au rendez-vous. Il faut que l'Histoire immédiate se mêle de l'histoire pour que celle-ci en soit stimulée. En l'occurrence, l'actualité a du talent, comme disent les patrons de presse. L'affaire Régis Debray défraie la chronique. Pendant des mois, il n'est question que de l'infortune de ce jeune idéaliste français. Ayant pris fait et cause pour les révolutionnaires boliviens, il a rejoint les rangs de leur guérilla aux côtés du mythique Che Guevara. Arrêté par les troupes du général-président Barrientos, jugé et condamné à trente ans de prison, il est libéré au bout de trois ans à la suite d'une vigoureuse campagne d'opinion et de non moins vives pressions diplomatiques.

Malgré son parfum de romanesque, cette affaire ne colle pas vraiment avec les schémas qu'Hergé avait en tête. Elle les bouscule même. À lui d'en intégrer les éléments ou de les rejeter. En fait, il attend un déclic et ce ne peut être qu'une réaction de Tintin, une attitude bien dans sa manière, éprouvée depuis sa rencontre avec Tchang : il doit aider un ami en détresse... Le reste sourd confusément. Le cadre ? Un pays imaginaire d'Amérique latine. Le contexte ? La misère des Indiens, la dictature, la guérilla, l'exploitation honteuse à laquelle se livrent les multinationales[57]... Pour se documenter, il lui suffit de lire les journaux. Et quelques livres, notamment *Les Guérilleros* paru en 1967, un grand reportage de Jean Lartéguy à la recherche du Che dans une douzaine de pays d'Amérique du Sud. Les nombreuses photos l'illustrant lui sont très utiles, les uniformes des révolutionnaires castristes servant de modèles à ceux des soldats tapiocistes.

Finalement, l'album s'intitule *Tintin et les Picaros*. Dans l'esprit d'Hergé, le terme, qui sonne comme « tupamaros », a le mérite de signifier « mauvais garçons » (pour ceux qui savent) et d'induire la notion de picaresque en référence aux aventuriers du monde de Cervantès (pour ceux qui devinent). Cela dit, le mot n'est pas totalement inconnu des non-hispanisants. Le romancier Romain Gary, qui vient de publier *Gloire à nos illustres pionniers*, a souvent désigné les aventuriers héroïques sous le vocable « picaro ».

Tintin et Haddock apprennent par la presse que la Castafiore a été arrêtée à Tapiocapolis, capitale du San Theodoros, une des nombreuses escales de sa tournée en Amérique latine. Accusée d'avoir participé à une conjuration visant à renverser le régime du général Tapioca, elle a été jetée en prison ainsi que sa suite et les Dupondt. Moulinsart est aussitôt clairement désigné par le journal *La Vérité* (*Pravda*, en russe...) comme le centre tactique du complot, ourdi par le reporter, le capitaine et le professeur, en liaison avec l'International Banana Company. Invité à s'expliquer sur place par le gouvernement, Haddock relève le défi et débarque en Amérique latine accompagné du seul Tournesol, Tintin ayant refusé de plonger dans ce qui lui apparaît clairement comme un piège. Le vieux loup de mer ne tarde pas à comprendre que son jeune ami n'avait pas tort. Leur cage est dorée mais c'est une cage. Malgré le bien-fondé de son pressentiment, Tintin les rejoint aussitôt. Il se sent déjà coupable à l'idée de les abandonner face au péril. Le danger qui les guette a le visage d'une vieille connaissance, le colonel Sponsz, ancien chef de la police à Szohod et bras armé du général Plekszy-Gladz dans *L'Affaire Tournesol*. Prévenus qu'une fausse attaque de faux Picaros allait être intentée contre eux afin de les supprimer, ils se sauvent dans la jungle, tombent dans un traquenard dont ils réchappent grâce au chef des guérilleros le général Alcazar, une autre vieille relation. Réfugiés dans un village tenu par des maquisards neutralisés par le Loch Lomond que le général Tapioca leur parachute généreusement, le trio fait connaissance de Peggy, la douce colombe d'Alcazar, en vérité une impérieuse sorcière à bigoudis qui impose sa loi au chef de guerre. Pour aider celui-ci à remettre ses hommes sur pied, Tintin refuse l'or et l'argent mais exige la promesse d'un putsch sans effusion de sang ni bavure d'aucune sorte. Marché conclu. Mais si Tintin doit s'employer à libérer les maquisards de l'emprise de l'alcool, c'est moins pour les aider à renverser une dictature que pour délivrer à l'occasion la Castafiore et les

Dupondt. Tournesol ayant versé des comprimés de sa composition dans leur marmite, les troupes dessoûlent vite et reprennent les armes. Profitant du passage impromptu de Séraphin Lampion (le bourgeois tel qu'Hergé l'abomine depuis sa jeunesse, plus encore que le belgicain, cousin germain du franchouillard) et de ses joyeux Turlurons en goguette, ils empruntent leurs déguisements et leur car pour se rendre au carnaval. Ainsi accoutrés, profitant de la folie ambiante, ils renversent le pouvoir et arrêtent les anciens dirigeants. Une révolution de palais plutôt qu'une révolution, le peuple étant le grand absent de ce coup de main. Tapiocapolis devient Alcazaropolis et nos amis quittent le pays pour rejoindre Moulinsart, laissant derrière eux le San Theodoros nouveau, symbolisé dans l'avant-dernière image de l'album par la répression, la propagande et la misère. La sinistre trinité des fléaux de tous les régimes autoritaires. Fidèle à son habitude, Hergé renvoie dos à dos la droite et la gauche, le capitalisme et le communisme, l'Ouest et l'Est.

Cet album, le 23e signé Hergé, est la dernière histoire complète qu'il mène à son terme. Une de plus et une de trop, comme la précédente. Le charme n'opère plus. Le génie de l'auteur s'est absenté définitivement. On dirait que l'album a été réalisé « à la manière de ». Et pour cause : jamais l'équipe des Studios n'est autant intervenue. Même s'il en reste l'incontestable maître d'œuvre. Mais le dire ainsi, c'est déjà concéder qu'Hergé n'en est plus l'auteur à part entière, du temps où son crayon exprimait l'action plutôt que la gesticulation, la vitesse plutôt que la précipitation, la poésie plutôt que le bavardage.

Le scénario paraît relâché, la trame insuffisante, le point de vue sans enjeu, les personnages aussi peu attachants que des marionnettes se parodiant, les caractères sans épaisseur, les gags poussifs, l'intrigue sans relief, l'intérêt épisodique, le dessin trop appliqué, le graphisme parfois maladroit, les procédés trop évidents, les couleurs insupportablement criardes à la demande d'Hergé lui-même...

De plus, les gros plans sont gratuits et le nombre de vignettes est trop réduit par rapport au nombre de pages. Le résultat se révèle d'autant plus décevant quand on sait à quel point brouillons et crayonnés constituaient une matière des plus prometteuses[58]. La révélation par le capitaine Haddock de son prénom (Archibald) constitue une bien maigre récompense pour le lecteur. Après tant d'années de fidélité, il est en droit d'attendre une autre gratification. On ne reconnaît plus Tintin : son créateur le vieillit de deux ans alors qu'il a eu 14 ou 15 ans pendant les quarante premières années de sa vie[59]. Il se déplace à moto, concession à l'air du temps et scandale pour les puristes. Pis : Hergé a troqué sa célèbre culotte de golf contre des jeans ! Depuis 1929, si Tintin a bien été marqué par les bouleversements de son siècle (passage de la morale catholique à un esprit plus laïque, du souci collectif à la préoccupation individualiste), cela n'était pas spectaculaire. Invisible de l'extérieur. La modernisation de son apparence dans son aventure chez les Picaros, par complaisance vis-à-vis du producteur d'un des deux dessins animés adaptés de l'album, représente le seul moyen de rendre ce personnage à l'allure si désuète acceptable auprès du grand public américain[60]. Mais pour qu'il y ait tout de même une continuité visuelle, les pantalons ne seront pas bleu délavé mais marron, solution bâtarde qui s'avère du pire effet. La conjonction de tous ces éléments confère à cet ultime opus une vulgarité qui fait peine à voir sous la signature d'un créateur de cette classe. De plus, on s'ennuie et ça, c'est impardonnable.

Pourtant, tout n'est pas à jeter. Le nouveau personnage de Peggy est original. Hergé l'a trouvé en regardant chez lui à la télévision une émission sur le Ku Klux Klan. Après avoir vu apparaître la secrétaire du porte-parole de la secte raciste, il a bondi de son fauteuil :

« Voilà la femme d'Alcazar ! C'est tout à fait elle[61] ! »

Il a saisi un crayon et du papier et l'a aussitôt croquée sur le vif. Pourtant, il ne griffonne plus à la maison, par souci de toujours séparer vie privée et vie professionnelle. Mais cette fois, ce fut plus fort que lui. Il ne pouvait résister à l'idée qui venait de surgir de son écran : un dictateur redouté de tous mais qu'une femme redoutable mène par le bout du nez. C'est aussi grâce à elle ou à cause d'elle qu'il fait la révolution. En d'autres temps, plus inspirés et moins laborieux, Hergé aurait certainement développé le personnage de Peggy. D'ailleurs, dans les milliers de notes et dessins de son travail préparatoire[62], il avait entrepris de la doter d'un passé : membre du conseil d'administration de la Vicking Arms, elle n'était autre que la fille fortunée de Basil

Bazaroff, le marchand de canons de *L'Oreille cassée*. L'exploitation d'une telle biographie aurait permis d'intéressants développements, non seulement du caractère des personnages mais des aléas de la situation. Au lieu de quoi, telle quelle, Peggy tombe comme un cheveu sur la soupe. Elle se contente de déranger les personnages, ce qui n'arrange rien à l'histoire. Son seul effet est de renforcer la réputation de misogynie d'Hergé. Car pour une fois qu'il daigne créer un personnage de femme autre que la Castafiore, il en fait une créature moins comique et plus repoussante. Cette authentique virago confirme l'idée reçue selon laquelle lorsqu'un couple fait rire, l'homme a le sens de l'absurde et la femme celui du ridicule.

De même, sur le plan visuel, les masques inspirés du carnaval de Nice, les sculptures de Marcel Arnould, les toiles de Poliakoff et les intérieurs Roche-Bobois ou Maison Française auraient pu conférer à l'ensemble une touche inédite. Une tonalité générale qui aurait distingué cet album des autres. C'est le cas, mais dans la trivialité.

Bob De Moor a bien fait son travail. Il ne manque pas un bouton de guêtre à la moindre automobile, comme diraient les Dupondt. L'autocar des joyeux compagnons de voyage de Séraphin Lampion est, tant à l'intérieur qu'à l'extérieur, la parfaite réplique d'un Volvo. Le reste des décors et accessoires dont il a, comme toujours, la responsabilité obéit aux mêmes principes de fidélité. Ça ne suffit pas à donner une âme à une œuvre.

Malgré la lassitude et la volonté d'en finir au plus vite, Hergé s'est pourtant fait plaisir ici et là.

Avec Alfred Hitchcock, il est de ces créateurs qui s'autorisent régulièrement des clins d'œil personnels. Cette fois, il ne se dessine pas dans la foule mais apparaît à travers sa date de naissance reprise dans la plaque « Calle 22 de mayo » (rue du 22 mai). En faisant lancer à Haddock sa casquette sur un portemanteau, il adresse un salut amical à James Bond. Mais c'est surtout par le truchement des Dupondt qu'il donne à nouveau libre cours à son goût de la litote, de l'absurde et des messages codés. Un festival, entre de Gaulle et Groucho Marx. Juste avant d'être exécutés, l'un demande à l'autre :

« Tu n'aurais pas une parole historique, par hasard ?

— Euh... Santhéodoriens, je vous ai compris !... Ça irait, tu crois ? »

Et juste après, alors qu'on les libère miraculeusement des poteaux auxquels ils étaient attachés :

« Il était moins cinq, n'est-ce pas ?

— Je ne sais pas : ma montre était arrêtée... »

Même si l'on fait abstraction de tout ce qui déçoit tant dans le scénario que dans les dessins, on peut se demander si l'auteur avait quelque chose à dire. Un point de vue à défendre à défaut de message à faire passer. En cherchant bien, que retire-t-on de cette lecture ? Que Tintin est bien « le » héros de ses aventures. Qu'il peut venir à la rescousse d'un individu ou d'un groupe d'individus mais non d'un peuple en détresse. Que l'homme politique est par nature cynique, ambigu, calculateur et intéressé dans ses amitiés. Que tous les régimes se valent.

En débarquant à Tapiocapolis, le professeur

Tournesol toise le colonel Alvarez au moment de le saluer et lui dit :

« Je regrette, militaire, mais je refuse de serrer une main qui foule aux pieds les droits imprescriptibles de la personne humaine. »

C'est drôle, digne et bien dans l'air du temps. Quelques années après, en 1982, Hergé est sollicité pour s'associer à une campagne internationale de défense en faveur de l'Argentin Hector Oesterheld, scénariste et éditeur de bandes dessinées, dont le travail est loué haut et fort par son ami Hugo Pratt. Mais pour les autorités militaires de Buenos Aires, il est avant tout l'auteur d'une *Vie du Che* en BD. Kidnappé à son domicile par un groupe paramilitaire dont les liens avec le régime sont notoires, il est porté disparu depuis cinq ans. À la demande d'Amnesty International, Hergé écrit donc au général Galtieri pour réclamer qu'une enquête soit diligentée afin que son confrère soit retrouvé vivant[63].

Hergé, comme Tintin, peut s'engager pour tendre la main à un homme qui se noie : collaborateur belge épuré à la Libération, soldat sioux condamné pour désertion, dessinateur argentin effacé de la surface de la terre... Un homme, pas un peuple. Comme son héros, le créateur demeure un individualiste mû par une éthique qui ne saurait être d'intérêt public, collectif et encore moins politique.

Au printemps 1976, la parution de l'album *Tintin et les Picaros* déclenche une vague d'articles et d'émissions. Ce ne sont pas de simples échos ni des entrefilets de circonstance comme jadis, mais des études souvent fouillées et argumentées. Un intérêt, hélas, inversement proportionnel à la qualité de l'œuvre en question. La revue de presse est édifiante. Les réactions s'avèrent contrastées, comme on dit en langage diplomatique quand on ne veut blesser personne.

En Belgique, les journalistes paraissent divisés en trois camps : ceux qui entendent critiquer l'album et rien d'autre, ceux qui veulent juger Hergé sur ses intentions politiques et ceux qui le défendent envers et contre tout en hommage à la grandeur de son œuvre passée.

Les premiers se contentent de résumer l'histoire en relevant ses faiblesses et en soulignant ses qualités *(La Cité, Le Rappel, La Libre Belgique)*. Les deuxièmes sont nettement plus virulents. Avant même que l'histoire ne paraisse en album, quand elle n'était lisible que dans la pré-publication du journal *Tintin*, l'hebdomadaire *Pour* avait donné le ton en dénonçant « une crapuleuse manipulation ». Il reprochait à Hergé d'entretenir la confusion entre junte militaire et régime révolutionnaire, de brouiller les cartes et de semer le doute dans les esprits. Dans son sillage, *Hebdo 76* estime que *Tintin et les Picaros* est le plus réactionnaire de tous les albums d'Hergé. *Notre Temps* se désole de ce qu'Hergé ose réduire la politique à l'anecdote et au décor, et que les idéologies, mises sur un pied d'égalité, soient banalisées d'une manière irresponsable. Les articles dans ce sens se multiplient. Ici ou là, on décrypte même la lutte Pinochet-Allende à travers le duel Tapioca-Alcazar, quand on ne présente pas Tintin comme un Kissinger-à-la-houppe ! La campagne de presse est telle que *Spécial* consacre près de trois pages à disséquer ces réactions épidermiques sous le titre provocateur « Faut-il brûler Tintin ? ». Enfin, les troisièmes défendent Hergé et son album avec plus ou moins de ferveur. L'hebdomadaire *Pourquoi pas ?* préfère traiter ce hourvari par la dérision et laisser « tintinnabuler les tintinologues et les grincheux ». *La Libre Belgique* est du même avis, qui suggère de demander à la Castafiore de chanter *L'Internationale* pour calmer les gauchistes. Jacques Beckaert dans *La Relève*, lui, pointe fort justement qu'Hergé se désintéresse de la politique parce qu'il s'inquiète d'un phénomène plus important et qui la commande : le goût du pouvoir quand il repose sur la volonté de puissance. De plus, le journaliste a l'honnêteté de reconnaître que si tout ne l'emballe pas dans cet album, et si sa vision politique présente bien des lacunes, il est tout prêt à pardonner à Hergé. Car comme des milliers de Belges qui ont eu 8 ans au milieu des années trente, il est devenu ce qu'il est, pour le meilleur et pour le pire, grâce au *Lotus bleu*[64]...

Et en France ? Les réactions sont du même type. Les critiques les plus froids examinent l'album sous l'angle de sa médiocrité, rendue plus évidente encore par la comparaison avec de jeunes graphistes plus inspirés. Certains invitent leurs lecteurs à se détourner de ces Picaros pour se procurer plutôt la réédition de *Quick et Flupke* *(Paris-Normandie)* tandis que d'autres voient dans la conversion des knickers en jeans la métamorphose d'un mythe en mystification *(La Presse de la Manche)* et dans ce carnaval des idéologies l'exaltation d'une certaine conception de l'ordre : l'ordre de la chevalerie *(Sud-Ouest)*. Beaucoup reprochent tristement à Tintin de bégayer, de faire du neuf avec du vieux, de ne plus savoir émouvoir comme avant et de n'être plus capable d'atteindre à la perfection *(Le Monde)*. Du côté des neutres bienveillants, on veut voir dans ce 23e album une manière d'adieu, pathétique comme tout ce qui est testamentaire *(France-Soir)*, aussi minutieux dans l'exécution qu'on est en droit de l'attendre d'un artisan de génie tel qu'Hergé *(Notre Jeunesse)*, mais qui n'en est pas moins l'un de ses meilleurs malgré son pessimisme *(Le Figaro)*.

Ses détracteurs français sont aussi virulents que leurs confrères belges. À l'extrême droite, on regrette amèrement que le reporter boy-scout anticommuniste soit devenu un sympathisant marxiste à la sauce Tupamaros-Quartier latin *(Minute)*. À l'extrême gauche, on voit dans cet album la démonstration que Tintin fait toujours dans « la saloperie réactionnaire » *(Révolution)*, Hergé ayant mis sa plume au service de la bourgeoisie *(L'Humanité rouge)*. Certains relèvent même des graines de fascisme dans cette chevalerie adolescente *(Témoignage chrétien)*.

Du côté des journaux de BD, si *Pilote* évoque « un Hergé plein d'élégance », *Fluide glacial* souligne sa « dégringolade » tandis que *Charlie-mensuel* juge son dernier album « bâclé et puant politiquement ». Enfin, les intellectuels ne tardent pas, comme de juste, à s'emparer de l'album, à commencer par Michel Serres. Il lui consacre une étude de dix pages intitulée « Tintin ou le picaresque aujourd'hui », l'analysant comme une description raffinée de la société du spectacle[65].

À l'examen de son dossier de presse, Hergé est atterré. Les critiques, et même les réserves, le blessent toujours autant. Passe encore que l'on pointe le caractère fondamentalement pessimiste de son album. Mais il ne peut s'empêcher de bondir quand on lui reproche de ne jamais s'engager, de ne pas prendre parti et de se laver les mains en renvoyant tout le monde dos à dos. Louis Gérard, chargé des relations publiques de Casterman-France, en est le témoin :

« Mais enfin, je ne peux pas ! Je n'ai pas les clefs pour m'engager, comprenez-vous ? Je ne peux rien contre le cancer. Ni contre la faim dans le monde[66]. »

Hergé devrait pourtant avoir le cuir tanné depuis le temps qu'on le critique. Sa notoriété, sa popularité et la courbe de ses ventes vertigineusement ascendante n'y ont rien changé. Au contraire ! On s'attaque d'autant plus volontiers à un auteur que sa puissance symbolique est grande. Il n'y a guère que les admirateurs pour le considérer comme intouchable.

Trois ans avant *Tintin et les Picaros* encore, une journaliste avait étudié à la loupe les aventures africaines de Tintin, jugé paternaliste, réactionnaire et pour tout dire raciste, avant de conclure son article : « Assez ! On empoisonne nos enfants. Il faut brûler Hergé[67]. »

Même quand on s'y attend et qu'on en a l'habitude, l'expérience est douloureuse. Soucieux d'allumer un contre-feu à une campagne qui pourrait se développer et porter un préjudice certain à un album qui a tout de même été mis en place à des centaines de milliers d'exemplaires, il se défend dans une interview :

« Je ne peux pas faire autre chose que ce que je fais, je produis comme un pommier produit ses pommes ! On a dit qu'il [le dernier *Tintin*] était politique et ce n'est pas du tout ça. Il se déroule sur un arrière-plan politique. Maintenant, chacun apporte ce qu'il a en lui, évidemment (...) Je me sens bien plus de gauche que de droite et en tout cas, j'essaie d'être un homme de bonne volonté. Quant aux héros des Picaros, ce sont tous deux des dictateurs. Chaque album est une vision du monde différente et disons que le dernier est plus le jouet des événements que le moteur[68]. »

Qu'on se le dise une fois pour toutes : Hergé refuse de s'engager, il n'a pas de message à délivrer, les conflits politiques ne lui sont que prétexte à gags, suspense et mise en scène. Quant à Tintin, c'est une auberge espagnole. On y trouve ce qu'on y apporte. Et depuis *Les Bijoux de la Castafiore*, les journalistes ayant été rejoints par les philosophes, les sociologues, les politologues et les psychanalystes, c'est fou ce qu'on y apporte ! Finalement, les plus sages sont encore les tintinologues et tintinophiles, les vrais, les sincères, les plus désintéressés. Ils ne se servent pas de lui, eux, et l'aiment pour ce qu'il est. Tel qu'il est et non tel qu'il devrait être. À peine se permettent-ils de signaler quelques petites erreurs à Hergé, histoire de ne pas perdre les bonnes habitudes : une fenêtre coloriée a giorno alors que dehors il fait nuit, une saillie manquante sur la façade de Moulinsart, une partie saillante également oubliée sur le téléviseur, une ancre incomplète sur le motif de la robe de chambre d'Haddock, une trace d'ancien phylactère non effacée, la semelle d'une chaussure d'Alcazar non coloriée... Des peccadilles. C'est devenu un jeu de les chercher. Alors la politique...

Tintin et les Picaros s'arrache. Au bout d'un mois, il est en troisième position sur la liste des meilleures ventes des librairies françaises, entre *La Saison des loups* de Bernard Clavel et *Allegra* de Françoise Mallet-Joris. Casterman en vendra plus de 1,5 million d'exemplaires. Ils vont grossir le lot des quelque 48 millions d'albums vendus depuis un demi-siècle. Désormais, la vente annuelle des albums d'Hergé en langue française, tous titres confondus, repose sur un socle stable compris entre un et deux millions d'exemplaires. Sans qu'une nouveauté apparaisse sur le marché. On assiste même à cette occasion à un étonnant phénomène de possessivité. En effet, selon diverses études, il est avéré qu'ils ne se prêtent pas mais sont conservés en famille, la collection étant léguée de génération en génération[69].

Malgré cela, *Tintin et les Picaros* est considéré par beaucoup comme un échec. Il est vrai qu'il n'ajoute strictement rien au génie de l'auteur ni à la popularité de son héros. Hergé ne se demande même pas s'il leur enlève quelque chose. Il a donné ce que le plus grand nombre attendait de lui : un nouvel album des aventures de Tintin. Il a fait son devoir.

À 70 ans, il se sent de plus en plus faible. Sa capacité de résistance, sur laquelle il a si souvent compté, lui fait défaut désormais. Un mal le ronge dont il ignore encore la nature exacte. Il est terriblement las. Les voyages, la peinture, la lecture, les amis et surtout la présence de Fanny lui donnent une idée de ce que pourrait être le bonheur sur terre. Peut-être n'a-t-il jamais été aussi près de réaliser l'harmonie intérieure, de parvenir à cette forme suprême de l'équilibre, lui qui vit dans l'espoir, l'angoisse et l'incertitude depuis un demi-siècle.

À l'heure du bilan, lorsqu'il dresse l'inventaire des vœux, l'envie de retrouver l'ami Tchang figure en bonne place. Tintin a réussi ce que son créateur brûle d'entreprendre à son tour. Mais c'était sur le papier. Tant qu'Hergé n'aura pas été à son tour au bout de son rêve, il n'aura pas l'âme en paix. À croire qu'un raconteur aussi professionnel que lui s'en voudrait d'achever sa propre histoire et d'y mettre le mot « Fin » avant d'avoir vraiment bouclé la boucle. On ne se refait pas.

Qu'est devenu Tchang depuis ce jour de 1935 où ils se sont vus pour la dernière fois, de loin, sur le quai de la gare de Bruxelles ? Il s'est marié et il a eu quatre enfants. Pendant trente ans, il a animé l'école de peinture et de sculpture qu'il avait fondée à Shanghai sur le modèle européen. En artiste et en communiste convaincu, il a également mis son pinceau et son burin au service des héros officiels du régime. Jusqu'à ce qu'en 1966 la Révolution culturelle le brise, le spolie et le balaie. Après un passage dans un camp de rééducation, il a repiqué le riz les pieds dans l'eau avant d'être confiné au ramassage des clous dans une aciérie.

Sans nouvelles depuis si longtemps, Hergé n'a jamais cessé de penser à lui. Il ne perd pas espoir de le revoir. Il sait ce qu'il lui doit et ne perd pas une occasion de le rappeler : une technique, une ouverture d'esprit et une vision du monde. *Le*

Lotus bleu, bien sûr, mais aussi son onde de choc dans *Tintin au Tibet* ou dans des points de détail. Ainsi, en modernisant *Tintin en Amérique*, Hergé a supprimé une case dans laquelle deux Chinois malintentionnés et munis de couteaux et fourchettes s'apprêtent à déguster Milou après avoir voulu balancer son maître au fin fond du lac Michigan.

Il n'est guère d'interview qui ne lui rende hommage. C'est sa manière de lancer un avis de recherche. Avec l'ami chinois comme avec les autres, on ne prendra pas la fidélité d'Hergé en défaut. À la moindre occasion, il se remet sur la piste. Puis renonce, provisoirement. En 1974, croyant avoir retrouvé sa trace, il lui envoie les deux albums dont il est le héros. La douane chinoise les lui retourne peu après avec la mention « Courrier interdit. Refusé à l'importation ».

Il n'abandonne pas pour autant. Convaincu que son ami est toujours vivant, il se doute qu'il habite quelque part en Chine. Mais où ? Après avoir méthodiquement dressé la liste des restaurants chinois de Bruxelles, il entreprend d'en visiter un certain nombre. À commencer par celui qui présente l'avantage d'arborer fièrement l'enseigne « Le Lotus bleu ». Et l'inconvénient d'être vietnamien. Hergé se force d'autant moins que la cuisine asiatique a ses faveurs, après la française. Dans chaque établissement, il ne manque pas d'interroger le patron :

« Connaissez-vous un certain Tchang Tchong-Jen ? Il a vécu ici il y a très longtemps... »

À chaque fois, un même signe de tête désolé. Il a d'autant moins de chance de parvenir à ses fins que sa prononciation est inadéquate. Jusqu'au jour où un restaurateur de l'avenue Louise, particulièrement intrigué, lui fait répéter plusieurs fois le nom et le corrige :

« Ah ! vous voulez dire Tchang Tchong-Jen... »

On croirait être entré par effraction dans une case, en pleine conversation entre Haddock et Tournesol ! Vérification faite, il habite Shanghai, rue Hei Fei. La même adresse qu'il y a quarante ans, tout simplement. Peu après cette découverte, un voisin frappe à sa porte. C'est l'ingénieur Wei Suk'ong, fils d'ambassadeur comme le patron du restaurant chinois à Bruxelles. Tchang est cloué au lit, après avoir été passé à tabac par des Gardes rouges.

« Vous connaissez un dessinateur d'Europe qui signe H... E... R... G...

— Hergé !

— Alors vous le connaissez ?

— Bien sûr. C'est mon ami.

— Voilà son adresse. Il vous cherche partout depuis des années. Écrivez-lui[70]... »

Tchang ne se le fait pas dire deux fois. Il ne tarde pas à recevoir en retour une lettre de cinq pages, remplie au recto comme au verso. Hergé a tant à raconter, depuis le temps. Non seulement la poste laisse passer leur correspondance mais le bureau de contrôle de la douane autorise l'importation de plusieurs albums dont *Tintin et les Picaros*. Maintenant que le contact est rétabli par-delà les continents, l'essentiel reste à accomplir. Car Hergé n'a qu'une hâte désormais : se rendre à Shanghai ou faire venir Tchang en Europe. Il s'évertue à obtenir un visa auprès de l'ambassade de Chine à Bruxelles[71].

Malgré les progrès accomplis depuis la visite

du président Nixon à Pékin, le climat politique n'est pas vraiment favorable à ce genre d'escapade. L'ouverture est encore une notion toute relative pour un pays qui est demeuré si longtemps fermé à l'influence étrangère. Le vice-Premier ministre Teng Siao-p'ing, écarté de la vice-présidence du PC par Mao pour révisionnisme, vient d'être rétabli dans ses fonctions. Les gauchistes de la « bande des quatre », dite également « groupe de Shanghai », ont été mis hors d'état de nuire.

Deux personnalités vont jouer un rôle clef dans les retrouvailles historiques entre Hergé et Tchang. D'un côté, Gérard Valet, homme de cinéma, de radio et de télévision, producteur de fameuses émissions à la RTBF (« Musique au petit déjeuner », « Point de mire »), profite d'une visite officielle de Baudouin et Fabiola le long de la Grande Muraille pour retrouver la trace de Tchang et pousser les autorités à le laisser sortir. Coauteur d'un documentaire sur la vie et l'œuvre d'Hergé, il sait que rien ne rendrait celui-ci plus heureux.

De l'autre côté, Han Suyin tâche d'œuvrer dans le même sens. Née en Chine, chinoise par son père et belge par sa mère, ce médecin devenu écrivain publie des romans qui ont été pour la plupart de grands succès de librairie traduits en dix-sept langues : *Multiple splendeur, La Nuit...* Fin 1977, dès son arrivée à Lausanne, retour de Shanghai où elle s'est entrenue avec Tchang, elle téléphone à Hergé pour lui donner des nouvelles de son ami. Les persécutions politiques dont il a été l'objet de la part de la « bande des quatre » ne sont pas encore un lointain souvenir. Mais il a survécu aux coups, aux humiliations et au boycott. Il renaît et brûle de retrouver son grand ami. Cela dit, la route est encore longue jusqu'à Bruxelles.

Trois mois après, de passage à Bruxelles, Han Suyin rencontre Hergé. Elle accepte de servir de messager et de remettre de sa part à Huang Chen, le ministre de la Culture, une lettre, une notice autobiographique ainsi que plusieurs albums dédicacés. Serge Pairoux, de l'Association Belgique-Chine, se joint à la romancière pour faire pression sur l'attaché culturel de l'ambassade, boulevard Général-Jacques, afin qu'Hergé obtienne un visa individuel.

Hergé s'arme de patience. Mais ça traîne, ça traîne. Le fait qu'il ait cru bon de visiter Taïwan (Chine nationaliste) en 1973 n'arrange rien. Pour avoir deux fers au feu, il esquisse une tentative parallèle du côté de la diplomatie belge. Il contacte le philologue Herman Liebaers, ancien conservateur en chef de la Bibliothèque royale Albertine devenu grand-maréchal de la Cour au palais de Laeken. Aussitôt saisi du problème, celui-ci fait une discrète intervention auprès de Joseph Schoumaker, le directeur général de la politique au ministère des Affaires étrangères. En tant qu'ancien ambassadeur à Pékin, il doit certainement disposer des relations nécessaires pour débloquer le dossier[72].

Les années passent. Toujours rien. Hergé ne peut se rendre en Chine, ni Tchang en Belgique. Un jour, le premier reçoit une lettre pathétique du second lui demandant d'agir en faveur de son fils. Shieu Jen, qui a grandi sous la Révolution culturelle, est comptable alors qu'il a d'autres ambitions. Il pourrait poursuivre des études commerciales en Belgique à condition toutefois qu'on lui trouve une école et qu'on l'invite, ce qui pourrait peut-être accélérer la procédure de visa. Le fils, à défaut du père. Tchang est aussi émouvant dans la réalité que dans la fiction, d'autant qu'il commence à s'identifier à son personnage : « Si cela pouvait se faire, je me sentirais soulagé d'un poids énorme. Car je suis dans une caverne au Tibet et Tintin n'est pas avec moi... Je ne sais combien le ciel est haut et la terre basse. Je ne puis rien faire pour mon fils[73]... »

18 mars 1981, enfin. L'aéroport de Zaventem est en effervescence. Une foule de journalistes et de badauds se presse à l'arrivée du vol en provenance de Paris. Tout le monde est là, les officiels et les officieux. C'est un accueil de chef d'État qui se prépare. Plutôt que d'installer une traditionnelle banderole de bienvenue, on a préféré apposer une grande affiche d'un dessin tiré de *Tintin au Tibet*. C'est la bousculade générale dans un désordre de micros et de caméras. Le petit homme est là, accompagné de l'indispensable Gérard Valet qui a fait le trajet Paris-Bruxelles à ses côtés.

Hergé et Tchang se dirigent l'un vers l'autre, les bras ouverts. Ils s'étreignent, s'embrassent, s'étreignent à nouveau, ne se lâchent plus. Sans dire un mot. Ils ne peuvent réprimer leurs larmes, surtout Hergé que la maladie a considérablement affaibli et amaigri depuis quelque temps. L'émotion est à son comble. Ça fait quarante-sept ans qu'ils ne se sont pas vus. Tant d'années à s'appeler et se chercher dans le désert.

« J'étais sûr que je finirais par vous retrouver. Ah, Tchang, comme je suis heureux !

— Vous ne pouvez pas savoir combien j'ai souvent pensé à vous[74]... »

D'un coup, l'amitié sino-belge fait un bond historique. Il faut déjà répondre aux interviews. Tchang n'y parvient pas. Trop ému, il préfère s'abstenir. Hergé a plus d'entraînement mais la gorge nouée. Ça ne vient pas mieux. Rien ne remplace les images. Tout est dans le regard. Tout sauf un détail relevant de leurs biographies comparées : leur rencontre était inéluctable, le Chinois n'ayant cessé de s'occidentaliser, et le Belge de s'orientaliser.

Bientôt, Tchang est présenté à la reine, à l'occasion de sa visite aux Studios Hergé. Tout le monde s'occupe de lui. Claude de Valkeneer, le conseiller de presse du roi, s'active en coulisses afin qu'il puisse rester en Belgique le plus longtemps possible. En France également, on s'inquiète de son avenir. Régis Debray, dont l'ombre flotte sur *Tintin et les Picaros*, est devenu conseiller du président Mitterrand pour les Affaires étrangères. C'est ès qualités qu'il lui offre de s'installer en France, de même que le ministre de la Culture Jack Lang qui lui fait parvenir une invitation officielle.

Tchang n'est pas au bout de ses surprises. Promené pendant des semaines de banquets en vernissages, de réceptions en conférences, il découvre, sidéré, tant dans ses contacts quotidiens que dans son courrier de plus en plus abondant, que tout un pays a lu les deux albums de bandes dessinées dont il est le héros. Les plus jeunes lecteurs tiennent enfin la preuve que Tintin existe puisque Tchang est là devant eux, en chair et en os, qui dédicace à tour de bras les planches sur lesquelles il apparaît, et non les albums. Ce serait abusif. Les moins jeunes laissent leur imaginaire être emporté par une semblable ivresse. Car c'est bien la première fois qu'un personnage des aventures de Tintin sort d'une planche pour venir leur serrer la main.

Tchang est partout. Il fait la conquête des uns et des autres. Il ne dit presque rien. Il se contente d'être là. Ça suffit. À l'École de recherches graphiques de Bruxelles, il ne peut faire moins qu'exécuter une imposante calligraphie. Journalistes, visiteurs et étudiants l'observent dans un silence quasi religieux tracer des caractères chinois au pinceau. Comme si tout cela procédait d'un rituel magique. Puis il se tait. Bien entendu, on lui demande ce qui est écrit.

« Travail donne travail, et produit de la Patience. Patience donne patience, et produit la Force. »

La petite assemblée groupée autour de lui opine gravement du chef. Le mutisme des uns et des autres est éloquent. Il se veut respectueux devant ce qui est probablement l'expression de la sagesse millénaire de ce peuple si indéchiffrable aux esprits occidentaux. Un temps, puis Tchang reprend, impassible :

« C'est une pensée de Rodin[75]... »

Tchang passe plusieurs mois en Belgique avant de retourner en Chine auprès des siens puis de s'installer définitivement en banlieue parisienne, sur les bords de la Marne. En retrouvant cet ami lointain à qui il doit tant, Hergé a exaucé un de ses vœux les plus chers. Il en reste quelques autres. L'un notamment qu'il redoute au point de ne rien faire pour hâter la réalisation. Il attend qu'on lui force la main et que le jeu en vaille vraiment la chandelle.

Au début des années quatre-vingt, le dilemme est simple : doit-il ou non céder les droits d'adaptation au metteur en scène qui serait encore assez fou pour porter les aventures de Tintin à l'écran ? Il ne pourrait s'agir que d'un grand film, au budget hollywoodien, doté d'un enjeu artistique à la mesure des moyens mobilisés. La décision n'est donc pas facile à prendre car il y va de son image et de celle de son héros.

À la fin de sa vie, Hergé a l'impression de la jouer. On aura compris qu'il se met en danger comme peu de créateurs oseraient le faire. Accepter, c'est s'engager dans une fuite en avant sans aucune garantie de contrôle du résultat final. Refuser, c'est se fermer au seul débouché et à la seule perspective capables de stimuler une œuvre menacée par l'usure du temps, la lassitude des lecteurs, le renouvellement des générations et l'âpreté de la concurrence.

Hergé va peu au cinéma, désormais. Hormis ses classiques, de Chaplin à John Ford, il se réfère rarement à de grands réalisateurs. On a beau vouloir le rapprocher à tout prix d'Alfred Hitchcock, il lui préfère des cinéastes de moindre envergure, John Schlesinger par exemple, pour *Un dimanche pas comme les autres* et pour *Macadam Cowboy*, deux histoires de dérive sexuelle[76]. Bien qu'il ne soit en rien cinéphile, il a toujours entretenu des rapports intimes avec le cinéma. On sait ce qu'il doit au muet : le sens du gag, de la vitesse, du rythme... La naissance et l'essor de Tintin furent contemporains de ceux du parlant. Sans jamais rencontrer de metteurs en scène, le dessinateur s'est vite senti solidaire. Et pour cause : on lui a souvent fait remarquer qu'il travaillait comme eux. Il « tourne » en effet ses séquences dans un grand désordre chronologique, passe d'une planche à l'autre, de la fin au début et vice versa, en fonction de son inspiration du moment. L'intuition préside au découpage, la magie naît au montage. Avec, pour tous les créateurs d'images, le même problème à résoudre : comment rendre le sentiment de la durée sans que le rythme en souffre ? De plus, l'écriture de son récit présente nombre de points communs avec celle d'un scénario de cinéma : présent de l'indicatif, phrases courtes, voire télégraphiques, descriptions réduites au minimum... Son moteur est très cinématographique puisque, d'une vignette à l'autre, tout est dans l'art des raccords. La technique de l'une emprunte souvent à celle de l'autre, étant entendu qu'elle demeure toujours au service de la narration et non d'effets esthétiques : gros plans, champ/contre-champ, plongée, contre-plongée, profondeur de champ... Sans oublier l'ellipse, la plus délicate à manier, qui a la vertu de rendre le récit plus nerveux et d'accentuer sa force comique[77]. Pour autant, il se garde de pousser trop loin la comparaison entre cinéma et bande dessinée. Il se refuse à tirer argument du fait que la projection d'un film et la lecture d'un album ont sensiblement la même durée.

Depuis les lendemains de la guerre, Hergé a

été tenté de donner vie à son héros sur grand écran. Dans cet esprit, il a contacté en vain Walt Disney à la fin des années quarante, s'estimant incompétent pour construire quoi que ce soit avec une technique aussi particulière. Ce pari que l'Américain a refusé, un Européen l'a relevé, malgré l'investissement financier considérable que cela suppose. C'est Raymond Leblanc, l'entreprenant patron du Lombard et du journal *Tintin*. À la fin des années cinquante, sa société Belvision a conçu sept séries de dessins animés en couleurs de 5 minutes chacun, adaptés des aventures de Tintin et Milou, qui ont été diffusés par les télévisions du monde entier. Forte de cette expérience pionnière, Belvision s'est lancée dans la production et la réalisation de deux dessins animés de long métrage destinés au grand écran : *Le Templs du soleil* et, trois ans après, *Le Lac aux requins*. Hergé a collaboré à l'adaptation du premier, dialogué par Greg, pas à celle du second, où le père d'*Achille Talon* a eu les coudées plus franches. Dans un cas comme dans l'autre, ces films ont mobilisé tant d'hommes et de moyens que cela en a fait des entreprises à hauts risques.

De toutes façons Hergé doute fort qu'un univers aussi irrationnel puisse s'accorder avec son tempérament[78]. Depuis qu'il a envisagé de donner un prolongement audiovisuel à Tintin, il se sent plus proche du cinéma que du dessin animé. Parce que ses personnages sont bien vivants :

« Tintin, ce n'est pas Alice au pays des merveilles ! » s'insurge-t-il[79].

Depuis le début des années cinquante, les propositions n'ont pas manqué. Certaines étaient tellement farfelues qu'elles ne valent même pas d'être relevées. D'autres paraissaient plus sérieuses mais n'aboutissaient jamais. Comme s'il était écrit que de vrais acteurs en chair et en os ne pouvaient incarner des héros de papier aussi mythiques. En 1951, l'un des espoirs du jeune cinéma français, le réalisateur Jacques Baratier, s'y est intéressé puis a renoncé. Quelques années après, le producteur Alain Poiré, éminence grise de la Gaumont, avait fait le voyage de Bruxelles dans l'espoir de porter Tintin à l'écran. Puis il avait lui aussi renoncé, préférant finalement financer le projet de Jacques Becker tiré des aventures d'Arsène Lupin. Il avait été suivi par Philippe de Broca, le réalisateur de *Cartouche*, qui renonça tout autant après un premier casting, déçu par la transposition des personnages de la fiction dessinée à la réalité, et ennuyé par l'absence de rôles féminins. Puis il fut même question du commandant Cousteau pour tourner *Le Trésor de Rackham le Rouge*...

Une fatalité pesait-elle sur Tintin ? À moins que, comme nombre de chefs-d'œuvre de la littérature, celui-ci n'ait pas supporté qu'on ose le mettre à l'écran ? Hergé ne s'était pas posé la question dans cet esprit. Ce qui avait toujours freiné son enthousiasme, à chaque fois que des gens de pellicule se présentaient dans ses Studios, était d'un autre ordre. Il avait exposé ses craintes à un jeune lecteur :

« Et si le Tintin vivant, le Tintin du film ne ressemblait pas assez au Tintin dessiné, au Tintin des albums ?... Si toi, si vous tous spectateurs, vous refusiez de reconnaître "votre" Tintin dans l'acteur qui l'incarnerait, je suis sûr qu'après l'avoir appelé, l'avoir exigé — ("Il nous faut, dis-tu, un personnage réel !") — vous le chasseriez, comme un imposteur[80]. »

Peu après, Larry Harmon, un fervent producteur hollywoodien ayant manifesté son intention de mettre Tintin en bobines, Hergé l'avait reçu à Bruxelles. Il n'avait pas manqué de le mettre en garde quant aux questions de rythme, craignant qu'il ne bouscule trop son enfant :

« Je vous demande, my dear Larry, de ne pas réduire mes personnages à des schémas ; il faudrait qu'ils restent humains. Je vous demande de ne pas réduire leurs aventures à une suite de gags mécaniques ; elles devraient rester des aventures humaines. Si vous m'écoutez, le tempo de vos films Tintin sera moins heurté, plus paisible, même "lent" pour des Américains. Et ce sera très bien ainsi, je vous l'assure (...) Je vous demande également, my dear Larry, de toujours vous souvenir que ces histoires sont réalistes. Il n'y a pas de non-sens dans Tintin. Tout ce qui arrive est (à peu près) logique, (à peu près) vraisemblable : c'est pour cette raison qu'en Europe, les enfants croient à Tintin (...) Car le triomphe de Tintin chez nous est venu, en grande partie, de ces deux côtés de Tintin : le côté humain et le côté croyable[81]. »

Finalement, deux films de long métrage, produits par le Français André Barret en association avec l'éditeur Robert Laffont, ont été tournés au début des années soixante avec des personnages en chair et en os : *Tintin et le mystère de la Toison d'or*, réalisé par Jean-Jacques Vierne d'après un scénario original de Remo Forlani, avec Jean-Pierre Talbot dans le rôle-titre, Georges Wilson en Haddock ; et *Tintin et les oranges bleues*, réalisé par Philippe Condroyer toujours d'après un scénario original de Remo Forlani, avec cette fois Jean Bouise en capitaine.

Quoi qu'on pense du résultat, il ne fut pas atteint sans mal. Au départ, Hergé était réticent à l'idée qu'une histoire originale fût écrite pour les besoins du film. Il préférait qu'on la tirât d'un de ses albums. Oubliant que la BD et le cinéma ne sont techniquement semblables que jusqu'à un certain point, il estimait que n'importe lequel de ses propres récits, mûri pendant plusieurs années, était de toute façon meilleur que n'importe quel scénario original, écrit en quelques mois où trouvailles, gags ou intrigue lui paraissaient médiocres[82].

Finalement, Hergé dut se rendre aux arguments des professionnels et consentir à ce qu'un autre que lui soit l'auteur de l'histoire. Mais dans la mesure où il conservait, par contrat, un droit de regard et de veto sur l'ensemble, il n'hésita pas à noircir des dizaines de pages. Pour modifier le script qui lui fut soumis. Ce n'était peut-être pas son texte mais c'était son enfant. Pas question de laisser son « fils » se dépatouiller dans ce qu'il jugeait être un salmigondis d'incohérences, de bizarreries et de dysfonctionnements. Dans ses critiques, ligne à ligne, il croyait qu'il en était d'un metteur en scène comme d'un dessinateur. L'un n'avait qu'à appliquer les recettes qui avaient si bien réussi à l'autre pour que l'entreprise soit couronnée de succès. Georges Simenon ne s'était pas comporté moins naïvement lorsque le cinéma s'était emparé pour la première fois de ses romans.

Il avait beau lire et relire un énième état du script de *Tintin et le mystère de la Toison d'or*, Hergé ne parvenait pas à comprendre pourquoi l'humour et la gaieté n'étaient pas permanents du début à la fin, ni comment le metteur en scène et son entourage avaient pu imaginer que des jeunes seraient sensibles au suspens[83]. Le malentendu est total car ils ne parlent pas le même langage. On songe à la fin du *Temple du soleil*, quand Tournesol est convaincu d'avoir été figurant dans une superproduction alors qu'il a failli être brûlé vif au bûcher :

« Jamais je n'accepterai de tourner dans un autre film, même si Hollywood me faisait un pont d'or[84] ! »

À la longue, il s'était instauré un tel dialogue de sourds entre eux et lui qu'Hergé avait finalement baissé les bras. Quand Casterman publia les albums tirés de ces deux films, il refusa que son nom figurât sur la couverture. Par honnêteté car il n'y était pour rien. Pour éviter toute ambiguïté. Mais aussi pour ne pas cautionner un travail auquel il se sentait si radicalement étranger.

L'accueil mitigé qui fut réservé au premier de ces deux films lors de sa sortie en salle le conforta dans son opinion première. Il ne fallait pas toucher à Tintin, pas plus qu'aux inaccessibles créatures de Proust ou de Céline, le baron de Charlus et Bardamu, pour ne citer qu'eux. En privé, son ami Robert Poulet abonde dans le même sens. Comme souvent, il a le don de brillamment mettre en mots ce qu'Hergé ressent confusément sans parvenir à le formuler. Selon lui, la poésie est absente du film. La déception vient des voix, trop raisonnables alors que l'esprit de Tintin se situe justement au-dessus de cette réalité. Plutôt que le réel pour le réel, il eût fallu faire passer la dimension du fabuleux. Car débarrassé de tout ce qui fait sa magie, Tintin n'est plus qu'un adolescent particulièrement débrouillard. En 1962, cela ne vaut pas un grand film au budget très substantiel, pour les jeunes de 7 à 77 ans. Son verdict est sans appel. Il dresse un constat de médiocrité :

« Les filmeurs n'ont pas déshonoré le mythe : ils se sont contentés de l'embourgeoiser, de le mettre en prose[85]. »

Désormais, moins que jamais, Hergé ne veut entendre parler de cinéma. Il laisse venir les solliciteurs car il est poli. En 1977, Jo Siritzky, de Parafrance Films, songe à confier la réalisation d'une aventure de Tintin à Pierre Tchernia, Yves Boisset ou Jean Girault. Mais tous butent sur le même écueil : trahir l'auteur en bêtifiant ses personnages. Comme ses prédécesseurs, le producteur renonce. Surtout depuis que le dessinateur lui a suggéré d'affubler les acteurs de masques souples[86] !

Hergé est conscient qu'il ne faut pas insulter l'avenir. Mais dans son esprit, le cinéma est préjudiciable à son œuvre. Il ne veut plus s'en mêler. À chaque fois qu'il a cherché à améliorer ce qui devait l'être, on n'a pas tenu compte de ses avis puisqu'il n'est pas du bâtiment. Depuis, il ne dit plus rien, convaincu par principe que toute adaptation est une trahison. De toute façon, sa religion était faite de longue date, depuis une remarque que lui avait adressée un jeune lecteur, mécontent après avoir vu le dessin animé tiré du *Temple du soleil* :

« Je n'aime pas le capitaine Haddock au cinéma. Il n'a pas la même voix que dans les albums[87]. »

C'est dans cet état d'esprit qu'en 1983, Hergé reçoit une de ces offres dont on dit qu'elle ne se refuse pas. Parce qu'elle arrive de Hollywood. Parce qu'elle laisse supposer que de considérables moyens financiers seront investis pour faire de ces aventures de Tintin un film inoubliable. Et surtout parce qu'elle vient d'un jeune réalisateur-producteur déjà mythique.

À 36 ans, Steven Spielberg a derrière lui une impressionnante filmographie : *Duel, The Sugarland Express, Les Dents de la mer, Rencontres du troisième type, 1941, Les Aventuriers de l'Arche perdue* et *E.T.* Autant de succès internationaux, et presque autant de records historiques, tant en nombre d'entrées qu'en bénéfices. Dans un tel contexte, on conçoit que malgré ses sérieuses réserves sur l'apport du 7e art à la bande dessinée, Hergé soit impressionné. Suffisamment pour y prêter attention, puis être flatté et emballé par le projet.

Les négociations, de plus en plus âpres, durent des mois, Spielberg n'étant européen que dans sa passion pour François Truffaut. Pour le reste, il demeure parfaitement américain. Les contrats ne cessent d'effectuer des aller et retour de Los Angeles à Bruxelles entre leurs avocats respectifs. Hergé redoute que le projet n'américanise trop son histoire, qu'il soit infidèle à l'esprit des albums à défaut d'être fidèle à la lettre. Mais ses craintes sont encore prématurées. Car pour l'heure, il n'est pas vraiment question de script, d'histoire ou d'adaptation mais uniquement de *business*.

Puisque Steven Spielberg ne sera pas seulement le producteur mais le réalisateur, Hergé fait de plus en plus de concessions. Il lâche du terrain sur tous les fronts du commerce afin que l'entreprise aboutisse au mieux sur le plan artistique. Tant pis si sa propre société subit un manque à gagner, l'essentiel est que Tintin en sorte vainqueur. Alain Baran, secrétaire particulier devenu au fil du temps fondé de pouvoirs, et Me Éric Osterweil, avocat bruxellois, s'activent auprès des Américains représentés par Kathleen Kennedy pour faire avancer le dossier dans cet esprit.

Les exigences de Spielberg sont draconiennes. Il entend contrôler l'intégralité du *merchandising* du film, donc des personnages créés par Hergé ; se réserver également les droits de dessins animés et de séries télévisées qui en seront dérivés ; s'assurer la maîtrise artistique et commerciale de l'ensemble du projet. C'est beaucoup, trop même. Mais Hergé accepte. Cela représente la dernière limite au-delà de laquelle il serait déraisonnable de signer.

Au moment de conclure un contrat permettant de lever une option au bout de trente mois, les conseils d'Hergé s'aperçoivent d'une ultime manœuvre. Au dernier moment, les Américains ont glissé une nouvelle clause parmi d'autres, stipulant qu'au cas où le scénario commandé par Steven Spielberg à ses collaborateurs ne lui conviendrait pas, il se réservait toute latitude pour confier la réalisation du film à un membre de son équipe ou à un confrère.

Pour Hergé, une telle éventualité est inacceptable. Car s'il a concédé tant d'avantages financiers, c'est bien parce que Spielberg en personne serait l'unique maître d'œuvre du film[88]. Il était déjà difficile de concevoir que Tintin et Haddock puissent se retrouver sur des centaines de milliers d'objets, vêtements et gadgets sans qu'Hergé en bénéficie. Il est impensable que cet effort ait été consenti pour un quelconque réalisateur américain. Les ponts ne sont pas rompus, mais chacun ne tardera pas à reprendre sa liberté. L'affaire ne sera pas perdue pour tout le monde.

Vingt ans plus tôt, quand Philippe de Broca avait renoncé à porter Tintin à l'écran, il avait aussitôt tourné *L'Homme de Rio* qui avait remporté un extraordinaire succès public. Outre le metteur en scène, Jean-Paul Rappeneau, Ariane Mnouchkine et Daniel Boulanger avaient collaboré au scénario. Autant de fervents lecteurs d'Hergé si l'on en juge par l'intrigue du film. Celui-ci débute par le vol d'une statue amazonienne au musée de l'Homme à Paris, et se poursuit par l'enlèvement mystérieux du professeur Catalan, la découverte de deux autres fétiches en tous points semblables, l'intervention d'un intrépide conscrit en permission qui brave tous les dangers avant que les vertus magiques de ces statuettes ne tentent de révéler le trésor des Maltèques. Toute ressemblance... Jean-Paul Belmondo n'est pas Tintin mais il en a l'allure et l'esprit. *L'Homme de Rio* n'est pas *L'Oreille cassée* mais il en a la trame et le rythme.

Un jour, quand Steven Spielberg renoncera lui aussi aux aventures de Tintin, il se rattrapera en tournant *Indiana Jones et le Temple maudit* : un cabaret de Shanghai en 1935... un archéologue audacieux jusqu'à être inconscient du danger... un petit Chinois particulièrement vif... des sacrifices humains rituellement pratiqués dans un volcan... un diamant magique à la poursuite duquel tout le monde ne cesse de courir... Toute ressemblance avec *Les Cigares du pharaon, Le Lotus bleu, Le Temple du soleil* et *Coke en stock* ne serait pas purement fortuite. Du Hergé sans Tintin. Mais Spielberg n'a jamais caché ce que son propre imaginaire devait à cet univers : la quête nostalgique du paradis perdu de l'enfance.

Hergé est de plus en plus las de Tintin et de la bande dessinée. Il est gagné par le sentiment de les avoir également épuisés au moment où, de tous côtés, son œuvre est consacrée comme un classique de la littérature pour la jeunesse. Elle appartient au patrimoine culturel européen.

Il a encore beaucoup de choses à dire mais cherche d'autres moyens de les dire[89]. En vain. À chaque fois, il retombe sur la BD. Tout l'y ramène. Pourquoi dans ce cas ne pas l'utiliser autrement, d'une manière plus adulte et philosophique ? Il y songe. Comme il songe à tant d'autres projets.

Depuis plusieurs années, il en a aligné un certain nombre. Bien peu ont surnagé. L'un d'entre eux notamment, qui tient en un mot, un seul : « aéroport ». C'est une vieille idée fixe chez lui. Dans son cahier de notes de l'entre-deux-guerres, il l'évoquait déjà. Une escale en 1973 à l'aéroport de Rome-Fiumicino, au retour d'un voyage en Chine, avait ravivé cette obsession en lui faisant penser à un mandala. Il est vrai que dans son esprit, cet endroit a toujours été le lieu géométrique de toutes les rencontres et des occasions inespérées, un centre névralgique irradiant par cercles concentriques. Comme une ville en miniature, particulièrement cosmopolite, animée, exotique, pittoresque. L'amour et la tragédie, l'aventure et la comédie s'y côtoient en permanence. Tout peut arriver. Un tel terreau est d'une richesse humaine insoupçonnée. Le monde entier réuni dans quelques milliers de mètres carrés[90].

Ce décor constitue selon lui le point de départ et le point d'arrivée idéaux pour une histoire. L'unité de lieu est en l'occurrence plus pratique que contraignante. Encore faut-il inventer une intrigue qui ne soit pas nécessairement liée à un détournement d'avion et une prise d'otages, événements trop attendus dans un tel contexte.

En 1976, Hergé noircit une quinzaine de pages mêlant script et crayonnés, éléments de scénario et esquisses de dessins, sous le titre « Un jour d'hiver, sur un aéroport ». Dès le début, on assiste à un étrange phénomène : pour une raison inconnue (brouillard, problèmes d'approvisionnement en essence...), l'endroit se remplit de gens qui se retrouvent obligés de passer plusieurs heures ensemble, les avions pouvant atterrir mais non décoller. Haddock et Tintin sont là pour accompagner Tournesol, lequel se rend à un congrès d'inventeurs, tandis que les Dupondt ont l'intention de s'embarquer à destination d'un congrès tout aussi international de détectives. C'est alors que les rejoint le reste de la famille. Tous des familiers, au sens propre du terme : l'émir Ben Kalish Ezab à la recherche d'un château à acheter pour y caser sa noria de moukères, l'insupportable petit Abdallah, le roi Muskar IV poursuivi par des extrémistes bordures, le général Alcazar en route pour la Suisse des comptes à numéros, la Castafiore qui déclenche un esclandre parce qu'elle ne pourra pas chanter, les frères Loiseau tentés par le trafic de haschisch à leur sortie de prison, l'inévitable casse-pieds professionnel Séraphin Lampion, Mull Pacha alias Dr Müller, le frileux Laszlo Carreidas, le senhor Oliveira da Figueira tout prêt à vendre des armes, le maharadjah de Gopal et puis des Arabes, des Juifs, des Indiens, des Japonais, des Américains tous également identifiables à leurs tenues. Sans oublier un drôle de Pakistanais qui réapparaît régulièrement dans le récit pour demander quelque chose qu'on ignore (l'heure ? les toilettes ?) jusqu'à la fin de l'histoire. Entre-temps, différentes intrigues s'entremêlent de manière à nous faire perdre le fil. À ce stade, Hergé s'en donne à cœur joie. Il introduit de nouveaux personnages dont le raseur bien connu qui adore raconter ses voyages à qui ne veut pas les entendre, ainsi qu'une prometteuse caricature de l'« intellectuel » au système pileux envahissant. Celui-ci, qui ne ressemble ni à Reich, Lacan, Lévi-Strauss, Barthes, Marcuse ou Deleuze malgré la liste dressée par le dessinateur, ne cesse de réfléchir à voix haute en un jargon agrémenté d'expressions typiques : « au niveau de », « concentration des masses », « animation socioculturelle », « prise de conscience », « politisation », « *establishment* », « société de consommation »... Hergé note encore qu'Haddock affiche une humeur des plus noires, Tournesol lui ayant fait passer le goût du whisky. *In fine*, Hergé s'interroge tout de même : « Que fait Tintin là-dedans ? Il est le lien, mais ce n'est plus un héros[91] ! »

À ce stade embryonnaire, l'affaire semble bien engagée. Pourtant Hergé n'a pas été plus loin. Malgré son état d'avancement, il range le projet dans un tiroir et passe à autre chose. Des griffonnages sans suite. Deux ans après, il confiait à Alain Baran :

« J'ai une idée ! Je vais revenir aux sources des aventures de Tintin du début. Le reportage policier, l'intrigue... Ça tient en quelques lignes[92]. »

Faux départ. Un de plus. Le projet suivant le retient plus longtemps. Les milieux de la peinture en constituaient la toile de fond, si l'on peut dire. Hergé entendait y dénoncer tant le trafic des faux tableaux anciens que les excès et abus d'une certaine avant-garde. Au cours de l'été 1978, il s'attela à la conception de ce nouvel album en s'inspirant d'une affaire qui avait défrayé la chronique onze ans auparavant. Fernand Legros, marchand de tableaux parisien à l'allure comique sinon grotesque (chapeau de cow-boy, lunettes noires, ribambelle de colliers, Rolls avec chauffeur), avait vendu à l'Américain Algur Hurtle Meadows, magnat du pétrole et grand collectionneur, plusieurs dizaines de Derain, Vlaminck, Modigliani et Marquet à des prix défiant toute concurrence. Vers le bas. La transaction était suspecte mais les tableaux avaient été certifiés par des experts réputés. À la suite d'une petite vente aux enchères en banlieue, Legros avait été démasqué. Ses chefs-d'œuvre étaient des faux. Le scandale avait fait d'autant plus de bruit que Legros avait déjà fourni beaucoup de monde...

Hergé se lança donc dans une nouvelle aventure, en combinant l'affaire Legros avec celle des faux Vermeer du peintre hollandais Hans Van Meegeren. Autour de Tintin, de sa famille proche et de quelques-unes de ses vieilles relations, il convoqua des personnages inédits : Endaddine Akass, faux prêtre, Ramo Nash, peintre conceptuel et copiste à ses heures, l'expert Jacques Monastir ainsi qu'Yvon Fourcart, galeriste inspiré par l'ami Marcel Stal, et Zolotas, marchand marron qui fait beaucoup penser au Parisien Paul Pétridès, spécialiste d'Utrillo, à moins qu'il ne s'agisse d'un ultime avatar de Rastapopoulos...

Hergé a abandonné son projet, l'a repris, l'a oublié à nouveau, puis s'y est remis, envisageant de le faire évoluer vers l'univers des sectes. Un reportage publié dans *Paris-Match* sur un gourou de pacotille, le Maharadjih Magesh, l'a en effet beaucoup impressionné. Il a finalement esquissé la matière de 42 planches. À la dernière, Tintin court un grand danger. Hergé a alors appelé aux États-Unis son ami Stéphane Janssen, ancien marchand de tableaux bruxellois :

« J'ai vu votre maison de Beverly Hills sur la cassette vidéo que vous m'avez envoyée. Ça vous embête si je fais mourir mon héros sur votre terrasse ? C'est un peu particulier... »

Emprisonné par les méchants qui veulent le faire disparaître, Tintin se voit menacé d'être transformé en une sculpture de César, compression qui s'intitulera tout naturellement « Reporter ». Son destin est de finir ainsi ratatiné et transfiguré en œuvre d'art, dans un musée du Japon ou chez un collectionneur du Milwaukee[93]. À moins que...

On ne le saura jamais. Depuis des mois et des mois, Hergé n'a plus ouvert le dossier *Tintin et l'Alph-art*, titre provisoire de l'album en gestation. On n'ose même plus lui parler de son grand projet de fresque pour « Stockel », une station du métro de la périphérie de Bruxelles. Il est exténué.

1983. À la veille de fêter ses 76 ans, le père de Tintin est à bout de forces. Il renonce provisoirement à tout projet d'avenir. Ce ne serait pas sérieux. Cette fois, on ne joue plus. Le dernier tableau qu'il a acheté est signé de Stefan Dejaeger, un jeune artiste bruxellois. Composé de photos polaroïds, il s'intitule *Le Tricheur*... Hergé le regardera jusqu'au bout.

Il y a quatre ans, les nombreuses festivités célébrant le cinquantième anniversaire de la naissance de Tintin à Paris et à Bruxelles ont eu raison de sa résistance physique. Depuis, il se sait mal en point. Il a cessé de fumer depuis des années mais continue à boire. Moins mais suffisamment pour frôler la cirrhose. Le plus grave n'est pas là cependant, ce que confirme le diagnostic du médecin : ostémiellofibrose. Autrement dit, ses globules blancs ne se renouvellent plus. Leucémie ? C'est le mot à ne pas prononcer. Autour de lui, chacun l'a au bord des lèvres. Hergé le sait mais veut rester optimiste, comptant sur les progrès de la médecine. Quand il l'a appris, Tchang en a été bouleversé. Là-bas, dans son pays, il a demandé aux spécialistes les plus renommés les meilleurs médicaments pour guérir son grand ami belge.

Tous les quinze jours, puis une fois par semaine, Hergé se rend à l'hôpital pour y subir une transfusion. Quand il en sort, il a encore assez d'humour pour dire à l'ami qui l'accompagne :

« J'ai fait le plein[94]. »

Il en aura vu des spécialistes, du professeur Jean Bernard, le plus éminent hématologue français, aux trois médecins venus de Shanghai à l'invitation de la Société belge d'acupuncture et qui avouent leur impuissance. Sans oublier ceux que Gabriel Matzneff lui a recommandés, le Dr Manh-Don, un autre acupuncteur d'origine chinoise dont il a pu apprécier les tableaux de Matisse sur les murs de son cabinet parisien, et le Dr François Jarricot, généraliste renommé qui compte nombre d'écrivains parmi ses patients (Jean-Louis Curtis, Jacques Benoist-Méchin, Roger Peyrefitte...).

Hergé se rend aux Studios épisodiquement. De toute façon, l'ambiance a changé. Avant, on y riait beaucoup. Ce n'est plus le cas depuis que l'humour du patron s'est teinté de noir. Il suit le peu de travaux qui s'y effectuent encore depuis sa maison. Plus que jamais, Alain Baran est l'homme-orchestre, le « conduit ». Ensemble, ils visitent un immeuble non loin de son domicile. Car Hergé s'organise pour l'avenir à court terme en fonction de son état de santé. Il envisage de déménager ses Studios et de les installer plus près de chez lui afin de fournir moins d'effort pour « aller au travail ». Démarche irréaliste, naïve et pathétique. Qu'importe. Elle le soutient et lui donne même envie de reprendre *Tintin et l'Alph-art*[95].

Hergé continue aussi à s'entretenir chaque semaine au téléphone avec Robert Poulet. Lui qui adorait prendre le volant et goûter l'ivresse de la vitesse, il se laisse désormais conduire par Alphonse Slachmuylders, son chauffeur. Il ne travaille plus que par intermittence et observe l'actualité avec détachement. Les grands conflits entre États lui font moins peur que les guerres civiles entre bandes armées. Depuis une récente opération de la prostate, ses voyages sont envisagés dans la plus grande prudence. Sa cure de repos à l'hôtel Eden Roc d'Ascona sur le lac Majeur (canton du Tessin) l'a provisoirement remis sur pied. Mais peu après, il a dû être rapatrié d'urgence d'un séjour en montagne par Europe-Assistance, après avoir contracté une double pneumonie à 900 m d'altitude.

Eu égard à son âge et à son état de santé, la postérité de son œuvre est couramment évoquée. Il a souvent laissé entendre que sa créature disparaîtrait avec lui. On ne fera pas de Tintin sans Hergé car Hergé n'est pas Disney. Malgré son succès et sa notoriété, son génie et sa dimension, il est resté à sa manière un honnête artisan belge. Le plus connu d'entre tous.

Certains de ses collaborateurs des Studios n'attendent qu'un signe de lui pour considérer qu'ils sont investis d'une mission sacrée : reprendre le flambeau. Au lieu de dissiper toute illusion, cet incurable Gémeaux demeure dans le registre de l'ambiguïté. Bob De Moor, que tout désigne pour être son successeur naturel, est convaincu que cette irrésolution joue en sa faveur. Le jour où il comprendra qu'Hergé n'a, en fait, jamais voulu d'héritier spirituel pour continuer Tintin à sa place, il n'en sera que plus triste et amer.

Ce n'est pas une question de qualité technique ou de compétence artistique, mais d'esprit. Hergé est persuadé qu'il est le seul à pouvoir donner à son personnage ce supplément d'âme qui fait toute la différence. Qu'importe si on veut y voir un excès d'orgueil ou de vanité. Il est ainsi, son image dût-elle en souffrir. Tintin mourra avec Hergé, si tant est que les héros meurent jamais. Tant pis si son attitude l'oblige à affronter un problème réputé insoluble : comment faire vivre une œuvre terminée ?

Dans sa bouche, Tintin désigne les albums, partie noble de son œuvre, et non les objets, les affiches, les cartes postales qui peuvent bien continuer à alimenter la pompe à finances quand il ne sera plus là. Les produits dérivés ne l'intéressent que sous le rapport pécuniaire. Alain Baran ne se contente plus d'assurer le suivi de l'imposant secrétariat des Studios, ses relations avec les éditions du Lombard ou Casterman. Leur proximité l'autorise à parler de plus en plus souvent en son nom. À ce titre, il essaie de lui faire reconsidérer ses rapports avec le *merchandising* afin qu'il ramène l'essentiel des produits Tintin sous le contrôle direct des Studios. Il a d'autant plus de mal que depuis quelque temps Hergé observe ses affaires avec distance, humour et complaisance. Cela fait belle lurette qu'il se moque de ne plus avoir voix au chapitre dans ce domaine. Quand on vient lui proposer une nouvelle licence, il ironise : « Voilà encore quelqu'un au bord de la faillite et qui veut se refaire[96] ! » Alors que les aventures de Tintin et Milou, c'est sa vie : « C'est mes poumons, c'est mes tripes à moi[97] ! » Il n'ose pas dire que c'est son sang car Tintin est ce qu'il y a de meilleur en lui. La mort, il l'évoque rarement. Le mot est d'ailleurs absent de son vocabulaire. Pour lui, elle n'est qu'un rite de passage.

Hergé a beau se sentir de plus en plus mal, il veut ardemment guérir. Il ne songe pas à regretter l'avenir mais à vivre pleinement l'instant présent, fidèle en cela à l'enseignement du taoïsme. Cela ne l'empêche pas de prendre des dispositions. Trois mois avant le grand saut dans l'inconnu, il fait de son épouse sa légataire universelle.

Les transfusions sanguines se multiplient, de plus en plus éprouvantes. Le mot « leucémie » n'est plus tabou. Ceux qui s'inquiètent pour lui en parlent librement. Un jour, bien après sa mort, deux de ses proches amis n'hésiteront pas à enfreindre un nouveau tabou en évoquant le sida, la période durant laquelle Hergé a été régulièrement transfusé correspondant à celle des contaminations du sang par le virus[98].

Ses joues se sont creusées. Il flotte dans ses costumes. Ses mains sont incertaines. Seul son regard est intact. De plus en plus affaibli par la maladie, il demeure optimiste à sa manière. S'il devait partir, il voudrait que ce soit en Sage. Cet état supérieur correspond à la plus profonde de ses aspirations. Désormais, s'il devait croiser dans la rue son professeur d'anglais du collège Saint-Boniface, il sait qu'il n'enragerait plus si celui-ci lui disait, comme à l'accoutumée :

« Alors, vous faites toujours vos petites vignettes[99] ? »

La sagesse, c'est de ne plus réagir et de passer son chemin avec le sourire. Il n'est ni révolté ni angoissé, ni résigné ni amer. Face au miroir, à la veille de le traverser, il se voit serein dans l'acceptation de son sort. Il n'a plus rien à cacher. Dans sa dernière interview, accordée à Benoit Peeters deux mois avant de mourir, il reconnaît enfin : « Si je vous disais que dans Tintin, j'ai mis toute ma vie[100]... »

Il a encore la force de rendre visite à sa première femme, comme tous les lundis, dans leur propriété de Céroux-Mousty. Il veut se promener seul mais Germaine ne tarde pas à le rejoindre :

« Tu as l'air si fatigué, Georges...

— Oui je suis très fatigué[101]. »

Ce sont les derniers mots qu'ils échangeront. Il rentre chez lui et n'en sort presque plus. En janvier, il renonce à se rendre tout près, à la fête que Stéphane Steeman organise pour ses 50 ans. Mais pour être tout de même présent ce jour-là dans les murs de son plus fidèle collectionneur, il lui fait remettre par Bob De Moor deux petites éditions chinoises de *L'Île noire* accompagnées de ce mot :

« Heureux anniversaire. Désolé de ne pouvoir être parmi vous ce soir, mais bon sang ne peut languir. Amicalement, Hergé[102]. »

Élégant jusqu'au bout, il illustre l'idée selon laquelle l'humour est la politesse du désespoir. Le 25 février, Hergé est admis en urgence à la clinique Saint-Luc, à Bruxelles, pour une défaillance cardiaque. Les transfusions le plongent souvent dans un état proche de l'évanouissement. Mais ce serait pire s'il s'en passait. Fanny, son épouse, et Alain Baran sont à ses côtés. Ce sont les deux seules personnes autorisées à l'accompagner jusqu'au bout.

À son collaborateur, il exprime sa stupeur après la lecture d'une lettre d'un petit Indien, ravi de ses albums :

« Je ne comprends pas qu'un enfant d'une culture si différente puisse éprouver un tel intérêt pour mes personnages... »

Il est émerveillé et incrédule. C'est signe qu'il vit encore car sa capacité à s'émouvoir est intacte. Songeant avec perplexité à l'affaire Spielberg, il se dit prêt, tout de même, à lui laisser sa liberté de création même s'il ne doit pas y reconnaître Tintin. Car il le tient pour un génie. Lui et nul autre[103]. Il s'épuise à parler. On lui ordonne d'arrêter. Il n'a pas conscience de sa fin si proche. Jusqu'à ce que de jeunes médecins de la clinique l'emmènent en urgence dans la salle des soins intensifs. « Ça passe ou ça casse », murmure l'un d'entre eux. Allongé sur le chariot, Hergé a la force de prendre la main de Fanny et de lui dire : « Je t'aime[104]... »

Ce sont ses derniers mots, juste avant de sombrer dans le coma. Le 3 mars 1983 vers 22 heures, il est délivré de son angoisse. Débarrassé de ses démons, il entre pour toujours dans la voie de la sagesse. Enfin apaisé.

C'est comme si on avait tué Tintin. Ce jour-là, les sismosgraphes du cœur enregistrèrent un grand chagrin universel. Sur l'échelle de Richter de l'amitié, il oscilla entre 7 et 77 ans. De mémoire de lecteur, on n'avait jamais vu ça.

APPENDICES

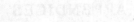

ABRÉVIATIONS

AAGCM	Archives de l'Auditorat général près la Cour militaire (Bruxelles)
ABH	Archives de Bernard Heuvelmans (Le Vésinet)
AFH	Archives de la Fondation Hergé (Bruxelles)
AFR	Archives Fanny Rodwell (Bruxelles)
AGK	Archives Germaine Kieckens (Louvain)
AGM	Archives Gabriel Matzneff (Paris)
AN	Archives nationales (Paris)
AJM	Archives Jacques Martin (Lausanne)
ARL	Archives Raymond Leblanc (Bruxelles)
BCR	Bibliothèque de la Chambre des représentants (Bruxelles)
BN	Bibliothèque nationale (Paris)
CBBD	Centre belge de la Bande dessinée (Bruxelles)
CREHSGM	Centre de recherches et d'études historiques de la Seconde Guerre mondiale (Bruxelles)
IHTP	Institut d'Histoire du Temps présent (Paris)
s.d.	sans date
s.l.n.d.	sans lieu ni date

NOTES

AVANT-PROPOS

1. Joël Kotek, « Tintin : un mythe belge de remplacement », in Anne Morelli (sous la direction de), *Les Grands Mythes de l'histoire de la Belgique, de Flandre et de Wallonie,* Vie ouvrière, Bruxelles, 1995, p. 281-292.

1. LA VIE EN GRIS
1907-1925

1. Entretien d'Hergé avec Numa Sadoul, version inédite, 2e interview, 1971, p. 15.

2. Témoignage de Marie-Louise Degan-Remi à l'auteur. Témoignage de Jacques Martin à l'auteur.

3. Hervé Springael, *Avant Tintin. Dialogue avec Hergé,* chez l'auteur, Bruxelles, 1987, p. 11.

4. Oscar Coomans de Brachène, *État présent de la noblesse belge,* Annuaire de 1988, 1re partie.

Témoignage de Geneviève Hanquet van Roye à l'auteur.

5. Dominique de Wespin, *Teilhard Béjart Hergé. Trois hommes pour une vie,* Agendart, Lasne, 1993, p. 176, 177.

6. Entretien d'Hergé avec Pierre Ajame, in *Les Nouvelles littéraires,* juin 1963. Voir aussi Pierre Ajame, *Hergé,* Gallimard, 1991, p. 22.

7. Springael, *op. cit.,* p. 23.

8. Entretien d'Hergé à *La Libre Belgique,* 30 décembre 1975.

9. Lettre d'Hergé à un lecteur, 1957, AFH.

10. Hergé/Sadoul, version inédite, 2e interview, p. 22.

11. André Buisseret, « Notre Hergé », in *Revue de Saint-Boniface-Parnasse,* juin 1983, n° 111.

12. Réginald Hemeleers, « Hergé, le père de Tintin », in *Revue de Saint-Boniface,* juin 1939.

13. Buisseret, art. cité.

14. *Ibid..*

15. Numa Sadoul, *Entretien avec Hergé,* Casterman, Tournai 1989, p. 1.

2. CHEF DE PATROUILLE AU *VINGTIÈME SIÈCLE* 1925-1929

1. Lettre de la direction du *Vingtième Siècle* à Georges Remi, le 17 août 1927, AFH.

2. Pierre d'Ydewalle, *Mémoires 1912-1940,* Racine, Bruxelles, 1994, p. 52.

3. Charles d'Ydewalle, « Robert Poulet ou l'inestimable », Archives CHDCGM, cote PP9.

4. Hergé/Sadoul, version inédite, 2e interview, p. 11.

5. Témoignage d'Alexis Hennebert, neveu de l'abbé Wallez, à l'auteur.

6. Erik Defoort, « Le courant réactionnaire dans le catholicisme francophone belge 1918-1926 », in *Revue belge d'histoire contemporaine,* VIII, 1977, p. 99, 100.

Eugen Weber, *L'Action française,* Fayard, 1985, p. 533-538.

7. Thierry Smolderen et Pierre Sterckx, *Hergé. Portrait biographique,* Casterman, Tournai, 1988, p. 65.

8. *Revue catholique des idées et des faits,* 2 novembre 1923.

9. Francis Balace, « Fascisme et catholicisme politique dans la Belgique francophone de l'entre-deux-guerres », in *Handelingen van het XXXIIe Vlamms filogencongres,* Leuven, 1979, p. 154, 155.

10. Raymond De Becker, *Le Livre des morts et des vivants,* Éditions de la Toison d'or, Bruxelles, 1942, p. 72.

11. Norbert Wallez, *Belgique et Rhénanie. Quelques directives d'une politique,* Albert Dewit, Bruxelles, 1923, p. 25-36.

12. Témoignage de René Verhaegen, in *Les Amis de Hergé,* n° 11, p. 30.

13. Hergé/Sadoul, version inédite, 2e interview, p. 10, 16.

14. Didier Pasamonik, « Hergé : une ligne claire », in *Catalogue de l'exposition "De Georges Remi à Hergé",* Institut Saint-Boniface, Bruxelles, 1984.

15. Entretien d'Hergé avec *La Libre Belgique,* 30 décembre 1975.

16. *Dictionnaire historique de la langue française,* sous la direction d'Alain Rey, Le Robert, 1992.

17. Charles Chaplin, *Histoire de ma vie,* Robert Laffont, 1964 ; Presses Pocket, 1989, p. 176.

18. David Robinson, *Charlot, entre rires et larmes,* Découvertes/Gallimard, 1995, p. 114, 115.

19. Georges Sadoul, *Histoire générale du cinéma,* tome 1, Denoël, 1948, p. 288-294.

20. Rodolphe Töpffer, *L'Invention de la bande dessinée,* textes réunis et présentés par Thierry Groensteen et Benoit Peeters, Hermann, 1994, p. VII.

21. *Ibid.,* p. 36.

22. Hergé/Sadoul, version inédite, 3e interview, p. 3.

23. Interview d'Hergé à *La Libre Belgique,* 30 décembre 1975. Voir aussi Hergé/Sadoul, version inédite, 2e interview, p. 20.

24. Hergé/Sadoul, version inédite, 3e interview, p. 2, 3.

25. Entretien d'Hergé avec *Les Cahiers de la bande dessinée,* n° 14-15, 1978.

3. LES NAISSANCES DE TINTIN
1929-1934

1. Lettre d'Hergé à un lecteur, 15 novembre 1966, AFH.
2. *Le Vingtième Siècle,* 15 janvier 1928.
3. Lettre d'Hergé à un lecteur, 9 octobre 1975, AFH.
4. Groensteen et Peeters, *op. cit.,* p. 16.
5. Lettre d'Hergé à un lecteur, 10 septembre 1982, AFH.

6. Interview d'Hergé à *La Libre Belgique*, 30 décembre 1975.

7. Lettre d'Hergé à un lecteur, 29 août 1962, AFH.

8 Robert Poulet, « Hommage à Hergé », in *Rivarol*, 18 mars 1983.

9. Lettre d'Hergé à un lecteur, 10 novembre 1965, AFH.

10. Lettre d'Hergé à Pierre Fresnault-Deruelle, 28 juillet 1970, AFH.

11. Article de Peter Avis, in *The Observer*, 8 août 1993.

12. Lettre d'Hergé à un lecteur, 11 août 1966, AFH.

13. Lettre de Baudouin van den Branden de Reeth à Daniel Pichon, 19 mars 1970, AFH.

Lettre d'Hergé à Daniel Pichon, 12 août 1971, AFH.

14. Témoignage de Germaine Kieckens à l'auteur.

15. Lettre d'Hergé à un lecteur, 13 octobre 1966, AFH.

16. Témoignage d'Alexis Hennebert, neveu de l'abbé Wallez, à l'auteur.

17. Lettre d'Hergé à Raymond Buren, 4 juin 1975, AFH.

18. Hergé/Sadoul, version inédite, 2e interview, p. 2.

19. Fred Kupferman, *Au pays des Soviets. Le voyage français en Union soviétique 1917-1939*, Archives Gallimard/Julliard, 1979.

20. Entretien d'Hergé à BBC-Radio Four, 24 juin 1977, cité in Harry Thomson, *Tintin. Hergé and his Creation*, Hodder and Stoughton, Londres, 1991, rééd. Sceptre, 1992, p. 33.

21. Norbert Wallez, *Belgique et Rhénanie, op. cit.*, p. 79.

22. Frédéric Soumois, *Dossier Tintin*, Éditions Jacques Antoine, Bruxelles, 1987, p. 22.

23. *Excelsior*, mai 1920.

24. *Au pays des Soviets*, p. 154 (2).

25. *Ibid.*, p. 123 (3), p. 163 (3, 2), p. 44 (1), p. 56 (2, 2).

26. Lettre d'Hergé à Pierre Fresnault-Deruelle, 19 décembre 1972, AFH.

27. Notes de Baudouin van den Branden de Reeth, 2 novembre 1970, AFH.

28. Hergé/Sadoul, version inédite, p. 40.

29. *Au pays des Soviets*, p. 67 (1, 1), p. 173 (2, 1), p. 176 (1, 2).

30. Hergé/Sadoul, version inédite, 3e interview, p. 33.

31. Hervé Springael, « Tintin retrouvé ! », in *Les Amis ae Hergé*, n° 7, juin 1988, p. 4-8.
32. Serge Eisenstein, *Walt Disney*, Circé, Strasbourg, 1991, p. 14.
33. Hergé/Sadoul, version inédite, 2e interview, p. 20.
34. Entretien de Hergé avec Pierre Boncenne, in *Lire*, décembre 1978, p. 29.
35. Francis Beauvais et Didier Robrieux, *Hergé et Jules Verne : des parentés insolites*, tapuscrit inédit.
36. Serge de Waersegger, « Tintin et les hommes-léopards », in *Les Amis de Hergé*, n° 13, juin 1991, p. 6-8.
Frédéric Soumois, *op. cit.*, p. 31-34.
37. Hergé/Sadoul, version inédite, 3e interview, p. 2, 3.
38. Témoignage de Germaine Kieckens à l'auteur.
39. Lettre d'Hergé à un lecteur, 5 octobre 1977, AFH.
40. Pol P. Gossiaux, « L'Afrique nue de Simenon », in *Traces*, n° 1, Université de Liège, 1989, p. 100, 103, 117.
41. *Voilà*, n°s 81 à 86, 8 octobre au 12 novembre 1932.
42. Entretien d'Alain Saint-Ogan à *La Dépêche du Midi*, 30 mai 1973.
43. Antoine Duhamel, « À propos du divertissement d'ilote », in *Georges Duhamel et l'idée de civilisation*, colloque, mars 1993, BNF 1994, p. 119-128.
44. Georges Duhamel, *Scènes de la vie future*, Mercure de France, 1930, p. 58.
45. Paul Aron, « Les relations littéraires belges dans le contexte du pacifisme », in *Georges Duhamel et l'idée de civilisation*, colloque, mars 1993, BNF 1994, p. 131-138.
Jacques Robichez « En relisant les *Scènes de la vie future* », *ibid.*, p. 181-189.
46. Chaplin, *op. cit.*, p. 185.
47. Lettre de Maurice C. Pauwaert à Hergé, 27 décembre 1934, AFH.
48. Correspondances entre Hergé et M. Duchemin, secrétaire général de la Société du droit d'auteur, les 15, 22 et 28 juin et 10 juillet 1934, AFH.
49. Témoignage de René Verhaegen, art. cité, p. 31.
50. Carnet personnel d'Hergé, 1931, AGK.
51. Témoignage de Germaine Kieckens à l'auteur.
52. Témoignage de Paul Jamin à l'auteur.

53. Jean Libert, « Le souvenir de mon ami Hergé », manuscrit inédit, 1995.

54. Témoignage de Paul Jamin à l'auteur.

55. Lettre de Jacques Dumas, dit Marijac, 15 septembre 1986, AFH.

56. Lettre d'Hergé à E. Dejardin, 11 juillet 1932, AFH.

Lettre de E. Dejardin à Hergé, 12 juillet 1932, AFH.

57. Jules d'Hermann « Au *Vingtième* chez Hergé », in *L'Effort,* janvier 1930 (article retrouvé par Hervé Springael).

58. Atelier Hergé, convention du 3 janvier 1934, AFH.

59. Acte de liquidation de l'Atelier Hergé, 13 juillet 1934, AFH.

60. Jean Libert, *Capelle-aux-Champs,* Éditions de la Phalange, Bruxelles, 1937, p. 16.

61. Témoignage de Jean Libert à l'auteur.

Jean Libert, « Le souvenir de mon ami Hergé », art. cité.

62. Lettre de Georges Remi à Norbert Wallez, 1er juillet 1931, AFH.

63. *Le Petit Vingtième,* 15 janvier 1931.

64. *Ibid.*, 5 avril 1934, p. 14.

65. *Ibid.*, 17 mai 1934.

66. *Ibid.*, 21 juin 1934, p. 5.

67. *Ibid.*, 18 mai 1933, p. 5.

68. *Ibid.*, 27 avril 1933, p. 5.

69. *Ibid.*, 11 mai 1933, p. 5.

70. *Ibid.*, 10 mai 1934, p. 14.

71. Témoignage de Paul Jamin à l'auteur.

72. *Le Petit Vingtième,* 26 avril 1934.

73. *Ibid.*, 12 avril 1934, p. 4.

74. *Ibid.*, 1er février 1934, p. 4.

75. Témoignage d'Alexis Hennebert, neveu de l'abbé Wallez, à l'auteur.

76. Lettre d'Hergé, 3 février 1934, AFH.

77. Lettre d'Hergé au directeur du *Vingtième Siècle,* le 19 mars 1934, AFH.

78. Contrat du 1er novembre 1934, AFH.

79. Lettre de Charles Lesne à Georges Remi, 4 avril 1932, AFH.

80. Lettre de Georges Remi à Charles Lesne, 7 avril 1932, AFH.

81. Lettre de Charles Lesne à Georges Remi, 13 avril 1932, AFH.

82. Lettre de Georges Remi à Charles Lesne, 14 avril 1932, AFH.

83. Lettre de Charles Lesne à Georges Remi, 21 janvier 1933, AFH.

84. Lettre de Charles Lesne à Georges Remi, 12 décembre 1933, AFH.

85. Lettre de Charles Lesne à George Remi, 26 février 1934, AFH.

86. Groensteen et Peeters, *op. cit.*, p. 27.

87. Numa Sadoul, *op. cit.*, p. 39.

88. Lettre d'Hergé à un lecteur, 10 novembre 1973, AFH.

89. Témoignage de Marie-Louise Degand-Remi à l'auteur.

90. Numa Sadoul, *op. cit.*, p. 148.

91. Pierre Sterckx, « Une molécule pour pseudonyme », in *Le Vif*, 22 avril 1983.

92. Lettre de Charles Lesne à Georges Remi, 21 janvier 1933, AFH.

93. Lettre de Casterman à Georges Remi, 4 mars 1934, AFH.

94. Article de Jeanne Cappe, in *Revue de l'Œuvre nationale de l'enfance*, 1935.

95. Article de Mgr Schyrgens, in *Le Vingtième Siècle artistique et littéraire*, 24 octobre 1934.

96. Lettre d'Hergé à Charles Lesne, 31 octobre 1934, AFH.

97. Lettre d'Hergé à Casterman, 13 avril 1934, AFH.

98. Lettre de Charles Lesne à Hergé, 16 avril 1934, AFH.

99. Lettre d'Hergé à Charles Lesne, 18 juin 1936, AFH.

100. *Léon Degrelle : persiste et signe.* Interviews recueillies pour la télévision française par Jean-Michel Charlier, Jean Picollec, 1985, p. 71.

101. Témoignage de Paul Jamin à l'auteur.

102. Lettre d'Hergé à Philippe Goddin, 5 octobre 1973, AFH.

103. Hergé/Sadoul, version inédite, 2e interview, p. 11.

104. Pierre de Vos, « La mort de Léon Degrelle », in *Le Monde,* 4 avril 1994.

105. Lettre d'Hergé à Léon Degrelle, 7 novembre 1932, AFH.

106. Lettre d'Hergé à Léon Degrelle, 9 novembre 1932, AFH.

107. Lettre d'Hergé à Eugène Dejardin, 19 novembre 1932, AFH.

108. Lettre de Léon Degrelle à Eugène Dejardin, 7 décembre 1932, AFH.

109. Lettre de Léon Degrelle à Eugène Dejardin, 6 février 1933, AFH.

110. Brouillon de lettre d'Hergé à Eugène Dejardin (au dos de la précédente), s.d., AFH.

Lettre d'Hergé à Eugène Dejardin, 4 mars 1933, AFH.

111. Lettre d'Eugène Dejardin à Hergé, 10 février 1933, AFH.

112. Lettre d'Eugène Dejardin à Hergé, 29 juin 1933, AFH.

113. Lettre d'Eugène Dejardin à Hergé, 27 novembre 1933, AFH.

Lettre d'Hergé à Eugène Dejardin, 18 décembre 1933, AFH.

114. Lettre d'Hergé à Francis Lacassin, 18 novembre 1969, AFH.

115. Charles Ronsac, *Trois noms pour une vie,* Robert Laffont, 1988, p. 115-121.

116. Calepin personnel d'Hergé, AGK.

4. L'AMI TCHANG
1934-1936

1. Lettre d'Hergé à un lecteur, 3 décembre 1975, AFH.

2. *Les Exploits de Quick et Flupke,* « De la musique... », 3 août 1933, in *Archives Hergé,* 2, Casterman, Tournai, 1978, p. 166-167.

3. *Ibid.,* 25 janvier 1934, p. 188-189.

4. *Popol et Virginie chez les Lapinos,* Casterman, Tournai, 1982, p. 4-5.

5. Lettre d'Hergé au père Édouard Neut, 20 février 1973, AFH.
6. Lettre d'Hergé au père Édouard Neut, 3 mai 1934, AFH
7. Lettre du père Édouard Neut à Hergé, 11 mai 1934, AFH.
8. Lettre d'Hergé au père Édouard Neut, 16 mai 1934, AFH.
9. Hergé/Sadoul, version inédite, p. 10.
10. Lettre de Tchang Tchong Jen à Hergé, 25 avril 1934, AFH.
11. Témoignage de Tchang Tchong Jen à l'auteur.
12. *Ibid.*
13. *Ibid.*
14. Lettre d'Hergé à Tchang Tchong Jen, 28 mars 1976, AFH.
15. *Le Lotus bleu, Archives Hergé* 3, Casterman, Tournai, 1979, p. 155 (3, 1).
16. Philippe Delorme, « Hergé et Jules Verne », in *Les Amis de Hergé,* n° 15, juin 1992, p. 30.
17. *Le Lotus bleu, Archives Hergé* 3, Casterman, Tournai, 1979, p. 262 (3, 3).
18. Paul Werrie, *La Légende d'Albert Ier, roi des Belges,* Casterman, 1934, p. 13 (préface).
19. *Tchang au pays du Lotus bleu,* Séguier, 1990, p. 53.
20. Lettre d'Hergé à Tchang Tchong Jen, 5 septembre 1976, AFH.
21. *Le Lotus bleu, op. cit.,* p. 227 (1, 2).
22. Hergé/Sadoul, version inédite, 3e interview, p. 3.
23. « Journal Tintin. Note Hergé », document manuscrit, 1952, AFH.
24. Témoignage de Tchang Tchong Jen à l'auteur.
25. *Tchang au pays du Lotus bleu, op. cit.,* p. 128-136.
26. Lettre de Charles Lesne à Hergé, 11 février 1936, AFH.
27. Lettre d'Hergé à Charles Lesne, 12 février 1936, AFH.
28. *Ibid.*
29. Lettres de Charles Lesne à Hergé, 15 et 21 février 1936, AFH.

30. Lettre d'Hergé à Charles Lesne, 22 février 1936, AFH.
31. Lettre de Charles Lesne à Hergé, 27 mars 1936, AFH.
32. Lettres d'Hergé à Charles Lesne, 7 et 16 avril 1936, AFH.
33. Lettre d'Hergé à Charles Lesne, 8 octobre 1936, AFH.

5. NEUTRE DANS LA TOURMENTE 1936-1940

1. Témoignage de Tchang Tchong Jen à l'auteur.
2. Lettre de Tchang Tchong Jen à Hergé, 6 août 1937, AFR.
3. *Le Petit Vingtième,* 23 décembre 1937.
4. Lettre de Payot à Casterman, 12 juin 1936, AFH.
5. Lettre de Charles Lesne à Hergé, 19 juin 1935, AFH.
6. Lettre d'Hergé à Charles Lesne, 9 juin 1937, AFH.
7. Lettre de Charles Lesne à Hergé, 4 décembre 1936, AFH.
8. Lettres de Charles Lesne à Hergé, 3 et 8 janvier 1936, AFH.
Lettre d'Hergé à Charles Lesne, 5 janvier 1936, AFH.
9. Lettre de Charles Lesne à Hergé, 3 novembre 1936, AFH.
10. Lettre de Charles Lesne à Hergé, 11 mars 1937, AFH.
11. Lettre d'Hergé à Charles Lesne, 23 novembre 1936, AFH.
12. *Reflets de la semaine,* 15 décembre 1938.
13. *Le Vingtième Siècle,* 29 novembre 1936.
14. Lettre d'Hergé à Charles Lesne, 13 octobre 1936, AFH.
15. Martin Conway, *Degrelle, les années de collaboration 1940-1944 : le rexisme de guerre,* Quorum, Ottignies, 1994, p. 30.
16. Témoignage de Pierre Ugeux à l'auteur.
17. Témoignage de William Ugeux à l'auteur.
18. Témoignage de Paul Jamin à l'auteur.
19. Lettre d'Hergé à Charles Lesne, 18 mars 1937, AFH.

20. Entretien entre Léon Degrelle et Stéphane Steeman, 3 octobre 1991, in *Le Nouvel Observateur*, 11-17 juin 1992, p. 40.

21. *Quick et Flupke*, in *Archives Hergé* 2, *op. cit.*, p. 250-251 et p. 204-205.

22. Témoignage de Pierre Ugeux à l'auteur.

23. Cahier de notes personnelles d'Hergé, années trente, manuscrit, AFH.

24. Benoit Peeters, *Le Monde d'Hergé, op. cit.*, p. 53.

25. Lettre d'Hergé à Charles Lesne, 31 juillet 1937, AFH.

26. Lettre d'Hergé à Charles Lesne, 26 juillet 1937, AFH.

27. Frédéric Soumois, *op. cit.*, p. 98., 99, 111-113.

28. *Ibid.*, p. 103, 105.

29. Lettre d'Hergé à un lecteur, 13 avril 1979, AFH

Numa Sadoul, *op. cit.*, p. 152.

30. Norbert Wallez, *op. cit.*, p. 78.

31. Jean-Marie Apostolidès, *Les Métamorphoses de Tintin*, Seghers, 1984, p. 93.

32. *Ibid.*, p. 90.

33. Michel Serres, *Hermès 2, L'Interférence*, Minuit, p. 95.

34. *Les Amis de Hergé*, n° 6, décembre 1987, p. 44.

35. Smolderen et Sterckx, *op. cit.*, p. 133, 134.

36. Abbé Jean Pihan, *Merci pour le passé*, Fleurus 1985, p. 444.

37. Pierre Pascal, *BD passion*, Les Dossiers d'Aquitaine, Bordeaux 1993, p. 9.

38. Hergé/Sadoul, version inédite, 2e interview, p. 30.

Entretien d'Hergé avec Benoit Peeters et Patrice Hamel, Minuit, septembre 1977.

39. Dominique Labesse, « Jo, Zette et Jocko », in *Les Cahiers de la BD*, Spécial Hergé, n° 14-15, p. 27-29.

40. Félicien Marceau, *Les Années courtes*, Gallimard, 1968 ; Folio 1973, p. 281, 282.

41. *L'Île noire*, p. 35 (1, 3).

42. AFH.

43. Lettre d'Hergé à Charles Lesne, 22 novembre 1938, AFH.

44. Lettre d'Hergé à Charles Lesne, 29 octobre 1936, AFH.

Lettre d'Hergé au père Neut, 5 janvier 1939, AFH.

45. Lettre d'Hergé au père Neut, 7 décembre 1938, AFH.

46. Georges Sadoul, *Ce que lisent vos enfants,* Bureau d'éditions, 1938, p. 51.

47. Article de Jean Morienval dans *Choisir,* 13 janvier 1935, cité par Laure Alexandre, « Évolution de la presse enfantine des années trente », mémoire de maîtrise, Université de Paris-X, 1987-1988, p. 91, 92.

48. « Une croisade », *Bayard,* 6 novembre 1938, reproduit par Laure Alexandre, *op. cit.*, p. 95.

49. *Bayard,* éditorial du 6 mars 1938, cité par Laure Alexandre, *op. cit.*, p. 96.

50. Jean Vaillant, « On a brûlé un sale bonhomme... », in *Cœurs Vaillants,* 20 mars 1938, reproduit par Laure Alexandre, *op. cit.*, p. 94.

51. Bernard Pourprix, « Lecture politique de *Mickey* », in *Économie et société,* n° 199, mai-juin 1971.

52. Interview de Le Rallic, in *L'Œuvre,* 17 mai 1937.

53. « Réclamation des dessinateurs français aux autorités en 1938 », document remis par M. Marijac et publié par Laure Alexandre, *op. cit.*, annexe 12.

54. Lettre d'Adelin Van Ypersele à Hergé, 9 août 1939, AFH.

Lettre d'Hergé à Adelin Van Ypersele, 12 août 1939, AFH.

55. AFH.

56. Lettre d'Hergé à un lecteur, 7 avril 1982, AFH.

Lettre d'Hergé à un lecteur, 5 octobre 1978, AFH.

57. *L'Aurore,* 17 décembre 1976.

58. Lettre d'Hergé à Pierre Fresnault, 16 janvier 1970, AFH.

59. Lettre d'Hergé à Jean-Paul Chemin, 22 mars 1973, AFH.

60. Lettre de Félix Morlion o.p. à Hergé, 5 février 1938, AFH

61. Hergé/Sadoul, version inédite, 2e interview, p. 36.

Numa Sadoul, *op. cit.*, p. 110.

62. *Le Petit Vingtième,* 28 juin 1934.

63. Alison Lurie, *Ne le dites pas aux grands. Essai sur la littérature enfantine,* Rivages, 1991, p. 17.

64. Corneliu Z. Codreanu, *La Garde de fer,* Prométhée, 1938, p. 419-425.

65. Lettre d'Hergé à Jean-Paul Chemin, 22 mars 1973, AFH.

66. Lettre d'Hergé à Charles Lesne, 12 juin 1939, AFH.

67. Lettres d'Hergé à Charles Lesne, 28 juin, 31 août et 19 septembre 1939, et à M. Casterman, 7 décembre 1938, AFH.

Lettres de Charles Lesne à Hergé, 3 juillet et 14 septembre 1939, AFH.

68. *Tintin au pays de l'or noir,* p. 3 (1).

69. Lettre de Pierre Ickx à Hergé, 15 septembre 1939, AFH.

70. Témoignage de William Ugeux à l'auteur.

71. Hergé/Sadoul, version inédite, 3e interview, p. 13.

72. Témoignage de Dominique de Wespin à l'auteur.

73. Lettre d'Hergé au père Neut, 3 janvier 1940, AFH.

74. Lettre du père Neut à Hergé, 8 décembre 1939, AFH.

Lettre d'Hergé à un ami belge non identifié résidant à Buenos Aires (J. Guerome ?), 10 avril 1948, AFH.

75. Lettre d'Hergé à M. Tong, ministre de la Propagande à Chung King, 19 décembre 1939, AFH.

76. Discours du 27 octobre 1939, cité par Jacques Willequet, *La Belgique sous la botte : résistances et collaborations 1940-1945,* Éditions universitaires, 1986, p. 42.

77. Jacques Willequet, *op. cit.,* p. 43.

78. *Ibid.,* p. 43, 44.

79. « Pacifisme », *Quick et Flupke,* in *Archives Hergé,* 2, *op. cit.,* p. 46, 47.

80. Jules Gérard-Libois et José Gotovitch, *L'An 40. La Belgique occupée,* Crisp, Bruxelles, 1971, p. 44.

81. Raymond De Becker, *Livre des morts et des vivants,* Éditions de la Toison d'or, Bruxelles, 1942, p. 262-264.

82. Gérard-Libois-Gotovitch, *op. cit.,* p. 48.

Courrier hebdomadaire, n° 497-498, Centre de recherches et d'informations socio-politiques, Bruxelles, 30 octobre 1970, p. 2.

83. Lettre du colonel Servais à Charles du Bus de Warnaffe, 21 février 1940, AFH.

84. Lettre du *Vingtième Siècle* à Hergé, 26 février 1940, AFH.

85. Hergé/Sadoul, version inédite, 3e interview, p. 14.

86. Paul Struye, *L'Évolution du sentiment public en Belgique sous l'occupation allemande*, Éditions Lumière, Bruxelles, 1945, p. 16.

87. Témoignage de William Ugeux à l'auteur.

88. Lettre d'Hergé à Tchang Tchong Jen, 15 février 1977, AFH.

Lettre d'Hergé au père Neut, 31 janvier 1963, AFH

89. AFH.

90. Lettre d'Hergé au colonel Rémy, 19 novembre 1976, AFH.

91. Hergé/Sadoul, version inédite, 3e interview, p. 15.

92. Jacques Willequet, *op. cit.*, p. 60.

93. *Ibid.*, p. 53, 54.

94. Lettre d'Hergé à Marijac, 1er avril 1946, AFH.

95. Lettre du *Vingtième Siècle* à Hergé, 30 juin 1940, AFH

96. Témoignage de William Ugeux à l'auteur.

97. Hergé/Sadoul, version inédite, 3e interview, p. 11.

98. Lettre d'Hergé à Charles Lesne, 10 août 1940, AFH.

6. L'ÂGE D'OR
1940-1944

1. Hergé/Sadoul, version inédite, 3e interview, p. 15.

2. Numa Sadoul, *op. cit.*, p. 130.

3. Lettres du *Vingtième Siècle* à Hergé, 30 octobre 1940 et 21 janvier 1941, AFH.

4. Lettres d'Hergé à Louis Casterman, 23 juillet et 6 août 1940, AFH.

5. Lettres de Jos Rezette à Hergé, 2 et 8 juillet 1940, AFH.

Lettre d'Hergé à Roger Saussus, 19 juillet 1940, AFH.

6. Interview d'Hergé à *La Libre Belgique*, 30 décembre 1975.

7. Martin Conway, *op. cit.*, p. 56.

8. Lettre d'Hergé à M. Van den Eynde, 28 octobre 1940, AFH.

9. Lettre d'Hergé à M. Van Acker, 13 septembre 1940, AFH.

10. Lettre d'Hergé à Charles Lesne, 12 septembre 1940, AFH.

11. Hergé/Sadoul, version inédite, 2e interview, p. 25.

12. J. L. Charles, « Les services allemands de propagande et de contrôle de l'information en Belgique occupée 1940-1944 », in *La Communication sociale et la guerre,* Institut de sociologie Bruylant, Bruxelles, 1974, p. 245.

Els de Bens, « La presse au temps de l'occupation en Belgique », in *Revue d'histoire de la Seconde Guerre mondiale,* XX, 1970, p. 27, 28.

Paul Struye, *op. cit.*

13. Els de Bens, p. 14, 15, 22, 23, 27, 28.

Jacques Willequet, *op cit.*, p. 168.

14. Archives du CREHSGM. Dossier JB 41.

15. Témoignage de Paul Jamin à l'auteur.

16. Lettre d'Hergé à Charles Lesne, 5 septembre 1940, AFH

17. *Le Journal de Mickey,* n° 297, 22 septembre 1940.

18. *Ibid.*, n° 309, 15 décembre 1940.

19. *Le Soir-Jeunesse,* 24 octobre 1940.

20. Lettre anonyme envoyée à Hergé, 16 octobre 1940, AFH

21. Lettre d'Hergé à Charles Lesne, 18 octobre 1940, AFH.

22. *Le Crabe aux pinces d'or,* p. 8 (4, 1).

23. Hergé/Sadoul, version inédite, 3e interview, p. 4.

24. Témoignage de Germaine Kieckens à l'auteur.

25. Lettre d'Hergé à Pierre Fresnault, 7 mai 1968, AFH.

26. *Le Crabe aux pinces d'or,* p. 37 (4,1) et (4,3), p. 38 (1,2) et (1,3).

27. Hergé/Sadoul, version inédite, 2e interview, p. 43.

28. Degrelle/Charlier, *op. cit.*, p. 100, 149, 184.

29. Lettre d'Hergé, 28 août 1974, AFH.

30. Jacques Willequet, *op cit.*, p. 53, 54.

Hergé/Sadoul, version inédite, 3e interview, p. 16.

31. Thierry Crépin, « Un journal pour enfants sous l'occupation : *Cœurs Vaillants* 1940-1944 », Université de Bordeaux-III, 1984-1985, p. 15, 33, 34.

32. *Ibid.*, p. 45-62.

33. Thierry Crépin, « Il était une fois un Maréchal de France. Maréchalisme et Révolution nationale dans la presse enfantine 1940-1944 », mémoire, p. 4.

34. Pascal Ory, *Le Petit Nazi illustré. Le Téméraire 1943-1944*, Albatros, 1979, p. 25.

35. Christian Delporte, *Les Crayons de la propagande. Dessinateurs et dessin politique sous l'Occupation*, CNRS Éditions, 1993, p. 39.

36. Alain Saint-Ogan, *Je me souviens de Zig et Puce et de quelques autres*, La Table Ronde, 1961, p. 166.

37. Hergé/Sadoul, version inédite, 3e interview, p. 16.

38. Marcel Vermeulen, *Cinquante ans dans les coulisses du "Soir"*, tapuscrit inédit, cote 06/BE, Bibliothèque du *Soir*, 1995, p. 78, 79.

39. *Ibid.*, p. 81.

40. « Affaire *Le Soir* », Archives du CREHSGM, cote JB 41, p. 17.

41. Liste du 9 juillet 1941, Archives du CREHSGM.

Pascal Fouché, *L'Édition française sous l'Occupation*, I, BLFC, Université de Paris-VII, p. 39, 40.

42. Programme du « Parti des Provinces Romanes de Belgique », 19 mai 1941, cote PD9 (271-278), Archives du CREHSGM.

43. Martin Conway, *op. cit.*, p. 96.

44. Programme du « Parti... », *op. cit.*

Martin Conway, *op. cit.*, p. 98.

45. Francis Balace, « Fascisme et catholicisme politique dans la Belgique francophone de l'entre-deux-guerres », in *Handelingen van het XXXIIe Vlamms Filogencongres*, Leuven, 1979, p. 161.

46. Lettre de l'abbé Varzim à Hergé, 2 novembre 1942, AFH.

Lettres d'Hergé à l'abbé Varzim, 23 février 1943, 12 juin 1944 et 30 juin 1945, AFH.

47. Lettre d'Hergé à Charles Lesne, 6 octobre 1941, AFH.

48. Lettre d'Hergé à Charles Lesne, 15 septembre 1941, AFH.

49. Lettre d'Hergé à Casterman, 31 mars 1941, AFH.

50. Lettres d'Hergé à Charles Lesne, 18 et 20 décembre 1941, AFH.

Lettre d'Hergé à M. Bremisch, 18 décembre 1941, AFH.

Lettres de Charles Lesne à Hergé, 19, 23 et 31 décembre 1941, AFH.

51. Lettre de Charles Lesne à Hergé, 13 août 1941, AFH.

Lettre d'Hergé à Charles Lesne, 11 août 1941, AFH.

52. Lettre d'Hergé à Charles Lesne, 11 août 1941, AFH.

53. Lettre de Charles Lesne à Hergé, 20 novembre 1941, AFH.

54. Correspondance Robert du Bois de Vroylande-Hergé, 1940-1941, AFH.

55. Correspondance Pierre Daye-Robert du Bois de Vroylande, 1er et 8 octobre 1940, Archives du CREHSGM, PD9 (361).

Lettre de Martin du Bois de Vroylande, Courrier des lecteurs, *Le Soir,* 13 septembre 1995.

56. *Le Soir,* 1er octobre 1941. Voir également les critiques dans *Le Travail*, septembre 1941 ; *Le Centre*, 16 novembre 1941 ; *La Légia*, 29 septembre 1941.

57. Robert du Bois de Vroylande, *Fables,* Éditions du Styx, Louvain, 1941, p. 43-47.

58. Maxime Steinberg, *L'Étoile et le fusil. La Question juive 1940-1942,* Vie ouvrière, Bruxelles, 1983, p. 16, 17.

59. Dominique Manaud, « Un regard sur la folie à travers les aventures de Tintin », thèse de médecine, n° 265, Université de Bordeaux-II, 1980, p. 1, 6.

François Flahaut, « Le plaisir de la peur. *L'Étoile mystérieuse* et l'araignée géante », in *Communications,* n° 57, 1993, p. 157-190.

60. Hergé/Sadoul, version inédite, 3e interview, p. 39.

61. Lettre de Bernard Heuvelmans à Hergé, 10 janvier 1941 (?), AFH.

62. Robert Mochkhovitch, in *Télérama,* 26 juillet 1995, p. 45.

63. *L'Oreille cassée,* p. 57 (2, 3).

64. Images reproduites également dans *Le Soir*, 19-20 août 1995.

65. *Voilà*, n° 34, 22 août 1941.

66. Hergé/Sadoul, version inédite, p. 41.

67. Selon Jean-Philippe Schreiber, in Anne Morelli (sous la direction de), *Les grands mythes...*, *op. cit.* Philippe Destatte, *Jules Destrée, l'antisémitisme et la Belgique. Lettre ouverte à tous ceux qui colportent des mythes éculés sur les Wallons et leur histoire*, Institut Jules Destrée, Charleroi, 1995.

Michel Graindorge, *Edmond Picard au Rwanda. Une histoire sans fin de la montée de l'antisémitisme et du racisme*, Le Cri, Bruxelles, 1994.

68. Maxime Steinberg, *op. cit.*, p. 17.

69. *Le Soir*, 4 mars 1941.

70. *Ibid.*

71. Lettres d'Hergé à Charles Lesne, 29 janvier et 15 février 1942, AFH.

72. Lettre d'Hergé à Charles Lesne, 15 mars 1942, AFH. Lettre de Charles Lesne à Hergé, 3 avril 1942, AFH.

73. Lettre d'Hergé à Charles Lesne, 18 mai 1942, AFH.

74. « Avec Tintin et Milou. Une interview de Hergé », par André Colard, Radio-Bruxelles, 5 mars 1942, enregistrement n° 1961, transcription CREHSGM, 1B3, AIII42.

75. Lettre de Charles Lesne à Hergé, 3 avril 1942, AFH.

76. Lettre d'Hergé à Charles Lesne, 24 octobre 1942, AFH.

77. Numa Sadoul, *op. cit.*, p. 110.

78. Lettre d'Hergé à Charles Lesne, 18 mai 1942, AFH.

79. Pascal Ory, *Le Petit nazi illustré*, *op. cit.*, ? p. 25.

80. Lettre d'Hergé à Casterman, 15 mars 1942, AFH.

81. Notes d'Hergé, 24 juillet 1942, et lettre de M. Thiéry à Hergé, 24 juillet 1942, « Affaire Thiéry-Remi », AFH.

82. Lettre d'Hergé à J. Duchemin, 28 juin 1934, AFH.

83. Lettre d'Hergé à Louis Casterman, 15 février 1942, AFH.

84. AFH.

85. Lettre d'Hergé à Lucien Fonson, 31 mars 1941, AFH.

Marcel Vermeulen, *op. cit.*, p. 81.

« Hergé au Théâtre des Galeries », in *Les Amis de Hergé*, n° 2, décembre 1985, p. 38, 39.

86. Edgar P. Jacobs, *Un Opéra de papier. Les mémoires de Blacke et Mortimer*, Gallimard 1981, p. 75.

87. Gérard Lenne, *L'Affaire Jacobs*, Megawave, Saint-Germain-en-Laye, 1990, p. 7, 23.

88. Lettre d'Hergé à Edgar P. Jacobs, 10 février 1942, AFH.

89. Gérard Liger-Belair, « Le Stratonef H-22 », in *Les Amis de Hergé*, n° 8, décembre 1988, p. 36-38.

90. Gérard Liger-Belair, « La Licorne », in *Les Amis de Hergé*, n° 9, juin 1989, p. 10-11.

91. Lettre d'Hergé à Charles Lesne, 21 novembre 1942, AFH.

92. Lettre de Jean-Claude Lemineur à Hergé, 31 juillet 1979, AFH.

Lettre d'Hergé à Jean-Claude Lemineur, 8 août 1979, AFH.

93. Paul Struye, *op. cit.*, p. 109.

94. *Le Soir*, avril 1941, cité par Maxime Steinberg, *op. cit.*, p. 18, 19.

95. Lettre d'Hergé à Charles Lesne, 1er octobre 1942, AFH.

96. Martin Conway, *op. cit.*, p. 141, 142.

97. *Ibid.*, p. 175.

98. Raymond De Becker, « En marche vers l'unité », in *Le Soir*, 27 octobre 1942, p. 1.

99. *Le Soir*, 26 octobre 1942, p. 2.

100. Lettre d'Hergé à Dominique Labesse, 1er juillet 1969, AFH.

101. Martin Conway, *op. cit.*, p. 188-192.

102. Lettre de Raymond De Becker à Léon Degrelle, 18 janvier 1943, Archives CREHSGM, PD9 336-340.

103. Marcel Vermeulen, *op. cit.*, p. 82, 83.

104. Georges Beatse, « À propos d'une conférence », in *Le Soir*, mai 1942.

105. Guy Lebrun, « L'abbé Norbert Wallez, découvreur du talent d'Hergé », in *L'Âge d'or*, n° 18, janvier 1991.

106. Lettre de Charles Lesne à Hergé, 26 novembre 1943, AFH.

Lettre d'Hergé à Charles Lesne, 1er décembre 1943, AFH.

107. Lettre d'Hergé à un lecteur, 19 octobre 1971, AFH

108. Frédéric Soumois, *op. cit.*, p. 192.

109. Lettres d'Hergé à des lecteurs, 13 mars 1964 et 16 février 1971, AFH.

110. Lettres d'Hergé à Pierre Fresnault, 7 mai 1968 et 8 décembre 1970, AFH.

Numa Sadoul, *op. cit.*, p. 164.

111. Benoît Denis, *Les Avatars de Tintin. Stratégies thématiques, idéologiques et formelles dans l'œuvre d'Hergé*, Université de Liège, 1991-1992, p. 100-103.

112. *Le Trésor de Rackham le Rouge*, p. 36.

113. Lettre d'Hergé à Charles Lesne, 6 septembre 1943, AFH.

114. Raymond De Becker, « Conférence rédactionnelle au *Soir* », 3 septembre 1943, Fonds Léo Lejeune, (756) PL1 n° 416-419, Archives du CREHSGM.

115. Lettre de Robert Poulet à José Streel, 27 mai 1942, Fonds Streel, PS16 III n° 23, Archives du CREHSGM.

116. Document du 6 février 1942 cité par Jacques Willequet, *op. cit.*, p. 83.

117. Robert Poulet, « Adieu Georges », in *Rivarol*, n° 1667, 18 mars 1983, p. 11.

118. Paul Kinnet, « Dupont et Dupond détectives », in *Les Amis de Hergé*, n° 12, décembre 1990, p. 34, 35.

Le Soir, 23 septembre-11 novembre 1943.

119. Témoignage de Paul Jamin à l'auteur.

120. Lettre d'Hergé à Georges Pottiez, 29 novembre 1943, AFH.

121. « Affaire *Le Soir* », JB41, p. 43, Archives du CREHSGM.

122. Paul Struye, *op. cit.*, p. 170.

123. Lettres d'Hergé à Victor Meulenijzer, 22 et 30 septembre 1943, AFH.

Lettres de Victor Meulenijzer à Hergé, 16, 22 et 24 septembre 1943, AFH.

124. Lettre d'Alexis Peclers à Hergé, 18 janvier 1943, AFH.

Lettre d'Hergé à Alexis Peclers, 20 janvier 1943, AFH.

125. Lettre de Charles Lesne à Hergé, 1er septembre 1943, AFH.

126. Lettre d'Hergé à Charles Lesne, 6 septembre 1943, AFH.

127. Camille Joset, « Présentation du faux *Soir* », in *Histoire du faux « Soir » du 9 novembre 1943,* brochure du Comité national du Front de l'indépendance, Bruxelles, 1993, p. 3.

128. Jean Pihan, *Merci pour le passé,* Fleurus, 1985, p. 80, 81.

Thierry Crépin, *op. cit.*, p. 45.

129. Pascal Ory, *Le Petit nazi illustré, op. cit.*

130. Lettre d'Alain Saint-Ogan au secrétaire général à la Propagande, 22 décembre 1943, citée par Thierry Crépin, *op. cit.*, p. 15, 16.

131. Henry Coston, *Les Corrupteurs de la jeunesse,* Bulletin d'informations antimaçonniques, s.d. (1943), p. 24.

132. Christian Delporte, *op. cit.*, p. 44, 45.

133. « Contre l'excitation à la haine et au désordre », liste des ouvrages retirés de la circulation et interdits en Belgique, 9 juillet 1941, Archives du CREHSGM.

134. Lettre d'Hergé à Pierre Fresnault, 19 décembre 1972, AFH.

135. Lettres d'Hergé à Louis Casterman, 16 et 21 mai 1943, AFH.

136. Lettre de Charles Lesne à Hergé, 8 novembre 1943, AFH.

137. Lettre d'Hergé à Charles Lesne, 16 novembre 1943, AFH.

138. Lettre d'Hergé à Charles Lesne, 25 novembre 1943, AFH.

139. Lettre de Charles Lesne à Hergé, 25 août 1943, AFH.

140. Interview d'Hergé à *La Libre Belgique,* citée *supra.*

141. Étienne Pollet, « Phénomène et édition », in *Tintin patrimoine des imaginaires,* IESA/Economica, 1992, p. 72 et 87.

142. Numa Sadoul, *op. cit.*, p. 89.

143. Entretien d'Hergé avec Jacques Chancel, 29 janvier 1970, « Radioscopie », France-Inter.

144. Frédéric Soumois, *op. cit.*, p. 30, 31, 35.

145. Lettre-contrat d'Hergé à Edgar P. Jacobs, 30 décembre 1943, AFH.

146. Lettre d'Hergé à Jacques Dalarun, 6 juillet 1973, AFH.

147. Lettre d'Hergé à Charles Lesne, 19 juin 1944, AFH.

148. Lettre d'Hergé à *Het Laatste Nieuws*, 19 juin 1944, AFH.

Lettre de *Het Laatste Nieuws* à Hergé, 21 juin 1944, AFH.

149. Marcel Vermeulen, *op. cit.*, p. 93.

150. Lettre de Charles Lesne à Hergé, 1er juillet 1944, AFH.

151. *La Bête est morte !*, réédition Gallimard, 1995.

Patrick Gaumer et Claude Moliterni, *Dictionnaire mondial de la bande dessinée*, Larousse, 1994, p. 64.

7. LA PROVIDENCE DES INCIVIQUES 1944-1946

1. *L'Insoumis*, septembre 1944.

2. Dossier Georges Remi ouvert auprès de l'Auditorat général sous le numéro des notices 3065, 1944, AAGCM.

3. Sadoul/Hergé, version inédite, 2e interview, p. 25.

Robert Poulet, *Rivarol*, art. cité.

4. *Le Soir*, 8 septembre 1944.

5. *La Patrie*, n° 1, 3-10 septembre 1944.

6. *Ibid.*, n° 2, 10-17 septembre 1944.

7. *Ibid.*, n° 3, 23-30 septembre 1944.

8. Lettre d'Hergé à Charles Lesne, 19 septembre 1944, AFH.

9. Luc Huyse et Steven Dhondt, *La Répression des collaborations 1942-1952. Un passé toujours présent*, CRISP, Bruxelles, 1993, p. 65.

10. *Ibid.*, p. 261.

11. Luc Huyse et Kris Hoflack, « Quelques aspects de l'"épuration" après la Seconde Guerre mondiale », in Anne Morelli, *op. cit.*, p. 260.

12. *Annales parlementaires,* Chambre des représentants, Bruxelles, 13 novembre 1946, p. 10.
13. Huyse et Dhondt, *op. cit.*, p. 41, 44.
14. *Annales parlementaires,* Chambre des représentants, Bruxelles, 14 novembre 1946, p. 2-6.
15. *Ibid.*, p. 8, 9.
16. Huyse et Dhondt, *op. cit.*, p. 43.
17. *Ibid.*, p. 30.
18. Numa Sadoul, *op. cit.*, p. 138, 139.
19. Lettre confidentielle de M. Vinçotte à l'Auditeur général, 8 mars 1945, AAGCM.
20. Raymond Leblanc, *Dés pipés,* André Gilbert, Bruxelles, 1942.

Témoignage de Raymond Leblanc à l'auteur.

21. Interview d'Albert Debaty à *Vlan,* 3 décembre 1986, p. 79.

Jean Godin, « Albert Debaty raconte l'hebdomadaire *Tintin* », in *La Province,* 1er juillet 1995.

Témoignage de Raymond Leblanc à l'auteur.

Témoignage d'Albert Debaty à l'auteur.

22. Témoignage de Pierre Ugeux à l'auteur.
23. Témoignage de Raymond Leblanc à l'auteur.
24. *Ibid.*
25. *Ibid.*
26. Témoignage de Pierre Ugeux à l'auteur.
27. Témoignage de William Ugeux à l'auteur.
28. Étienne Pollet, art. cité, p. 72, 87.
29. Lettre de M. Vinçotte à l'Auditeur général, 12 novembre 1945, Dossier Georges Remi, n° 3065-44, AAGCM.

Témoignage de Pierre Ugeux à l'auteur.

30. Témoignage de William Ugeux à l'auteur.
31. Lettre de William Ugeux au Service communal de la Participation de la ville d'Ottignies, 31 mai 1989, AFH.
32. William Ugeux, *Le Passage de l'Iraty,* Armand Henneuse éd., Lyon, 1962 (bibliothèque d'Hergé, AFH).
33. Lettre de Walter Ganshof van der Meersch au ministre de la Justice, 2 février 1947, Dossier administratif de Georges Remi, joint 0/566, AAGCM.
34. Témoignage de Raymond Leblanc à l'auteur.

35. Certificats de civisme respectivement datés du 25 juin et du 4 octobre 1946, ARL.

36. Lettre de Bernard Thiéry à la société Les Beaux Films, 3 juillet 1946, AFH.

37. Benoit Peeters, *Le Monde d'Hergé, op. cit.*, p. 210.

38. Hergé/Sadoul, version inédite, 2e interview, p. 17.

39. Lettre de Pierre Ickx à Hergé, 16 août 1946, AFH.

Lettre d'Hergé à Pierre Ickx, 24 septembre 1946, AFH.

40. Hervé Springael, « Tintin retrouvé ! », in *Les Amis de Hergé*, n° 7, juin 1988, p. 4-8.

41. Lettre de Hergé à Charles Lesne, 8 février 1945, AFH.

42. Robert Poulet, interview à la 1re chaîne de la BRT dans le cadre d'une émission sur la Belgique sous l'Occupation, 16 et 23 avril 1982.

43. Témoignage d'Henri Roanne-Rosenblatt à l'auteur (documentaire réalisé en 1974-1975 en collaboration avec Gérard Valet).

44. Témoignage de Jacques Martin à l'auteur.

45. Numa Sadoul, *op. cit.*, p. 90.

46. *Ibid.*, p. 135.

Henry de Montherlant, *Essais*, Bibliothèque de la Pléiade, Gallimard, 1963, p. 729.

47. Hergé/Sadoul, version inédite, 2e interview, p. 25.

48. Lettre d'Hergé à l'abbé Daniel Goens, 25 août 1947, AFH.

49. Lettre d'Hergé à Roger Vermeire, 30 avril 1947, AFH.

50. Lettre d'Hergé à Charles Lesne, 31 décembre 1945, AFH.

51. Témoignage de Paul Jamin à l'auteur.

52. *La Patrie*, 4 mai 1945.

53. Robert Poulet, « Histoire d'une amitié », in *Écrits de Paris*, septembre 1977, n° 372, p. 29.

Robert Poulet, *Ce n'est pas une vie*, Denoël, 1976, p. 10.

54. Robert Poulet, *Rivarol*, art. cité.

55. Christian Delporte, *op cit.*, p. 74, 76-83, 161, 163.

56. Lettres de Ralph Soupault à Hergé, les 12 février et 27 mars 1958, AFH.

Lettre d'Hergé à Ralph Soupault, 14 février 1958, AFH.

57. Lettre d'Hergé à Maurice Bardèche, 17 février 1959, AFH.

58. *Le Soir,* 21 juin 1946, p. 2.
59. *Ibid.,* 26 juin 1946, p. 2.
60. *Ibid.,* 3 juillet 1946, p. 3.
61. Maurice Duwaerts, « À propos des procès de presse », in *Le Soir,* 6 juillet 1946, p. 1.
62. Hergé/Sadoul, version inédite, 2e interview, p. 17.
63. Témoignage d'Yves Duval à l'auteur.
64. *Le Soir,* 25 juillet 1946.
65. *Ibid.,* 15 juin 1947, p. 4.
66. Témoignage de Raymond Leblanc à l'auteur.
67. *Annales parlementaires,* Chambre des représentants, Bruxelles, 29 octobre 1947, p. 6.
68. Témoignage de Raymond Leblanc à l'auteur.

8. LES ANNÉES NOIRES 1946-1950

1. Hergé/Sadoul, version inédite, 2e interview, p. 18.
2. Philippe Goddin, *Hergé et Tintin reporters, op. cit.,* p. 88.
3. Projet de préface d'Hergé pour un livre de Philippe Goddin sur Cuvelier, AFH.
4. Philippe Goddin, *Corentin ou les chemins du merveilleux,* Éditions du Lombard, Bruxelles, 1984.
5. Hergé/Sadoul, version inédite, 2e interview, p. 18.
6. Stanislas Faure, *op. cit.,* p. 20.
7. Thierry Crépin, *op. cit.,* p. 129, 130.
8. Alain Saint-Ogan, *op. cit.,* p. 181.
9. Jean Pihan, *op. cit.,* p. 89.
10. Gilles Pidard, « Du côté des communistes, *Vaillant* contre les Américains », in *Le Temps de la guerre froide,* L'Histoire/Points, 1995, p. 131-134.
11. Témoignage de Raymond Leblanc à l'auteur.
12. *Le Quotidien,* « Chronique de l'incivisme », 28 septembre 1946.
13. Fernand Demany, « Presse pourrie, journalistes marrons », in *Drapeau rouge,* 30 septembre 1946.
14. *Le Soir,* 29 septembre 1946.
15. *La Cité nouvelle,* 6 et 7 octobre 1946.
16. Témoignage de Raymond Leblanc à l'auteur.

17. *Le Rouge et le Noir,* 4 novembre 1936.

18. Michel Lecureur, *Marcel Aymé,* La Manufacture, Lyon, 1988, p. 127.

19. Lettres d'Hergé à des lecteurs, 27 septembre 1969 et 8 décembre 1979, AFH.

20. « Deux copains de l'après-guerre », interview de E. P. Jacobs avec Benoit Peeters, in *(À suivre), Hors-série, « Spécial Hergé »,* Casterman, Tournai, 1983, p. 64-65.

Hergé, *Le Temple du soleil,* version originale, Casterman, Tournai, 1988.

21. Benoit Peeters, « Hergé/Jacobs », in *Les Amis de Hergé,* n° 5, juin 1987, p. 3-5.

22. Lettre-contrat d'Hergé à Edgar Jacobs, 1er septembre 1944, AFH.

23. Hergé/Sadoul, version inédite, 3e interview, p. 39.

Le Trésor de Rackham le Rouge, p. 24 (3).

24. Hergé/Sadoul, version inédite, 2e interview, p. 4.

25. Henry de Montherlant, *op. cit.,* p. 724, 725.

26. Gérard Lenne, *op. cit.,* p. 31, 115.

27. Témoignage de Jacques Martin à l'auteur.

28. Témoignage de Dominique de Wespin à l'auteur.

29. Lettres d'Hergé à Germaine Remi, s.l.n.d. (Scourmont, 1947-1948), AGK.

Lettre d'Hergé au R.P. Hupperts, 18 mars 1948, AFH.

Affaire Hergé-Bernard Thiéry, mai-juin 1947, AFH.

30. Marijac, « Mon ami Hergé », in *HAGA,* n° 53, 1983, p. 11.

31. J. G. Londos, « Le problème des inciviques », in *Le Soir,* 21 juin 1946, p. 2.

32. Lettre d'Hergé à Jeanne Cappe, 4 mars 1947, AFH.

33. Témoignage de William Ugeux à l'auteur.

34. *Le Phare,* 20 juillet 1947.

35. *Annales parlementaires,* Chambre des représentants, séance du 29 octobre 1947, Bruxelles, p. 8.

36. Lettre d'Hergé à Pierre Fontaine, 27 novembre 1947, AFH.

37. Témoignage de Raymond Leblanc à l'auteur.

38. Interview de Jacques Martin au *Bulletin communal d'Ottignies,* n° 36, mars 1988, p. 25.

39. Lettre d'Hergé au consul d'Argentine, 23 janvier 1948, AFH.

40. Lettre d'Hergé à Nestor Orsi, 5 février 1948, AFH.

41. Lettre d'Hergé à Louis Casterman, 8 avril 1948, AFH.

42. Certificat de Louis Casterman en date du 12 avril 1948, AFH.

43. Lettre d'Hergé à un ami belge non identifié (J. Guerome ?) résidant à Buenos Aires, 10 avril 1948, AFH.

44. Lettre d'Hergé à J. Guerome, 10 mai 1948, AFH.

45. Lettre d'Hergé à Charles Lesne, 9 avril 1948, AFH.

Lettre d'Hergé à Walt Disney, 9 avril 1948, AFH.

Lettre de Gil Souto (Disney) à Hergé, 2 juin 1948, AFH.

46. Témoignage de Guy Dessicy à l'auteur.

Témoignage de Frans Jageneau à l'auteur.

47. Témoignage de Bernard Heuvelmans à l'auteur.

48. Lettre de Bernard Heuvelmans à Hergé, 14 septembre 1947, AFH.

Lettre d'Hergé à Bernard Heuvelmans, 21 février 1949, AFH.

49. Lettre d'Hergé à Louis Casterman, 10 mai 1943, AFH.

50. Témoignage de Raymond Leblanc à l'auteur.

51. Lettre d'Hergé à Joseph Gillain, 26 novembre 1948, AFH.

52. Notes personnelles de Germaine Remi, 10 août 1948, AGK.

Correspondance Hergé-Jacobs, s.d. (1947-1949), AFH.

53. Gérard Liger-Belair, art. cité, p. 11.

54. Lettre d'Hergé à E. P. Jacobs, 20 août 1949, AFH.

55. Smolderen et Sterckx, *op. cit.*, p. 232.

56. *Ibid.*, p. 220.

57. Lettre d'Hergé à Germaine Remi, 3 juillet 1948, AGK.

Témoignage de Jean Libert à l'auteur.

Jean Libert, « Le souvenir de mon ami Hergé », texte inédit, 1995.

58. Lettre de l'abbé Wallez à Germaine Remi, 1er août 1949, AGK.

Nombreuses lettres d'Hergé à Germaine Remi, 1948-1949, AGK.

59. Hergé/Sadoul version inédite, 2e interview, p. 19.

60. Lettre d'Hergé à Pierre Ickx, 22 avril 1947, AFH.

61. Lettre d'Hergé à Paul Cuvelier, 15 octobre 1948, AFH.

62. Lettre d'Hergé à Paul Cuvelier, 31 janvier 1949, AFH.

63. Lettre d'Hergé à Evany, 31 mars 1953, AFH.

64. Rapport retraçant l'historique de l'affaire, établi par Casterman pour les avocats, s.d. (probablement juillet 1951), AFH.

Lettre d'Hergé à la maison Casterman, 5 mai 1951, AFH.

65. Note transmise aux rédactions le 10 mars 1947, AFH.

66. Copie d'une lettre manuscrite écrite par Hergé à Raymond Leblanc, 1er ou 2 novembre 1949, AFH.

67. Lettre de Raymond Leblanc à Hergé, 5 novembre 1949, AFH.

68. Lettre d'Hergé à Raymond Leblanc, 12 novembre 1949, AFH.

9. VERS LA CONSÉCRATION 1950-1958

1. Robert Lanquar, *L'Empire Disney,* PUF, 1992, p. 28, 29.

2. Témoignage de Guy Dessicy à l'auteur.

3. Témoignages de Jean Libert et de Paul Jamin à l'auteur.

4. Lettre d'Hergé à Raymond De Becker, 8 janvier 1954, AFH.

5. Guy Delfosse, « Au secours des droits de l'homme », in *La Conférence,* Bruxelles, 1995-1996, n° 2, p. 11, 12.

Lettre de Raymond De Becker à Hergé, 12 novembre 1959, AFH.

6. Témoignage de Jacqueline van den Branden de Reeth à l'auteur.

7. Dominique de Wespin, *op. cit.,* p. 174.

Lettre d'Hergé à un lecteur, 26 octobre 1965, AFH.

8. Témoignage de Guy Dessicy à l'auteur.

9. Bob De Moor, « Une curieuse victoire », in *Le Vif magazine,* n° spécial, 22 avril 1983, p. 22-24.

10. Hergé/Sadoul, version inédite, 4e interview, p. 24, 25.

11. Entretien avec Bob De Moor, in *Les Amis de Hergé,* n° 2, décembre 1985, p. 23.

12. Correspondance Hergé-Jacques Martin, 16 décembre 1949-28 octobre 1954, AJM.

Entretien avec Jacques Martin, *Les Amis de Hergé,* n° 10, décembre 1989.

13. Hergé/Sadoul, version inédite, 4e interview, p. 24, 25.

14. Témoignage de Jacques Martin à l'auteur.

15. Philippe Goddin, *Comment naît une bande dessinée. Par-dessus l'épaule d'Hergé,* Casterman, Tournai, 1991.

Philippe Goddin, *Hergé et Tintin reporters, op. cit.*, p. 123-145.

Benoit Peeters, *Case, planche, récit. Comment lire une bande dessinée,* Casterman, Tournai, 1991, p. 26, 27.

Le Musée imaginaire de Tintin, Casterman, Tournai, 1980.

Numa Sadoul, *op. cit.*

Lettre d'Hergé à Tchang Tchong Jen, 28 mars 1976, AFH.

Cahier de notes d'Hergé, manuscrit, AFH.

Témoignages de Guy Dessicy et Frans Jageneau à l'auteur.

Lettres d'Hergé à des lecteurs, 26 juillet 1978, 18 février 1971, 16 janvier 1971, 3 novembre 1967, 12 mai 1960, 16 janvier 1975, AFH.

Projet (sans suite) de réponses à l'enquête de la faculté des Lettres et Sciences humaines de l'université de Nice, AFH.

16. Hergé/Sadoul, version inédite, 4e interview, p. 25.

Lettre d'Hergé à un lecteur, 18 juin 1975, AFH.

Lettre d'Hergé à l'abbé Gosset, 17 mars 1945, AFH.

17. Frédéric Soumois, *op. cit.*

18. Lettre d'Hergé à Pierre Servais (son interlocuteur chez Casterman après la mort de Charles Lesne en 1950), 12 janvier 1956, AFH.

19. Frédéric Soumois, *op. cit.*, p. 68.

20. Lettre d'Hergé à un lecteur, 21 janvier 1972, AFH.

21. D. Leroux, V. Thepot et E. Hispard, « Tintin et l'alcool », in *Aujourd'hui l'alcoologie,* ADRIA, n° 48, mai-juin 1991, p. 8-12.

22. Lettre de Pierre Servais à Baudouin Van den Branden, 24 avril 1959, AFH.

23. Lettre d'Hergé à un lecteur, 22 juin 1960, AFH.

24. Lettre d'Hergé à un lecteur, 15 juillet 1958, AFH.

25. Lettre de Thos Hine et Cie à Casterman, 25 avril 1958, AFH.

Lettre d'Hergé au directeur de Thos Hine et Cie, 14 mai 1958, AFH

26. Lettre d'Hergé à Louis-Robert Casterman, 14 décembre 1956, AFH.

Lettre de Louis-Robert Casterman à Hergé, 22 décembre 1956, AFH.

27. Lettre d'Hergé à Casterman, 10 décembre 1953, AFH.

Lettre de Casterman à Hergé, 11 août 1954, AFH.

28. Lettre de Mme B. à Hergé, 1er mars 1954, AFH.

Lettre d'Hergé à Mme B., 17 mars 1954, AFH.

29. Lettre d'Hergé à Louis-Robert Casterman, 18 juin 1954, AFH.

30. Hergé/Sadoul, version inédite, p. 41.

Maurice Einhorn, « L'antisémitisme dans la bande dessinée », in *Regards,* n° 24, 17-30 avril 1981 ; « L'antisémitisme en bulles », in *Regards,* n° 99, 26 août 1983.

31. Témoignage de Pierre Alechinsky à l'auteur.

Lettre d'Hergé à Pierre Alechinsky, 13 octobre 1977, AFH.

Pierre Alechinsky, *Far Rockaway,* Fata Morgana, Montpellier, 1977, p. 122.

32. « Relevé des corrections à faire dans les albums Tintin », janvier 1959, AFH.

33. Hergé/Sadoul, version inédite, 2e interview, p. 11.

34. Lettre d'Hergé à un lecteur, 17 mai 1955, AFH.

35. AN, F41bis 920 181/1.

36. Jacques Perret, « On veut museler la presse enfantine », in *La Bataille,* 21 janvier 1948.

37. Alain Saint-Ogan, *op. cit.,* p. 184-185.

38. Pascal Ory, « Mickey go home ! La désaméricanisation de la bande dessinée 1945-1950 », in *Vingtième Siècle, revue d'histoire,* n° 4, octobre 1984, p. 82.

39. Loi n° 49-956, votée le 2 juillet 1949, publiée le 16 dans le *Journal officiel* et modifiée par le loi du 29 novembre 1954.

40. Rapport de la commission de censure, 1950, p. 32, AN. *Combat,* 6 décembre 1954.

41. Jean Pihan, *op. cit.,* p. 147.

42. Armand Lanoux, in *L'Éducation nationale,* 27 avril 1950.

43. Bertrand Caillé, *op. cit.,* p. 71.

Thierry Martens, *op. cit.,* p. 14, 15.

44. Bertrand Caillé, *op. cit.,* p. 71.

G. Craenhals, *op. cit.,* p. 173.

45. Stanislas Faure, *op. cit.,* p. 66.

46. Procès-verbal de la 21e séance de la commission, 4 février 1954, F41bis 920 181/1, AN.

47. Gérard Lenne, *op. cit.,* p. 40, 46, 50, 117, 118.

48. Lettre de Marcel Dehaye à Hergé, 12 décembre 1951, AGK.

49. ARL.

50. « Journal *Tintin*. Note Hergé », texte manuscrit, 1952, AFH.

51. *Ibid.*

52. Lettre d'Hergé à I. et G. Bogdanoff, 24 septembre 1975, AFH.

53. Robert Pourvoyeur, « Hergé et Jules Verne », in *Les Amis de Hergé,* n° 14, décembre 1991, p. 6-8.

54. *Objectif Lune,* p. 14 (1, 3).

55. Lettre d'Hergé à un lecteur, 25 septembre 1974, AFH.

56. Lettre d'Hergé à Louis Brouwet, 4 novembre 1953, AFH.

57. Lettre d'Hergé à Max Hoyaux, 20 août 1950, AFH.

Lettre de Max Hoyaux à Hergé, 18 janvier 1951, AFH.

58. « Alexandre Ananoff se souvient », in *Athena,* n° 72, juin 1991, p. 32.

59. Robert Mochkhovitch (Institut astrophysique de Paris), « Hergé l'erreur ! », in *Télérama,* n° 2376, 26 juillet 1995, p. 44.

60. Lettre d'Hergé à Max Hoyaux, 29 janvier 1951 (ou 1953 ?), AFH

61. Lettre d'Hergé à un lecteur, 14 novembre 1953, AFH.

62. Témoignage de Bernard Heuvelmans à l'auteur.

Lettre d'Hergé et Baudouin Van den Branden à Bernard Heuvelmans, 18 juillet 1958, ABH.

63. Benoit Peeters, *Le Monde d'Hergé, op. cit.*, p. 94-97.

64. Entretien d'Hergé avec Benoit Peeters, in *Le Monde d'Hergé, op. cit.*

Lettres d'Hergé à Bernard Heuvelmans, 29 novembre 1949, 6 juin 1950, 2 juillet 1951, 22 janvier 1959, 19 avril 1962, 22 février 1974, ABH.

Lettre de Bernard Heuvelmans à Hergé, 14 juin 1950, ABH.

Témoignage de Jacques Martin à l'auteur.

65. Témoignage de Bernard Heuvelmans à l'auteur.

66. Philippe Goddin, *Tintin et Hergé reporters, op. cit.*, p. 100.

Lettre rectificative de Philippe Goddin à l'auteur, décembre 1995.

67. Lettre d'Hergé à un lecteur, 18 décembre 1951, AFH.

68. Compte rendu des travaux de la Commission de surveillance et de contrôle des publications destinées à l'enfance et à l'adolescence au cours de l'année 1950, mars 1951, F41bis 920 181/1, AN.

69. *Tintin*, n° 45, 11 novembre 1953.

70. *On a marché sur la Lune*, p. 55 (1, 3).

Lettre d'Hergé à un lecteur, 10 janvier 1970, AFH.

Entretien d'Hergé avec *La Libre Belgique*, art. cité.

71. Lettre d'Hergé à Louis-Robert Casterman, 24 août 1954, AFH.

72. Congrès de psychiatrie et de neurologie, Poitiers, 1983, p. 75-77.

73. Lettre de Jean Meeus à Hergé, 19 avril 1982, AFH.

74. Benoit Peeters, *Le Monde d'Hergé, op. cit.*, p. 99.

75. Témoignage de Jacques Martin à l'auteur.

76. Témoignage de Paul Jamin à l'auteur.

Entretien d'Hergé avec *La Libre Belgique*, art. cité.

77. Lettre d'Hergé à Louis-Robert Casterman, 11 janvier 1956, AFH.

78. Pascale Bieri, « La boîte aux lettres du professeur Tournesol », in *La Suisse*, 10 février 1994, p. 23.

79. Gérard Métron (linguiste), « Éléments de langue bordure », in *Les Amis de Hergé*, juin 1992, n° 15, p. 12, 13.

80. Lettre d'Hergé à un lecteur, 3 septembre 1976, AFH.

81. Frédéric Pomier, *L'affaire Tournesol, Torn Curtain. Essai d'analyse comparative*, mémoire inédit, 1986.

82. Lettre d'Hergé à un lecteur, 11 décembre 1975, AFH.

83. Lettre d'Hergé à un lecteur, 13 mars 1958, AFH.

84. Lettre d'Hergé aux éditions Julliard, 9 mai 1957, AFH.

85. Liste datée d'octobre 1958, AFH.

86. Lettre de Paul-Emile Victor à Hergé, 29 mars 1961, AFH

87. Numa Sadoul, *op. cit.*, p. 132.

88. Témoignage de Fanny Rodwell à l'auteur.

89. Lettre d'Hergé à Louis-Robert Casterman, 20 septembre 1956, AFH.

90. Marguerite Duras, « L'Internationale Tintin », in *France-Observateur*, n° 373, 4 juillet 1957, p. 13.

91. Jacques Borgé, « Premier au départ pour la Lune : Tintin », in *Paris-Match*, n° 493, 20 septembre 1958.

92. Lettre de Baudouin Van den Branden de Reeth à Félicien Marceau, 22 décembre 1958, AFH.

93. Pol Vandromme, *Le Monde de Tintin*, collection « La petite vermillon », La Table ronde, 1994, p. 60.

94. Roger Nimier, « Tintin fait son entrée dans la littérature », préface à Pol Vandromme, *op. cit.* (également publiée dans le recueil de Roger Nimier, *Les écrivains sont-ils bêtes ?*, Rivages, 1990).

95. Témoignage de Pol Vandromme à l'auteur.

Lettre d'Hergé aux éditions Gallimard, 26 novembre 1959, AFH.

Lettre de Roger Nimier à Hergé, 8 décembre 1959, AFH.

10. LA COULEUR DE LA LIBERTÉ
1958-1960

1. Témoignage de Jacqueline Van den Branden de Reeth.
2. Numa Sadoul, *op. cit.*, p. 14, 134, 135.
Hergé/Sadoul, version inédite, 4e interview, p. 8, 22.
3. Lettre d'Hergé à Olivier Todd, 19 novembre 1958, AFH.
4. Témoignage de Guy Dessicy à l'auteur.
5. L'ensemble de ce récit est fondé, pour l'essentiel, sur les témoignages de Germaine Kieckens et de Fanny Rodwell à l'auteur.
6. Projets s.d. (probablement vers décembre 1957), AFH.
7. Lettre d'Hergé au père Gall, 13 novembre 1957, AFH.
Lettre du père Gall à Hergé, 22 décembre 1957, AFH.
8. AFH.
9. Benoit Peeters, « Hergé, une longue route vers le Tibet », in *Au Tibet avec Tintin, Catalogue de l'exposition*, Fondation Hergé, Bruxelles, 1995, p. 47.
10. Lettre d'Hergé à Richard Lannoy, 23 juillet 1958, AFH.
11. Lettre d'Hergé à Bernard Heuvelmans, 4 février 1958, ABH.
12. Lettre de Bernard Heuvelmans à Hergé, 1er février 1959, ABH.
13. Numa Sadoul, *op. cit.*, p. 180.
14. Alain Chareyre-Méjan, « L'Effroi du blanc ou le Paradoxe du fantastique », in Guy de Maupassant, *Le Horla*, Babel, 1995, p. 115-124.
15. Thierry Smolderen et Pierre Sterckx, *op. cit.*, p. 323.
16. *Ibid.*, p. 338.
17. Lettre d'Hergé au Dr Roland Cahen, 5 novembre 1965, AFH.
18. Numa Sadoul, *op. cit.*, p. 57-59.
19. Hergé/Sadoul, version inédite, p. 14.
20. Numa Sadoul, *op. cit.*
21. Dédicace d'Hergé à l'exemplaire de *Tintin au Tibet* destiné à Raymond Leblanc, octobre 1960.

22. Lettre d'Hergé à Jean Toulat, 16 janvier 1975, AFH.

23. « Hommages de l'album *Tintin au Tibet* », octobre 1960, AFH.

24. Dédicace figurant sur l'album de Bernard Heuvelmans, ABH.

11. ULTIMES RETOUCHES
1960-1973

1. Numa Sadoul, *op. cit.*, p. 70, 183.

Lettre d'Hergé à un lecteur, 22 mars 1973, AFH.

2. Lettre d'Hergé à Pierre Fresnault, 23 janvier 1969, AFH.

Lettre d'Hergé au père Lambert, 10 mars 1961, AFH.

3. Lettre d'Hergé à un lecteur, 12 septembre 1967, AFH.

4. Lettre d'Hergé à un lecteur, 20 août 1963, AFH.

Lettre d'Hergé à un lecteur, 11 janvier 1972, AFH.

Lettre d'Hergé à un lecteur, 20 avril 1976, AFH.

5. Numa Sadoul, *op. cit.*, p. 46, 47.

6. *Quick et Flupke, Archives Hergé, 2, op. cit.*, p. 42, 58-59, 121, 155.

7. Lettre d'Hergé à une lectrice, 14 mai 1976, AFH.

Lettre d'Hergé à une lectrice, 19 janvier 1979, AFH.

8. Projet préparatoire aux *Bijoux de la Castafiore*, 7 décembre 1960, AFH.

9. Lettre de Jacques Arpels à Hergé, 21 juillet 1961, AFH.

Lettre d'Hergé à Jacques Arpels, 25 juillet 1961, AFH.

10. Pierre Ajame, *op. cit* p. 184.

11. Lettre d'Hergé à Leslie Lonsdale-Cooper, 25 février 1965, AFH

12. Lettre d'Hergé à Jacques Rouët, 13 (ou 15 ?) mars 1963, AFH

13. Lettre de Jacques Arpels à Hergé, 30 juillet 1963, AFH.

14. Benoit Peeters, *Les Bijoux ravis* Magic Strip, Bruxelles, 1984, p. 6.

15. Michel Serres, Les bijoux distraits ou la cantatrice sauve », in *Critique*, juin 1970, repris dans *Hermès II. L'interférence*, Minuit, 1972, p. 223, 236.

16. Lettre d'Hergé à Michel Serres, 22 juillet 1970, AFH.
17. *Le Soir,* 29 janvier 1963, p. 5.
18. Lettre de Georges Simenon à Stéphane Steeman, 2 septembre 1985, cité *in* Stéphane, *Le Livre de Steeman,* Éditions du Livre, Bruxelles, 1995, p. 50.
19. *Le Canard enchaîné,* n° 2360, 12 janvier 1966, cité par Claude Stoller, *op. cit.*, p. 58.
20. Lettre d'Hergé au Club des Bandes dessinées, 12 novembre 1963, AFH.
Lettre de Francis Lacassin à Hergé, s.d. (fin octobre 1963), AFH.
21. Conférence du 27 octobre 1965, reproduite *in* Thierry Martens, *op. cit.*, p. 255-259.
Bertrand Caillé, *op. cit.*, p. 67, 68.
22. Chiffres OJD 1964-1965, reproduits par Thierry Martens, *op. cit.*, p. 123.
23. Lettre d'Hergé à Marcel Dehaye, 24 janvier 1964, AFH.
Conflit Leblanc-Hergé, résumé des faits, octobre 1964, AFH.
Lettres d'Hergé à Raymond Leblanc, 27 avril 1964, 15 décembre 1964, AFH.
Notes personnelles d'Hergé, « De Peppino à l'Huîtrière », 2 décembre 1964, AFH.
Témoignage de Raymond Leblanc à l'auteur.
24. Lettre d'Hergé à Me Jean Favart, 29 juillet 1964.
Ibid., 1er octobre 1964, 4 décembre 1964, AFH.
25. Témoignage de Raymond Leblanc à l'auteur.
26. *Astérix, journal exceptionnel des 35 ans,* novembre 1994, p. 8.
27. Bertrand Caillé, *op. cit.*, p. 53-57, 62-64.
28. Témoignage de Jacques Martin à l'auteur.
29. Lettre de Goscinny, Charlier et Ache à Hergé, 30 novembre 1964 (et réponse d'Hergé le 5 décembre), AFH.
30. Lettre de Guy Leblanc à Hergé, 6 octobre 1965, AFH.
31. Lettre d'Hergé à Guy Leblanc, 9 octobre 1965, AFH.
32. *L'Express,* n° 796, 19-25 septembre 1966, p. 24-26.
33. Lettre d'Hergé à Louis-Robert Casterman, 18 avril 1967, AFH.

34. *Ibid.*, 29 juin 1967, AFH.

Note de Casterman sur la « Promotion Tintin », 4 juillet 1967, AFH.

35. Interview d'Hergé, in *Tendances*, n° 47, 22 mars 1978, p. 25.

36. Témoignage de Jacques Martin à l'auteur.

37. Lettre d'Hergé à un lecteur, 5 janvier 1972, AFH.

Jean-Claude Quintart, « Progrès tous azimuts », in *Athena*, n° 72, juin 1991, p. 24-29.

38. Umberto Eco, *La Guerre du faux*, Le Livre de Poche, 1985, p. 119-125.

39. Lettre d'Hergé à un lecteur, 11 décembre 1975, AFH.

40. Lettres d'Hergé à Jean Tauré de Bessat, 6 novembre 1962 et 14 décembre 1967, AFH.

Lettre de Jean Tauré de Bessat à Hergé, 8 novembre 1962, AFH.

41. Harry Thomson, *op. cit.*, p. 191.

42. Témoignage de Jacques Martin à l'auteur.

43. Lettre d'Hergé à René Goscinny, 20 août 1966, AFH.

44. Lettre d'Hergé à un lecteur, 15 juin 1967, AFH

45. Lettre d'Hergé à l'abbé Coenraets, 4 octobre 1961, AFH.

46. Lettre de Robert Escarpit à Hergé, 10 avril 1959, AFH.

47. Lettre d'Hergé à Pierre Servais, 6 février 1964, AFH.

48. Lettre d'Hergé à une lectrice, 13 novembre 1964, AFH.

Lettre d'Hergé à Gabriel Matzneff, 10 novembre 1964, AFH.

49. Lettre d'Hergé à Leslie Lonsdale-Cooper, 6 octobre 1961, AFH.

50. Harry Thomson, *op. cit.*, p. 78.

51. Lettre d'Hergé à Gabriel Matzneff, 2 novembre 1965, AFH.

52. Lettre d'Hergé à un lecteur, 25 septembre 1965, AFH.

53. Modifications suggérées pour la refonte de l'album *L'Île noire*, 1965, AFH.

54. Benoit Peeters, *Le Monde d'Hergé*, *op. cit.*, p. 198.

Interview d'Hergé par Patrice Hamel et Benoit Peeters, art. cité.

Jean-René Thévenet, *op. cit.*, p. 386-389.

55. Lettre de Pierre Servais à Hergé, 29 décembre 1966, AFH.

56. Hergé/Sadoul, version inédite, p. 40.

57. Lettre d'Hergé à Claude Moliterni, 10 juillet 1958, AFH.

58. « *Coke en stock.* Modifications aux textes », 27 janvier 1967, AFH.

59. Lettre du père J. Lannoy à Hergé, 2 mars 1968, AFH

60. Lettre d'Hergé à Michael Turner, 22 août 1969, AFH.

Lettre d'Hergé à un lecteur, 19 juin 1974, AFH.

Numa Sadoul, *op. cit.*, p. 169.

Benoit Peeters, *Le Monde d'Hergé, op. cit.*, p. 91.

Philippe Goddin, *Hergé et Tintin reporters, op. cit.*, p. 90-94.

Jean-René Thévenet, *op. cit.*, p. 400-431.

61. Lettre d'Hergé à un lecteur, 17 mai 1955, AFH.

Lettre d'Hergé à Louis Casterman, 7 mars 1950, AFH.

62. Lettre d'Hergé à Louis-Robert Casterman, 24 juillet 1961, AFH.

63. *Ibid.*, 21 janvier 1965, AFH.

64. Lettre d'Hergé à Claude Stoller, 8 février 1966, AFH.

65. Lettre d'Hergé à Pierre Fresnault, 19 décembre 1972, AFH.

66. Témoignage de Jacques Martin à l'auteur.

67. Lettre d'Hergé à Louis-Robert Casterman, 17 novembre 1972, AFH.

68. Lettre d'Hergé à Claude Stoller, 8 février 1966, AFH.

69. Lettre de Louis-Robert Casterman à Hergé, 22 janvier 1965, AFH.

70. Lettre d'Hergé à Louis-Robert Casterman, 26 juin 1963, AFH.

71. Lettres de Cobel-Presse à Casterman, 29 février et 15 mars 1952, AFH.

72. Hergé/Sadoul, version inédite, 2e interview, p. 29.

Lettre d'Hergé à Louis-Robert Casterman, 21 janvier 1965, AFH.

73. « Tintin revient au Congo », in *Zaïre*, n° 73, 29 décembre 1969, p. 3.
74. Lettre d'Hergé à Leslie Lonsdale-Cooper, 29 juillet 1960, AFH.
75. Lettre d'Hergé à Pierre Servais, 22 novembre 1974, AFH.
76. « Tintin revient au Congo », art. cité.
77. Hergé/Sadoul, version inédite, 2e interview, p. 9.
78. Marcel Vermeulen, *op. cit.*, p. 94.
79. *Ibid.*, p. 59.
Lettre de Walter Schwilden, secrétaire général du *Soir*, à Stéphane Steeman, 7 août 1991.
80. Témoignage d'Henri Desclez à l'auteur.
81. *Le Soir*, 5 novembre 1969, p. 9.
82. *Ibid.*, 26 novembre 1969, p. 12.
83. *Ibid.*, 3 décembre 1969, p. 11.
84. *Ibid.*, 24 décembre 1969, p. 10.
85. Témoignage d'Henri Desclez à l'auteur.
Hergé/Sadoul, version inédite, 2e interview, p. 29.

12. FIN D'UNE VIE, FIN D'UNE ŒUVRE 1973-1983

1. Numa Sadoul, *op. cit.*, p. 11, 12.
2. *Femmes d'aujourd'hui*, mars 1957, cité par Edith Allaert et Jacques Bertin, *Hergé, correspondance*, Duculot, Bruxelles, 1989, p. 158, 159.
3. Réponses au « Questionnaire for Hergé », 8 mai 1959, AFH.
4. Lettre d'Hergé à Merry Bromberger, 15 novembre 1963, AFH.
5. Hergé, « Questionnaire de Proust », octobre 1970, AFH.
6. Lettre d'Hergé à Jean Toulat, 16 janvier 1975, AFH.
7. André Malraux, *Les Chênes qu'on abat...*, Gallimard, 1971, p. 52.
8. Robert Poulet, *Rivarol*, art. cité.
9. Témoignage de Jacques Martin à l'auteur.
10. Lettre de Peter Davison, directeur de *The Atlantic Monthly Press*, à Hergé, 14 mars 1979, AFH.

Lettre d'Hergé à Peter Davison, 28 mars 1979, AFH.

11. Interview d'Hergé à Hamel et Peeters, art. cité.

12. Lettre d'Hergé au général Lemnitzer, 4 mars 1963, AFH.

Lettre du père Gall à Hergé, 21 mars 1963, AFH.

13. Lettre d'Hergé au père Gall, 26 février 1963, AFH.

14. Hergé/Sadoul, version inédite, 2e interview, p. 44.

15. Adelin Van Ypersele de Strihou, art. cité.

16. Lettre d'Hergé à un lecteur, 22 octobre 1970, AFH.

17. Témoignage de Georges Remi Jr à l'auteur.

18. Témoignage d'Alain Baran à l'auteur.

Dominique de Wespin, *op. cit.*, p. 117.

19. Témoignage de Germaine Kieckens à l'auteur.

Témoignage de Fanny Rodwell à l'auteur.

20. Réponse d'Hergé à Plon-Comodo, 16 janvier 1975, AFH.

21. Lettre d'Hergé à Pierre Ickx, 22 avril 1947, AFH.

22. Lettre d'Hergé à Robert Crausaz, 17 janvier 1950, AFH.

23. Télégrammes d'Hergé à Félicien Marceau, 17 novembre 1969 et 10 novembre 1976, AFH.

24. Lettre d'Hergé à Pierre Servais, 8 décembre 1976, AFH.

25. *Le Trésor de Rackham le Rouge*, p. 46 (3, 2).

26. *Dictionnaire historique de la langue française*, sous la direction d'Alain Rey, Le Robert, 1992, p. 999.

27. Témoignage d'Alain Baran à l'auteur.

28. Lettre d'Hergé au père Gall, 29 août 1971, AFH.

29. Lettre d'Hergé à Robert Poulet, 21 mai 1967, AFR.

30. Robert Poulet, *Ce n'est pas une vie*, *op. cit.*, p. 65, 132, 133.

31. Interview de Robert Poulet, in *Nouvelle Europe Magazine*, 1981.

32. Témoignage de Gabriel Matzneff à l'auteur.

Gabriel Matzneff, *Maîtres et complices*, Lattès, 1994, p. 295-299 ; *Le Sabre de Didi*, La Table ronde, 1986.

Lettres d'Hergé à Gabriel Matzneff, 9 novembre 1971, 6 octobre 1972, 11 mars 1976, AGM.

33. Dominique de Wespin, *op. cit.*, p. 151.

Carte postale d'Hergé à Gabriel Matzneff, octobre (ou septembre) 1979, AGM.

34. Lettre d'Hergé à Michael Turner, 13 mai 1969, AFH.

35. Alan Watts, *L'Esprit du Zen,* Dangles, 1976, p. 19, 25 ; *Psychothérapie orientale et occidentale,* Fayard, 1974, p. 145 ; *Amour et connaissance,* Denoël-Gonthier, 1975, p. 157 ; *Le Livre de la sagesse,* Denoël-Gonthier, 1974, p. 70.

36. Lettre d'Hergé à Gabrielle Rolin, 16 juillet 1966, AFH.

37. Lettre d'Hergé à Claire Bretécher, 11 avril 1979, AFH.

38. Hergé/Sadoul, version inédite, 2e interview, p. 6.

Numa Sadoul, *op. cit.,* p. 89.

Lettres d'Hergé à Fred, 4 avril 1973, 17 octobre 1973, 27 novembre 1973, 5 juin 1979, AFH.

Hergé, « Hommage à Raymond Macherot », avril 1975, AFH.

Lettres d'Hergé à Jean-Claude Mézières, 23 février 1954, 13 novembre 1975, AFH.

Lettre d'Hergé à Philippe Druillet, 23 novembre 1972, AFH.

39. Lettre d'Hergé à Win N., 16 février 1971, AFH.

40. Lettre d'Hergé à Matthieu Lindon, 10 juin 1977, AFH.

41. Lettre d'Hergé à Pierre Fresnault, 28 août 1968, AFH.

42. *Le Crabe aux pinces d'or,* p. 38 (1, 3).

Numa Sadoul, *op. cit.,* p. 156.

43. *Le Trésor de Rackham le Rouge,* p. 25 (1, 1).

Numa Sadoul, *op. cit.,* p. 156.

Hergé/Sadoul, version inédite, 3e interview, p. 37, 38.

44. Témoignages de Marcel Stal, Pierre Sterckx, Stéphane Janssen à l'auteur.

Lettre d'Hergé à M. Lambert, 7 juin 1963, AFH.

Lettre d'Hergé à Tchang Tchong Jen, 15 février 1977, AFH.

Lettre d'Hergé à Pierre Fresnault, 10 mai 1969, AFH.

Lettre d'Hergé à Francis Boseret, 3 janvier 1978, AFH.

Pierre Sterckx, « Une molécule pour pseudonyme », in *Le Vif Magazine,* 22 avril 1983, p. 36, 37 ; « De Holbein à Lichtenstein », in *(À suivre),* hors série, « Spécial Hergé »,

1983, p. 90-92 ; « Tchang, Hergé et la peinture », in *Tchang revient !*, Magic Strip, Bruxelles, 1981.

Hervé Springael, « Trois images de Hergé », in *Les Amis de Hergé*, n° 6, décembre 1987, p. 6-11.

Numa Sadoul, *op. cit.*, p. 44, 94, 227.

Hergé/Sadoul, version inédite, 2e interview, p. 2, 14 ; 3e interview, p. 37, 38.

Frédéric Brébant, « Hergé et l'art contemporain », in *Le Vif/L'Express*, 17 juin 1994, p. 15-17.

Michel Daubert, « Les toiles mystérieuses », in *Télérama*, n° 2388, 18 octobre 1995.

45. Benoit Peeters, *Hergé 1922-1932, les débuts d'un illustrateur, op. cit.*, p. 43.

46. Témoignage de Pierre Alechinsky à l'auteur.

47. Pierre Sterckx, « Hergé, peintre », in *Les Amis de Hergé*, n° 12, décembre 1990, p. 23-25.

48. Interview d'Hergé par Thierry Smolderen, 1975, in *Les Amis de Hergé*, n° 13, juin 1991, p. 12, 13.

49. Robert Poulet, *Rivarol*, art. cité.

50. Témoignage d'Yves Duval à l'auteur.

51. Témoignage de Fanny Rodwell à l'auteur.

52. Témoignage de Marcel Stal à l'auteur.

53. Interview d'Hergé à *La Libre Belgique*, art. cité.

54. Témoignage de Marcel Stal à l'auteur.

55. Témoignage de Louis Gérard à l'auteur.

56. Philippe Goddin, *Hergé et les Bigotudos. Le roman d'une aventure*, Casterman, Tournai, 1990, p. 10, 11, 62, 136.

57. Numa Sadoul, *op. cit.*, p. 62, 192.

58. Philippe Goddin, *op. cit.*, p. 285, 287.

59. Lettre d'Hergé à un lecteur, 21 janvier 1976, AFH.

60. Interview d'Hergé à Hamel et Peeters, art. cité.

61. Témoignage de Fanny Rodwell à l'auteur.

62. Philippe Goddin, *op. cit.*, p. 269.

63. Lettre d'Amnesty International à Hergé, 25 mars 1982, AFH.

Lettre d'Hergé au général Galtieri, 11 mai 1982, AFH.

64. *La Relève*, 10 avril 1976 ; *La Libre Belgique*, 5 mai 1976 ; *Pourquoi pas ?*, 29 avril 1976 ; *Spécial*, 12 mai 1976 ;

Pour, 1er octobre 1975 et 21 avril 1976 ; *Hebdo 76,* 14 avril 1976 ; *Notre Temps,* 15 avril 1976.

65. *Le Monde,* 26 avril 1976 ; *Notre jeunesse,* 20 mai 1976 ; *Pilote,* n° 27, 1976 ; *Charlie-Mensuel,* août 1976 ; *Révolution,* 23 avril 1976 ; *Sud-Ouest,* 16 mai 1976 ; *Témoignage chrétien,* 20 mai 1976 ; *L'Humanité rouge,* 16 mai 1976 ; *Minute,* 10 septembre 1975 ; *La Croix,* 24 août 1975 ; *Paris-Normandie,* 5 mai 1976 ; *La Presse de la Manche,* 27 avril 1976 ; *France-Soir,* 16 avril 1976 ; *Critique,* n° 358, mars 1977.

66. Témoignage de Louis Gérard à l'auteur.

67. Michèle Nieto, « Tintin à la loupe », in *Le Point,* n° 15, 22 janvier 1973.

68. *Les Nouvelles littéraires,* 13 mai 1976.

69. *Tchang au pays du Lotus bleu,* Séguier, 1990.

70. Témoignage de Tchang Tchong Jen à l'auteur.

71. Lettre d'Hergé à Tchang Tchong Jen, 28 mars 1976, AFH.

72. Lettres de Han Suyin à Hergé, 11 décembre 1977, 15 février 1978, AFH.

Lettre d'Hergé à Tchang Tchong Jen, 26 décembre 1977, AFH.

Lettre d'Hergé à Han Suyin, 25 février 1978, AFH.

Lettre d'Hergé à Serge Pairoux, 28 février 1978, AFH.

Lettre d'Hergé à Hermann Liebars, 2 juin 1978, AFH.

« Une évolution vers le Tao », in *Le Vif Magazine,* 22 avril 1983.

73. Lettre de Tchang Tchong Jen à Hergé, juillet 1980, AFH.

74. *Tchang au pays du Lotus bleu, op. cit.*

75. Pierre Sterckx, *Tchang, Hergé et la peinture,* art. cité.

76. Alain Riou, « Hergé chez les Parisiens », in *L'Aurore,* 16 septembre 1975, p. 14.

77. Paul-Dominique Labesse, *op. cit.,* p. 191-197.

Interview d'Hergé à Radio-Bruxelles, 4 mars 1942, art. cité.

Réponses d'Hergé au questionnaire de Michel Verger, 9 janvier 1970, AFH.

78. Réginald Hemerleers, art. cité.

79. Lettre d'Hergé à un lecteur, janvier 1973, AFH.

80. *Ibid.*, 17 juin 1955, AFH.
81. Lettre d'Hergé à Larry Harmon, 18 juin 1959, AFH.
82. Lettre d'Hergé à André Barret, 13 novembre 1958, AFH.
83. *Ibid.*, 23 mai 1961, AFH.
84. *Le Temple du soleil*, p. 61 (2, 1).
85. Lettre de Robert Poulet à Hergé, 5 janvier 1962, AFH.
86. Lettre de Jo Siritzky à Pierre Servais, 28 avril 1977, AFH.
87. Numa Sadoul, *op. cit.*, p. 82.
88. Témoignage d'Alain Baran à l'auteur.
Dossier « 1983. Projet USA négociations », AFH.
89. Témoignage de Fanny Rodwell à l'auteur.
90. Numa Sadoul, *op. cit.*, p. 202.
Interview d'Hergé par Thierry Smolderen, in *Les Amis de Hergé*, n° 13, juin 1991, p. 12, 13.
91. Hergé, « Un jour d'hiver, sur un aéroport », projet inédit, 1976, AFH.
92. Témoignage d'Alain Baran à l'auteur.
93. *Tintin et l'Alph-art*, Casterman, Tournai, 1986.
Témoignage de Fanny Rodwell à l'auteur.
Témoignage de Stéphane Janssen à l'auteur.
Jean-Paul Morel, « Tintin et l'album inachevé », in *Le Matin de Paris*, 8 octobre 1986.
94. Pierre Sterckx, in *Le Vif*, art. cité.
95. Témoignage d'Alain Baran à l'auteur.
96. *Ibid.*
97. Hergé/Sadoul, version inédite, p. 27.
98. Témoignages de Stéphane Janssen et Gabriel Matzneff à l'auteur.
99. Hergé/Sadoul, version inédite, 2e interview, p. 2.
100. Benoit Peeters, art. cité.
101. Témoignage de Germaine Kieckens à l'auteur.
102. Témoignage de Stéphane Steeman à l'auteur.
Stéphane, *Le Livre de Steeman, op. cit.*, p. 172.
103. Témoignage d'Alain Baran à l'auteur.
104. Témoignage de Fanny Rodwell à l'auteur.

SOURCES

ALBUMS D'HERGÉ

Toute l'œuvre d'Hergé est publiée par Casterman, Tournai.
La date est celle de la première publication des histoires en album.

Tintin au pays des Soviets (1930)
Tintin au Congo (1931)
Tintin en Amérique (1932)
Les Cigares du pharaon (1934)
Le Lotus bleu (1936)
L'Oreille cassée (1937)
L'Île noire (1938)
Le Sceptre d'Ottokar (1939)
Le Crabe aux pinces d'or (1941)
L'Étoile mystérieuse (1942)
Le Secret de la Licorne (1943)
Le Trésor de Rackham le Rouge (1945)
Les 7 Boules de cristal (1948)
Le Temple du soleil (1949)
Tintin au pays de l'or noir (1951)
Objectif lune (1953)
On a marché sur la lune (1954)
L'Affaire Tournesol (1956)
Coke en stock (1958)
Tintin au Tibet (1960)

Les bijoux de la Castafiore (1963)
Vol 714 pour Sydney (1968)
Tintin et les Picaros (1976)

LIVRES
(sauf mention contraire, Paris est le lieu d'édition)

Ajame, Pierre, *Hergé,* Gallimard 1991.

Algoud, Albert, *Le Haddock illustré. L'intégrale des jurons du capitaine,* Casterman, Tournai, 1991.
Le Tournesol illustré. Éloge d'un oublié de l'histoire des sciences, Casterman, Tournai, 1994.

Apostolides, Jean-Marie, *Les Métamorphoses de Tintin,* Seghers, 1984.

(À suivre) hors série, « Spécial Hergé », Casterman, Tournai, 1983.

Au Nord d'ailleurs. Images de la littérature belge de langue française. 1830-1985 (ouvrage collectif), Traces, s.l.n.d.

Au Tibet avec Tintin, catalogue de l'exposition, Fondation Hergé, Bruxelles, 1994.

Baetens, Jean, *Hergé écrivain,* Labor, Bruxelles, 1989.

Baron-Carvais, Annie, *La Bande dessinée,* PUF, 1985.

Benton, Mike, *The Comic Book in America,* Taylor, Dallas, 1989.

Bois de Vroylande, Robert du, *Fables,* Styx, Louvain, 1941.

Boulin, Bertrand, *Tintin et l'alcool,* Éditions Chapitre 12, Bruxelles, 1995.

Bourdil, Pierre-Yves, *Hergé. Tintin au Tibet,* Labor, Bruxelles, 1985.
Franquin, Labor, Bruxelles, 1993.

Bourdil, Pierre-Yves et Tordeur, Bernard, *Bob De Moor. 40 ans de bande dessinée, 35 ans aux côtés d'Hergé,* Éditions du Lombard, Bruxelles, 1986.

Chaplin, Charles, *Histoire de ma vie,* Robert Laffont, 1964 ; réédition Presses Pocket, 1989.

Cinquante ans de travaux fort gais, Casterman, Tournai, 1979.

Conway, Martin, *Degrelle. Les années de collaboration. 1940-1944 : le rexisme de guerre,* Quorum, Ottignies, 1994.

Coston, Henry, *Les Corrupteurs de la jeunesse,* Bulletin d'informations antimaçonniques, s.l.n.d. (Paris, vers 1943).

David, Michel, *Une psychanalyse amusante. Tintin à la lumière de Lacan,* Épi/La Méridienne, 1994.

De Becker, Raymond, *Livre des morts et des vivants,* Éditions de la Toison d'or, Bruxelles, 1942.

Degrelle, Léon, *Mes aventures au Mexique,* Éditions Rex, Louvain, s.d. (1930).

Léon Degrelle : persiste et signe, interviews recueillies pour la télévision française par Jean-Michel Charlier, Jean Picollec, 1985.

Delporte, Christian, *Les Crayons de la propagande. Dessinateurs et dessin politique sous l'Occupation,* CNRS Éditions, 1993.

Douillet, Joseph, *Moscou sans voiles,* Spes, 1929.

Dubois, Jean-Paul, *Edgar P. Jacobs, la marque jaune,* Labor, Bruxelles, 1989.

Duhamel, Georges, *Scènes de la vie future,* Mercure de France, 1930.

Eisentsein, Sergueï, *Walt Disney,* Circé, Strasbourg, 1991.

Eliot, Mac, *Walt Disney. La face cachée du prince d'Hollywood,* Albin Michel, 1993.

Filippini, Henri, *Dictionnaire de la bande dessinée,* Bordas, 1989.

Fouché, Pascal, *L'Édition française sous l'Occupation, 1940-1944,* BLFC, Université de Paris-VII, 1987.

Fournet, Éric, *Quand Tintin découvrait l'Amérique,* Didier-Hatier, Bruxelles, 1992.

Fresnault-Deruelle, Pierre, *La BD, univers et techniques,* Hachette, 1972. *La Chambre à bulles,* 10/18, 1977.

Gaumer, Patrick et Moliterni, Claude, *Dictionnaire mondial de la bande dessinée,* Larousse, 1994.

Gérard-Libois, Jules et Gotovitch, José, *L'An 40. La Belgique occupée,* Crisp, Bruxelles, 1971.

Goddin, Philippe, *Corentin et les chemins du merveilleux,* Éditions du Lombard, Bruxelles, 1984.

Hergé et Tintin reporters. Du Vingtième Siècle au journal Tintin, Éditions du Lombard, Bruxelles, 1986.

Hergé et les Bigotudos. Le roman d'une aventure, Casterman, Tournai, 1990.

Comment naît une bande dessinée, Casterman, Tournai, 1991.

Graindorge, Michel, *Edmond Picard au Rwanda. Une histoire sans fin de la montée de l'antisémitisme et du racisme*, Le Cri, Bruxelles, 1994.

Guérivière, Jean de la, *Belgique : la revanche des langues*, Seuil, 1994.

Hergé. Correspondance, lettres choisies, présentées et annotées par Edith Allaert et Jacques Bertin, Duculot, Bruxelles, 1989.

Hergé dessinateur. 60 ans d'aventures de Tintin. Catalogue conçu par Pierre Sterckx et Benoit Peeters, Casterman, Tournai, 1988.

Hommage à Hergé. Fondation Joan Miró, Casterman, Tournai, 1986.

Hoozee, Robert (sous la direction de), *L'Art moderne en Belgique 1900-1945*, Fonds Mercator/Albin Michel, 1992.

Huyse, Luc et Dhondt, Steven, *La Répression des collaborations 1942-1952. Un passé toujours présent*, CRISP, Bruxelles, 1993.

Huyse, Luc et Hoflack, Kris, « Quelques aspects de l'épuration après la Seconde Guerre mondiale », *in* Morelli, Anne, p. 255-262.

Jacobs, Edgar P., *Un opéra de papier. Les mémoires de Blake et Mortimer*, Gallimard, 1981.

Kotek, Joël, « Tintin : un mythe belge de remplacement », *in* Morelli, Anne, p. 281-292.

Kupferman, Fred, *Au pays des Soviets. Le voyage français en Union soviétique 1917-1939*, Archives Gallimard/Julliard, 1979.

Lambert, Pierre, *Le Cartoon à Hollywood*, Librairie Séguier, 1988.

Lanquar, Robert, *L'Empire Disney*, PUF, 1992.

Lenne, Gérard, *L'Affaire Jacobs*, Megawave, Saint-Germain-en-Laye, 1990.

Lerman, Alain, *Histoire du journal Tintin,* Éditions Jacques Glénat, 1979.

Libert, Jean, *Capelle-aux-Champs,* Éditions de la Phalange, Bruxelles, 1937.

Lindon, Matthieu, *Je t'aime. Récits critiques,* Éditions de Minuit, 1993.

Lurie, Alison, *Ne le dites pas aux grands. Essais sur la littérature enfantine,* Rivages, 1991.

Marceau, Félicien, *Les Années courtes,* Gallimard, 1968 ; Folio, 1973.

Matzneff, Gabriel, *Maîtres et complices,* Lattès, 1994.

Montherlant, Henry de, *Essais,* Bibliothèque de la Pléiade, Gallimard, 1963.

Morelli, Anne (sous la direction de), *Les Grands Mythes de l'histoire de la Belgique, de Flandre et de Wallonie,* Vie ouvrière, Bruxelles, 1995.

Mozgovine, Cyrille, *De Abdallah à Zorrino. Dictionnaire des noms propres de Tintin,* Casterman, Tournai, 1992.

Musée imaginaire de Tintin (Le), album de l'exposition, Casterman, Tournai, 1980.

Ory, Pascal, *Le Petit Nazi illustré. Le Téméraire 1943-1944,* Albatros, 1979.

Pascal, Pierre, *BD passion,* Les dossiers d'Aquitaine, Bordeaux, 1993.

Paul Cauchie, architecte, peintre, décorateur, collectif, Éditions Maison Cauchie, Bruxelles, 1994.

Peeters, Benoit, *Le Monde d'Hergé,* Casterman, Tournai, 1983.

Les Bijoux ravis, Magic Strip, Bruxelles, 1984.

Hergé 1922-1932. Les débuts d'un illustrateur, Casterman, Tournai, 1987.

Case, récit, planche. Comment lire une bande dessinée, Casterman, Tournai, 1991.

La Bande dessinée, Dominos/Flammarion, 1993.

Pihan, Jean, *Merci pour le passé,* Fleurus, 1985.

Poulet, Robert, *Ce n'est pas une vie,* Denoël, 1976.

Renard, Jean-Bruno, *Bandes dessinées et croyances du siècle,* PUF, 1986.

Poulet, Robert, *La Conjecture. Mémoires apocryphes,* La Table Ronde, 1981.

Rey, Alain, *Les Spectres de la bande,* Minuit, 1978.
Richomme, Agnès, *Un prêtre, Gaston Courtois, Fils de la charité 1897-1970,* Union des Œuvres, 1971.
Rivière, François, *L'École d'Hergé,* Glénat, 1976.
Robinson, David, *Charlot entre rires et larmes,* Découvertes/Gallimard, 1995.
Ronsac, Charles, *Trois Noms pour une vie,* Robert Laffont, 1988.
Sadoul, Georges, *Ce que lisent vos enfants,* Bureau d'éditions, 1938.
Sadoul, Numa, *Entretien avec Hergé,* Casterman, Tournai, 1989.
Saint-Ogan, Alain, *Je me souviens de Zig et Puce et de quelques autres,* La Table ronde, 1961.
Serres, Michel, *Hermès 2. L'Interférence,* Minuit, 1972.
Sertillanges, Thomas, *La Vie quotidienne à Moulinsart,* Hachette, 1995.
Smolderen, Thierry et Sterckx, Pierre, *Hergé, portrait biographique,* Casterman, Tournai, 1988.
Soumois, Frédéric, *Dossier Tintin,* Éditions Jacques Antoine, Bruxelles, 1987.
Springael, Hervé, *Avant Tintin. Dialogue avec Hergé,* chez l'auteur, Bruxelles, 1987.
Steeman, Stéphane, *Tout Hergé. Itinéraire d'un collectionneur chanceux,* Casterman, Tournai, 1991.
Le Livre de Steeman, Éditions Le Livre, Bruxelles, 1995.
Steinberg, Maxime, *L'Étoile et le fusil. La question juive 1940-1942,* Vie ouvrière, Bruxelles, 1983.
Stevens, Anthony, *Jung, l'œuvre-vie,* Éditions du Félin, 1994.
Struye, Paul, *L'Évolution du sentiment public en Belgique sous l'occupation allemande,* Éditions Lumière, Bruxelles, 1945.
Tchang au pays du Lotus bleu, Séguier, 1990 (anonyme).
Thomson, Harry, *Tintin. Hergé and his Creation,* Hodder and Stoughton, Londres, 1991 ; rééd. Sceptre, 1992.
Tintin, patrimoine des imaginaires, Actes de la journée d'études organisée par l'ISA le 7 décembre 1990, Économica, 1992.

Tisseron, Serge, *Tintin chez le psychanalyste,* Aubier, 1985.
Tintin et les secrets de famille, Aubier, 1992.
Tintin et le secret d'Hergé, Hors collection, 1993.

Töpffer, Rodolphe, *L'Invention de la bande dessinée.* Textes réunis et présentés par Thierry Groensteen et Benoit Peeters, Hermann, 1994.

Ugeux, William, *Le Passage de l'Iraty,* Henneuse, Lyon, 1962.

Vandromme, Pol, *Le Monde de Tintin,* Gallimard, 1959 ; réédition La Table ronde, 1994.

Van Opstal, H., *Essay R.G. Het fenomeen Hergé,* Delange, Hilversum, 1994.

Vidal, Guy, Charlier Jean-Michel, *Un réacteur sous la plume,* Dargaud, 1985.

Wallez, Norbert, *Belgique-Rhénanie. Quelques directives d'une politique,* Albert Dewit éditeur, Bruxelles, 1923.

Wespin, Dominique de, *Teilhard Béjart Hergé. Trois hommes pour une vie,* Agendart, Lasne, 1993.

Willequet, Jacques, *La Belgique sous la botte. Résistances et collaborations 1940-1945,* Éditions universitaires, 1986.

Witte, Els, et Craeybeckx, Jan, *La Belgique politique de 1830 à nos jours. Les tensions d'une démocratie bourgeoise,* Labor, Bruxelles, 1987.

Ydewalle, Pierre d', *Mémoires 1912-1940. Aux avant-postes,* Racine, Bruxelles, 1994.

ARTICLES

Aron, Paul, « Les relations littéraires belges de Georges Duhamel dans le contexte du pacifisme », in *Georges Duhamel et l'idée de civilisation,* colloque, 4-5 mars 1993, Bibliothèque nationale de France, 1994.

Balace, Francis, « Fascisme et catholicisme politique dans la Belgique francophone de l'entre-deux-guerres », in *Handelingen van Het XXXIIe Vlamms filogencongres,* Leuven, 1979.

Bens, Els de, « La presse au temps de l'Occupation en Belgique », in *Revue d'histoire de la Deuxième Guerre mondiale,* XX, 1970.

Buisseret, André, « Notre Hergé », in *Revue de Saint Boniface-Parnasse,* juin 1983, n° 111.

Bulletin du CRET (Centre de recherche et d'étude en tintinologie), Angers, s.d.

Chatenay, Aymar du, « Tintin était-il fasciste ? », in *L'Événement du jeudi,* 27 février-4 mars 1992.

Cours Saint-Gervasy, Pierre-Louis de, « Tintin au pays des fascistes », juillet 1977.

Crapouillot, Le, « La guerre inconnue », 1930 ; « Les mystères de la guerre », juin 1931 ; « Les maîtres du monde », mars 1932.

Defoort, Erik, « Le courant réactionnaire dans le catholicisme francophone belge 1918-1926 », in *Revue belge d'histoire contemporaine,* VIII, 1977.

Delfosse, Guy, « Au secours des droits de l'homme », in *La Conférence,* Bruxelles, 1995-1996, p. 11, 12.

De Moor, Bob, « Une curieuse victoire », in *Le Vif,* 22 avril 1983.

Destatte, Philippe, *Jules Destrée, l'antisémitisme et la Belgique. Lettre ouverte à tous ceux qui colportent des mythes éculés sur les Wallons et leur histoire,* Institut Jules Destrée, Charleroi, 1995.

Duras, Marguerite, « L'Internationale Tintin », in *France-Observateur,* n° 373, 4 juillet 1957.

Einhom, Maurice, « L'antisémitisme dans la bande dessinée », in *Regards,* n° 24, 17-30 avril 1981.
« L'antisémitisme en bulles », in *Regards,* n° 99, 26 août 1983.

Flahaut, François, « Le plaisir de la peur. *L'Étoile mystérieuse* et l'araignée géante », in *Communications,* n° 57, 1993.

Gattegno, Hervé, « Tintin et les fascistes », in *Le Nouvel Observateur,* 11-17 juin 1992.

Gossiaux, Pol P., « L'Afrique nue de Simenon », in *Traces,* n° 1, Université de Liège, 1989.

Hemerleers, Réginald, « Hergé, le père de Tintin », in *Revue de Saint-Boniface,* juin 1939.

Labesse, Paul-Dominique, « Repères biographiques », in *Schtroumpf, les cahiers de la BD,* spécial Hergé, n° 14-15.
Laffly, Georges, « Robert Poulet et son œuvre », in *Écrits de Paris,* octobre 1989.
Martin, Jacques, « À côté du colosse », in *Le Vif,* 22 avril 1983.
Interview in *Bulletin communal d'Ottignies-Louvain-la-Neuve,* n° 36, mars 1988, p. 24-26.
Morin, Edgar, « Tintin, le héros d'une génération », in *La Nef,* janvier 1958.
Ory, Pascal, « Mickey, go home ! La désaméricanisation de la bande dessinée 1945-1950 », in *Vingtième Siècle, revue d'histoire,* octobre 1984.
« Tintin au pays de l'ordre noir 1940-1944 », in *L'Histoire,* n° 18, décembre 1979, p. 83-84.
Pasamonik, Didier, « Hergé : une ligne claire », in *Catalogue de l'exposition « De Georges Remi à Hergé »,* Institut Saint-Boniface, Bruxelles, 1984.
Peeters, Benoit, et Hamel, Patrice, « Entretien avec Hergé », *Minuit,* n° 25, septembre 1977.
Pirard, Théo, « Comment Tintin a-t-il pu précéder Armstrong sur la Lune ? », in *Athena, bulletin mensuel des technologies* (Bruxelles), n° 72, juin 1991, p. 30-34.
Pollet, Étienne, « Phénomène et édition », in *Tintin patrimoine des imaginaires,* IESA/Économica, 1992.
Poulet, Robert, Hommage à Hergé in *Rivarol,* 18 mars 1983.
Robichez, Jacques, « En relisant les *Scènes de la vie future* », in *Georges Duhamel et l'idée de civilisation,* colloque, 4-5 mars 1993, Bibliothèque nationale de France, 1994.
Rolin, Gabrielle, « Entretien avec Hergé », in *Le Monde,* 15 février 1973.
Serres, Michel, « Les Bijoux distraits », in *Critique,* n° 277, 1970.
« Tintin et le picaresque aujourd'hui », in Critique, n° 358, 1977.
Springael, Hervé, « Tintin retrouvé ! », in *Les Amis de Hergé,* n° 7, juin 1988.
Sterckx, Pierre, « Une molécule pour pseudonyme », in *Le Vif-Magazine,* numéro spécial, 22 avril 1983 ; « Tchang,

Hergé et la peinture », in *Tchang revient !*, Magic Strip, Bruxelles, 1981.

« Tintin revient au Congo », in *Zaïre*, n° 73, 29 décembre 1969, p. 3.

Todd, Olivier, « Tintin, Milou and European Humanism », in *The Listener*, 3 octobre 1957.

Van Ypersele de Strihou, Adelin, « L'homme et la peur de l'avion », in *Le Vif*, 22 avril 1983.

Vos, Pierre de, « La mort de Léon Degrelle », in *Le Monde*, 4 avril 1994.

TRAVAUX UNIVERSITAIRES

Alexandre, Laure, *Évolution de la presse enfantine des années trente*, mémoire de maîtrise, Université de Paris-X, 1987-1988.

Briand, Olivier, *Étude comparée des mécanismes d'énonciation et de narration entre le cinéma et la bande dessinée*, mémoire de maîtrise en cinéma, 1991, Université de Paris-III.

Caillé, Bertrand, *Analyse du contenu du journal « Pilote » de 1959 à 1974*, mémoire de maîtrise d'histoire, Université de Paris-X, 1991.

Craenhals, G., *Les Préjugés et stéréotypes raciaux et nationaux dans les principales bandes dessinées belges*, Université catholique de Louvain, 1970.

Crépin, Thierry, *Un journal pour enfants sous l'Occupation : « Cœurs Vaillants » 1940-1944*, Université de Bordeaux-III, 1984-1985.

Il était une fois un Maréchal de France. Maréchalisme et Révolution nationale dans la presse enfantine 1940-1944, mémoire.

Dalarun, Jacques, *Image de l'étranger et reflet de la vie internationale dans les aventures de Tintin et Milou 1929-1944*, Université de Paris-I, 1972-1973.

Denis, Benoît, *Les Avatars de Tintin. Stratégies thématiques, idéologiques et formelles dans l'œuvre d'Hergé*, Université de Liège, 1991-1992.

Faure, Stanislas, *L'Univers du « Journal de Spirou » 1946-1968,* mémoire de maîtrise d'histoire, Université de Paris-X, octobre 1993.

Girault, Michel, *Images des rapports Est-Ouest et de l'anticommunisme dans la bande dessinée franco-belge 1946-1978,* Université de Haute-Bretagne, 1980.

Labesse, Paul-Dominique, *Hergé, étude biographique et littéraire,* mémoire de maîtrise, Sorbonne, juin 1969.

Luzingi, Ngolo Muyenga, *Le Comique dans les albums Tintin de Hergé,* Université nationale du Zaïre, 1975.

Manaud, Dominique, *Un regard sur la folie à travers les aventures de Tintin,* Université de Bordeaux-II, thèse de médecine, 1980.

Martens, Thierry, *Réalisme et schématisme dans les bandes hebdomadaires belges contemporaines 1945-1965,* Université catholique de Louvain, 1965-1966.

Pomier, Frédéric, *L'Affaire Tournesol, Torn Curtain. Essai d'analyse comparative,* mémoire inédit, 1986.

Stoller, Claude, *L'Univers politique de Tintin,* Université de Strasbourg, 1966.

Tibéri, Jean, *Voyage au pays de Tintin,* Centre interdisciplinaire d'études et de recherches sur l'expression contemporaine, Université de Saint-Étienne.

Vanherpe, Henri, *La Bande dessinée et la politique. Un exemple : le contenu politique des albums de Tintin,* Université de Lille, 1968.

DOCUMENTS INÉDITS

Beauvais, Francis et Robrieux, Didier, *Hergé et Jules Verne : des parentés insolites,* tapuscrit.

Bourdil, Pierre-Yves, *La Naissance du capitaine Haddock,* tapuscrit, chez l'auteur ; *L'Écart et la coïncidence,* tapuscrit, chez l'auteur.

De Becker, Raymond, *La Collaboration en Belgique (1940-1944) ou une révolution avortée,* tapuscrit, CREHSCGM, cote B 725.

Libert, Jean, *Le Souvenir de mon ami Hergé,* manuscrit, 1995.

Poulet, Robert, *Journal de prison,* CREHSGM, cote PP9 (819).

Sadoul, Numa, *Entretiens avec Hergé,* transcription intégrale des enregistrements avant correction, tapuscrit, 1971.

Thévenet, Jean-René, *L'Univers de Tintin,* tapuscrit inédit, Lyon, 1985.

Vermeulen, Marcel, *Cinquante Ans dans les coulisses du « Soir »,* tapuscrit inédit, Bibliothèque du *Soir,* 1995, cote 06/BE.

Wallez, Norbert, *L'Abbé Norbert Wallez en conseil de guerre et sa condamnation,* tapuscrit inédit, décembre 1950, AGK.

JOURNAUX ET REVUE.

Les Amis de Hergé, semestriel, Soignies.
Le Vingtième Siècle.
Le Soir.
Le Crapouillot.

REMERCIEMENTS

Sans l'accord, l'aide et la bienveillance de Fanny Rodwell, un tel livre n'aurait pas été envisageable. La veuve de Georges Remi ne m'a pas seulement confié son propre témoignage ; elle m'a donné libre accès à toutes les archives de la Fondation Hergé et à certains documents privés. Sans contrepartie d'aucune sorte. Ma reconnaissance est infinie.

Ma gratitude est totale envers Philippe Goddin, dont les conseils, l'érudition et le soutien se sont avérés irremplaçables tout au long de mon enquête, ainsi que ceux également précieux de Bernard Tordeur, sans oublier l'amicale efficacité de Me Alain Berenboom, qui ne m'a jamais fait défaut.

J'aimerais rendre hommage à la mémoire de Germaine Kieckens, récemment décédée, et exprimer ma gratitude à son neveu Georges Remi pour son aide.

I would also like to thank Nick Rodwell for his patience and discreet help with my research for this book.

Plusieurs concours, dans lesquels une vieille amitié se mêle au travail, m'ont été fort profitables. L'active vigilance de mon agent François-Marie Samuelson me fut à nouveau indispensable du début à la fin, ainsi que l'appui de mes éditeurs Olivier Orban, qui m'a permis de mener cette recherche à son terme, et Anthony Rowley, qui l'a suivie pas à pas jusqu'au bout avec un esprit critique dont je lui sais gré tant il me fut profitable. Le tapuscrit de ce livre, comme les précédents, eût été pire encore sans l'œil attentif de Stéphane Khémis, qui ne laisse jamais rien passer d'essentiel.

Qu'il me soit également permis de remercier chaleureusement ceux nombreux, en France et en Belgique, qui m'ont reçu, écrit et parlé sans compter leur temps :

Mesdames,

Jacqueline Van den Branden de Reeth, Katherine Canivet, Marie-Louise Degand-Remi, Yaguel Didier, France Ferrari, Agnès Guérin, Geneviève Hanquet, Gabrielle Rolin, Nicole Thenen, Dominique de Wespin.

Messieurs,

Pierre Alechinsky, A. Andries, premier avocat général près la Cour militaire, Alain Baran, Jean-Pierre Bertin-Maghit, Martin Conway, Albert Debaty, Pierre Delville, Benoît Denis, Henri Desclez, Guy Dessicy, Paul Dirkx, Yves Duval, Maurice Einhorn, Roger Faligot, Michel Fernez, Louis Gérard, Jean Godin, Bernard Goorden, Laurent Greilsamer, Alexis-Jean Hennebert, Bernard Heuvelmans, Luc Huyse, Frans Jagueneau, Paul Jamin, Stéphane Janssen, Raymond Leblanc, Jean Libert, Arnould de Liedekerke, Félicien Marceau, Jacques Martin, Gabriel Matzneff, Maurice Mességué, M. Meyers, Pascal Ory, Benoit Peeters, Henri Plard, Didier Platteau, Étienne Pollet, Henri Roanne-Rosenblatt, Charles Ronsac, Numa Sadoul, Pierre Sissmann, Marcel Stal, Stéphane Steeman, Pierre Sterckx, Tchang Tchong Jen, Pierre Ugeux, William Ugeux, Claude de Valkeneer, Pol Vandromme.

Quelques amitiés sont nées à la faveur de cette enquête. J'ose espérer qu'elles ne disparaîtront pas après lecture.

Merci enfin à Angela, qui aurait quelque raison de détester les biographies, et à Meryl et Kate, qui préfèrent encore les bandes dessinées. Elles ont suivi tout ça de la première à la dernière minute, m'ont constamment soutenu et me supportent encore malgré tout. Ce livre est à vous trois.

Cette réédition en format de poche, corrigée, améliorée, enrichie, doit beaucoup aux remarques et suggestions formulées dans des lettres de lecteurs attentifs, essentiellement Daniel du Bois de Vroylande, Jean-Yves Brouard, Gustave Dessers, Philippe Destatte, Pierre Deligny, Bruno Dufresne, Philippe Goddin, Bernard Heuvelmans, Pierre Logié, Thierry Martens, Didier Pasamonik, Dominique Petitfaux, Désiré Roegiest.

INDEX DES NOMS

INDEX DES ŒUVRES D'HERGÉ

DU MÊME AUTEUR

Biographies

MONSIEUR DASSAULT, Balland, 1983

GASTON GALLIMARD, Balland, 1984 (Folio, nº 4353)

UNE ÉMINENCE GRISE : JEAN JARDIN, Balland, 1986 (Folio, nº 1921)

L'HOMME DE L'ART : D. H. KAHNWEILER (1884-1979), Balland, 1987 (Folio, nº 2018)

ALBERT LONDRES, VIE ET MORT D'UN GRAND REPORTER, Balland, 1989 (Folio, nº 2143)

SIMENON, Julliard, 1992 (Folio, nº 2797)

HERGÉ, Plon, 1996 (Folio, nº 3064)

LE DERNIER DES CAMONDO, Gallimard, 1997 (Folio, nº 3268)

CARTIER-BRESSON, L'ŒIL DU SIÈCLE, Plon, 1999 (Folio, nº 3455)

GRÂCES LUI SOIENT RENDUES : PAUL DURAND-RUEL, LE MARCHAND DES IMPRESSIONNISTES, Plon, 2002 (Folio, nº 3999)

ROSEBUD, ÉCLATS DE BIOGRAPHIES, Gallimard, 2006 (Folio, nº 4675)

Entretiens

LE FLÂNEUR DE LA RIVE GAUCHE, AVEC ANTOINE BLONDIN, François Bourin, 1988, La Table Ronde, 2004

SINGULIÈREMENT LIBRE, AVEC RAOUL GIRARDET, Perrin, 1990

Enquêtes

DE NOS ENVOYÉS SPÉCIAUX (avec Philippe Dampenon), J.-C. Simoën, 1977

LOURDES, HISTOIRES D'EAU, Alain Moreau, 1980

LES NOUVEAUX CONVERTIS, Albin Michel, 1982 (Folio Actuel, nº 30)

L'ÉPURATION DES INTELLECTUELS, Complexe, 1985, réédition augmentée, 1990

GERMINAL, L'AVENTURE D'UN FILM, Fayard, 1993

BRÈVES DE BLOG. LE NOUVEL ÂGE DE LA CONVERSATION, Éditions des Arènes, 2008

Récit

LE FLEUVE COMBELLE, Calmann-Lévy, 1997 (Folio, nº 3941)

Roman

LA CLIENTE, Gallimard, 1998 (Folio, nº 3347)

DOUBLE VIE, Gallimard, 2001, prix des Libraires (Folio, nº 3709)

ÉTAT LIMITE, Gallimard, 2003 (Folio, nº 4129)

LUTETIA, Gallimard, 2005, prix des Maisons de la presse (Folio, nº 4398)

LE PORTRAIT, Gallimard, 2007, prix de la Langue française (Folio, nº 4897)

LES INVITÉS, Gallimard, 2009

COLLECTION FOLIO

Dernières parutions

4727. Antoine Bello — *Les falsificateurs.*
4728. Jeanne Benameur — *Présent ?*
4729. Olivier Cadiot — *Retour définitif et durable de l'être aimé.*
4730. Arnaud Cathrine — *La disparition de Richard Taylor.*
4731. Maryse Condé — *Victoire, les saveurs et les mots.*
4732. Penelope Fitzgerald — *L'affaire Lolita.*
4733. Jean-Paul Kauffmann — *La maison du retour.*
4734. Dominique Mainard — *Le ciel des chevaux.*
4735. Marie Ndiaye — *Mon cœur à l'étroit.*
4736. Jean-Christophe Rufin — *Le parfum d'Adam.*
4737. Joseph Conrad — *Le retour.*
4738. Roald Dahl — *Le chien de Claude.*
4739. Fédor Dostoïevski — *La femme d'un autre et le mari sous le lit.*
4740. Ernest Hemingway — *La capitale du monde* suivi de *L'heure triomphale de François Macomber.*
4741. H.P. Lovecraft — *Celui qui chuchotait dans les ténèbres.*
4742. Gérard de Nerval — *Pandora* et autres nouvelles.
4743. Juan Carlos Onetti — *À une tombe anonyme.*
4744. R.L. Stevenson — *La Chaussée des Merry Men.*
4745. H.D. Thoreau — *« Je vivais seul, dans les bois ».*
4746. Michel Tournier — *L'aire du Muguet* précédé de *La jeune fille et la mort.*
4747. Léon Tolstoï — *La Tempête de neige* et autres récits.
4748. Tonino Benacquista — *Le serrurier volant.*
4749. Bernard du Boucheron — *Chien des os.*
4750. William S. Burroughs — *Junky.*
4751. Françoise Chandernagor — *La voyageuse de nuit.*

4752. Philippe Delerm	*La tranchée d'Arenberg et autres voluptés sportives.*
4753. Franz-Olivier Giesbert	*L'affreux.*
4754. Andrea Levy	*Hortense et Queenie.*
4755. Héléna Marienské	*Rhésus.*
4756. Per Petterson	*Pas facile de voler des chevaux.*
4757. Zeruya Shalev	*Thèra*
4758. Philippe Djian	*Mise en bouche.*
4759. Diane de Margerie	*L'Étranglée.*
4760. Joseph Conrad	*Le Miroir de la mer.*
4761. Saint Augustin	*Confessions. Livre X.*
4762. René Belletto	*Ville de la peur.*
4763. Bernard Chapuis	*Vieux garçon.*
4764. Charles Julliet	*Au pays du long nuage blanc.*
4765. Patrick Lapeyre	*La lenteur de l'avenir.*
4766. Richard Millet	*Le chant des adolescentes.*
4767. Richard Millet	*Cœur blanc.*
4768. Martin Amis	*Chien Jaune.*
4769. Antoine Bello	*Éloge de la pièce manquante.*
4770. Emmanuel Carrère	*Bravoure*
4771. Emmanuel Carrère	*Un roman russe*
4772. Tracy Chevalier	*L'innocence*
4773. Sous la direction d'Alain Finkielkraut	*Qu'est-ce que la France?*
4774. Benoît Duteurtre	*Chemins de fer.*
4775. Philippe Forest	*Tous les enfants sauf un.*
4776. Valentine Goby	*L'échappée.*
4777. Régis Jauffret	*L'enfance est un rêve d'enfant.*
4778. David McNeil	*Angie ou les douze mesures d'un blues.*
4779. Grégoire Polet	*Excusez les fautes du copiste*
4780. Zoé Valdés	*L'éternité de l'instant*
4781. Collectif	*Sur le zinc. Au café avec les écrivains.*
4782. Francis Scott Fitzgerald	*L'étrange histoire de Benjamin Button* suivi de *La lie du bonheur.*
4783. Lao She	*Le nouvel inspecteur* suivi de *Le croissant de lune.*

4784. Guy de Maupassant — *Apparition et autres contes de l'étrange.*
4785. D. A. F. de Sade — *Eugénie de Franval.*
4786. Patrick Amine — *Petit éloge de la colère.*
4787. Élisabeth Barillé — *Petit éloge du sensible.*
4788. Didier Daeninckx — *Petit éloge des faits divers.*
4789. Nathalie Kuperman — *Petit éloge de la haine.*
4790. Marcel Proust — *La fin de la jalousie.*
4791. Friedrich Nietzsche — *Lettres choisies.*
4792. Alexandre Dumas — *La Dame de Monsoreau.*
4793. Julian Barnes — *Arthur & George.*
4794. François Bégaudeau — *Jouer juste.*
4795. Olivier Bleys — *Semper Augustus.*
4796. Éric Fottorino — *Baisers de cinéma.*
4797. Jens Christian Grøndahl — *Piazza Bucarest.*
4798. Orhan Pamuk — *Istanbul.*
4799. J.-B. Pontalis — *Elles.*
4800. Jean Rolin — *L'explosion de la durite.*
4801. Willy Ronis — *Ce jour-là.*
4802. Ludovic Roubaudi — *Les chiens écrasés.*
4803. Gilbert Sinoué — *Le colonel et l'enfant-roi.*
4804. Philippe Sollers — *L'évangile de Nietzsche.*
4805. François Sureau — *L'obéissance.*
4806. Montesquieu — *Considérations sur les causes de la grandeur des Romains et de leur décadence.*
4807. Collectif — *Des nouvelles de McSweeney's.*
4808. J. G. Ballard — *Que notre règne arrive.*
4809. Erri De Luca — *Sur la trace de Nives.*
4810. René Frégni — *Maudit le jour.*
4811. François Gantheret — *Les corps perdus.*
4812. Nikos Kavvadias — *Le quart.*
4813. Claudio Magris — *À l'aveugle.*
4814. Ludmila Oulitskaïa — *Mensonges de femmes.*
4815. Arto Paasilinna — *Le bestial serviteur du pasteur Huuskonen.*
4816. Alix de Saint-André — *Il n'y a pas de grandes personnes.*
4817. Dai Sijie — *Par une nuit où la lune ne s'est pas levée.*

Composition Jouve.
Impression CPI Bussière
à Saint-Amand (Cher), le 15 mars 2009.
Dépôt légal : mars 2009.
1er dépôt légal dans la collection : avril 1998.
Numéro d'imprimeur : 090904/1.
ISBN 978-2-07-040235-9./Imprimé en France.

168969